Violette Leduc

La bâtarde

Préface
de Simone de Beauvoir

Gallimard

Quand, au début de 1945, je commençai à lire le manuscrit de Violette Leduc — « Ma mère ne m'a jamais donné la main » — je fus tout de suite saisie : un tempérament, un style. Camus accueillit d'emblée L'Asphyxie dans sa collection « Espoir ». Genet, Jouhandeau, Sartre saluèrent l'apparition d'un écrivain. Dans les livres qui suivirent, son talent s'affirma. Des critiques exigeants le reconnurent hautement. Le public bouda. Malgré un considérable succès d'estime, Violette Leduc est restée obscure.

On dit qu'il n'y a plus d'auteur méconnu ; n'importe qui ou presque peut se faire éditer. Mais justement ; la médiocrité foisonne ; le bon grain est étouffé par l'ivraie. La réussite dépend, la plupart du temps, d'un coup de chance. Cependant, la malchance même a ses raisons. Violette Leduc ne veut pas plaire ; elle ne plaît pas et même elle effraie. Les titres de ses livres — L'Asphyxie, L'Affamée, Ravages — ne sont pas riants. Si on les feuillette, on entrevoit un monde plein de bruit et de fureur, où l'amour souvent porte le nom de haine, où la passion de vivre s'exhale en cris de désespoir ; un monde dévasté par la solitude et qui de loin paraît aride. Il ne l'est pas. « Je suis un désert qui mono-

7

logue », m'a écrit un jour Violette Leduc. J'ai rencontré dans les déserts des beautés innombrables. Et quiconque nous parle du fond de sa solitude nous parle de nous. L'homme le plus mondain ou le plus militant a ses sous-bois, où personne ne s'aventure, pas même lui, mais qui sont là : la nuit de l'enfance, les échecs, les renoncements, le brusque émoi d'un nuage au ciel. Surprendre un paysage, un être tels qu'ils existent en notre absence : rêve impossible que nous avons tous caressé. Si nous lisons La Bâtarde, il se réalise, ou presque. Une femme descend au plus secret de soi et elle se raconte avec une sincérité intrépide, comme s'il n'y avait personne pour l'écouter.

« Mon cas n'est pas unique », dit Violette Leduc en commençant ce récit. Non : mais singulier et significatif. Il montre avec une exceptionnelle clarté qu'une vie, c'est la reprise d'un destin par une liberté.

Dès les premières pages, l'auteur nous accable sous le poids des fatalités qui l'ont façonnée. Pendant toute son enfance, sa mère lui a insufflé un irrémédiable sentiment de culpabilité : coupable d'être née, d'avoir une santé fragile, de coûter de l'argent, d'être femme et vouée aux malheurs de la condition féminine. Elle a vu son reflet dans deux yeux bleus et durs : une faute vivante. Sa grand-mère l'a préservée par sa tendresse d'une totale destruction. Violette Leduc lui doit d'avoir sauvegardé une vitalité et un fond d'équilibre qui, aux pires moments de son histoire, l'ont empêchée de sombrer. Mais le rôle de « l'ange Fidéline » n'était que secondaire et elle est morte tôt. L'Autre s'incarnait dans la mère au regard d'acier. Ecrasée par elle, l'enfant a voulu totalement s'annihiler. Elle l'a idolâtrée ; elle a gravé en soi sa loi : fuir les hommes ; elle s'est vouée à la servir et lui a fait don de son avenir. La mère s'est mariée : la petite fille a été brisée par cette trahison. Désormais elle a eu peur de toutes les consciences, parce qu'elles détenaient le pouvoir de la changer en monstre ; de toutes les présences, parce qu'elles risquaient de se fondre en absence. Elle s'est blottie en elle-même. Par angoisse, par déception, par rancœur, elle a choisi le narcissisme, l'égocentrisme, la solitude.

« Ma laideur m'isolera jusqu'à ma mort », écrit Violette Leduc[1]. Cette interprétation ne me satisfait pas. La femme que peint La Bâtarde intéresse des modistes, de grands couturiers — Lelong, Fath — au point qu'ils se plaisent à lui offrir leurs plus audacieuses créations. Elle inspire une passion à Isabelle ; à Hermine, un ardent amour qui dure des années ; à Gabriel des sentiments assez violents pour qu'il l'épouse ; à Maurice Sachs une sympathie décidée. Son « gros nez » ne décourage ni la camaraderie, ni l'amitié. Si parfois elle fait rire, ce n'est pas à cause de lui ; dans sa toilette, sa coiffure, sa physionomie, il y a quelque chose de provocant et d'insolite : on se moque pour se rassurer. Sa laideur n'a pas commandé son destin mais l'a symbolisé : elle a cherché dans son miroir des raisons de s'apitoyer sur soi.

Car, au sortir de son adolescence, elle s'est trouvée prise dans une machine infernale. Cette solitude dont elle a fait son lot, elle la déteste, et parce qu'elle la déteste elle s'y enfonce. Ni ermite, ni exilée, son malheur c'est de ne connaître avec personne un rapport de réciprocité : ou l'autre est pour elle un objet, ou elle se fait objet pour lui. Dans les dialogues qu'elle écrit transparaît son impuissance à communiquer : les interlocuteurs parlent côte à côte et ne se répondent pas ; ils ont chacun leur langage, ils ne se comprennent pas. Même en amour, surtout en amour, l'échange est impossible, parce que Vio-

1. L'Affamée.

lette Leduc n'accepte pas une dualité où couve la menace de la séparation. Toute rupture ressuscite d'une manière intolérable le drame de ses quatorze ans : le mariage de sa mère. « Je ne veux pas qu'on me quitte » : c'est le leitmotiv de Ravages. Il faut donc que le couple ne soit qu'un seul être. Par moments, Violette Leduc prétend s'anéantir, elle joue le jeu du masochisme. Mais elle a trop de vigueur et de lucidité pour s'y tenir longtemps. C'est elle qui dévorera l'être aimé.

Jalouse, exclusive, elle supporte mal l'affection d'Hermine pour sa famille, les relations de Gabriel avec sa mère et sa sœur, ses amitiés d'homme. Elle exige que son amie, sa journée de travail finie, lui consacre tous ses instants ; Hermine cuisine et coud pour elle, écoute ses doléances, se noie avec elle dans le plaisir et cède à tous ses caprices ; Hermine ne réclame rien : sauf, la nuit, de dormir. Insomniaque, Violette s'insurge contre cette désertion. Plus tard, elle l'interdit aussi à Gabriel. « Je hais les dormeurs. » Elle les secoue, les réveille et les oblige par des larmes ou des caresses à garder les yeux ouverts. Moins docile qu'Hermine, Gabriel prétend exercer son métier et disposer de son temps à sa guise ; chaque matin, quand il veut partir, Violette essaie par tous les moyens de le ramener dans leur lit. Elle impute cette tyrannie à ses « entrailles insatiables ». En vérité, elle désire tout autre chose que la volupté : la possession. Quand elle fait jouir Gabriel, quand elle le reçoit en elle, il lui appartient ; l'union est réalisée. Dès qu'il sort de ses bras, il est de nouveau cet ennemi : un autre.

« Mirages identiques de la présence et de l'absence [1]. » L'absence est un supplice : l'attente angoissée d'une présence ; la présence est un intermède entre deux absences : un martyre. Violette Le-

1. L'Affamée.

duc déteste ses bourreaux. Ils ont — comme tout le monde — une connivence avec soi-même qui l'exclut ; et aussi certaines qualités dont elle est démunie : elle se sent lésée. Elle envie à Hermine sa bonne santé, son équilibre, son activité, sa gaieté ; elle envie Gabriel parce que c'est un homme. Elle ne peut ruiner leurs privilèges qu'en détruisant leur personne tout entière : elle s'y essaie.

« Tu veux me détruire », dit Gabriel. Oui. Pour supprimer ce qui les différencie ; et pour se venger. « Je me vengeais de sa présence trop parfaite », dit-elle à propos d'Hermine. Quand, l'un après l'autre, ils la quittent pour toujours, elle se désespère ; et pourtant elle a atteint son but. Sourdement elle voulait briser cette liaison, ce mariage. Par goût de l'échec. Parce qu'elle vise sa propre destruction. Elle est « la mante religieuse se dévorant elle-même ». Mais elle a trop de santé pour ne travailler qu'à sa ruine. En vérité, elle perd à la fois pour perdre et pour gagner. Ses ruptures sont des reconquêtes de soi.

A travers tempêtes et bonaces elle garde toujours — c'est sa force — le souci de se préserver. Elle ne se donne jamais tout entière. Après quelques semaines ardentes, elle a vite fait de se soustraire à la passion d'Isabelle. Au début de sa vie commune avec Hermine, elle lutte pour continuer à travailler et à pourvoir à ses besoins. Vaincue par le médecin, sa mère, Hermine, la dépendance lui pèse. Elle s'y dérobe grâce à la camaraderie équivoque qu'elle entretient avec Gabriel et qui demeure longtemps clandestine. Mariée avec lui, elle conteste ce lien en brûlant pour Maurice Sachs. Quand Sachs, parti comme travailleur libre à Hambourg, souhaite revenir au village où ils ont passé quelques mois ensemble, elle refuse de l'y aider. Transportant à la force de ses poignets des valises pleines de beurre et de gigots, amassant des fortunes, fourbue et triom-

phante, elle connaît la griserie de se surpasser. Sachs dérangerait l'univers sur lequel elle règne, droite et fière comme un cyprès. « Il sera là, je rentrerai sous terre. »

Autrui toujours la frustre, la blesse, l'humilie. Quand elle se collette avec le monde, sans secours, quand elle travaille et qu'elle réussit, la joie la soulève. Cette pleurnicheuse, c'est aussi la voyageuse qui dans Trésors à prendre parcourt la France sac au dos, enivrée par ses découvertes et par sa propre énergie. Une femme qui se suffit : c'est sous cette figure que Violette Leduc se plaît. « J'allais jusqu'au bout de mes efforts : enfin j'existais. »

Pourtant elle a besoin d'aimer. Il lui faut quelqu'un à qui dédier ses élans, ses tristesses, ses enthousiasmes. L'idéal serait de se vouer à un être qui ne l'encombre pas de sa présence, à qui elle puisse tout donner sans qu'il lui prenne rien. Ainsi chérit-elle Fidéline — « Ma reinette qui ne vieillit pas » — merveilleusement embaumée dans sa mémoire ; et Isabelle, devenue au fond du passé une éblouissante idole. Elle les invoque, se caresse à leur image, se prosterne à leurs pieds. Pour Hermine absente et déjà perdue, son cœur s'affole. Elle a le coup de foudre pour Maurice Sachs, et plus tard pour deux autres homosexuels : l'obstacle qui la sépare d'eux est aussi infranchissable qu'une année-lumière ; en leur compagnie elle « brûle dans le brasier de l'impossible ». Il y a de la volupté dans un désir inassouvi quand il n'enferme aucun espoir. La femme que dans L'Affamée Violette Leduc appelle : Madame, n'est pas moins inaccessible. Dans La Vieille Fille et le mort, l'auteur a poussé à l'extrême le fantasme d'un amour sans réciprocité, où l'autre serait réduit à la passivité des choses. Mlle Clarisse, vieille fille à cinquante ans — non parce que les hommes l'ont négligée, mais pour les avoir dédaignés — trouve un soir dans le café attenant à son épicerie un inconnu, mort ; elle lui prodigue ses soins et sa tendresse sans qu'il gêne ses épanchements ; elle lui parle et invente ses réponses. Mais l'illusion se dissipe : puisqu'il n'a rien reçu, elle n'a rien donné ; il ne l'a pas réchauffée ; elle se retrouve seule devant un cadavre. Les amours à distance délabrent Violette Leduc autant que les amours partagées.

« Tu ne seras jamais contente », lui dit Hermine. Hermine la tue en l'accablant de ses dons, et Gabriel en se refusant. La présence la détraque, l'absence la ravage. Elle nous livre la clé de cette malédiction : « Je vins au monde, je fis le serment d'avoir la passion de l'impossible. » Cette passion l'a possédée du jour où, trahie par sa mère, elle s'est réfugiée auprès du fantôme de son père inconnu. Ce père avait existé, et c'était un mythe ; en entrant dans son univers elle est entrée dans une légende : elle a choisi l'imaginaire qui est une des figures de l'impossible. Il avait été riche et raffiné ; elle a ressuscité ses goûts, sans espérer les satisfaire. Entre vingt et trente ans elle a convoité jusqu'au vertige le luxe de Paris : meubles, toilettes, bijoux, belles autos. Mais elle n'a pas ébauché le moindre effort pour y accéder : « Qu'est-ce que je voulais ? Ne rien faire et tout posséder. » Le rêve de grandeur comptait plus que la grandeur même. Elle se nourrit de symboles. Elle transfigure les instants par des rites : l'apéritif pris au sous-sol avec Hermine, le champagne bu avec sa mère appartiennent à une vie fictive. Elle se déguise quand elle enfile, au son d'irréels tambours, le tailleur anguille de Schiaparelli, et sa promenade sur les grands boulevards est une parodie.

Cependant, ces leurres ne la satisfont pas. Elle a gardé de son enfance paysanne le besoin de tenir des choses solides dans ses mains, de peser sur terre d'accomplir de vrais actes. Fabriquer de la réalité

13

avec de l'imaginaire : c'est le propre des artistes et des écrivains. Elle va s'acheminer vers cette issue.

Dans ses relations avec autrui, elle n'avait fait qu'assumer son destin. Elle lui invente un sens imprévu quand elle s'oriente vers la littérature. Tout a commencé le jour où elle est entrée dans une librairie demander un livre de Jules Romains. Dans son récit, elle ne souligne pas l'importance de ce fait dont sur l'instant elle ne soupçonna évidemment pas les conséquences. Un lecteur inattentif ne verra dans son histoire qu'une suite de hasards. Il s'agit en vérité d'un choix qui se maintient et se renouvelle pendant une quinzaine d'années avant d'aboutir à une œuvre.

Tant qu'elle a vécu dans l'ombre de sa mère, Violette Leduc a méprisé les livres ; elle préférait voler un chou à l'arrière d'une charrette, cueillir de l'herbe pour les lapins, bavarder, vivre. Du jour où elle s'est tournée vers son père, les livres — qu'il avait aimés — l'ont fascinée. Solides, brillants, ils enfermaient sous leur belle couverture glacée des mondes où l'impossible devient possible. Elle a acheté et dévoré Mort de quelqu'un. Romains. Duhamel. Gide. Elle ne les lâchera plus. Quand elle décide de prendre un métier, elle fait passer une annonce dans la Bibliographie de la France. Elle entre dans une maison d'éditions, elle rédige des échos ; elle n'ose pas encore songer à faire des livres, mais elle se nourrit de visages et de noms célèbres. Après sa rupture avec Hermine, elle s'arrange pour travailler chez un imprésario de cinéma ; elle lit des synopsis, elle en propose des développements. Ainsi a-t-elle infléchi le cours de son existence et provoqué la chance qui lui a fait rencontrer Maurice Sachs. Elle l'intéresse, il apprécie ses lettres, il lui conseille d'écrire. Elle débute par des nouvelles et des reportages qu'elle donne à un magazine féminin. Plus tard, lassé par le ressassement de ses souvenirs

d'enfance, il lui dira : écrivez-les donc. Ce sera
L'Asphyxie.

Tout de suite elle a compris que la création littéraire pouvait être pour elle un salut. « J'écrirai,
j'ouvrirai les bras, j'embrasserai les arbres fruitiers,
je les donnerai à ma feuille de papier. » Parler à un
mort, à des sourds, à des choses, c'est un jeu grin-
çant. Le lecteur accomplit l'impossible synthèse de
l'absence et de la présence. « Le mois d'août aujour-
d'hui, lecteur, est une rosace de chaleur. Je te
l'offre, je te la donne. » Il reçoit ce cadeau sans
déranger la solitude de l'auteur. Il écoute son monologue ; il n'y répond pas, mais il le justifie.

Encore faut-il avoir quelque chose à lui dire.
Éprise d'impossible, Violette Leduc n'a pourtant
pas perdu contact avec le monde ; au contraire, elle
l'étreint pour combler sa solitude. Sa situation singulière la protège contre les visions préfabriquées.
Ballottée d'échec en nostalgie, elle ne prend rien
pour accordé ; inlassablement elle interroge et elle
recrée avec des mots ce qu'elle a découvert. C'est
parce qu'elle avait tant à dire que son auditeur fatigué lui a mis une plume entre les mains.

Obsédée par elle-même, toutes ses œuvres — sauf
Les Boutons dorés — sont plus ou moins autobio-
graphiques : souvenirs, journal d'un amour, ou plutôt d'une absence ; journal d'un voyage ; roman qui
transpose une période de sa vie ; longue nouvelle
qui met en scène ses fantasmes ; La Bâtarde, enfin,
qui reprend et dépasse ses livres antérieurs.

La richesse de ses récits vient moins des circons-
tances que de la brûlante intensité de sa mémoire :
à chaque instant elle est là tout entière à travers
l'épaisseur des années. Chaque femme aimée ressuscite Isabelle en qui ressuscitait une jeune mère idolâtrée. Le bleu du tablier de Fidéline illumine tous
les ciels d'été. Parfois l'auteur fait un bond dans le
présent ; elle nous invite à nous asseoir à côté d'elle

sur les aiguilles de pin ; ainsi abolit-elle le temps : le passé prend les couleurs de l'heure qui sonne. Une collégienne de cinquante-cinq ans trace des mots sur un cahier. Il arrive aussi, quand ses souvenirs ne suffisent pas à éclairer ses émotions, qu'elle nous entraîne dans des délires ; elle conjure l'absence par des fantasmagories lyriques et violentes. La vie vécue enveloppe la vie rêvée qui transparaît en filigrane dans les récits les plus nus.

Elle est sa principale héroïne. Mais ses protagonistes existent intensément. « Atroce pointillisme du sentiment. » Une intonation de la voix, un froncement de sourcils, un silence, un soupir, tout est promesse ou rebuffade, tout prend un relief dramatique pour celle qui s'est passionnément engagée dans sa relation avec les autres. Le souci « atroce » qu'elle a de leurs moindres gestes, c'est son bonheur d'écrivain. Elle les fait vivre pour nous dans leur inquiétante opacité et leur minutieux détail. La mère, coquette et violente, impérieuse et complice ; Fidéline ; Isabelle ; Hermine ; Gabriel ; Sachs, aussi étonnant que dans ses propres livres : impossible de les oublier.

Parce qu'elle n'est « jamais contente », elle reste disponible ; toute rencontre peut apaiser sa faim ou du moins l'en distraire : à tous ceux qu'elle croise elle accorde une attention aiguë. Elle démasque les tragédies, les farces qui se cachent sous des apparences banales. En quelques pages, en quelques lignes, elle anime les personnages qui ont retenu sa curiosité ou son amitié : la vieille couturière albigeoise qui a habillé la mère de Toulouse-Lautrec ; l'ermite borgne de Beaumes-de-Venise ; Fernand, le « dézingueur », qui abat en tapinois bœufs et moutons, un chapeau haut de forme sur la tête, une rose entre les dents. Emouvants, insolites, ils nous attachent comme ils l'ont attachée.

Elle s'intéresse aux gens. Elle chérit les choses.

Sartre raconte dans **Les Mots** *que, nourri du Littré,
celles-ci lui apparaissaient comme de précaires incar-
nations de leur nom. Pour Violette Leduc au
contraire, le langage est en elles, et le risque que
court l'écrivain est de les trahir. « N'assassine pas
cette chaleur en haut d'un arbre. Les choses parlent
sans toi, retiens-les, ta voix les étouffera. » « Le rosier
ploie sous l'ivresse des roses : que veux-tu lui faire
chanter ? » Elle décide néanmoins d'écrire et de cap-
ter leurs murmures : « J'amènerai le cœur de
chaque chose à la surface. » Quand l'absence la
ravage, elle se réfugie auprès d'elles : elles sont
solides, réelles, et elles ont une voix. Il lui arrive de
s'éprendre de beaux objets étranges ; une année, elle
a ramené du Midi cent vingt kilos de pierres couleur d'aurore où des fossiles avaient laissé leur
empreinte ; une autre fois, elle a rapporté des morceaux de bois aux gris raffinés, aux formes inspirées.
Mais ses compagnons favoris, ce sont les objets fami-
liers : une boîte d'allumettes, un poêle de douanier.
Elle prend à un chausson d'enfant sa chaleur, sa
douceur. Dans son vieux manteau de lapin elle respire avec tendresse l'odeur de son dénuement. Elle
trouve du secours dans une chaise d'église, dans une
horloge : « J'ai pris le dossier dans mes bras. J'ai
touché le bois ciré. Il est affable avec ma joue. »
« Les horloges me consolent. Le balancier va et
vient, à l'extérieur du bonheur, à l'extérieur du
malheur. » La nuit qui a suivi son avortement elle a
cru mourir et elle serrait avec amour la petite poire
électrique suspendue au-dessus de son lit. « Ne me
quitte pas, petite poire chérie. Tu es joufflue, je
m'éteins avec une joue dans le creux de ma main,
une joue vernie que je réchauffe [1]. » Parce qu'elle
sait les aimer, elle nous les fait voir : personne avant
elle ne nous avait montré ces paillettes un peu*

1. Ravages.

*éteintes qui scintillent, incrustées dans les marches
du métro.*

Tous les livres de Violette Leduc pourraient
s'appeler L'Asphyxie. *Elle étouffe auprès d'Hermine, dans leur pavillon de banlieue, et plus tard
dans le réduit de Gabriel. C'est le symbole d'un
confinement plus profond : elle s'étiole dans sa
peau. Mais, par moments, sa robuste santé éclate ;
elle déchire les cloisons, elle délivre l'horizon, elle
s'échappe, elle s'ouvre à la nature et les routes se
déroulent sous ses pieds. Vagabondages, randonnées.
Ni le grandiose, ni l'extraordinaire ne l'attirent.
Elle se plaît en Ile-de-France, en Normandie : des
prés, des clos, des labours, une terre travaillée par
l'homme avec ses fermes, ses vergers, ses maisons, ses
animaux. Souvent le vent, l'orage, la nuit, un ciel
de feu dramatisent cette tranquillité. Violette Leduc
peint des paysages tourmentés qui ressemblent à
ceux de Van Gogh. « Les arbres ont leur crise de
désespoir. » Mais elle sait aussi décrire la paix des
automnes, le printemps timide, le silence d'un chemin creux. Parfois sa simplicité un peu précieuse
fait penser à Jules Renard : « La truie est
trop nue, la brebis trop habillée. » Mais c'est avec
un art tout à fait personnel qu'elle colore les bruits,
ou qu'elle rend visible « le cri étincelant de
l'alouette ». L'abstrait chez elle devient sensible
quand elle évoque « l'enjouement des ombellifères...
l'odeur de détresse de la sciure fraîche... la vapeur
mystique des lavandes en fleur ». Rien de forcé dans
ses notations : spontanément la campagne parle des
hommes qui la cultivent et qui l'habitent. A travers
elle, Violette Leduc se réconcilie avec eux. Elle flâne
volontiers dans leurs villages, ouverts et clos, fermés
sur soi mais où chaque habitant connaît la chaleur
d'un rapport avec tous. Dans les bistrots, les paysans, les rouliers ne l'effarouchent pas ; elle trinque,
elle est confiante et gaie, elle gagne leur amitié.*

« *Qu'est-ce que j'aime de tout mon cœur ? La campagne. Les bois, les forêts... Ma place est chez elle, chez eux...* »

Tout écrivain qui se raconte aspire à la sincérité : chacun a la sienne qui ne ressemble à aucune autre. Je n'en connais pas de plus intègre que celle de Violette Leduc. Coupable, coupable, coupable : la voix de sa mère retentit encore en elle ; un juge mystérieux la traque. Malgré cela, grâce à cela, personne ne l'intimide. Les torts que nous lui imputerons ne seront jamais aussi graves que ceux dont d'invisibles persécuteurs la chargent. Elle étale devant nous toutes les pièces du dossier afin que nous la délivrions du mal qu'elle n'a pas commis.

L'érotisme tient une grande place dans ses livres ; ni gratuitement, ni par provocation. Elle n'est pas née d'un couple, mais de deux sexes. A travers les rabâchages de sa mère, elle s'est connue d'abord comme un sexe maudit, menacé par les mâles. Adolescente cloîtrée, elle croupissait dans un narcissisme maussade quand Isabelle lui a appris le plaisir : elle a été foudroyée par cette transfiguration de son corps en délices. Vouée à des amours qu'on appelle anormales, elle les a revendiquées. D'autre part, même si parmi les noms qu'elle donne à sa solitude elle emprunte parfois celui de Dieu, elle est solidement matérialiste. Elle ne cherche pas à imposer à autrui ses idées ou une image de soi. Son rapport avec lui est charnel. La présence, c'est le corps ; la communication s'opère de corps à corps. Chérir Fidéline, c'est s'enfouir dans sa jupe ; être rejetée par Sachs, c'est subir ses baisers « abstraits » ; le narcissisme s'achève dans l'onanisme. Les sensations sont la vérité des sentiments. Violette Leduc pleure, exulte, palpite avec ses ovaires. Elle ne dirait rien sur elle si elle ne nous en parlait pas. Elle voit les autres à travers ses désirs : Hermine et son ardeur paisible ; le masochisme ironique de Gabriel ; la pédérastie de Sachs. Elle s'intéresse, au hasard des rencontres, à tous les gens qui ont réinventé pour leur compte la sexualité : tel Cataplame, au début de *La Bâtarde*. L'érotisme chez elle ne débouche sur aucun mystère et ne s'embarrasse pas de fadaises ; cependant, c'est la clef privilégiée du monde ; c'est à sa lumière qu'elle découvre la ville et les campagnes, l'épaisseur des nuits, la fragilité de l'aube, la cruauté d'un tintement de cloches. Pour en parler, elle s'est forgé un langage sans mièvrerie ni vulgarité que je trouve une remarquable réussite. Elle a effarouché pourtant les éditeurs. Ils ont expulsé de *Ravages* le récit de ses nuits avec Isabelle[1]. Des points de suspension y remplacent çà et là des passages supprimés. De *La Bâtarde* ils ont tout accepté. L'épisode le plus osé montre Violette et Hermine couchant ensemble sous les yeux d'un voyeur : il est raconté avec une simplicité qui désarme la censure. L'audace retenue de Violette Leduc est une de ses plus saisissantes qualités, mais qui l'a sans doute desservie : elle scandalise les puritains, et la chiennerie n'y trouve pas son compte.

De nos jours, les confessions sexuelles abondent. Il est beaucoup plus rare qu'un écrivain parle avec franchise de l'argent. Violette Leduc ne cache pas l'importance qu'il a pour elle : il matérialise, lui aussi, ses rapports avec autrui. Enfant, elle rêve de travailler pour en donner à sa mère ; rejetée, elle la nargue en lui chipant, par-ci par-là. Gabriel la hisse sur un piédestal quand il vide pour elle son portemonnaie ; il la ravale dès qu'il économise. Un des traits qui la fascinent chez Sachs, c'est sa prodigalité. Elle se plaît à quémander : c'est prendre une revanche sur ceux qui possèdent. Surtout, elle aime gagner : elle s'affirme, elle existe. Elle amasse avec

---

1. Dont elle a repris une partie dans *La Bâtarde*. Le récit complet a paru en tirage limité sous le titre *Thérèse et Isabelle*.

passion ; depuis son enfance, elle est habitée par la peur de manquer ; et elle mesure son importance à l'épaisseur des liasses qu'elle épingle sous sa jupe. Dans la fraternité des bistrots de village, il lui arrive de payer joyeusement des tournées. Mais elle ne cache pas qu'elle est avare : par prudence, par égocentrisme, par ressentiment. « Aider mon prochain. Est-ce qu'on m'aidait quand je crevais de chagrin ? » Dureté, rapacité : elle en convient avec une surprenante bonne foi.

Elle avoue d'autres petitesses que d'habitude on déguise avec soin. Nombreux ont été les aigris qui ont tiré rageusement bénéfice de la défaite : leur premier soin a été, par la suite, de le faire oublier. Violette Leduc admet tranquillement que l'occupation lui a donné ses chances et qu'elle en a profité ; elle n'était pas fâchée que le malheur tombe pour une fois sur d'autres têtes que la sienne ; embauchée par une revue féminine et convaincue d'être une nullité, elle redoutait la fin de la guerre qui entraînerait le retour des « valeurs » et son expulsion. Elle ne s'excuse ni ne s'accuse : ainsi était-elle ; elle comprend pourquoi et nous le fait comprendre.

Cependant elle n'atténue rien. La plupart des écrivains, quand ils confessent de mauvais sentiments, en ôtent les épines par leur franchise même. Elle nous oblige à les saisir, en elle, en nous, dans leur âcreté brûlante. Elle demeure complice de ses envies, de ses rancœurs, de ses mesquineries ; par là elle prend les nôtres en charge et nous délivre de la honte : personne n'est monstrueux si nous le sommes tous.

Cette audace lui vient de son ingénuité morale. Il est extrêmement rare qu'elle s'adresse un reproche ou esquisse une défense. Elle ne se juge pas, elle ne juge personne. Elle se plaint ; elle s'emporte contre sa mère, contre Hermine, Gabriel, Sachs : elle ne les condamne pas. Elle s'attendrit souvent ; parfois elle admire ; elle ne s'indigne jamais. Sa culpabilité lui est venue du dehors, sans qu'elle en fût plus responsable que de la couleur de ses cheveux ; aussi le bien, le mal, sont-ils pour elle des mots vides. Les choses dont elle a le plus souffert — son visage « impardonnable », le mariage de sa mère — ne sont pas cataloguées comme des fautes. Inversement : ce qui ne la touche pas personnellement la laisse indifférente. Elle appelle les Allemands « les ennemis » pour indiquer que cette notion empruntée lui demeure extérieure. Elle n'est solidaire d'aucun camp. Elle n'a pas le sens de l'universel ni du simultané ; elle est là où elle est, avec le poids de son passé sur ses épaules. Jamais elle ne triche ; jamais elle ne cède à des prétentions ni ne s'incline devant des conventions. Sa scrupuleuse honnêteté a la valeur d'une mise en question.

Dans ce monde nettoyé des catégories morales, sa sensibilité seule la guide. Guérie de son goût pour le luxe et les mondanités, elle se range avec décision aux côtés des pauvres, des délaissés. Ainsi est-elle fidèle au dénuement et aux modestes joies de son enfance ; et aussi à sa vie présente, car après les années triomphantes du marché noir, elle s'est retrouvée sans un sou. Elle vénère le dépouillement de Van Gogh, du curé d'Ars. Toutes les détresses trouvent en elle un écho : celle des abandonnés, des égarés, des enfants sans foyer, des vieillards sans enfant, des vagabonds, des clochards, des lavandières aux mains gercées, des petites bonnes de quinze ans. Elle se désole quand — dans Trésors à prendre, avant la guerre d'Algérie — elle voit la patronne d'un restaurant refuser de servir un marchand de tapis algérien. Mise en présence de l'injustice, elle prend aussitôt parti pour l'opprimé, pour l'exploité. Ils sont ses frères, elle se reconnaît en eux. Et puis, les gens situés en marge de la société lui semblent plus vrais que les citoyens bien rangés qui se plient à des rôles. Elle préfère un estaminet de campagne à un bar élégant ; au confort des premières classes, un compartiment de troisième qui sent l'ail et le lilas. Ses décors, ses personnages appartiennent à ce monde des petites gens que la littérature d'aujourd'hui passe d'ordinaire sous silence.

Malgré « les larmes et les cris », les livres de Violette Leduc sont « ravigotants » — elle aime ce mot — à cause de ce que j'appellerai son innocence dans le mal, et parce qu'ils arrachent à l'ombre tant de richesses. Des chambres étouffantes, des cœurs désolés ; les petites phrases haletantes nous prennent à la gorge : soudain un grand vent nous emporte sous le ciel sans fin et la gaieté bat dans nos veines. Le cri de l'alouette étincelle au-dessus de la plaine nue. Au fond du désespoir nous touchons la passion de vivre et la haine n'est qu'un des noms de l'amour.

La Bâtarde s'arrête au moment où l'auteur a achevé le récit de cette enfance qu'elle raconte aussi au début de ce livre. Ainsi la boucle est bouclée. L'échec du rapport à autrui a abouti à cette forme privilégiée de communication : une œuvre. Je voudrais avoir convaincu le lecteur d'y entrer : il y trouvera beaucoup plus encore que je ne lui ai promis.

Simone de Beauvoir.

Mon cas n'est pas unique : j'ai peur de mourir et je suis navrée d'être au monde. Je n'ai pas travaillé, je n'ai pas étudié. J'ai pleuré, j'ai crié. Les larmes et les cris m'ont pris beaucoup de temps. La torture du temps perdu dès que j'y réfléchis. Je ne peux pas réfléchir longtemps mais je peux me complaire sur une feuille de salade fanée où je n'ai que des regrets à remâcher. Le passé ne nourrit pas. Je m'en irai comme je suis arrivée. Intacte, chargée de mes défauts qui m'ont torturée. J'aurais voulu naître statue, je suis une limace sous mon fumier. Les vertus, les qualités, le courage, la méditation, la culture. Bras croisés, je me suis brisée à ces mots-là.

Lecteur, mon lecteur, j'écrivais dehors, sur la même pierre il y a un an. Mon papier quadrillé n'a pas changé, l'alignement des vignes est pareil au-dessous de la chevauchée des collines. Au troisième rang, c'est encore la buée de chaleur. Mes collines baignent dans leur auréole de douceur. Suis-je partie, suis-je revenue ? Vivre ne serait donc plus mourir sans répit avec les secondes de ma montre-bracelet. Cependant mon extrait de naissance me fascine. Ou bien me révolte. Ou bien m'ennuie. Je le relis du début à la fin chaque fois que j'en ai besoin, je me retrouve dans la longue galerie où se répercute le bruit des ciseaux du médecin-accoucheur. J'écoute, je frissonne. Finis les vases communicants que nous étions lorsqu'elle me portait. Me voici née sur un registre de salle de mairie, à la pointe de la plume d'un employé de mairie. Pas de saletés, pas de placenta : de l'écriture, un enregistrement. Qui est-ce Violette Leduc ? L'arrière-grand-mère de son arrière-grand-mère après tout. Relisons-le, relisons-le. Ça, une naissance ? Une boule de naphtaline avec son odeur de bouderie. Des femmes trichent, des femmes souffrent. Elles plaisaient : elles effacent leur âge. Je claironne le mien puisque je ne plaisais pas, puisque j'aurai toujours mes cheveux d'enfant. Il m'a fallu deux heures et demie pour écrire cela, deux pages et demie de mon cahier quadrillé. J'avancerai, je ne me découragerai pas.

Lendemain matin, huit heures du matin du 24 juin 1962. J'ai changé d'endroit, j'écris dans les bois à cause de la chaleur. Commencé ma journée en cueillant un bouquet de pois de senteur sauvages, en ramassant une plume d'oiseau. Et je me plains d'être au monde, dans un monde de trilles et de chardonnerets. Les châtaigniers sont minces, leur tronc est indolent. La lumière, ma lumière domptée par le feuillage. C'est nouveau et c'est la nouveauté de ma journée.

Tu deviens mon enfant, ma mère, quand vieille femme tu te souviens avec une précision d'horloger. Tu parles, je te reçois. Tu parles, je te porte dans ma tête. Oui, pour toi, mon ventre a une chaleur de volcan. Tu parles, je me tais. Je suis née porteuse de ton malheur comme on naît porteuse d'offrandes. Pour vivre, tu sais vivre dans le passé. Parfois j'en suis lasse jusqu'à tomber malade ; parfois lorsque vers minuit, moi couchée, toi assise dans un fauteuil, tu me dis : « Je n'ai aimé que lui, je n'ai aimé qu'une fois, donne-moi une gommette », je deviens lyre et vibraphone pour ta crinière de poussière. Tu es vieille, tu te délaisses, j'ouvre la bonbonnière. Tu me dis : « Tu as sommeil ? Tu fermes les yeux. » Je n'ai pas sommeil. Je veux me défaire de ta vieillesse. J'enroule mes cheveux dans mes bigoudis, mes doigts chantent tes vingt-cinq ans, tes yeux bleus, tes cheveux noirs, ta frange modelée, ta guimpe, le tulle, ton grand chapeau, ma souffrance à cinq ans. Mon élégante, mon infroissable, ma courageuse, ma vaincue, ma radoteuse, ma gomme à m'effacer, ma jalouse, ma juste, mon injuste, ma commandante, ma timorée. Qu'est-ce que vont dire les gens ? Qu'est-ce que vont penser les gens ? Qu'est-ce que diraient les gens ? Nos litanies, nos transfusions. Quand nous revenons de la plage le soir, quand tu entres dans les boutiques, quand tu as la réplique, quand tu charmes les ménagères, je t'attends dehors, je ne veux pas t'accompaner. Je rage dans l'ombre, je te déteste, pourtant je dois t'aimer puisque je me supprime à cause des clients, des livreurs, des voisins. Tu reviens, je te dis : « Tu l'as aimé. Quel pauvre type c'était. » Tu te hérisses. Non je ne veux pas te démolir en le démolissant. « Un prince. Un vrai prince. » Voilà comment tu l'appelais. J'écoutais, je bavais, je ne bave plus. Le lendemain, chez l'épicière, tu dis : « Des beaux fruits. C'est pour la déesse. J'aurais des reproches. » Tu me blesses. Tu n'aurais pas des reproches. Quelle sombre jeune fille tu as été. La mauvaise soupe des orphelinats t'avait coupé les jambes. Toujours fatiguée, toujours trop fatiguée. Pas de bals, pas de sorties, pas d'amies. Dédaigneuse, fermée, exténuée. Le dimanche toujours couchée. La campagne t'ennuyait, la ville se retirait après que tu avais acheté cols, manchettes à la mode de 1905, après que tu avais secouru, avec la sainte, des protestants nécessiteux. Tu me dis : « Ta grand-mère parlait comme un livre. » Je me révolte quand tu confonds ta mère avec la mère de l'autre.

Ma grand-mère ne parlait pas comme un livre : elle récurait les casseroles des autres. Je n'ai eu qu'une grand-mère, celle que j'ai connue. Elle est l'unique comme sera l'unique une femme extraordinaire sur des centaines de marches plus haut. Fidéline : ta mère et mon suprême de tendresse. Elle t'aurait dit : « Plus tard elle n'aura pas de cœur. » J'ignore si j'ai du cœur ou non. Fidéline n'est pas ternie. Tu ne peux pas ternir une moisson d'étoiles.

Moi couchée, elle assise, elle me dit :

— Les Duc, si tu les avais vus ! Des hommes, des gaillards, les plus grands hommes du village...

Elle se tait. Devant la porte, devant la fenêtre, le gravier crisse. Elle se drape dans sa chemise de nuit rose, sa chemise de nuit chaude et simpliste du magasin « Guyenne et Gascogne ». J'attends la suite. Je la regarde, je vois un orage dans le marbre. C'est un caractère imbattable.

— ... Le père récitait le bénédicité, il distribuait l'ouvrage. Le père était conseiller. Tous le respectaient. Toi tu laboureras, toi tu herseras, toi tu sèmeras, toi tu soigneras les brebis, le cheval. Chacun mettait son béret, chacun se taisait, chacun partait, chacun obéissait. Des hommes propres, des hommes sains. Mon père était le moins bien.

Le gravier ne crisse plus. Elle se perd dans un rêve de puritanisme, d'obéissance, d'autorité. Le village de son père, ce sont des ordres, des exécutions.

J'avance :

— Les Duc. Pourquoi les Duc ? Tu t'appelais Leduc. Je m'appelle Leduc.

Elle se lève, elle éteint le petit lustre. La lampe bleu lavande nous impose la nuit.

— Duc... Leduc... (Elle réfléchit.) Au village on raccourcit, me dit-elle.

Un ange à dix-huit ans se marie : ma grand-mère Fidéline. Huit jours après, l'ange peu dégourdi voit dans une glace la bouche de son beau gaillard de mari sur la bouche d'une prostituée du village. « Où as-tu déniché cette enfant ? » demandent les femmes faciles au chenapan. Tous rient en se tenant les côtes. Les anges donnent parfois le fou rire. Duc est marchand de bestiaux, il bamboche, il reçoit un coup de pied de cheval. Voici la délivrance : Fidéline est veuve à vingt ans, ma mère naît après la mort de son père ; elle ne l'a pas connu. Elle est née à Artres, un village du Nord, arriéré. Quelle économe, quelle Minerve de six ans. Elle revenait de la ducasse avec le sou dans sa poche. Une enfant pensait au lendemain, il le fallait. Laure, la sœur de ma mère, la fille aînée, s'en va chez ses grands-parents à Eth, chez les Duc. De forte constitution, elle deviendra une Walkyrie des campagnes après son séjour parmi les gaillards et le patriarche. Les deux sœurs n'auront de commun que l'autorité. Coliques hépatiques. Fidéline gémit, se roule à terre. « M'man tu as mal ? M'man tu as encore mal ? » lui demande cent fois par jour sa petite fille, sa compagne. L'argent finit avec les douleurs. L'ange, très éprouvé et peu dégourdi, case Berthe, ma mère, chez la tante passementière, chez l'oncle charcutier. La voici horrifiée, effrayée, commandée par un ogre qui tripote le sang du boudin. C'est cela un mari, c'est cela le premier homme qu'elle approche. La voici ravie par une Ophélie se mourant de phtisie, composant motifs, dessins pour les robes en perles de Sarah Bernhardt. Le premier couple avec qui elle vit est un couple inassorti. Elle pèse, elle sert, elle répond aux clients. C'est une petite femme, dit la clientèle. Des chiffres, des disputes, des duretés, des grossièretés. Les cris du cochon qu'il tue à trois heures du matin ne dérangent pas cette enfant occupée à cacher sous son oreiller son sabot qu'elle a fendu pendant qu'elle sautait à la corde. La tante meurt, ma mère tire l'aiguille chez les religieuses. La phtisie la poursuit jusque dans l'ouvroir. Ses compagnes s'éteignent les unes après les autres. Plus les pommettes rosissent plus la mort se nourrit de la joue des jeunes filles. Chaque grande a sa petite et Berthe fait avaler à la sienne tout ce qui lui déplaît. Ma mère a des angines, des abcès, le rachitisme la guette, elle ferait des bassesses pour être de parloir. Les promenades, son cauchemar. L'ange n'est pas débrouillard. Il aime et néglige ses enfants. Laure s'instruit à la campagne, Berthe n'apprend rien sauf les jours et les broderies. Fidéline soigne les petits plats pour les autres. Où s'abriter pendant les grandes vacances? Le toit de Fidéline n'est pas le toit de ses enfants. La pitié. Quelle aigreur pour l'avenir.

Tu brodes plus que les autres pour « La Cour Batave », tu as une belle voix, tu chantes les cantiques au-dessus des autres. Les soli sont pour toi. Une jeune religieuse de grande naissance, dis-tu, te distingue, elle te parle du Ciel. On te place, après les hécatombes d'adolescentes tuberculeuses.

On place Berthe chez une rousse trompée, jalouse, richissime. Berthe soigne les enfants, elle entend les scènes après les Notre Père et les Je vous salue Marie. La jalousie n'a plus de secret pour elle. Elle est battue, elle est pincée aussitôt que le mari, à distance, respire trop une fleur d'orphelinat. Deuxième enfer, deuxième couple désuni. Elle peut partir, elle part.

La deuxième place de Berthe commence par un rêve à Valenciennes. La gaieté, les réceptions, l'entrain d'une famille protestante l'émerveillent. Elle prépare les tables, les lumières dans le jardin. Elle reçoit leur réception. Tu allumes les petites lampes dehors, tu te crois Dieu créant les fruits un soir d'été. Le champagne mousse avec un bruit délicieux d'océan quand tu dis: « Quelle gaieté dans cette maison-là... C'était toujours gai. » Une fille, trois garçons. La ville palpite quand la fille épouse un enfant trouvé dans un taillis, dans un panier. Henri est un bon gros. Emile, surnommé le prince d'Arembert par la domesticité, revient à l'improviste de Paris où il dirige en amateur une usine de bicyclettes : les premières bicyclettes. C'est un vertige de préparatifs pour le recevoir. André. Celui qui te fascine. Grand, mince, élancé, teint clair, yeux rêveurs, cheveux cendrés, long nez. Pas beau mais quelle séduction. Toutes les femmes étaient toquées de lui. Je te cite. Quelle race, quels gestes... O ma voyeuse de fils de famille, ô ma voyeuse d'aristo, à soixante-douze ans... André lit, André est artiste, il se promène dans Londres, il joue au tennis, il boit trop de verres d'eau quand il a chaud, sa cloison nasale le prive d'oxygène. Il brûle sa santé, sa jeunesse. Sa mère est distraite : elle tient le département en haleine avec sa conversation. La sainte soigne les indigents, elle en oublie son fils. Elle est sourde. Berthe avec sa voix bien timbrée, son visage énergique, son dévouement, son adresse, se transforme en demoiselle de confiance et puis en demoiselle de compagnie. Paris appelle tous les jours. Berthe répond au téléphone, elle note les descentes, les montées de la Bourse. Le vieux grincheux aux quatre-vingt-dix-neuf maisons est content : sa femme est sourde et elle entend tout. Orage sur la maison de la rue des Foulons. La fille meurt d'une fièvre de lait, Henri rate son mariage, Emile est dans les serres d'une courtisane, André crache le sang. Toi, sans le convoiter, sans l'espérer, tu souffres parce qu'il passe ses soirées, quand ils ne reçoivent pas, chez trois professeurs, trois femmes qui vivent ensemble. Leur maison l'envoûte. Nous ne saurons rien de plus. Encore les vacances, chaque année les vacances et chaque année tu te demandes où aller ? Ta liberté l'été est un fléau. Ils veulent bien : tu pourras vivre dans ta chambre de bonne pendant qu'ils respireront en Suisse. Tu seras prise. Je te raconte ton passé, je voudrais te l'expliquer, je voudrais t'en guérir, je voudrais mettre ton cœur de vingt ans au repos sous un châssis d'horticulteur. Tu dis : « Il était revenu en été, c'est ainsi qu'il m'a fait payer mon abri. » Je te crois mais c'est obscur. Tu pouvais résister, tu as cédé. Pourquoi n'aurais-tu pas cédé ? Un lit, c'est construit pour le plaisir en commun. Il te fascinait, ne t'excuse pas, toi, quand tu l'excuses. Etre femme, ne pas vouloir l'être. Plus tard tu te serviras de cette arme. Je te jetterai qu'il était mal élevé, ton fils de famille. Il ne devait pas franchir le seuil de ta chambre. Le salon était à tout le monde tandis que ta chambre était ton écrin de subalterne. Allez, viens dans mes bras et dis avec moi : « Pourquoi ne perdait-il pas son temps à se mirer deux étages plus bas ? » Un petit tablier blanc, ça le changeait. Si je pouvais le retrouver, ton petit tablier... Je le mangerais. Toi ma mère et ton petit tablier blanc vous m'étouffez. Ton petit tablier, je le savoure près de Marly, près du verger saccagé, près de notre maison — notre maison — pendant que Fernand passait les ballots de tabac sous l'eau. Je veux guérir ta plaie, maman. Impossible. Elle ne se refermera jamais. Ta plaie, c'est lui et je suis son portrait. Ma mère l'a aimé. Je ne peux pas le renier. Comment l'a-t-elle aimé ? Avec courage, avec énergie, avec ivresse. C'était un amour définitif, c'était une marche au sacrifice. Je lui pardonne, dit-elle encore. Il était malade, il dépendait de ses parents, il craignait son père. Il a dit quand c'est arrivé : « Jure que tu quitteras la ville, petite, jure que tu partiras. » Elle jure, elle se jetterait à ses pieds, elle croit qu'elle a fauté. Il fait blanchir son linge à Londres, il n'a guère l'âme raffinée. Lâche, paresseux, incapable. Mon miroir, manman, mon miroir. Non, je ne veux pas de toi, hérédité. Mon Dieu, faites que j'écrive une belle phrase, une seule. « Lâche, paresseux, incapable... » Toujours aimer, toujours juger, toujours accabler. La mère d'André aimait tant ma mère... Pourquoi voulez-vous partir, Berthe ? Pourquoi ne voulez-vous rien me dire ? Votre chambre ne vous plaît pas ? Vous parliez, vous ne parlez plus. Vous baissez les yeux. Pourquoi baissez-vous les yeux ? Ne partez pas, Berthe. Je doublerai vos gages. Je suis désolée. Il y a plus d'une heure que vous ne voulez rien me dire. Il y a plusieurs mois que la rue, sainte femme, l'appelle, votre demoiselle de compagnie. Tous les jours à Berthe la rue chuchote : « Viens, je t'attends, tu grossis. » Je suis fière de toi, ma mère, quand tu dis : « Si c'était à refaire ! » Tu pars pour Arras avec tes économies de vierge sage. Tu t'extasies quand tu déclares : « Le voir me suffisait. » La ville est douce, la ville est tiède entre les volets entrouverts, la mer chante à quelques mètres de nous. Le temps a trop travaillé : je ne veux plus voir sur tes traits l'ouragan des années.

Retournons en arrière, ouvre-toi le ventre, reprends-moi. Tu m'as tant parlé de ta misère quand tu cherchais une chambre, quand tu ne la trouvais pas parce que tu n'avais plus la taille fine. Souffrons encore ensemble. Fœtus, je voudrais ne pas l'avoir été. Présente, éveillée en toi. C'est dans ton ventre que je vis ta honte de jadis, tes chagrins. Tu dis parfois que je te hais. L'amour a des noms innombrables. Tu m'habites comme je t'ai habitée. Je t'ai vue nue, je t'ai vue te donner des soins intimes. Aucune mère n'aura été plus abstraite que toi. Ta peau, tes jambes, ton dos quand je le lave, le baiser du matin que je te demande n'ont pas de réalité. Où te rencontrer ? Le nuage, l'orme ou l'églantier te sont indifférents. Ne meurs pas tant que je vivrai. Retournons en arrière, porte-moi comme tu me portais, ayons peur ensemble des rats que tu devais enjamber dans le couloir de ta chambre. Ton sang, ma mère, le ruisseau de sang jusque dans l'escalier quand je suis sortie de toi, les flots de sang du moribond. Les fers, les forceps. J'étais ta prisonnière comme tu étais la mienne. Oubliée, abandonnée près du ruisseau de ton sang quand j'arrivai. C'est normal, tu te mourais. On m'enleva les saletés longtemps après. Mais ceux qui te montraient du doigt, ceux qui te refusaient le coucher avant ma naissance étaient collés à ma peau.

Je suis née le 7 avril 1907 à cinq heures du matin. Vous m'avez déclarée le 8. Je devrais me réjouir d'avoir commencé mes premières vingt-quatre heures hors des registres. Au contraire, mes vingt-quatre heures sans état civil m'ont intoxiquée. J'ai supposé que ma grand-mère qui avait abandonné sa place de cordon bleu, Clarisse ma marraine qui avait quitté sa place de cuisinière dans la maison où tu avais été séduite, j'ai supposé que toutes les trois vous vous demandiez si un oreiller sur ma trogne couleur de tomate n'était pas préférable à l'avenir que je vous imposais. J'ai été déclarée, baptisée, vous avez fait venir le médecin sans compter, pour les bronchites, les broncho-pneumonies, les congestions pulmonaires. Tu pesais le poids d'un petit poulet, me dit-elle. Tu es née, tu as pleuré. Jour et nuit. Ce que tu as pu braire... Me voici coupable d'avoir tant pleuré sur un bavoir. J'écoute et je me tais. Tout notre argent s'en allait en visites de médecin, en notes de pharmacien. Un souffle. Tu étais un souffle mais tes yeux brillaient. Mes yeux brillaient. Pourquoi n'étais-je pas un hibou abandonné ? Si je parle de la maladie de l'autre, les crachements de sang près desquels j'ai été conçue, elle se contracte, elle se révolte. Il s'usait par plaisir mais ils étaient tous solides dans la famille. Me voici responsable d'avoir été un souffle emportant leurs économies. Il transpirait, il mouillait le linge, je n'ai rien attrapé, me dit-elle. Me voici doublement responsable.

Je ne me souviens pas d'Arras. Je ne l'ai pas visitée, je ne la visiterai pas. Je verrais les forceps dans chaque vitrine, les ruisseaux de sang à l'étalage des lingeries. Ma naissance, ce n'est pas une réjouissance. Mais j'aime écrire Pas-de-Calais. Ma plume, sur les fiches des hôteliers, tire un trait. Arras est un trou noir dans ma mémoire. Ma mère l'a comblé. J'affligeais trois femmes avec mes pleurs, mes cris, mes maladies. (J'ai fauté, dis-tu souvent. Moi, je fautais par fragilité.) Ma mère guettait, elle épiait, elle écoutait devant la fenêtre, elle aimait de plus en plus fort dans la pénombre. La nuit tombait, elle attendait. Clarisse et Fidéline critiquaient cette amoureuse inusable. L'ange Fidéline se réveillait, il voulait tout raconter à la sainte, provoquer un scandale. Mais la sainte mourut d'une fièvre cérébrale. Je dormais, ma mère entendait enfin le roulement de la calèche, l'arrêt des roues, le claquement de la portière, le pas dans l'escalier, le pas trop pressé dans le couloir aux rats. Un monsieur en tenue de soirée entrait, il tapotait le menton de la mère et celui de l'enfant, il ne voulait pas donner sa maladie. Ma mère resplendit quand elle dit : « Il ne t'a pas embrassée une seule fois. Tu m'entends ? Pas une seule fois ! » C'est un champion de la prudence. L'heure, la montre plate. « Je vais dans le monde, petite, je m'en vais. » Elle doit lui demander : l'ange Fidéline se fâcherait, il ne comprend pas l'extase. Elle demande, il donne deux louis, il s'éclipse, la calèche roule avec plus de légèreté. Je le voyais, cela me suffisait, le reste ne m'intéressait pas, rêve-t-elle. Parfois je la soupçonne de frigidité. J'ignore tout de leurs rapports, de leurs conversations de Valenciennes dans sa chambre de subalterne. « Cela ne m'a jamais intéressée », déclare-t-elle avec supé-

riorité. Une grande amoureuse, une grande amazone aux seins coupés. La tête brûle, le sexe est
glacé.

Je suis la fille non reconnue d'un fils de famille,
je dois rivaliser en soins, en médaille et chaînette
d'or, en robes de broderie, en longues anglaises, en
teint clair, en cheveux soyeux avec les enfants riches
de la ville lorsque ma grand-mère me promène dans
le Jardin public. L'ange se change en gouvernante.
Dans la chambre, c'est presque la misère — mon
vase de nuit se transforme en saladier au début des
repas — dehors c'est la représentation. Vanité des
vanités ? Non. Ma mère et ma grand-mère sont intelligentes, elles ont de la personnalité, elles ont été
écrasées l'une et l'autre à vingt ans, elles veulent
combattre la malchance quand elles enrubannent
une petite fille. Le Jardin public est l'arène, je suis
leur petit torero, je dois vaincre les enfants cossus de
la ville. La sous-préfète a demandé pourquoi mes
cheveux brillaient tant, ce qu'on leur faisait. Ma
mère, implacablement, me donne trois cents coups
de brosse trois cent soixante-cinq jours par an. Ma
tête penche, c'est cela mon premier souvenir. C'est
affreux pour elles : je n'ai pas de chance. Je descends l'escalier, je vais chercher le journal, je tombe
sur les éclats de verre d'une bouteille. Je tombe, je
tombe. Mes cicatrices aujourd'hui sont jolies, elles
sont toutes en forme d'ellipse. Un insecte mystérieux... pardon lecteur, je m'interromps. Me décide-
rais-je enfin à me souvenir de mes quatre ans, de
mes cinq ans ? Je vois un escalier raide, étroit, je
vois des éclats de verre en bas de l'escalier, je vois...
Je ne vois plus rien. Le souvenir de ma chute et de
ma blessure m'est épargné. Un insecte mystérieux
me pique à la jambe, le médecin vient tous les
jours, il ordonne des compresses, des centaines de
compresses. Le mal est aussi mystérieux que
l'insecte. L'os va apparaître, une vieille femme de la

campagne me sauve avec son remède. Clarisse était repartie à ses fourneaux, ma mère décida que j'irais en pension. J'avais cinq ans. Pourquoi, dis, pourquoi ? Je t'embarrassais donc tant que cela ! Je ne me souviens pas, ô privilège, de ma mère me laissant dans l'établissement. Je me souviens de mon chagrin, de mes trépignements sur le carrelage après son départ. Cris, pleurs, gémissements, ces jours-là seront toujours un cataplasme trop lourd et trop refroidi. La directrice craignait des convulsions, elle envoya un télégramme, ma mère me reprit.

Elle m'a donné ses photographies. Etrange instant que celui où vous interrogez un inconnu sur une image, lorsque l'image et l'inconnu sont vos nerfs, vos jointures, votre moelle épinière. Née de père inconnu. Je le regarde. Qui me parle, qui me répond ? Le photographe. Il signe au dos de la photographie, il donne son nom à celui qui n'a pas voulu donner le sien. C'est un bon nom : Robert de Greck. Il donne gare du Flon. Il donne Lausanne avec téléphone entre parenthèses. Il précise : « Les clichés sont conservés. » Le photographe donne à foison. Je reçois le n° 19233. C'est comme si l'infini se changeait en un haut-de-forme plein de bouts de papier à tirer. Le cœur de l'inconnu qui bat dans mon cœur a un numéro. C'est le n° 19233. Ce n'est pas tout : spécialiste de grands portraits et agrandissements par procédé inaltérable au charbon. Merci, photographe. A-t-il huit ans ? A-t-il dix ans ? Ce doux visage, avec quelle précision ses yeux clairs regardent un rêve. La bouche est entrouverte, le rêve entre aussi dans la bouche. C'est un petit garçon léger de poids aux prises avec sa rêverie. Il peut marcher sur les primevères sans les flétrir. Assis sur la table et sur le châle à frange du photographe, la jambe gauche pliée sous la jambe droite, le mollet bien formé sans être gras, le genou rond, fort aimable, la bottine serrée, la chaussette incrustée, les mains abandonnées à force d'être enfantines, les doigts déliés, les ongles dégagés comme si la manucure les soignait déjà, ce petit garçon élégant, irréel, est vêtu d'une marinière blanche avec un col marin de soie foncée à pois blanc. Un nœud de ruban parachève la pointe du col, le plastron à rayures. J'aime ce petit garçon absent de lui-même, j'aime sa fragilité d'anémone. Je l'aurais dévisagé si j'avais eu le même âge que lui. Un dimanche de froidure, de maladie, de désespoir, de solitude, j'ai brûlé ses photographies avec l'acte de décès.

L'ange Fidéline fatigué de la magnanimité de sa fille menaçait : les livrets de caisse d'Epargne fondaient. Nous quittâmes Arras pour Valenciennes. Je ne me souviens de presque rien. Une fenêtre — à quel étage ? je me le demande — où souvent je regardais. Ma mère s'exécuta. Elle retourna dans la grande maison devenue lugubre, elle obtint du vieux grincheux vingt mille francs que je toucherais à ma majorité. Un homme d'affaires lui verserait les intérêts : cent cinquante francs par trimestre. André ne pouvait plus être grondé. Il était condamné. 1913. Je m'attache à Fidéline tandis que ma mère devenue demoiselle de magasin porte un uniforme tôt le matin, tard le soir. Elle se plaint des tapis, de ses pieds échauffés, de ses jambes qui ne se fortifieront pas. Je ne mange pas, je ne veux pas manger. Mon enfance jusque-là, c'est le dégoût des repas qui sont des drames. Tu n'as pas faim. Tu devrais avoir faim. Il faut avoir faim. Si tu ne manges pas tu tomberas malade comme lui, si tu ne manges pas tu ne sortiras pas, si tu ne manges pas tu mourras. Je vais te démolir si tu ne manges pas. Je ne peux rien dire. Je subis et je fais subir mon manque d'appétit. Ma mère a la hantise de la tuberculose. Ses yeux durcis par l'épouvante me terrorisent. Elle veut l'emporter sur ma mauvaise santé. Je m'en souviens : j'ai six ans, je pleure, je sanglote dans un trou où je suis seule : je n'ai pas faim, je n'en veux pas. Ma mère grince des dents, elle rugit. Je suis dans la cage, le fauve est dehors. Elle rugit parce qu'elle ne veut pas me perdre. J'ai mis longtemps à le comprendre. Comment pourrais-je soulever ma fourchette quand elle me regarde ainsi. Elle m'effraie, elle me subjugue ; je me perds dans ses yeux. J'ai six ans, je goûte sa jeunesse, sa beauté sévère.

Elle s'en va travailler, le long tablier azur de Fidéline s'embellit de nuages : des cocons. Je les cherche dans les poches du tablier. Fidéline, pendant des années, sans se lasser, me prépare chaque jour un tôt-fait. J'entretiens sa patience avec un rire de sotte au-dessus de la grosse crêpe qui brunit. Je me souviens de nos escapades quand ma mère n'était pas là. Nous nous promenions dans le marché. Les bouquets de fleurs modestes, variés et mélangés entre les bouquets de thym et les bouquets de laurier, m'émerveillaient. Fidéline parlait villages aux paysannes, je caressais coqs, poules, pigeons, lapins bien vivants dans les paniers à couvercle. Je préférais le cerfeuil exposé sur un papier au cerfeuil traînaillant sur une laitue pommée. Les feuilles de blettes me surprenaient comme me surprendra plus tard la flore du douanier Rousseau. Le persil riait dans mes yeux, les offres, les reparties des marchandes coiffées de canotiers de paille noire chantaient dans mes oreilles. Deux coqs séparés voulaient se battre, une poule déposée sur le pavé s'endormait, un apprenti bousculait une corbeille d'œufs, les vendeuses s'interpellaient. Tu es à la campagne, me disait Fidéline. Je la croyais, sans la croire. La campagne ce n'est pas la foire. Si ma mère arrivait à l'improviste, elle éteignait les couleurs des légumes, des plumages, des fruits. Les lapins blancs devenaient minables auprès du col et des manchettes de ma mère. La ville glaçait les paysannes, la grande dame quittait l'allée.

Je reviens au tablier bleu azur de ma grand-mère. Mes terreurs, au réveil, étaient profondes jusqu'à la douleur et à l'anéantissement. Je m'éveillais, je voyais le tablier plié sur le dos de la chaise, je m'écriais : « Pourquoi le garçon boucher vit-il avec nous ? C'est à cause de lui que grand-mère est partie. » Je hurlais. Ma grand-mère rentrait dans la chambre avec un balai, elle me tendait les bras. Nous nous aimions dans un silence fou. Elle me rassurait. C'est mon tablier, disait-elle, mais c'est la couleur de celui du garçon boucher qui apporte les cervelles, les côtelettes... A onze heures, il viendra. Tu regarderas, tu tâteras l'étoffe de son tablier si tu veux.

« Cueille, cueille », disais-je à Fidéline lorsque la journée déclinait, lorsqu'elle était douce à vivre comme était doux à manger le pain frais. Fidéline cueillait les fleurs de troène entre les barreaux des grilles, elle me les donnait, elle chuchotait : ça ne se fait pas. Qu'est-ce qu'on penserait ? J'écrasais deux ou trois fleurs de troène entre mes mains, elles tombaient sur le trottoir du boulevard, je respirais le creux de mes mains. Ce n'était plus la ville, ce n'était pas la campagne. Je respirais encore mes mains, je regardais les fleurs intactes entre les feuilles, bougeoirs de dentelle blanche ici, jaunie là-bas. Nous allions au salut.

Grand-mère vivait de longues heures dans les églises, surtout dans l'église Saint-Nicolas proche du temple protestant. Quelle puissance d'ennui ont les enfants, comme l'ennui amplifie. Je vivais une longue matinée quand je l'accompagnais à la grand-messe, je vivais une longue demi-journée quand j'assistais aux vêpres avec elle. J'aimais le mouvement rapide et machinal de ses lèvres quand elle priait mais non les explications qu'elle me donnait de la crèche aux approches de Noël. Je me demandais comment l'âne et le bœuf entrevus place du marché aux bestiaux pouvaient se réduire et se durcir ainsi. Jésus, dont j'ignorais tout, me semblait trop nu, trop chétif. Trop exposé sur la paille. Hélas ! Fidéline, assise à côté de moi, s'envolait. Je posais ma main sur sa jaquette, sur sa longue jupe tombant jusqu'aux pieds, Fidéline ne bougeait pas, Fidéline ne me regardait pas. Où était-elle ? Si j'appelais tout bas : grand-mère, grand-mère, elle ne répondait pas. Elle cousait de plus en plus vite les prières avec ses lèvres. Elle fermait les yeux. Je la cherchais dans le vaisseau des cintres, des colonnes, des galeries quand je levais la tête. Le dédale d'architecture me renvoyait à Fidéline. Quand finirait-elle d'égrener son chapelet ? J'appelais encore l'absente qui me frôlait. Fidéline ouvrait les yeux, elle les refermait aussitôt sans me gronder. Je la retrouvais dans ses ongles noirâtres, réels, mal taillés, je me consolais. Un jour je voulus désunir ses mains jointes. Elle me fixa avec tant de reproche et tant de tristesse que je joignis mes mains et remuai mes lèvres afin de lui ressembler. Je devais prendre mon mal d'ennui en patience. J'apprenais à observer, à suivre, à écouter, à regarder. L'univers des cierges allumés me distrayait. Je pariais : la flamme à gauche dansera avant la flamme à droite. Je vérifiais mon bras gauche et mon bras droit avant le pari. Je gagnais, je perdais. Il arrivait que toutes les flammes eussent à la fois le même soubresaut érotique. Un cierge fini, aplati, pétrifié dans ses larmes me faisait descendre d'un échelon plus bas dans l'ennui ; mais si une dévote piquait un cierge neuf qui dominait les autres avec sa superbe flamme en fer de lance, je revenais à la surface. Le clair-obscur compact, les vêtements sombres des pratiquantes, la soutane d'un prêtre disparaissant dans la sacristie, la longue main d'un abbé rectifiant le rideau d'un confessionnal, les départs, les arrivées de croyants et de croyantes, le grincement important d'une chaise, la ténacité d'un vitrail de ses couleurs et de ses feux, les pieds d'un saint scellés dans le plâtre, la toux, la résonance des pas, les bruits sacrés de l'autel me permettaient de ne pas m'anéantir avant le salut. La messe, les gestes des prêtres, ceux des enfants de chœur, le récitatif, le latin chanté... Mon théâtre à six ans. Je couvrais une caisse avec un linge blanc, j'enjolivais avec des dentelles, je disposais dessus des vases, des cailloux, mes reliques, j'inventais du latin, je le chantais, je le psalmodiais, je me prosternais, je baissais la tête, j'ouvrais, je fermais le livre de messe de ma grand-mère, je le noircissais, je le graissais, je le déchirais sans le vouloir. J'avançais, je reculais, j'ouvrais mes bras, je bénissais l'air de notre chambre avec des signes de croix onctueux. Je ne récitais pas le Notre Père, le Je vous salue Marie que ma grand-mère m'avait appris. Je préférais mon charabia, mes *vobiscum* que j'étirais le plus long-temps que je pouvais. Au loin, dans mon dos, j'entendais Fidéline et ma mère se plaindre de la vie, de leurs soucis, du pâté trop cuit, de la pâte feuilletée, des dépenses inconsidérées de Clarisse. Je chantais, je récitais, je déclamais, je psalmodiais plus fort. Je me voulais prêtre, église, chant, paroles, gestes sacrés comme une actrice se veut tra-gique et sincère. J'enlevais mes étoles (des écharpes de fourrure ou bien des loques), j'allais à table, je tournais mon assiette, je jouais du tambour avec deux fourchettes.

Dehors je chancelais, j'avais peur de tout ; dehors je m'amusais seule par timidité, le spectacle des autres enfants s'amusant à plusieurs m'écrasait. J'accourais à l'improviste, je me cachais dans la jupe de ma grand-mère, je respirais l'odeur surannée de l'étoffe, je m'enfouissais. Je me sauvais, je cueillais des fleurs, toujours des fleurs bleues, calmes, intenses, poilues, dominantes. Elles sont indispensables aux parterres des jardins publics. Je reprenais ainsi les yeux de ma mère au gardien du square. Ma grand-mère me grondait et elle repiquait les fleurs coupées où je les avais chipées. C'était l'époque du coco. Les enfants léchaient la poudre sur le dessus ou le dessous de leur main ou bien ils buvaient le liquide dans un godet. Je les enviais. Tous aimaient le coco. Je n'aimais pas le coco. Je te donnerai une goutte de pernod, murmurait ma grand-mère. Une goutte. Pas plus. Je me jetais dans ses bras. Si les bâtards sont des monstres, ils sont des gouffres de tendresse. Fidéline sans âge, sans visage et sans corps de femme, ô mon long curé, tu seras toujours ma fiancée. Quelle corbeille de fiançailles quand je me nichais dans ton cou. Ta main la nuit : la belle main de la belle jeune fille qui brodait à sa fenêtre. Mes pieds dans ta chemise de nuit, tu refermais tes cuisses : tu me donnais des nids. Tu me disais : « Fais ta prière. » Ma prière, c'était écouter l'imperceptible clapotis de tes lèvres qui priaient. Le tic-tac de l'horloge mollissait, il se soumettait à nos silences d'amour. J'écoutais ta respiration, mon oreille chérissait ton sein irréel.

Je trompais quelquefois ma grand-mère pendant nos promenades. Je m'arrêtais, elle continuait d'avancer. Je renouais mon lacet de chaussure et, vite, je ramassais une pierre ou un caillou puis je revenais en courant offrir ma main libre à Fidéline. Lorsque la pierre ou le caillou était réchauffé, je le laissais tomber sur du mou : de l'herbe ou du sable. Je respirais, satisfaite d'avoir eu une existence à moi.

Elles décidèrent que j'irais au collège. Elles préféraient le collège à l'école communale. Je ne me souviens pas comment j'ai appris à lire et à écrire. Je me souviens de ma tristesse quand je quittais ma grand-mère, deux fois par jour, devant l'escalier solennel, devant les deux portes ouvertes ; de mon élan, de mon bonheur quand je la retrouvais. As-tu froid aux pieds ? Est-ce que tu as eu froid aux pieds ? Il faut me dire si tu as froid aux pieds, insistait Fidéline, à midi, le soir, du collège jusqu'à notre logement. Même s'ils étaient tièdes, je lui répondais : oui j'ai froid, pour lui faire plaisir. Nous arrivions dans la chambre, elle m'enlevait mes chaussures et frictionnait mes pieds avec ses longues mains ridées par le travail ; elle prenait les chaussettes qui séchaient au-dessus du poêle. Est-ce que tu as encore mal à la gorge ? Est-ce que tu as encore mal à l'oreille, me demandait ma mère si j'étais souffrante. Elle s'inquiétait et me le reprochait. Je ne répondais pas, je ne me plaignais pas. J'endurais. Les bons points m'étaient indifférents, je ne communiquais pas avec les autres : les soucis de ma mère et de ma grand-mère me séparaient de la maîtresse et des élèves. Je les retenais sans comprendre. Souvent je me perdais, je m'oubliais. J'avais six ans, j'étais vieille. Une centenaire, une désabusée sans épreuves et sans expérience. Va te voir dans la glace, me disait ma mère pendant le déjeuner. J'obéissais, je me voyais dans la glace avec mon chapeau sur la tête. Manger avec ou sans chapeau... Je ne trouvais pas la différence. Je l'enlevais dans un rêve informe. « Tu seras donc toujours dans la lune ? Ce n'est pas ça la vie », déclarait ma mère. Une demi-heure après, je remettais le chapeau pour aller en classe. Je me souviens de mon crayon d'ardoise, de son lent grincement sur l'ardoise encadrée de bois blanc. Le crayon, péniblement, apprenait à écrire pendant qu'il formait des lettres grises. Je préférais le noir uni aux carreaux rouges sur les ardoises. Apprendre à lire, c'est mon index contracté sous la lettre, le mot, la phrase, apprendre à écrire c'est le crayon avare, non friable entre les pinces du porte-crayon.

Nous voici installés « Aux Glacis », c'est le nom du quartier hors de la ville, loin du tramway, loin des marchés. Nous habitons une des dix maisons collées ensemble. Nous avons des meubles, de la vaisselle, un jardin à nous, des cabanes, des lapins, nous avons devant nous la plaine de Mons, les militaires à cheval qui viennent s'entraîner, le clairon d'un fantassin le soir ; nous avons de tout. Pourquoi aller en classe, pourquoi ? Un monsieur avec des lorgnons déjeune chez nous le dimanche, ma mère fredonne et brode un store immense ; Fidéline m'emmène souvent dans la plaine où j'apprends à jouer au cerceau. Nous y sommes seules, l'herbe piétinée est triste. Souvent je m'arrête, je regarde notre maison, notre porte, nos fenêtres, je me demande si je verrai le fantassin qui joue du clairon, quand la nuit descend en couches successives. Je ne le vois jamais. Fidéline suit la trace des fers à cheval pendant que je joue au cerceau. Il a plu, je tombe dans un trou de fer à cheval. Fidéline me ramasse, elle crie au secours. Mon bras pend, mon bras est cassé. Trois mois dans le plâtre. Mon coude, après un réapprentissage de chaque jour, si douloureux qu'il fait fuir les voisins — je hurle — mon coude ne sera plus à sa place. C'est mon premier souvenir, d'une douleur dans ma chair. Guérie, nous cherchons du plantain dans la plaine. Je bois trop d'eau à la fontaine de la cour de récréation, je rentre, j'ai la rougeole. J'ai honte quand je suis malade, je crois que je leur joue un mauvais tour. Ma mère dit : « On ne s'en sortira pas. Qu'est-ce que nous avons fait ? » J'ai deux consolations après les enveloppements et les cataplasmes : le jeu de puce et le tricotin. Ma mère dédaigne les jeux. Elle soigne son enfant depuis le brossage des cheveux jusqu'aux fortifiants, un point c'est tout. Ma sœur, c'est Fidéline pendant que nous jouons au jeu de puce. Le dimanche, ma mère nous envoie au cinéma. Nous préférons le cinéma le plus populaire mais Fidéline prend deux places de balcon. Je me serre contre elle ou je me dresse ; les petits garçons et les petites filles de l'orchestre m'effraient et m'attirent ; c'est une orgie de bruits de sièges et de strapontins qui s'abaissent, se soulèvent, de cris d'impatience ; c'est une tabagie. Le parfum des oranges alourdit l'air. Un pianiste forcené, romantique, pathétique, échevelé, guerrier, langoureux, pâmé, selon les séquences, prélude : la salle s'éteint, je veux voir le visage des musiciens, leurs mains au-dessous de l'écran éclairé. « Résumé des épisodes précédents. » Je lis tout et tout bas à ma grand-mère parce qu'elle ne lit pas couramment et qu'elle n'a pas de bonnes lunettes. Je lis tous les malheurs des *Deux Gamines*, tous les exploits du sombre *Judex*, Charlot m'ennuie. Me plaisent ses yeux effarés sous le chapeau melon, me plaît la fraîcheur inaltérable de ses yeux pendant qu'il reçoit des tartes à la crème sur la tête. Plus les spectateurs rient, plus je me renfrogne. Le visage de ma grand-mère est impassible dans ces moments-là. Nous parlons du triste sort des *Deux Gamines* en quittant la salle. Nous retrouvons les hordes d'enfants. Ils se battent, ils déchirent par enthousiasme les affiches et les programmes de la semaine suivante, ils m'effraient, ils m'attirent encore. Ils sont libres, ce sont des sauvages. Fidéline prend ma main, nous survolons le boulevard et son tapis de feuilles mortes, nous contournons le collège où j'irai le lendemain. Le silence du boulevard le dimanche m'impressionne parce que nous sortons du spectacle. On joue du piano, je suis clouée sur place. On joue autrement qu'au cinéma. Je reconnais à l'emplacement de la fenêtre : c'est notre directrice, Mlle Rozier, qui étudie dans ses appartements. Je quitte Fidéline, j'appuie mon oreille contre le mur, j'écoute. Je pleurerais tant je m'applique à écouter. Je confonds

la majesté, la douceur, la dignité de notre directrice
avec la sonorité de son piano, avec son jeu de pianiste. Je reviens, je demande : « Tu aimes, ça te
plaît ? — Je ne sais pas, répond Fidéline, c'est de la
musique ? Je ne sais pas. » Elle sourit, elle ne veut
pas me décourager. « Tu peux encore écouter », me
dit-elle. Je me jette dans sa jupe qui ressemble à une
soutane, j'enferme ses cuisses maigres dans mes bras,
je m'échappe, je m'en vais, je me donne à la résonance de l'instrument invisible.

1914-1915-1916. Je ne vais plus au collège. Nous
avons déménagé, nous habitons avenue Duquesnoy
à cinq minutes de Marly. Fidéline, qui s'est refroi-
die à la cave pendant un bombardement, est mal
soignée par le seul médecin non mobilisé. Elle se
meurt. L'homme aux lorgnons est au front, ma
mère, sans argent. Moi je rayonne et je me fortifie.
Je suis devenue une petite femme et une petite fille
des rues. Je me jette chaque soir dans le lit d'acajou
du rez-de-chaussée, ma mère m'en arrache, je pleure
avec la fougue d'une amante. Fidéline, ma grand-
mère, tu seras toujours ma fiancée dans ton lit de
poitrinaire. Le médecin te soignait avec de la glace,
il fallait te réchauffer. Des voisines arrivaient avec
des officiers allemands pour des questions de logement. Ma mère en logeait aussi : ça rapportait, je
faisais l'interprète : j'ignore comment j'appris un
peu d'allemand. Je dormais dans la salle à manger,
une cloison me séparait de Fidéline. Ses quintes de
toux, le bruit des bottes des soldats au plafond me
réveillaient. Je me demandais avec effroi si je reverrais Fidéline le lendemain matin. Ma mère la veillait, elle allait et venait dans le couloir. La nuit
était une menace. Au réveil j'écoutais si ma grand-
mère toussait. Elle toussait, elle vivait. Je ne pouvais
plus entrer dans la chambre, je ne devais plus lui
dire bonjour par la porte entrouverte. J'apercevais

les oreillers, sa natte de cheveux gris ramenée sur le devant, sa chemise de nuit de finette. Ses mains se reposaient trop sur le drap. La porte de sa chambre refermée, je rencontrais Fidéline dans la tasse de bouillon, dans la fiole, dans la soucoupe, dans le médecin qui entrait. Clarisse arriva, je ne m'en réjouis pas. Deux femmes soignaient Fidéline, le mal s'aggravait. Je veillais debout dans mon lit, j'espérais de la cloison un secours et des révélations. Une nuit, j'entendis des bruits et des allées et venues, j'entendis ma mère. C'est fini, dit-elle à Clarisse. Je me levai, j'arrivai sur la pointe des pieds devant la porte entrouverte. Qu'est-ce qui était fini ? Les oreillers, la tresse, la chemise de nuit, les paupières baissées, les mains allongées sur le drap étaient les mêmes. Je repartis. « Qu'est-ce qui est donc fini ? » ai-je demandé à l'obscurité. J'entendais le pot à eau, la cuvette. Pourquoi ne toussait-elle pas ? Je n'ai pas revu Fidéline. J'avais neuf ans, elle cinquante-trois ans. Fidéline, cela je m'en souviens, a été enterrée un jour qu'il pleuvait. Je ne pleurais pas, je n'avais pas de chagrin. Je bavardais avec ma poupée de loques. Fidéline partait accompagnée d'une houle de parapluies. Je me penchais à la fenêtre du premier étage.

J'ai réalisé cinq ans plus tard qu'elle était morte, que je l'aimais d'amour, que je ne la reverrais pas. Le cyprès à côté de sa tombe me désespérait. Sa couleur, chaque fois que j'arrivais me semblait une torche de courroux.

Elle me choyait, sa mort me délivra. Elle me choyait tant que j'aurais voulu d'eux des mains en cire tiède, lorsque je me hasardais à jouer avec un petit garçon ou une petite fille. S'ils me parlaient d'une voix rude, s'ils me reprenaient un râteau avec un geste brusque, les larmes montaient : je confondais rudesse et brusquerie avec hostilité. J'étais seule, j'avais le monde contre moi dès que petits garçons et petites filles impatientés par ma fragilité s'éloignaient. Je sanglotais s'ils riaient et leurs rires redoublaient. Je me perdais dans la jupe noire de ma grand-mère, seule, à l'abri, illimitée. A cinq ans, à six ans, à sept ans je pleurais à l'improviste, pour pleurer, les yeux ouverts devant le soleil, devant les fleurs. Dès que Fidéline se taisait, se détournait ou bavardait avec une femme de son âge, le sol était ivre sous mes pieds. Je m'asseyais près d'elle sur le banc, je me voulais une immensité de chagrin, je l'obtenais. Chaque larme, chaque sanglot me retirait du monde. Fidéline mourut, je pris de l'aplomb.

Je traînais, je sonnais aux portes, je me sauvais avec les garçons, j'appuyais ma main sur la bouche de la fontaine, j'aspergeais les passants avec un arc blanc, je m'instruisais dans les cahiers de chansons qu'échangeaient Céline ou Estelle. Ne l'ouvre pas, surtout ne l'ouvre pas, me dit Céline en me confiant à la nuit tombante un cahier différent des autres. Je devais l'apporter à une de leurs amies, dissimulé sous mon tablier. Ma mission me coupait le souffle. J'entrai dans le verger saccagé à côté de notre maison : le verger où Aimé Patureau, à la cime d'un arbre, sifflait et chantait pour ma mère les chansons d'amour des cahiers : *Je t'ai rencontré... simplement... et tu n'as rien fait pour chercher à me plaire... Je t'aime pourtant... d'un amour ardent... dont rien je le sens... ne pourra... me... défaire. Reviens, veux-tu ?* J'entrai dans les mauvaises herbes les plus hautes, j'ouvris le cahier. Une femme racontait sa nuit de noces, elle comparait à une anguille le sexe d'un homme dans le sexe d'une femme. Je ne comprenais pas : je refermai l'étrange cahier, je tombai à plat ventre dessus. Je n'imaginais rien ou plutôt j'imaginais trop. Je voyais des anguilles chez les poissonniers : j'imaginais la virilité sinueuse sous le pantalon, depuis le nombril jusqu'à la cheville.

49

Mon poing tapotait ma tempe et, chaque fois que je chuchotais : c'est impossible, la couverture du cahier me répondait : c'est possible. Je sortis des mauvaises herbes, je courus jusqu'à la maison de celle qui attendait le cahier. Nos mains tremblaient également quand je le lui remis.

J'ai promené souvent mes doigts entre mes lèvres ; plus tard j'ai bouclé souvent ma toison avec un doigt avant de m'endormir, en m'éveillant, en lisant au lit. J'ai fait cela sans jouir jusqu'à l'âge de vingt-huit ans. C'était un passe-temps, une vérification. Je respirais mes doigts, je respirais l'extrait de mon être auquel je n'attachais pas de valeur.

Aimé Patureau, adolescent de dix-sept ans au joli visage rond, aux bandes molletières sablonneuses, se blessa au pied. La blessure s'infecta, il s'enferma, souleva le rideau de la fenêtre, m'appela. Le voir seul dans la maison de ses parents, pendant que ceux-ci travaillaient dehors, voir sa jambe allongée sur une chaise dans le silence d'une salle à manger m'interloquait. Nous conversions, moi debout près de sa jambe malade. Sa main légère monta sous ma jupe. Aimé Patureau me ratissait avec la grâce d'un page, l'horloge villageoise sur la cheminée sonnait les demi-heures, les quarts d'heure. Je le regardais, il me regardait. Je ne lisais rien sur son visage, il ne lisait rien sur le mien puisque je n'éprouvais rien. Le péché, c'était le feu de mes joues. Ma mère sonna et entra hagarde, furieuse. Elle questionnait Aimé Patureau : « Pourquoi la gardez-vous si longtemps ? — Nous parlions, elle me tenait compagnie », répondit l'adolescent tout en contemplant ma mère. Je partis avec elle, je devinai qu'elle n'était pas rassurée. « Tes joues sont rouges, me reprocha-t-elle en chemin. Qu'est-ce qu'il t'a fait ? — Rien, maman, rien. » Elle me le redemanda souvent, je ne lui avouai pas. C'était un secret, une complicité. La promenade des doigts me grandissait. J'étais un champ avec deux sentiers. J'accourais de nouveau chez lui dès que je le pouvais : ses yeux dans les miens, sa chemise contre l'étoffe de mon tablier, son visage de poupon sensible quand il chantait pour ma mère, quand il écartelait et berçait un poirier, ce visage je le voyais de près.

Le matin, je vidais les cendres du poêle. Je devenais amorphe, machinale, froide comme les cendres dès que je commençais le travail. Je me servais d'un tamis, je récoltais les escarbilles sur un papier, je les serrais, je les effritais. Bouche cousue, dents serrées, je secouais des restes gris. Un dimanche d'hiver ma mère n'était pas dans notre lit quand je me suis levée. J'ai sorti les cendres du poêle, j'ai entendu deux rires au rez-de-chaussée, dans la chambre où était morte Fidéline : le rire de ma mère et le rire de Juliette, une ancienne cuisinière. Ma mère la recevait souvent. Elles parlaient du séducteur, des parents du séducteur, de la maison du séducteur dans laquelle elles avaient servi ensemble. Le mur du café de Juliette touchait la grand-porte du jardin ; le cafetier faisait des extras chez eux. Ma mère avide d'échos, aux abois, questionnait Juliette. J'entendais leurs rires. Le doute, tout à coup. Je partis avec le tisonnier, j'écoutai à travers la cloison, la cloison à travers laquelle je comptais les quintes de toux de Fidéline. C'était bien ma mère mais Juliette avait une voix d'homme. Je continuai de trier les cendres.

Ma mère s'habillait à côté du lit d'acajou au premier étage, elle criait : « As-tu ton manteau ? As-tu ta pèlerine ? » J'écoutais sa belle voix un peu altérée, et, délicieusement, je retrouvais la buée de notre nuit sur la petite fenêtre de notre cuisine. Nous dormions serrées l'une dans l'autre — ses fesses qui n'ont jamais été grosses, dans mon creux, entre mon ventre et mes cuisses de petite fille de neuf ans — parce que nous avions froid dans la chambre. Ma mère descendait vêtue plus pauvrement qu'avant 1914, ses cheveux dans un fichu, une touffe au-dessus de ses yeux d'acier bleu, une touffe au-dessus de son nez solidement planté. Elle allumait le poêle, nous déjeunions à côté des craquements et des ronflements, j'enlevais le manteau violet que m'avaient donné les amies de mon père : un manteau original. Je me demandais par quelle petite fille il avait été porté. Je jouais un rôle quand j'enfilais les manches, quand je le boutonnais, quand je serrais le col. Je l'oubliais quand je courais la ville, quand j'attendais mon tour pour toucher la « Floraline » et les autres succédanés ou quand on me soulevait de terre pour signer le nom de ma mère sur le registre des allocations. Ma mère ne voulait plus aller en ville. Elle bavardait avec des voisines pendant des heures. Un jour en revenant à la maison nous trouvâmes de l'argent sur la table.

— C'est une des amies de ton père qui aura laissé cet argent, dit ma mère.

Notre cuisine en hiver : la plus chaude, la plus gaie, la plus fréquentée du quartier, la plus remplie de refrains, d'éclats de voix. Le poêle chauffait à blanc, les crêpes de « Floraline » sautaient, chacune à son tour décollait les gaufres, le saladier de cassonade brute tournait de main en main autour du poêle. Nous opposions notre insouciance au froid, au vent, à la gelée, à la guerre. Seule enfant parmi les adultes, je ne m'ennuyais pas. J'étais une adulte arriérée parmi d'autres adultes éveillées. Je voyais le sang de chaque mois sur les bandes, ma mère me donnait des leçons de réalité, j'en parlerai. J'ai partagé les transes d'une jeune fille qui vivait chez ses parents, deux maisons avant la nôtre. Estelle guignait à sa fenêtre, au premier étage, le ménage fini. Le soir elle s'échappait. Je grattais le dos de sa mère en sautant, en dansant pour augmenter mes forces, je le massais avec mes deux poings. Je gagnais un sou.

La jeune fille au visage rond qui vivait pour la nuit, pour les hommes, se crut grosse. Cela je ne le compris pas mais, un jour, dans le couloir de notre maison, je compris qu'elle attendait le sang et que c'était une attente terrible. Estelle allait et venait, elle vérifiait son linge. Cent fois, deux cents fois, elle s'essuya en marchant. Elle voulait que je regarde le linge blanc. « Je t'achèterai des pralines si elles viennent », me dit-elle. Elle prenait ma main, elle la promenait sur sa toison sèche, du vieux foin, elle faisait entrer mes doigts entre ses replis. Tout lui était bon. Je ne le racontais pas à ma mère : c'était sans importance. Acheter des pralines pendant la guerre, une folie. Les règles arrivèrent dans le couloir, elle me fit contempler le linge rougi. Le lendemain je savourai les pralines. Estelle ne voulut pas en manger.

Nous prenions notre petit déjeuner, ma mère m'entretenait des laideurs de la vie. Elle m'offrait chaque matin un terrible cadeau : celui de la méfiance et de la suspicion. Tous les hommes étaient des salauds, tous les hommes étaient des sans-cœur. Elle me fixait avec tant d'intensité pendant sa déclaration que je me demandais si j'étais un homme ou non. Pas un ne rachetait l'autre. Abuser de vous, voilà leur but. Je devais le comprendre et ne pas l'oublier. Des cochons. Tous des cochons. Ma mère se souvenait encore de son enfance, d'une ducasse à Artres où un bonimenteur agitait un cochon de sucre rose au bout d'une ficelle. Il disait : « Voilà l'homme, mesdames. » Ma mère m'expliquait tout. J'étais prévenue, je ne devrai pas fauter. Les hommes suivent les femmes, il ne faut pas s'arrêter. J'écoutais et si je jouais avec les miettes sur la table ma mère me signifiait du regard que je manquais d'attention. Je croisais les bras, l'univers était un chemin sur lequel il fallait avancer, sans s'arrêter jamais ; si l'ombre d'un

homme surgissait, il fallait l'abolir en marchant toujours seule, toujours plus vite — toujours seule,
toujours plus vite, indispensable mécanique de
l'onaniste. Le chemin, de chaque côté, vous griffait
avec des arbustes grimaçants. Ma mère l'expliquait
avec une imprécise précision. Suivre un homme,
l'écouter, lui céder... Qu'est-ce que ça voulait dire,
céder ? Ne pas revoir le sang, grossir jusqu'à ce
qu'un enfant sorte de vous, tombe dans le ruisseau
avec vous. Après une telle leçon la faute est impossible : j'étais prévenue. Ma mère s'était surpassée en
courage, en énergie, en magnanimité quand elle
avait quitté la maison d'André. Elle ne pardonnait
pas aux autres hommes ce qu'elle avait fait pour un
seul. J'ai parlé de cela autrement dans *Ravages*,
dans *L'Asphyxie*. J'ai mêlé la vérité au roman. Ma
mère a voulu, après la mort de ma grand-mère,
changer une petite fille en amie intime. Hélas !
pour elle et pour moi, j'ai été son réceptacle à douleur, à fureur, à rancœur. L'enfant retient sans
comprendre : un océan de bonne volonté recevant
un océan de paroles. J'ai subi trop tôt son humiliante expérience ; je la traînais comme un bœuf
traîne la charrue. L'affront dans ses entrailles devenait universel. Elle souffrait au passé et au présent
lorsqu'elle disait que moi non plus je n'avais pas de
cœur. J'ai trop retenu ses prédications, ses tableaux.
Méandres de l'oubli, revanche de l'innocence, j'ai
cru jusqu'à l'âge de dix-neuf ans que les femmes
enfantaient par le nombril.

Berthe ma mère, j'étais ton mari avant ton
mariage. Je grattais avec mes ongles la terre des
jardins, je volais pommes de terre et petits pois, je
me jouais des fils de ronce. Tu t'es mariée, tu m'as
acheté ce qu'il y a de meilleur chez le confiseur, tu
m'as remboursé les pâles émeraudes dans les cosses
de mes petits pois. Pourquoi je volais ? Parce que
nous étions pauvres et rationnées. Dérober avec les

ongles, prendre à la terre ce qu'elle donne à profusion, quelle fièvre couleur lie-de-vin, quelle émeute dans le cœur. Ma joie, ma résolution quand je partais à pied pour les champs de Marly. Mon panier, mon couteau... Avancer courbée, les chercher, les trouver, tourner autour de la racine avec la lame du couteau, collectionner les pissenlits dans le panier, quelle frénésie. Nos lapins se régaleraient.

Je ne refermai pas ma bouche la première fois que je le vis. J'arrivais du froid, des ténèbres. Le contempler était un plaisir insoutenable. Je regardai la lampe à pétrole. Je baissai les yeux, je le retrouvai. La lumière accentuait la matité d'une herbe incrustée sur l'espadrille beige pâle. L'herbe dormait. Assieds-toi à la fin, me dit ma mère. J'obéis. Je dus quitter la fourrure des cils. Cesse de faire trembler tes genoux, me dit ma mère. Je revenais à lui. Nonchalance de ses jambes croisées, du bras abandonné, de la longue main brunie, immatérielle, des doigts absents retenant la cigarette. Son corps mince, lui aussi nonchalant, absent, habillé d'un costume couleur de brouillard. Il se taisait souvent, il écoutait caché derrière ses longs cils. Un être absent de sa beauté est deux fois plus beau. Il croisa autrement les jambes et me considéra un instant de très loin. J'avais un visage ingrat et des jambes si maigres que les garçons m'appelaient « Mollet de coq » ; je savourais le visiteur mieux que ne l'aurait fait un autre enfant. Moi ignare, j'apprends le hâle du visage comme j'apprendrais le prisme des couleurs. C'est un homme de vingt ans. Je dois guetter au coin de sa bouche si le dernier pétale de l'adolescence va tomber, et retenir la ligne brisée de son épaule. La nuit a déteint sur ses prunelles. Ses lèvres ont la couleur rose brique de nos cheminées d'usine.

C'est un contrebandier, m'expliqua ma mère le

lendemain. Je ne lui demandai pas ce que signifiait le mot. Je lui demandai quand il travaillait. La nuit, seulement la nuit, me dit-elle. Il passe sous l'eau avec ses ballots de tabac. Il se changera chez nous, il se réchauffera et s'en ira. Ma mère n'était pas une aventurière. Elle refusa d'entreposer le tabac dans la cave malgré les offres tentantes de Fernand. Estelle, qui avait eu un retard, tomba follement amoureuse du bel indifférent.

Souvent ma mère m'annonçait pendant le petit déjeuner : « Nous avons de quoi manger aujourd'hui, mais demain... » Elle vidait son porte-monnaie sur la table, j'étais fascinée par cet argent et par celui qui manquerait demain. Désolée, intriguée, oppressée, je mangeais des tartines de saindoux avec du sucre en poudre dessus. « Le lendemain, il me tombait quelque chose », me dit maintenant ma mère. Je volais de gros choux à l'arrière des charrettes allemandes au risque de recevoir un coup de fouet ; ma mère les distribuait : elle ne digérait pas le chou. J'étais vexée. Notre pauvreté nous aura ravies et obsédées. Edredon, détonation, bombardements. Nous descendions à la cave, tu me serrais contre toi. Je n'avais que toi ma mère et tu voulais que je meure avec toi.

Je ne me souviens pas de son nom. Appelons-la Etourdissante. Je me souviens du nom de son grand-père. Nous grattions la tête de Caramel, toujours assis sur la première marche de l'estaminet. Etourdissante. Visage de cheval. Douloureux hennissements quand elle s'exaltait. Elle tenait bien son estaminet. Je cueillais de l'herbe pour ses lapins, je lavais son carrelage, j'entrais dans l'estaminet quand je voulais. Elle m'enseignait l'alphabet des sourds-muets. J'assistais au plus vivace des tournois quand venaient d'autres sourds-muets. Beaucoup de crépitements malgré l'absence des voix. Elle m'apprenait à valser sur la sciure, au son du piano automatique qu'elle n'entendait pas. Le piano dégueulait la fin du refrain, je tournais la manivelle, nous repartions. Des enfants nous admiraient parce que l'entrée leur était interdite. Un client arrivait, Etourdissante me lâchait. Je m'enfuyais, je courais sur un trottoir, sur un autre, je suivais encore le rythme de la musique, je vivais le haut-le-cœur du refrain, les reprises des marteaux. Le samedi soir j'avais mon emploi. Je me tenais contre le piano sur une estrade, je tournais encore la manivelle ; je ne me fatiguais pas de regarder le déroulement des cartons piquetés. Valses, scottishes, polkas, mazurkas... firmament de musique où les étoiles sont des trous d'épingle. Je flattais avec ma main les fleurs peintes sur le bois, enlacées, plates jusqu'à la suavité. Elles s'épanouissaient pendant que j'écoutais, elles se rendormaient quand le piano se taisait.

Un fêlé devint amoureux de sa voisine. C'est Cataplame. Fluette, le visage masqué de taches de rousseur, la chevelure vaporeuse, une vapeur rousse, le corps hardiment découpé, elle vivait seule, près du verger saccagé. Son mari se battait au front, son intérieur était le plus propre du quartier. Elle secouait son chiffon du matin au soir, par la fenêtre de sa chambre à coucher. Cataplame le dégingandé, l'aîné d'une famille besogneuse était laid jusqu'à vous passionner. Perdu dans sa chemise à rayures sans bouton de col, et dans son pantalon toujours verdâtre, comme si la mousse était éprise de ses fesses et de ses cuisses, la braguette fantaisiste, la savate en retard, Cataplame parlait avec difficulté, d'une voix puissante et voilée. Sa voix vous parvenait d'un abîme. Je traînaillais dans le verger, je le vis commencer ses travaux d'approche. Mme Armande secouait son chiffon, il accourait, il suppliait encore, encore... Mme Armande se soumettait, la poussière tombait sur la tête de Cataplame. Ils riaient ensemble. Il claquait des mains, sautait, se grattait, ébranlait la grille du verger. Des jours, des soirées passèrent. Mme Armande n'apparaissait plus, Cataplame ne quittait pas la fenêtre des yeux. Le hoquet le possédait, des éternuements le secouaient, la vermine le tiraillait. Ses beaux yeux lents de poisson épousaient vitres et rideaux. Il poussait des cris inarticulés. Le passant soulevait les épaules. Tout à coup Cataplame dansait la danse des plateaux sur la balance ; il dansait, il captait et gobait une luciole. J'ouvris la lucarne de notre cuisine, j'allai dans le jardin, je rôdai dans le verger, puis sur le chemin, je le voyais de partout patient et têtu. Des gamines me demandèrent si je voulais jouer avec elles au carré (à la marelle). Je refusai leur offre, leur fadaise. Un matin ma mère m'envoya chez la mère de Cataplame avec un morceau de tissu à ourler à la machine. Il ne me vit pas, il ne m'entendit pas malgré le bruit de mes galoches. Une pluie fine permettait d'espérer et de désespérer. Cataplame vêtu d'un sac de pommes de terre avec des ouvertures pour le cou et les bras, attendait. Une fenêtre s'ouvrit. Cataplame frissonna et leva les yeux. Il déchira le sac de haut en bas et, le torse nu, l'épaule offerte, il sauta le plus haut qu'il put. Il poussait des cris de bête aimante. Le chiffon à épousseter tomba sur sa chevelure. Il s'en empara et cacha son visage dedans. Il le mordillait, il se frottait les yeux avec, il l'enlevait de son visage, il le tenait étalé sur ses mains et ses poignets. Sa braguette gonflait. J'entrai chez sa mère, je bafouillai, je courus dans le verger pour les voir. Penchée à la fenêtre, protégée par son peignoir, Mme Armande tendait les bras. Cataplame lança le chiffon et, après, il resta sur la pointe des pieds. Le chiffon se posa sur les bras de Mme Armande ; elle se retira, Cataplame gémit avec douceur et régularité. Ses grandes dents mal plantées avançaient hors de ses grosses lèvres, ses gémissements emplissaient de tristesse mon estomac. A ce moment, le piano automatique se réveilla. Cataplame allait et venait plié en deux. Je courus jusqu'à notre maison. Je me ruai dans notre jardin d'où je voyais tout. Le piano automatique s'arrêta, une note en l'air. Mme Armande réapparut, le chiffon tomba à terre. Cataplame le ramassa, il se frotta le torse, le cou, les bras, la nuque, le visage, le front, les épaules, les seins, il montra le chiffon au ciel. Mme Armande regardait. Sèchement, elle referma la fenêtre. Un rideau d'ombre enveloppa Cataplame, la chose dans ses mains devenait funèbre. Je croyais qu'il la déposerait tristement sur l'appui de la fenêtre. Le temps lui manqua. La porte s'ouvrit, Cataplame s'engouffra dans le couloir. Le piano automatique dégueula. Deux petites mains fermèrent les persiennes. Des journées, des nuits, des semaines défilèrent. La maison de Mme Armande, même si vous écoutiez contre la porte à l'heure où le grillon renonce, ne livrait rien. La mère de Cataplame cessa d'appeler, la maison cessa d'intéresser. Jamais de lumière, jamais de commissions, jamais de soupirs.

Un matin de soleil je vis un rassemblement devant la maison. Je questionnai un groupe de jeunes filles en effervescence.

— Cataplame a tranché la gorge de sa maîtresse, me dit l'une d'elles.

Je n'ai pas mis les pieds dans une école pendant six ans à cause de la guerre et de la maladie. Lire m'assommait. « Prends un livre, instruis-toi, que tu es paresseuse », se lamentait ma mère. Je préférais mes bras croisés, le balancement de mes pieds, les peaux à mordiller aux coins de mes ongles, les peaux de mes lèvres à savourer, une mèche de cheveux à serrer entre mes dents, l'odeur de mon bras nu. Des livres de la Bibliothèque Rose traî-

naient chez nous. Comment étaient-ils venus ?
Céline, notre plus proche voisine, la jeune fille
sacrifiée qui soignait sa mère et sa grand-mère ali-
tées, nous les prêtait. Je prenais un livre, je l'ouvrais
sur mes genoux, je le feuilletais. Les histoires de la
comtesse de Ségur m'ennuyaient. Mes malheurs me
semblaient plus réels que ceux de Sophie quand je
perdais une médaille, cent sous, un parapluie. Les
illustrations, leur couleur noirâtre, l'habillement, la
forme des mollets des petites filles modèles, leur
coiffure, leurs bottines cossues me plaisaient plus
que le texte. Je ne prenais pas au sérieux leurs
punitions. Je croyais au sifflement des martinets
dans les maisons. Je ne croyais pas aux verges pour
petites filles chic. Avertie comme je l'étais, ces
petites filles me semblaient des bébés. J'évitais les
contes de fées. Un chou à voler à l'arrière d'une
charrette, voilà un « malheur » plus palpitant : une
entreprise. Je préférais ma détresse quand ma mère
était malade et que je lui demandais au pied de son
lit : « Tu as encore mal ? » Je préférais les conversations des grands et des grandes, leurs soucis, leurs
commérages, leurs chansons. Je bavardais de maison
en maison, j'avais une grande gueule et une grande
langue. Je devenais une enfant à la tombée de la
nuit lorsque je jouais au cerceau. Je redevenais une
petite femme lorsque je partais pour Marly-plan-
tain, Marly-pissenlits. Je croyais nourrir ma mère.
L'usine, la gamelle... Travailler dans une usine pour
elle, lui apporter l'argent de la semaine...

Une famille, qui voulait tenir le haut du pavé,
qui ne me répondait pas quand je lui disais bonjour, m'appela bâtarde. « Qu'est-ce que ça veut
dire ? » ai-je demandé à ma mère en arrivant en
trombe dans notre cuisine. Ma mère blêmit. « Ça ne
veut rien dire. » Elle me quitta, l'air furieux.
J'ouvris la lucarne, j'entendis qu'elle leur parlait en
criant fort. Je regrettais ma curiosité.

Plus tard, un garçon de douze ans est venu le soir pendant que ma mère assise avec les voisines veillait sur les marches bleutées de notre maison : je les lavais à grande eau, ainsi le bleu de la pierre ressortait. Félicien me demandait si je préférais me promener, ou marcher sur la barrière du verger, près des refrains et des bavardages. Il appuyait sa main sur le bouton de cuivre de la fontaine, nous écoutions le bruit de l'eau. J'appuyais ma main sur la sienne, il enlevait sa main, il l'appuyait sur la mienne et ainsi de suite. Il ne parlait guère, cependant il débordait d'entrain. Si mon cerceau appuyé au mur tombait, il s'élançait et le remettait à sa place. Il connaissait mes habitudes. Tout à coup, nous nous mettions à courir l'un à côté de l'autre. Il ralentissait, il me disait « Marchons », avant que je m'essouffle. Céline avait perdu sa mère et sa grand-mère. Félicien, un soir que nous jouiions à sautiller du trottoir à la chaussée, parla entre ses dents : « Vous demanderez la chambre de devant à Céline, vous fermerez les volets, vous m'attendrez. » Il commandait, j'obéissais. Je devais patienter jusqu'au jour où ma mère irait en ville avec Céline. Celle-ci accepta de me prêter ses clés. Aussitôt les deux silhouettes disparues, j'entrai chez Céline, je fermai les volets. Je commençai d'attendre, il frappa à la porte du couloir. Je crus qu'il s'était brossé les yeux, les joues, les lèvres. Tout luisait. « Déshabillez-vous », me dit-il, presque méchant. Nous nous disions vous, parce que nous nous rencontrions toujours à la nuit tombante. « Déshabillez-vous, reprit-il, nous allons nous épouser. » J'obéis. Il se déshabillait aussi et me tournait le dos. Je m'allongeai dans le lit, j'entendais mon cœur battre mais je n'avais pas peur. Il monta sur le lit. Je voyais son ornement, comme chez les autres garçons dans les bassines le samedi soir quand j'arrivais à l'improviste au moment du récurage. « Fermez les yeux », me dit-il. Je fermai les yeux, je devinai qu'il avançait à genoux en évitant de me faire du mal. Je sentis de la chair douce sur mon front, sur ma joue, sur l'autre joue, sur ma paupière, sur l'autre paupière, sur ma bouche fermée, à l'emplacement des seins, sur mon pubis chauve. Léger, il s'allongea sur mon corps nu, il dit : « Ne respirons pas. » Je lui obéis. Ses cheveux mouillés rafraîchissaient le creux de mon épaule. Il respira longtemps après, je respirai avec lui. « Je vous ai épousée », me dit-il. Il se leva, il se rhabilla en me tournant le dos, il s'en alla sans me dire au revoir. Je défroissai le drap, j'ouvris les volets : la lumière était un cadeau. Je rentrai à la maison, je pleurai sans chagrin, je me demandais pourquoi je pleurais. Le garçon m'ignora chaque fois qu'il revint dans notre quartier.

Les Allemands quittaient Valenciennes, nous partîmes aussi. Je me souviens du froid, de mes tricots, de mes manteaux, de mes écharpes. Ma mère poussait une poussette avec Estelle. La mère de la jeune fille marchait à côté de moi, elle me demandait — malgré l'armée qui battait en retraite, les chevaux, les civils affolés — si je voulais lui gratter le dos. Je me souviens aussi que ma mère, à bout de forces, jeta un fer à repasser dans le fossé. Nous nous dirigions vers Mons poussés par les soldats allemands et les civils. Nous passâmes la nuit dans une cave avant d'y arriver. Je sommeillai, à demi déshabillée, dans le bruit sourd du bombardement.

Le lendemain, Mons a été repris ; des soldats français nous aidèrent à monter avec nos bagages dans un camion pour regagner Valenciennes. Je reconnaissais la route, les arbres, les clochers mais il y avait des chevaux morts et des soldats morts de chaque côté de la route. Triste atterrissage. Les vitres de notre maison s'étaient volatilisées. Les civils avaient pillé, cassé, brisé. Il fallut dormir aux quatre vents. Je m'éveillai le surlendemain avec un genou de la grosseur d'un de ces choux que je volais sur les charrettes.

Ma mère et Clarisse décidèrent de chercher du travail à Paris. Ma mère me mit en pension au collège de Valenciennes. J'étais la dernière de la classe et deux fois plus grande que mes compagnes. Le patois de notre quartier me manquait, me minait. Etre séparée de ma mère, de notre grand lit, de mon panier, des jardins à marauder, de la sciure de l'estaminet, du jus de chique, des crachats de Caramel, des chansons d'amour, de la fonte rougie de notre poêle, des tartines de ragoût, des visites nocturnes du contrebandier me donna la fièvre. Je n'apprenais pas. Comment aurais-je appris ? Je me traînais sous le fardeau de mes nostalgies.

Le mal commença par une douleur dans l'épaule. Je ne pouvais pas soulever mon bras, je ne pouvais pas cirer ma chaussure. L'étau se resserrait. Jour et nuit je souffrais et, dans mon lit, parmi les ronflements, les rêves à voix haute, je pensais à la cordonnerie du lendemain soir, à ma chaussure à brosser, à mon épaule, à mon bras. La surveillante me grondait. Elle me croyait inerte et paresseuse à la cordonnerie comme en classe. Elle se trompait. Cirer, brosser me rappelaient la maison, le ménage. On me trouva les mains moites. Le médecin du collège dit que tout allait bien, qu'il ne faut pas écouter les enfants. Ma mère, elle, me trouva brûlante le dimanche ; elle m'emmena, son médecin m'examina. « Une pleurésie commence par une douleur dans l'épaule », dit-il. La pleurésie était déclarée depuis huit jours. Ma mère annula son départ ; le trimestre payé d'avance ne lui serait pas remboursé, le médecin devrait venir souvent, il faudrait des médicaments : je voyais un douloureux reproche dans ses yeux. J'étais malade, je me croyais coupable. Une toux sèche, un point de côté remplacèrent la douleur dans l'épaule. Les nuits m'épouvantaient. Respirer, c'était tousser et avoir des élancements dans la hanche. Oh ! ma période d'amour, mon abnégation, mes sacrifices pour ne pas l'éveiller, la nuit ! Elle dormait dans le grand lit d'acajou, les portes étaient ouvertes. Je me dressais, je me penchais en avant, je serrais l'édredon, je l'enfonçais dans ma poitrine ou dans ma bouche, je mordais ma main, je tirais mes cheveux... Non je ne voulais pas tousser. Elle venait, elle me demandait si j'avais mal, plus mal, moins mal. Je la rassurais, j'insistais pour qu'elle aille se coucher. « Réjouissez-vous, elle n'est pas purulente », nous dit le médecin.

Un dimanche après le déjeuner ma mère insiste : « Il faut être raisonnable, tu vas être raisonnable, tu seras raisonnable... Je sors, Estelle te donnera ta potion... » Je lui dis qu'elle est belle, qu'elle est élégante. Elle rénove des vêtements usagés. Je ne peux pas lui dire que sa voilette l'a métamorphosée. Maintenant ma hanche et ma toux me tiennent compagnie. Elle, je commence à l'attendre dès qu'elle a refermé la porte.

Estelle me donna la potion plusieurs fois dans l'après-midi, et me dit de patienter. Elle se sauvait la tête pleine de jeunes gens. Je patientais, je me souvenais du piano droit de Marie Biziaux — une « entretenue » qui a toutes les chances, disait-on dans la chambre pendant que j'imitais la grand-messe — chez qui nous allions avec ma mère et ma grand-mère. Nous traversions un jardin de fleurs et de légumes, nous entrions, Marie Biziaux statue plantureuse des Flandres nous accueillait avec sa mère, autre statue en saindoux. Les quatre dames devisaient, l'odeur pointue du café pénétrait jusque dans le jardin. « Tu peux jouer, tu peux y aller », m'encourageait ma grand-mère. J'entrais dans la pièce, je refermais la porte, je me séparais de l'odeur du café, des voix. Je regardais d'abord le tabouret, je suivais avec un doigt les dessins du damassé, je soupirais. Enfin j'osais lever les yeux sur le clavier. Le silence blanc et noir était formidable. Je me décidais ; j'appuyais mon doigt sur deux touches noires couplées. Je blessais le silence. La résonance finissait, j'étais possédée. Je jouais du piano sans avoir appris : je ne jouais rien. Le clavier me semblait trop petit, les pédales trop minces pour mon vacarme pendant que je jouais debout. Je me penchais en avant, en arrière, sur le côté, je donnais des coups de tête, je croisais les mains en jouant. Je voulais être ce grand pianiste que je n'avais jamais vu. Je voulais étonner les murs, les tables, les chaises.

Ma mère rentra avant la nuit, elle me dit que l'homme aux lorgnons était revenu de la guerre, qu'il me donnait une plaque de chocolat. Elle la déposa sur mon lit. Je mangeai un carré, deux carrés, je ne posai pas de questions : le chocolat était un luxe. L'avenir n'était plus notre avenir. Je le devinais dans la confusion.

Le médecin conseillait la campagne, Laure proposa une convalescence dans sa ferme à une vingtaine de kilomètres. Elle m'éblouit pendant le trajet avec ses coups de fouet au-dessus des flancs du cheval. La langue contre ses dents, elle poussait des « driiiii » aussi bien que les charretiers. Preste, elle remettait le manche du fouet dans le porte-bouquet-porte-fouet, elle freinait dans les descentes, elle ramenait la couverture, elle renouait le tablier de cuir de la voiture. J'essuyais des larmes.

« Ma manman... — Tu la reverras manman », se moquait-elle sans méchanceté.

Enfin je voyais la campagne, la vraie. La plaine de Mons et la plaine de Marly se déroulaient à perte de vue, rajeunies, rafraîchies, plus vigoureuses. Un arbre se baignait dans une prairie, les maisons au bord de la route ne tenaient pas de place. Une église se pelotonnait, le ciel et l'herbe se miraient l'un dans l'autre. Ma mère disparaissait derrière l'horizon. Les étendues avivaient mon chagrin.

— Tu m'appelleras ma tante et tu l'appelleras mon oncle, me dit-elle quand la voiture entra dans la cour de la ferme.

La propreté des fenêtres et des rideaux, du carrelage le long de la maison, le long des bâtiments, me coupa bras et jambes. La porte vernie s'ouvrit :

— Laurent, venez donc dételer, cria une petite vieille au visage de reinette. Où êtes-vous, Laurent ?

— Où est encore Laurent ? Le cheval va se refroidir, dit Laure.

Laurent sortit d'un bâtiment.

— Il faut que vous donniez à manger aux bêtes, dit à Laure la petite vieille.

— Il faut que je m'occupe d'abord de cette enfant, dit Laure.

Je lui sautai au cou.

Laure chuchota dans mon oreille qu'elle m'achèterait des sabots.

— Embrassez votre nièce, dit Laure à Laurent.

Le soir nous avons dîné avec de longues tartines de beurre salé trempées dans du café au lait. Le silence autour de la ferme me dépaysait. Je lampais comme eux, mes oreilles bourdonnèrent moins. Dès que je regardais les meubles et les objets, je me croyais assise sur une pointe d'aiguille. Tant de propreté rejette.

J'allais à l'école à l'autre bout du village. Je sortais de la cour de la ferme, je me trouvais de plain-pied sur le chemin difficile de la haie. Je trébuchais sur les pavés, je m'essoufflais dans la montée, j'avançais à pas comptés. La haie : ma religion, mon sanctuaire. Les nuages me voyaient, les nuages me regardaient. Ces îles flottantes dans du bleu, ces blocs de mousse sont des masses d'yeux sans tristesse, sans gaieté. Des yeux blancs étonnés, étonnants. Je n'avais jamais vu autant de ciel libéré des toits et des cheminées. Je ne faisais pas de différence entre les fleurettes, le gazouillis de leurs couleurs et le chant des oiseaux. Je croyais entendre des milliers d'oiseaux, la nature était une volière sans barreaux. J'avais dans les oreilles des bouquets d'harmonies, un chat sautait par-dessus l'herbe, un coq dans toute la gloire de ses plumes rousses et de ses plumes vertes ne s'effarouchait pas. Je jetais mon cartable plus loin, je voulais voir les jardins, les vergers, les prés entre les branches de la haie. J'imaginais un mystère parce que j'étais séparée d'eux, qu'ils étaient seuls avec eux-mêmes, que le reflet du soleil les balayait. Leur jubilation me laissait pantelante. Des parfums en voyage m'arrivaient, je râpais mon front avec une feuille de noisetier, je m'en allais en classe sous un dôme de feuillages, je respirais la lumière et le bon air, la brise fiançait les branches.

Je déjeunais chez une cabaretière mais avant je devais gober deux œufs, un troisième à quatre heures. Les médecins conseillaient les œufs pour la croissance, la tuberculose, l'anémie, les syncopes. Plus vous les détestiez, plus ils les imposaient. De l'eau de source coulait en forme d'arceau d'un goulot. L'eau partait dans un creux vert, causeuse, pressée, élégante, éloquente. Toc et toc. Je cassais mes deux œufs sur le bord de la tasse, j'ajoutais un peu d'eau fraîche pour avaler des limaces rondes.

J'appris les divisions à plusieurs chiffres après la virgule, j'appris à accorder : J'ai mangé la pomme et La pomme que j'ai mangée. Je l'appris pour tou-

jours et mieux qu'au collège. Les animaux de
La Fontaine me semblaient trop pompeusement
accoutrés. Je ne croyais pas, malgré les explications,
aux qualités, aux défauts des hommes dans une
bête. Je préférais notre grand voleur de chat maigre
et gris, je préférais ma mère le grondant à coups de
torchon. Pourquoi rabaisser les animaux jusqu'à
notre langage ? Ils ont leurs plaintes, ils ont leurs
cris, ils ont leurs plaisirs, leurs drames, leurs aban-
dons, leurs famines. Leurs détresses, leur mauvais
destin. Une grenouille est une grenouille, un bœuf
est un bœuf.

Une récréation :
— Pourquoi es-tu venue à notre école ?
— Parce que j'ai été malade.
— Tu étais malade ? Qu'est-ce que tu as eu ?
— Une pleurésie.
— Qu'est-ce que c'est une pleurésie ?
— On tousse, on a un point de côté.
— J'ai un point de côté quand je cours long-
temps. Je n'ai pas de pleurésie.
— Tu as de la chance. Une pleurésie sèche est
moins grave qu'une pleurésie purulente.
— Qui t'a appris ça ?
— Je te dis ce que le médecin a dit quand il me
soignait.
— Où est ta mère ?
— Elle travaille à Paris. Elle m'écrira.
— Où est ton père ?
— Je te dis que ma mère travaille à Paris.
— Je te demande où est ton père. Je ne te parle
pas de ta mère.
— Et moi je te dis que ma mère travaille à
Paris.
— Pourquoi me donnes-tu des coups de pied ?
— Parce que je te dis que ma mère travaille à
Paris.

— Si tu crois que je suis sourde ! Tu recommences ?

— Parce que tu ne m'écoutes pas. Ma mère, c'est mon père.

— Tu es folle, tu es idiote. J'ai un père, j'ai une mère. Ma mère ce n'est pas mon père.

— Je ne suis pas folle, je ne suis pas idiote. Il n'y a pas de père chez nous. Il y a ma mère. Que veux-tu que je te dise ? Ma mère c'est tout ça.

— Tout ça quoi ?

— Rien. Je te dis : rien. J'avais une grand-mère.

— J'ai une grand-mère. J'ai un père, j'ai une mère.

— Tu as de la chance.

— Toi aussi tu as de la chance. Tu as des sabots neufs, un plumier neuf... C'est ton père qui te les a donnés ? Tu es venue au monde comme moi : avec un père et une mère.

— Fiche-moi la paix. Je suis venue au monde avec ma mère. Jouons.

— Je jouerai quand tu me diras où est ton père.

— Je ne veux plus jouer avec toi.

— Moi non plus je ne veux plus jouer avec toi. Tu es sotte. Tu ne peux même pas dire où est ton père.

— Je m'en vais. Tu m'agaces, tu m'ennuies.

Je me réfugiai dans un coin. La curieuse ne m'ennuyait pas : elle me tourmentait. Je m'inquiétais, je me questionnais. Ma mère avait dit pendant la guerre : il est mort. Cet homme mort dont elle me parlait tant, qui était-ce ? « Il ne t'embrassait pas, il se méfiait de la contagion. Il tapotait tes joues, ton menton. » Je ne me souvenais pas de lui, je ne me souviendrais jamais de lui. Je me décidai à avancer sur un pied, au risque de fendre mon sabot.

Je provoquais le sol, la récréation, la questionneuse ; je regrettais Fidéline qui me protégeait quand ma mère se fâchait. Pour ma mère et pour moi c'était autrement que chez les autres. Lorsqu'un père prenait son enfant sur ses genoux, lorsqu'il le faisait sauter en chantant « à dada, à dada », je rougissais, envahie de honte et de pudeur. Nous, nous vivions entre jupons.

Crise de découragement à l'improviste. Onze heures et demie du soir. Mon poste de radio est ouvert. Calypsos, blues, sambas. Les bâtards sont maudits : un ami me l'a dit. Les bâtards sont maudits. C'est le glas, le tocsin sur les calypsos, les blues, les sambas. Pourquoi les bâtards ne s'entraident-ils pas. Pourquoi se fuient-ils ? Pourquoi se détestent-ils ? Pourquoi ne forment-ils pas une confrérie ? Ils devraient tout se pardonner puisqu'ils ont en commun ce qu'il y a de plus précieux, de plus fragile, de plus fort, de plus sombre en eux : une enfance tordue comme un vieux pommier. Pourquoi n'existe-t-il pas des agences matrimoniales afin qu'ils se marient entre eux ? Je voudrais voir écrit en lettres de feu : « Boulangerie pour bâtards. » Ainsi, stupidement, je n'aurais plus des tringles dans le gosier lorsqu'on dit : « Vous me donnerez un bâtard... » J'ai toujours voulu que dans *Marty*, l'admirable film américain, les deux timides qui se trouvent enfin soient deux bâtards.

Les garçons de l'école se coalisèrent contre moi. A quatre heures moins cinq je devinais qu'ils se préparaient à me poursuivre sur les routes. J'avais peur d'avoir peur. Pourquoi m'avaient-ils choisie ? Devinaient-ils les leçons de ma mère, ses menaces, devinaient-ils que leurs éclats de rire, leurs farces, leurs fanfaronnades me laissaient indifférente ? Ma mère m'obsédait, je voulais une lettre d'elle. Elle n'écrivait pas. Je sortais de l'école, ils me laissaient prendre de la distance, les cailloux pleuvaient sur ma tête. Leur haine me frappait plus que leurs armes. Je prenais mes sabots à la main ; plus légère, je courais plus vite ; je tombais, je me relevais, les cailloux pleuvaient toujours. J'aurais préféré des cris d'Indien : les garçons ne criaient pas. Ils disparaissaient dès que je m'approchais de la ferme de Laure. Laure se fâcha, elle parla à l'institutrice, les poursuites cessèrent, les garçons m'évitèrent.

Le dimanche soir je portais un litre de lait à la cabaretière chez qui je prenais mes repas. Je regardais la source du coin de l'œil, je négligeais son glouglou parce que ce soir-là je n'avais pas d'œufs à gober. A mi-chemin, un estaminet donnait tout ce qu'il pouvait en cris, en boissons, en rires, en tabagie. Nous étions nombreux à nous arrêter pour les demoiselles qui remettaient leur mouchoir à la taille, entre leur jupe et leur corsage. Des jeunes gens fiévreux et débraillés sortaient, pissaient. Ils revenaient en vainqueurs. L'un d'eux, sans hésiter, traversa la foule des danseurs. Il me demanda si je voulais valser. Je répondis « oui » de tout mon cœur. Je valsai avec mon manteau violet, j'étais fière d'avoir appris la valse. Il m'offrit son verre de bière après la danse, il mit des pièces dans la fente du piano automatique. Nous valsâmes de nouveau ; il me serrait contre sa chemise trempée de sueur. Je paraissais plus de treize ans, le jeune homme voulut savoir si je viendrais le dimanche suivant. Je lui dis oui et je m'enfuis. J'aurais valsé jusqu'à l'aube. Le lendemain, Laure me gronda. Je m'étais amusée dans un endroit de perdition, je ne devais pas recommencer. Je trouvais la leçon stupide et indigne de Laure. Le dimanche suivant, je portai le lait sans regarder du côté de l'estaminet. J'avais honte et je désirais recommencer.

L'attachement de Laure, mon attachement pour elle grandissaient. Elle m'encourageait : « Tu la reverras ta manman. Elle t'écrira, ta manman. Pourquoi ne t'écrirait-elle pas ? » Elle jurait comme un vacher, elle riait, je riais avec elle. « C'est ma nièce, racontait-elle partout, n'est-ce pas qu'elle me ressemble ? » J'étais contente chaque fois qu'elle disait cela. J'admirais sa force, sa corpulence, sa vitalité. Quelle gaillarde ! Quel travail elle abattait ! Ses colères et ses emportements étaient terribles. Se disputant avec sa belle-mère et son mari, elle jeta les seaux pleins de lait dans la cuisine ; elle cria : « Je pars, j'emmène cette enfant avec moi. » Soir et matin, elle nattait mes longs cheveux, elle faisait admirer mes deux nattes. L'œuvre de sa sœur était son œuvre. Ce colosse me préservait de la solitude. Leur fils Léon venait en vacances en uniforme de pensionnaire. Je me plaisais dans la ferme, je me plaisais dans le verger, dans le potager, je me plaisais dans l'étable, dans l'écurie. Je n'avais pas de chez moi, j'étais partout chez moi. Le soleil, ma couverture si je m'allongeais dans l'herbe. Je me souvenais du jardin public, peigné, glacé, endimanché. Tout s'épanouissait, moi-même je me fortifiais, je m'épanouissais. Une abeille prenait le suc du silence, un frelon rectiligne était pourchassé par l'espace. J'étais si près de la terre dans laquelle ils avaient germé quand je m'amusais à tomber sur le fourrage dans la grange. Leurs prés toboggan de l'autre côté de la route m'envoûtaient, la nuit descendait, échelon par échelon. La nature sombrait, c'était évasif. Une question, un recueillement. Le soir ne m'attristait pas. En ville j'aurais sangloté pour ma mère absente. Maintenant les perspectives mélancoliques, la soumission d'une route, l'humilité d'une barrière, la nudité d'une herse renversée, le tragique du couchant me réconfortaient. Je voyais tout cela sans me l'expliquer. Non je ne fondais pas dans le paysage. Je vérifiais mes joues fraîches, je sortais mon pied de mon sabot, je reniflais, j'étais moi-même, sans projet, sans ambition, sans intelligence, sans réflexion. Hommes, femmes, enfants ne me blessaient pas. La pénombre vous rend puissant. J'effleurais avec mon doigt les toits du village. Je fredonnais, je rentrais, les bruits accostaient une petite fille émerveillée.

Laure m'annonça le retour prochain de ma mère. Je ne guettai plus le facteur pendant des heures le jeudi matin, mais je guettai toute la journée la voiture avec Laure et ma mère dedans. Je n'imagine pas le soleil de minuit plus étonnant que cette voiture apparaissant en haut de la côte. J'étais vide, la joie me quittait au fur et à mesure que se rapprochaient les roues, le cheval, les visages. J'étais seule. Délivrée de l'attente, délabrée par l'exaucement de mon vœu : la revoir. La voiture roula près de moi, j'étais un trou béant. Qu'est-ce que j'attendais ? Je recevais et je perdais tout en même temps. Je courus dans la cour, je l'embrassai dans le désordre d'une basse-cour affolée. Ma mère se dévoue, elle embrasse rarement. Elle m'examinait, elle me révisait. Laure lui disait combien j'avais changé. J'avais trop bonne mine. Je le lisais dans ses yeux. Mes deux tresses à la mode du village, elle les méprisait. Je l'ai écrit dans *L'Asphyxie* : le soir près du poêle, elle murmura : « Comme tu es devenue campagnarde. » Elle le dit sans doute en passant. Elle me blessa avec un couteau. Je m'en allai dans la cour avec ma pèlerine sur les épaules, je ne pleurai pas. Je croyais, dans le clair de lune, que je n'étais plus son enfant parce que je manquais de séduction.

Ma mère détestait le village, la campagne, la vie de la ferme. C'est une citadine. Elle m'influençait. Les paysages, les routes, les champs, les arbres ne m'inspirèrent plus la même confiance. Ma mère était un écran. J'aurais renié Laure, son patois, ses grands mouvements, son activité pour plaire à celle qui revenait découragée de Paris. De nouveau nous étions à part toutes les deux entre les beuglements, le départ d'une herse, d'un tombereau, d'un soc. Ma mère a l'estomac fragile parce que, petite fille, elle a été mal nourrie. Elle ne digérait pas le café au lait, le pain trempé. Je ne mangeais plus comme avant. Je contemplais ma mère, je n'étais plus une paysanne parmi les paysans. Il y eut un coup de foudre d'amitié entre elle et la couturière du village. Je les retrouvais après l'école, nous mangions de la tarte, des crêpes, des beignets dans une pièce aux portes fermées, où il faisait chaud. Quand ma mère m'a-t-elle expliqué qu'elle allait se marier au village avec un monsieur de la ville, qu'elle repartirait pour notre ville, que j'irais au collège, que je serais de nouveau pensionnaire ? Je ne m'en souviens pas. Se marier. Je ne comprenais pas, je ne réalisais pas.

Une voiture fermée, avec un cocher, arriva un après-midi. Après un repas rapide dans la salle à manger de la ferme, ma mère monta dans le coupé avec l'homme aux lorgnons que j'avais vu quand nous habitions « Les Glacis ». Il me dit : « Au revoir, mon petit. » Ma mère était mariée, la voiture fermée les emporta tous les deux, au crépuscule. Je respirai. Je redevenais une paysanne parmi les paysans. Oui mais, dans la nuit... l'obsession... Qu'est-ce qu'un beau-père ? Un beau-père, c'est le père de l'époux, c'est le père de l'épouse. Ce ne sera pas cela. Qu'est-ce qu'un beau-père ? « Tu vas avoir un beau-père... » C'est un père artificiel. C'est une poupée qui ouvre les yeux, qui ferme les yeux, qui dit : je suis un papa. Qu'est-ce qu'un père ? Qu'est-ce qu'un beau-père ? Je me rendors. J'ai une mère, elle traînait les meubles dans notre maison. Elle était père et mère.

Le lendemain qui suivit mon retour à Valenciennes pour redevenir pensionnaire, je me levai à neuf heures et demie exactement. Une heure après j'allai vers mon beau-père, avec crainte, sans élan. Je lui dis « bonjour monsieur », je l'embrassai. Il me répondit « bonjour mon petit ». L'expression « mon petit », dite avec un peu de distraction par un homme qui n'était pas un étranger puisque je l'embrassais mais que j'appelais « monsieur » en lui donnant deux baisers m'épouvanta. Il me dit : « A quelle heure t'es-tu levée ? » Je répondis presque joyeuse : « A neuf heures et demie ! » Il me regarda, il me scruta, ses yeux étaient froids derrière les verres des lorgnons. Il ajouta : « Il ne faut pas me mentir. » Je me glaçai pour plus de trente années. Désormais il me ferait peur, je ne serais plus moi-même. Pourquoi aurais-je triché avec l'heure ? Voulait-il éprouver au premier contact, en fixant mes yeux, le séducteur de ma mère à qui je ressemblais ? Un bâtard ça doit mentir, un bâtard c'est le fruit de la fuite et du mensonge, un bâtard c'est le stock des irrégularités. J'étais intimidée, je voulais être bien élevée. C'est ainsi que peut commencer l'hypocrisie. Je comprenais confusément qu'il aurait voulu m'effacer. J'étais le poids d'un grand amour, j'étais une mouche sur un linge blanc. Il ne me grondait pas, cependant il me terrorisait. Je me taisais à table pendant les repas, après les repas, je n'osais pas me tenir bien, me tenir mal. Je m'ennuyais, je me liquéfiais, je me vomissais. « Mange mon petit, mange. Ta mère, elle mange. » « Oui monsieur, non monsieur, merci monsieur. Je n'ai plus faim, monsieur. » Je ne pouvais pas tendre les bras du côté de ma mère tout en effleurant le poignet de sa blouse de lingerie. Une serviette de table, une fourchette, un couteau, un porte-couteau, quel encombrement. Les boulettes de mie de pain me secouraient. Marly Céline, Estelle, la sourde-muette, Caramel, le fou, sa maîtresse, le verger, Aimé Patureau, les cahiers de chansons, l'herbe pour les lapins. Se souvenir à quatorze ans... C'est trop tôt. Je regardais la statue de Froissart, par la fenêtre ouverte de la salle à manger, je m'abîmais dans les plis de sa robe, je me demandais pourquoi ma mère m'avait emmenée en terre étrangère. Le tramway tournait sous les fenêtres, il s'en allait plaintif du côté de mon Marly bien-aimé.

J'ai mangé à ma faim chez eux mais à table j'étais assise sur une chaise à trois pieds. De quatorze à vingt ans le quatrième pied a manqué. Le quatrième c'était le mort, le séducteur de ma mère.

Tu as mis au monde un fleuve de larmes, ma mère. J'ai pris le voile, ma mère. Oui, plus tard je claquais souvent les portes, je ne vous supportais pas. Ma blessure se rouvrait. Ma blessure : toi arrachée de moi. Jalouse ? Non. Nostalgique jusqu'au vertige. Répudiée malgré tes bontés, ma mère. Oh oui, exilée de notre édredon qui nous réchauffait pendant les bombardements.

Pauvre beau-père, pauvre mère, pauvre fille. J'étais venue à Paris à quinze ans avec lui pour essayer une chaussure orthopédique et un corset de toile et de fer. Je boitais, je me tenais voûtée. Place de la Concorde, dans un taxi, il me dit : « Ne m'appelle plus monsieur. Appelle-moi père. » J'acceptai, je dis oui avec des lèvres en marbre. Avec quoi suis-je bâtie ? L'homme de bonne volonté ne m'attendrissait pas. Il faut t'appeler père et je ne porte pas ton nom, murmuraient mes yeux à celui que je n'ai pas tutoyé. Le séducteur ne voulait que du linge blanchi à Londres quand je suis née. Où suis-je née ? Où suis-je tombée après être sortie du ventre de ma mère ? Dans un chapeau claque. J'aurais préféré appeler encore mon beau-père « monsieur ». « Père », c'était chaque fois la même arête dans mon gosier. Je me préparais à dire « bonjour père », « bonsoir père » comme nous nous préparons pour la table d'opération. Enfin je vivais sur une terre sans hommes depuis que ma mère m'avait mise en garde contre eux.

Je me sentis inondée pendant la classe, je demandai à sortir. J'avais le sexe chaud, offert à tout ce que je rencontrais dans la cour d'honneur du collège. J'entrai dans les cabinets, je plaquai ma main, je vérifiai ce que j'espérais, ce que je pressentais. J'avais l'intérieur de ma main rouge, gluant.

Je demandai à prendre des leçons de piano. Les névralgies, les élancements dans mes oreilles, les angines m'abattraient moins. Je suppliais mes compagnes, je leur expliquais que je grelottais. Elles acceptaient de me céder leur place près du radiateur. Je somnolais, ma tête couchée sur le radiateur, j'attendais la fin de l'étude du soir pour monter et descendre la gamme. La faible lumière électrique appauvrissait les bavardages, les réprimandes. C'était comme si je devais avaler des rations de lentilles hors du réfectoire. L'étude du soir... une épreuve de monotonie parce que j'étais paresseuse. J'apprenais mes leçons sans comprendre, sans retenir. Etudier, cela ne me semblait pas sérieux. Mon travail bâclé, je revenais dans ma caverne, l'escargot dans mon cerveau se remettait au chaud. J'admirais les élèves studieuses, intelligentes, douées. Je ne pensais pas ceci : je n'ai qu'à m'y mettre. Si je m'y mets je pourrai reconquérir le paradis perdu de l'effort, des bonnes notes, des récompenses, des compliments. Non, je n'étais pas une paresseuse tiraillée. Mon livre de géographie me plaisait pour l'infiniment petit sur les cartes. Le joli ver de terre bleu pâle, tantôt paisible, tantôt se tortillant, c'était un fleuve traversant la France. Un grain de café : une île avec des milliers d'habitants. J'avais plus de courage que toutes les élèves rassemblées pour être seule à côté de ma compagne. Les platanes nus ou habillés me criaient : finie la valse dans l'estaminet, fini Marly. J'avais plus de courage que toutes les élèves rassemblées quand j'étais interrogée, quand je me figeais, quand bête je m'abêtissais, quand je commençais de voir dans les yeux que j'étais laide, que cela les amusait, qu'elles se poussaient du coude.

Je montai d'une classe, je dus retenir : ... Rodrigue as-tu du cœur ?... Tout autre que mon père... C'était une scie. Une femme incarnant le devoir torturait un homme incarnant l'amour. Je discutais de cela avec des réalistes, les campagnardes en pension. Le devoir nous barbait. L'amour à la fin du Cid triomphait démuni de ses flèches étincelantes. Rodrigue, le livre refermé, serrait le reflet d'une femme dans ses bras. Comment des enfants de douze à quatorze ans pourraient-elles se mettre dans la peau de créateurs qui ont aimé, fait l'amour avant d'écrire leurs drames ? Oui, Corneille embellissait le chien dans la chienne pendant nos promenades du jeudi. Voilà le pouvoir de ses tirades. Je passais au-dessous de Racine tout en l'apprenant. Mes empereurs, mes palais, mes tragédiens, mes tragédiennes, qui était-ce ? Les surveillantes d'internat. Je flambais au lieu d'étudier. Je frémis enfin pour Chateaubriand, pour Lucile. J'espérais que l'inceste était consommé. Le visage olympien, les cheveux bouclés de l'écrivain, le tombeau sans rival proche de la mer et se voulant supérieur à elle me fascinaient comme ils en ont fasciné tant d'autres. Il décrit admirablement, expliquait notre professeur, mais il affaiblit quand même sa description avec son ombre sur la page. Je soulevais les épaules.

Ah ! ces végétations pendant les vacances au début du mariage de ma mère... Une calèche, pour la circonstance, attendait devant leur maison de commerce. J'y montai avec ma mère pour aller chez le laryngologiste et, pendant qu'elle me demandait si j'avais peur de la petite opération, je n'osais pas lui dire : Est-ce la même, ressemble-t-elle à la calèche qui venait à Arras ? Je vomis du sang, après l'intervention, sur les coussins de la calèche. Je supportais la brûlure dans ma gorge mais je ne supportais pas le flot de sang dans la calèche qu'elle avait tant attendue. Je réincarnais André, la blessure dans ma gorge humiliait encore ma mère jusque dans son mariage, jusque dans la maison de commerce où elle réussissait. Je répondais « non » méchamment quand elle me demandait si je souffrais. Je souffrais et ruminais. Elle voulut m'aider à me déshabiller, à me déchausser. Je refusai. Je me baissai, je dénouai mes lacets, je couvris de sang mes richelieu. « Je ne veux pas qu'on m'aide », dis-je à ma mère. Je suis sûre aujourd'hui que je voulais cracher le sang comme il le crachait ; je voulais me rattacher à lui, je commençais à payer pour lui.

Notre surveillante obtenait, sans crier, sans claquer le couvercle de son pupitre, le silence de soixante élèves pendant l'étude du soir. Elle préparait un concours, elle étudiait plus que nous. Nous la couvions, oui nous couvions notre enfant et notre oiseau lorsqu'il descendait de l'estrade. Je ne respirais pas dès qu'elle arrivait à ma table, dès qu'elle se penchait sur mon cahier : je me l'étais promis. Je m'effaçais selon mes possibilités. Je cessais de la voir, je cessais de l'entendre. Elle était trop proche. J'ignorais ce que je voulais. Je souffrais de son éloignement, je souffrais de son rapprochement. A force de ne pas respirer, j'éclatais. « Que se passe-t-il ? » demandait-elle surprise, confiante, détachée. Je respirais, je me protégeais avec une fausse quinte de toux. Elle quittait ma table, je la voulais. Je m'abattais sur mon livre, je versais des larmes de rage, d'ignorance, d'impuissance. « Que se passe-t-il encore ? » demandait-elle avec un peu d'indulgence. Je répondais sans gentillesse : « J'ai la migraine. » Devinait-elle les premiers remous de l'adolescence ? Le dimanche matin, si j'avais la joie de sortir du collège, je parlais d'elle à ma mère dans le cabinet de toilette moite, ma mère m'écoutait longtemps. Elle comprenait, elle ne s'impatientait pas. Je lui décrivais mes émois, j'aimais mon auditrice, cependant ma mère commençait à ne plus être l'unique.

Je supprimai les récréations dès que je pris des leçons de piano. Nous avions nos heures d'étude fixes inscrites, mais nous pouvions étudier en plus si nous trouvions un piano libre. Je courais à la chasse au trésor, je m'éloignais avec volupté des cris barbares des élèves. Je préférais la petite salle loin de la cour d'honneur, proche de la cour sans arbres avec ses filets de basket au-dessus de la poussière noirâtre. Une cellule, une fenêtre au verre opaque, un piano, une chaise, c'est tout. J'entrais, j'étais à lui, il était à moi. Lentement, geste après geste. Si je le voyais ouvert je le fermais pour l'ouvrir moi-même. Je le voulais secret chaque fois que j'arrivais. Je dégrafais mon porte-musique dans un angle de la pièce parce qu'avant d'étudier je devais me tenir à distance de ce meuble silencieux dans le silence. Je refermais le porte-musique. Le bruit du fermoir ? Bruit de triomphe pour la chaise, le clavier. Assise, moins voûtée qu'à l'ordinaire, je feuilletais la méthode. Intimidée, j'enfonçais un doigt dans l'aigu puis un autre dans les basses : je mesurais l'étendue du clavier, je voulais encore le même silence entre l'aigu et le grave. Inlassablement, j'étudiais la gamme chromatique pour son romantisme, je hissais de la tristesse sur la touche noire. Non, je ne me lassais pas de ces montées, de ces descentes de mélancolie boitillante. Soudain, je me décourageais. Je prenais des leçons trop tard, mes doigts ne se déliaient pas, mes poignets ne se délivraient pas des bandages de plâtre. Ma tête tombait sur les notes basses du clavier, je pleurais pendant qu'un coup de tonnerre résonnait après l'écrasement des notes. J'essuyais mes larmes sur les touches jaunies par l'usage, j'étudiais encore. Je préférais les exercices aux petits morceaux que j'interprétais mal. « Les nuances, les nuances, n'oubliez pas les nuances ! » scandait Mlle Quandieu avec sa règle. Cheveux mordorés et mousseux, visage flou, Mlle Quandieu donnait ses leçons en jaquette, en chapeau. Cent kilos sur une chaise de l'école maternelle. Mlle Quandieu manquait de sévérité. Je m'éveillais la nuit avec des sueurs froides si je n'avais pas suffisamment étudié. J'en parlerai encore. Je m'éveillais après m'être endormie à une heure du matin, après avoir pleuré sous le drap parce que j'étais différente des autres élèves dans le dortoir puisqu'elles dormaient, parlaient en dormant, se débattaient, riaient alors que je ne dormais pas. Je me levais brisée, je détestais mes objets de toilette, le pas de la surveillante dans l'allée. Je faisais mon lit dans ma chambrette entre deux cloisons, je me dominais, j'emmagasinais les crises, les dépressions pour plus tard. Moins je dor-

81

mais, plus je demandais à étudier mon piano après le petit déjeuner. J'avais un rendez-vous, j'oubliais que j'étais privée de liberté.

Ma mère ne venait pas souvent au parloir. Elle se passionnait pour le commerce du meuble et de la décoration. Elle envoyait chaque semaine une apprentie chargée d'un sac aussi vaste qu'un sac pour cinquante kilos de charbon. Ma santé la préoccupait toujours. Je recevais des monceaux de provisions qui inspiraient un sourire d'ironie à Mlle Fromont, la surveillante de garde. Ma mère achetait les meilleurs fruits, les meilleurs chocolats, le meilleur miel. J'avais la case la plus pleine, j'avais presque honte de tant d'abondance. Ma mère apportait une charge, son « fardeau », comme elle dit, quand elle se maria. Elle travailla le lendemain de son mariage pour payer tout de suite le pain de son « fardeau ». Ancien élève de l'école Boule, connaissant à la perfection le bois, les styles, les tapisseries, les brochés, les taffetas, les soies, mon beau-père apprit tout à ma mère. Celle-ci s'occupa de huit heures du matin à onze heures du soir avec le courage, la volonté, l'énergie, la générosité dans l'effort de ceux qui n'ont pas d'instruction, qui en souffrent. « Je m'étais jetée là-dedans », dit-elle. Quels progrès, quel sens des affaires. Elle organisait, elle mettait de l'ordre dans une vieille maison aux locaux étouffants, aux fournitures insuffisantes. Mon beau-père et les siens voyaient petit. Elle voyait grand. Patiente, souple et plus assouplie qu'une autre parce qu'elle avait servi chez les autres, elle soulevait, traînait, montrait les collections de papier peint sans se lasser d'écouter les histoires des clientes fortunées. Elle voulait vendre, elle vendait. Sa patience, sa modestie, son adresse l'emportaient sur les caprices, les lubies, les indécisions. Dissimulée dans un sombre couloir à l'âge de quatorze ans et demi, je l'écoutais sans la voir, je buvais sa voix, je me rafraîchissais avec les inflexions de sa voix. Je l'admirais, je souffrais. La commerçante était une étrangère, elle se donnait trop aux autres. Je ne la reconnaissais pas quand je la retrouvais, je ne lui avouais pas que je m'étais tenue à l'affût pour l'observer. Grand, myope, des lorgnons ensuite des verres cerclés d'écaille, un visage sévère et altérable, trop empressé ou trop distant, timide, emporté, bégayant sous la colère, l'émotion, bravant l'opinion de toute une ville par amour pour ma mère, mon beau-père s'impatientait, se fâchait avec les clients indécis, s'emportait contre les maquignons qui choisissent ce qui est laid. Il préférait l'art à la vente. C'est ainsi que l'élève bientôt éclipsa le maître. Les clients raffinés ou non préféraient la diplomatie.

Nous préparions Noël au collège : je devais tenir le rôle du roi mage noir et jouer ensuite au piano une *Danse hongroise* de Brahms. Je répétai mon rôle de roi mage. La perspective de noircir mon visage le jour de la fête, ce visage qui me tourmentait, dont je devenais le souffre-douleur, la perspective de noircir mon gros nez me consolait. Le jour de la fête, je jouai donc le rôle du roi mage. Personne ne rit. Je voulais jouer aussi la *Danse hongroise* à l'abri sous ma peau noircie. La surveillante ne voulut pas. Je montai de nouveau sur l'estrade dans le hall. On tira les rideaux. Je jouai, de profil. Tout le monde rit. Ma mère, les professeurs me voyaient, m'écoutaient. Ce fut un déferlement de fausses notes. Plus ils riaient, plus je me trompais. Je vins retrouver ma mère dans la salle. Elle était froide et semblait désolée. Je regrettais la dépense pour une robe de serge bleue qu'elle m'avait offerte. Le soir, mon beau-père demanda des nouvelles de la fête. Je quittai la salle à manger, je souffris pour deux. Plus tard j'ai eu l'audace, le cynisme, l'injustice de reprocher à ma mère d'avoir mis au monde un être laid. Quand rencontrerai-je un cyclope ? Je l'aimerai. Je lui présenterai un miroir, je lui dirai : je vois deux roses dans le miroir. Je t'en prie, regarde : c'est toi, c'est moi.

« Apprends, me disait ma mère. Je ne veux pas que tu souffres du manque d'instruction comme j'en ai souffert. Ecrire une lettre sans fautes... » Une lettre sans fautes : sa terre promise. Je lui racontais les fautes d'orthographe de Napoléon. Elle ne se prenait pas pour Napoléon, elle soupirait. Dans ces moments-là, je voudrais déposer mon livre de grammaire à ses pieds, sur un coussin de camélias. J'aurais reçu d'elle des messages, non des lettres parce qu'elle craignait de mal tourner ses phrases. Ses messages sont abstraits comme elle-même quand je lui lave le dos.

Elle m'offrit un Pleyel en acajou. Ce qu'il y avait de plus cher et de plus grand en piano droit. Il venait de Paris, plusieurs hommes le portaient, lui et son sarcophage de planches. La lumière ruissela sur le Pleyel en acajou quand les hommes l'installèrent dans ma chambre. Ma mère me demanda si j'étais contente, elle me donna la petite clef.

J'avais seize ans, ma mère attendait un enfant légitime. Un soir à table, où je me taisais comme d'habitude, où je voulais, par la fenêtre ouverte, me perdre dans les plis de la robe de Froissart comme je m'étais perdue dans la jupe de ma grand-mère, je dis sans réfléchir : « Une femme enceinte, c'est laid. » Mon beau-père leva la tête, il me regarda sans bonté. J'avais dit cela parce que je voulais encore ma mère élégante et svelte, ma mère coquette qui avançait, reculait devant la grande glace avec la patience d'un mannequin de maison de couture. Ses manchettes, sa guimpe à baleines, son immense chapeau choisi parmi tant d'autres me manquaient jusqu'à en gémir. Grosse, alourdie, elle mangeait des nouilles à tous les repas. Non je n'étais pas jalouse du fruit de leur amour : je vivais seule dans un autre monde, froide, raidie, doutant de moi-même, doutant des autres. Pourtant, je souhaitais des amours extravagantes, de l'inceste. Je voulais une compensation, une revanche avec de l'anormal. Un soir qu'elle était couchée — mon beau-père veillait dans son bureau — ma mère me dit : « Ecoute, viens écouter, il remue. » J'appuyai mon oreille sur le drap de leur lit, sur son ventre. « J'ai peur, dis-je à ma mère, cela me fait peur. » Je lui dis bonsoir, je me retirai dans ma chambre. Ma chambre avec le Pleyel silencieux : mes entrailles sans soubresauts.

Bien habillée, bien chaussée, bien coiffée, je devenais plus indulgente quand j'évoquais le séducteur. Ma mère me détaillait avant que je sorte, elle disait : « Son père, c'est son père... » Son compliment indirect me flattait. Je regrettais de moins en moins Marly. Un panier, un couteau, des pissenlits m'auraient fait sourire. Qui sait si je n'aurais pas renversé le panier avec la pointe de mon joli soulier... « Son père, c'est son père... » Je sortais, je rencontrai le crépuscule, je me regardais dans les premières vitrines éclairées, je tournais la tête du côté de la pénombre, je toussais plusieurs fois pour un passant sur l'autre trottoir, je me rengorgeais parce que je ressemblais au tuberculeux, parce que je toussais comme lui. Je m'en allais dans sa rue, je courtisais les portes et les fenêtres de sa maison appartenant à d'autres. Je ne me disais pas : Ta mère s'est fatiguée pour eux et pour lui dans le jardin, ta mère s'en est sortie, ta mère a eu de l'énergie. Non. Je faisais les cent pas pour avoir l'illusion d'être l'héritière de cette grande maison, de cette rue toujours endormie.

Je me promenais aussi place d'Armes le samedi soir. Les étalages illuminés crépitaient. J'étais attirée, intriguée, envoûtée par les couvertures jaunes des éditions du Mercure de France, par les couvertures blanches des éditions Gallimard. Je choisis un titre mais je ne me croyais pas suffisamment intelligente pour entrer dans la plus grande librairie de la ville. J'avais de l'argent de poche (argent que ma mère me glissait en cachette de mon beau-père), j'entrai. Des professeurs, des prêtres, des grands élèves feuilletaient les volumes non coupés. J'avais tant observé la vieille demoiselle de magasin lorsqu'elle empaquetait des objets pieux, lorsqu'elle prenait dans la vitrine ce qu'on lui montrait... Elle prit *Mort de quelqu'un* de Jules Romains, elle me regarda de travers. J'étais trop jeune pour lire de la littérature moderne. Je lus *Mort de quelqu'un*, je fumai une cigarette pour mieux jouir de ma complicité avec un auteur moderne. La fenêtre de ma chambre était ouverte, la lune éclairait le piano, la flamme de la bougie venait du côté de mon livre. Je lisais à la bougie parce que mon beau-père ne voulait pas que je veille après dix heures. La biographie d'un employé de chemin de fer anonyme me transporta. La pauvreté de sa vie se changeait en richesse incalculable à cause des centaines de milliers de vies d'employés de chemin de fer semblables à la sienne. Le samedi suivant j'emportais *La Confession de minuit* de Georges Duhamel, des reproductions, des eaux-fortes, un coupe-papier en bronze avec des fleurs et des feuilles de lis. Huit jours plus tard mes parents partirent pour Paris-Plage, du samedi au lundi soir. Ma mère me casa chez Mlle Guerby, un de nos professeurs de français. Je relus *La Confession de minuit* jusqu'au lever du jour. J'en parlai à Mlle Guerby. Elle me déconseilla la lecture des écrivains modernes : ils étaient fous. Le samedi suivant je volai un livre que je ne lus pas ; mais je payai argent comptant *Les Nourritures terrestres* d'André Gide et un oiseau mort sculpté. Plus tard, sous mon drap, lorsque je revins dans une pension, à la lueur d'une lampe électrique, je retrouvai les granges, les fruits d'André Gide. A mon soulier quand je le cirais dans la cordonnerie, je balbutiais : « Soulier, je t'enseignerai la ferveur. » C'était le seul confident digne de mes longues veillées, de mes transports littéraires.

La rumeur se propagea dans les couloirs du collège : elle arrive de Paris, elle a vingt-huit ans. De groupe en groupe circulait la question : est-ce que nous l'aurons ? Dès qu'elle entrait dans la bibliothèque, les professeurs y venaient aussi. Les professeurs l'adulaient. Elle réveillait la province. Les cheveux lisses, tirés en arrière, un chignon sur la nuque en forme de huit, le front étroit, les joues creuses, le teint bistre, les lèvres fines, les yeux sombres avec le feu de l'intelligence, les lorgnons fragiles, mince d'une minceur de Méridionale, distraite pour tenir sa serviette, son accent de Touraine nous transportait, le nôtre l'amusait. Est-ce que nous l'aurions ? Oui, oh ! oui. Cours de géographie, cours de cosmographie, cours de littérature : l'enseignement avec Mlle Godfroy devenait fête, ivresse. Quand elle prononçait notre prénom — ce qui était très rare — nous rougissions de bonheur. Son sac à main m'hypnotisait. Elle le posait sur son bureau, elle l'avançait, elle le poussait du côté du mur, du côté des platanes devant les fenêtres. Le ciel, la terre, les astres, les planètes, les comètes, les étoiles première grandeur, deuxième grandeur, troisième grandeur, c'était lui. J'entendis le nom d'Andromède. « Il faut la chercher le soir, cherchez-la », nous dit-elle. Je cherchais, à cause du nom, une héroïne de Racine dans le ciel, je cherchais aussi la musique et la beauté des vers de Racine qu'elle nous récitait avec simplicité. Mlle Godfroy nous demandait une orange, elle modelait le soleil entre ses doigts désincarnés ensuite elle le situait. Elle enlevait ses lorgnons à l'improviste, ses yeux devenaient deux fois plus grands ; l'orange se ratatinait, le soleil était une pelure. L'univers qu'elle mettait à notre portée avec une orange, un sac à main, grandissait jusqu'à l'infini, parce que Mlle Godfroy réfléchissait.

— Je l'ai oublié. Voulez-vous le prendre dans la bibliothèque, me dit-elle au début d'un cours.

Etre seule dans le couloir, entendre de porte en porte la voix des professeurs me donnait l'illusion de la liberté. J'entrai avec cérémonie dans la salle interdite aux élèves. La bibliothèque des professeurs. La fièvre, oui la fièvre pour la voix changée, pour la voix enjouée des professeurs discutant des mérites, des défauts de leurs élèves, racontant leur vie privée, riant tout en corrigeant une dernière copie au-dessous de cette odeur vague de tabac blond qui persistait. Je respirais un fruit défendu. Je soulevai le sac à main sur la table. Une poche de daim de la couleur des marrons glacés, deux boules d'ivoire pour fermer, ouvrir. Je rêvais à un trousseau de clés, à un mouchoir de linon. Je le tenais devant mes yeux ; je tenais Andromède, Cassiopée, les astres, les sphères, les planètes, les comètes. J'emportai la chose sacrée, je m'attristai lorsque je la donnai. Mlle Godfroy ne remercia pas : elle discutait une règle compliquée de grammaire avec une de ses élèves préférées.

Le piano la nuit me donnait des sueurs froides. Je m'éveillais en sursaut, j'entendais Mlle Vuatier : Votre pouce... Le passage du pouce... On entend trop votre pouce... On ne doit pas entendre votre pouce... Votre main gauche est lourde, c'est une main de paveur, votre main gauche doit ignorer ce que fait votre main droite. L'indépendance des mains. Les trois pour deux. Pas de pédale. Vous noyez le son...

Je pleurais, je me levais, j'étudiais, vêtue seulement de ma chemise de nuit, les trois pour deux, les tierces chromatiques. Inlassablement, je montais et descendais encore les gammes entre deux heures et quatre heures du matin sur le clavier du Pleyel. Le piano désiré depuis l'âge de sept ans dépassait mes rêves. Je caressais l'acajou, je soulevais chaque fois le couvercle avec émotion, je m'asseyais, je me redressais, je faisais le vide en moi, j'attaquais. Quel remords quand je n'étudiais pas cinq heures dans la journée. Je l'ai dit, j'avais commencé trop tard, je ne comprenais pas le solfège... La virtuosité me grisait mais la carrière de pianiste de concert m'était refusée. J'ai étudié avec passion, cela me consolait du mariage de ma mère, mon piano a été mon directeur de conscience. Je venais à lui avec de l'émotion, du recueillement. Il était mon autel. Je l'admirais quand il résonnait, je l'admirais quand il redevenait silencieux. Le couvercle abaissé renfermait une série d'idoles noires et blanches. Je souffrais lorsque Mlle Vuatier me disait : « Vous avez des doigts », ce qui signifiait vous êtes une machine. J'ai déliré avec courage et persévérance pour les *Inventions à trois voix*. Musique, équilibre, mathématiques, quels appels, quelles rencontres. O grandes noces de la composition. Jean-Sébastien Bach, je vous ai donné mes genoux pour toujours. J'abandonnai le piano quand j'arrivai à Paris. Les disques étaient plus beaux. Mais je joue encore les arpèges diminués lorsqu'un piano est disponible. C'est un pèlerinage, c'est une chevauchée sur le clavier. Musique, le plus mystérieux des arts. *Concerto n°1* pour piano et orchestre en *si* bémol de Tchaïkovski, débauche pour mes amours de tête.

— Viens, me disait ma mère. Je t'emmène, nous allons nous promener.

Je montais avec elle dans la torpédo décapotée, elle conduisait, nous traversions la ville, nous étions loin de Marly. Mais je l'avais à moi, je l'avais près de moi, j'étais fière d'elle. Bonne conductrice, commerçante habile.

— C'est Henri, m'expliquait-elle, le frère de ton père.

Déjà nous avions semé une lourde silhouette. Nous sortions de la ville, le vent nous giflait.

— Plus vite, lui disais-je. Maman, je t'en prie, va plus vite. Tu ne vas pas assez vite.

Elle cédait.

— Je fais du combien ? me demandait-elle soudain avec une timidité de jeune fille.

— Du quatre-vingt-dix, du cent, du cent dix ! m'écriai-je.

— Oh ! celle-là, s'exclamait ma mère.

Celle-là c'était moi. Je l'enivrais de vitesse comme je m'enivrais.

Le dimanche je ne voulais pas les accompagner en automobile chez des collègues dans une ville voisine. J'avais peur de présenter mon gros nez à des étrangers, j'avais peur de parler. Ils partaient, je me plaisais seule dans leurs bâtiments. Je lisais, je pleurais, je me penchais à la fenêtre, je palpais le pouls de la rue, je profitais de la foule après la grand-messe. Ah ! ces épinards... Je les réchauffais, je les oubliais. J'observais les enfants, les jeunes et les vieux dans le square Froissart. Je les étudiais comme si j'étais au théâtre, comme si j'avais des jumelles. Une petite fille indigente, déguisée par sa robe en lambeaux, frappait le sol avec un râteau, ensuite elle frappait à la même place avec le dessus et le dessous de sa main. Elle reprenait le râteau, elle recommençait, ses cheveux tombaient dans ses yeux. Une vieille femme debout, n'osant pas s'asseoir sur le banc parce qu'elle était, elle aussi, déguisée, l'appela. La petite fille obéit. Elle tapota les savates de sa grand-mère avec le dessus et le dessous de sa main. La vieille femme ne réagissait pas. Calme, elle végétait à proximité de la statue. Elles s'en allèrent. Elles s'enfonçaient dans un univers plus neutre et plus secret, du côté du grand déménageur Jalabert. La petite fille, de temps en temps, sautillait ; la grand-mère tournait la tête avec tant de douleur et de commisération que je supposais qu'elle se demandait si elle n'était pas suivie par plus pauvre qu'elle. Je ne les voyais plus, je ne les verrais plus : j'entrais avec elles dans leur éternité.

J'empoignai la cuillère en argent dans la casserole aux épinards, je hurlai. Je me brûlai l'intérieur de la main. Souffrance inattendue, j'étais vexée. J'aspergeai ma main avec de l'huile à salade, je souffris toute la journée. Maintenant je me dis Arras, Marly se vengeaient. Fidéline et sa petite-fille, plus pauvres, plus sales, plus lamentables qu'elles ne l'avaient été, ressuscitaient.

Je ne broderai rien pour elle. Dix-neuf ans, des macarons de cheveux châtains sur les oreilles. Fluette, dégagée, élancée, son profil coupant contrastait avec ses longs cils, ses yeux langoureux qui interrogeaient. Un air moqueur. Son air. Elle venait d'ailleurs, son accent n'était pas notre accent. Je la suivais à distance dans la cour d'honneur. J'étais triste et je m'attristais pour l'intéresser.

— Rentrez dans le rang, me disait-elle, furieuse, sans motif.

Son ordre, je le ressassais, je le maudissais, je le critiquais, je m'en plaignais.

Elle décida une promenade pour nous deux à la campagne, un dimanche entier. La maladie de la timidité se déclara lorsque je montai avec elle dans le tramway. Elle me demandait ce qui m'intéressait, ce que je lisais. Je lui répondais : rien. Je souriais, déçue, parce qu'elle s'occupait de mes lectures, parce que je voulais que nous nous consacrions à elle. Je m'obstinais sur son visage, j'avais honte pour nous deux quand le tramway tournait dans un virage, quand il nous rapprochait. J'aurais préféré du face à face, des paupières d'albâtre. Nous descendîmes, elle entra dans un café, elle demanda le petit coin. Son absence me délivrait ; son retour m'oppressa. « Vous n'y allez pas ? questionna-t-elle. — Non », dis-je avec une fausse supériorité. J'avais grand besoin d'uriner. Heure après heure, ce besoin pendant notre promenade devint un malaise, une souffrance. Je refusai plusieurs fois ce petit coin qu'elle me proposait avec simplicité. Je la quittai le soir au bas du grand escalier de notre collège, je m'accroupis dans la rue, je me délivrai. Ma journée avec elle avait été un ventre torturé !

— Il était protestant, tu seras protestante, me dit ma mère. Il faut te renseigner, il faut y aller.

Je me renseignai, j'allai à l'office au temple un dimanche après-midi. « Montez », me dit une femme. Je montai, l'harmonium me surprit. Les croyants chuchotaient en attendant le pasteur. Une porte s'ouvrit à droite de la chaire, un homme petit en robe noire, avec un visage paisible, tenant des livres et des papiers monta dans la chaire. « Nous prierons Dieu », dit-il. Le pasteur lui parlait, il le tutoyait. Il répétait souvent : « Nous t'invoquons, ô notre Dieu tout-puissant. » Ce « nous » frôlait quelque chose. Quoi ? Tous ici entendent Dieu, me disais-je, et je n'entends rien. Quelqu'un préluda à l'harmonium. Une main potelée, aux ongles soignés prit le livre de cantiques sur mes genoux. Tous chantaient. La main me rendit mon livre ouvert à la page indiquée par le pasteur. Je chantai. « Reprenons, mes frères », dit le pasteur. Un doigt charnu comme un doigt de petit enfant se posa sur la page de mon livre, désigna le passage. Je ne tournai pas la tête, je ne remerciai pas. Je ne chantais plus. J'étais parmi eux, je n'étais pas comme eux. Le pasteur ouvrit un gros livre, il annonça quels psaumes il lirait. On se rapprocha, on mit sous mes yeux une bible ouverte. Je suivais ce que le pasteur lisait. Je regardais les caractères minuscules, le papier fin comme du papier de soie, je regardais aussi la main tenant la bible, l'autre main gantée de chevreau. Enfin je tournai la tête. Blancheur, roseurs, transparence, tremblement, fragilité de la plus fragile des églantines. Si elle était plus mince, elle n'aurait pas ce teint. Etre potelée, avoir sa petite-petite bouche. Il est temps que je baisse les yeux. Léger bourrelet de ses mollets au-dessus de la tige de ses bottines. Elle est vieillotte, trop soignée. Incroyable : elle ose nettoyer les verres de ses lunettes pendant le sermon. Fermons les yeux puisqu'ils ferment les yeux. Chercher Dieu, quel labeur. Si un de mes cheveux se dressait, si un de mes ongles tombait pendant que je cherche Dieu... On encourage les bons élèves... Un bon mouvement, Dieu tout-puissant. Dieu se repose, Dieu a tout créé. Fidéline faisait tourner une clé dans son livre de messe. Ouvrons les yeux. « Nous chanterons le cantique... Versets... » C'est avec ce « nous » qu'ils m'auront dimanche prochain.

— Je vous apporterai une bible, un livre de cantiques, ils seront à vous, me dit la jeune fille à la porte du temple.

Le soir, dans mon lit, pour m'aider à me souvenir de ce visage, de cette main surtout, mes doigts bouclaient ma toison. Innocemment. Un passe-temps pendant la concentration.

Et Mlle Godfroy ? Et la surveillante pour qui je me retenais d'uriner ? Je ne vais plus au collège. Seul le piano a résisté. Je lis Tolstoï, Dostoïevsky jusqu'à l'aube, ensuite je paresse sur les grands registres de la maison de commerce. Je gomme, j'efface avec un liquide blanc, un liquide noir. Le Corector m'endort. Qu'est-ce que je ferai plus tard ? Je serai libraire, je lirai toute la journée sans couper les pages, je ne quitterai pas ma mère... Le baiser de mon cavalier, la nuit, au mariage d'Estelle. Son ivresse, sa saoulerie. Il sortit, je le suivis. Délices, il s'allongea sur les pavés de la cour. Ces beautés-là sont migratrices. Son long baiser, sa distraction. Il embrassait les yeux ouverts.

— Comment vous appelez-vous ?

— Je m'appelle Aline. Voici la bible, voici le livre de cantiques. Montons.

— Montons.

Qui me le dictait ? J'ôtai mes gants, je les jetai dans mon sac. Qui me dicta : Tiens ton livre de la main gauche ? Je ne crois pas au Malin. Si Dieu existe, il n'a pas de rival. L'enfer, c'est notre ambition du mal. J'obéissais à une dictée. Son bras se glissa sous le mien, ma main était dans la sienne, ses doigts entre les miens. Je chantais loin du cantique, un rayon de soleil éclairait mon genou. Elle serrait ma main de toutes ses forces, je serrais sa main de toutes mes forces, le pasteur disait qu'il fallait chanter encore. Ses doigts se séparèrent des miens avec la délicatesse d'une flûte se séparant d'un hautbois. « Prions Dieu », dit le pasteur. Les doigts de la jeune fille reviendront-ils ? Doigts entremêlés, nous avons écouté le sermon. Tous étaient si absorbés qu'ils ne voyaient pas notre union. Je l'évitai quand nous sortîmes ; sauvage, je ne lui dis pas au revoir. Le soir, la nuit, le matin, le lendemain, le surlende-main, je me mis à revivre les doigts entre les miens. Le dimanche suivant Aline tenait l'harmonium, je n'osais pas me désoler dans le temple. Elle me demanda au bas de l'escalier si je voulais tricoter pour des enfants de l'école du dimanche. Les aiguil-les se croisèrent pour nos doigts entrelacés. J'éton-nais mes parents : je courais au temple, je courais pour les prédicateurs, je devenais charitable. J'avais un secret, j'avais un tremplin : la main dans la mienne. Souvent, le soir, mes parents insistaient ; alors je leur chantais le fameux cantique « Tenons nos lampes prêtes ». Je chantais faux avec tant d'application qu'ils riaient jusqu'aux larmes. Je vivais donc pour un bras, pour une main, pour la bible et le livre de cantiques de l'office du dimanche. L'office terminé, je l'évitais, elle m'évitait.

Cependant elle m'invita à venir écouter de la musique d'ensemble chez ses parents à la sortie de la ville. Sa mère me conduisit dans la petite fabrique de savon où Aline en longue blouse blanche travaillait avec son père. Je retrouvai sa couronne de cheveux blonds. « Ne me serrez pas la main », me dit-elle. Aline empaquetait. Son père ne desserrait pas les dents. Coup de foudre pour l'odeur chimique, l'odeur indolente, l'odeur d'arrière-plan.

Dîner avec des protestants... Cela ressemblait à une fredaine. La musique d'ensemble m'ennuya. Aline jouait du violon. Je devrais coucher dans leur maison si la soirée se prolongeait. La soirée se prolongea avec la conversation du violon, du violoncelle et du piano. Je l'écoutais, mes cheveux brunis par l'ennui coulaient sous la fente des portes. Nous échangeâmes enfin des bonsoirs.

La même odeur de savonnette me troubla dans leur cabinet de toilette. J'éteignis, j'attendis pieds nus, en chemise de nuit légère.

Aline me sourit dans sa chambre, dans son lit, elle ferma sa bible, elle la rangea sur la table de nuit. Chambre étincelante de vertu. Elle dormirait avec sa couronne de cheveux blonds. J'entrai dans le lit. Eteignez, dis-je avec dureté. Déjà, dit Aline avec douceur. Elle trouva ma main, elle la serra comme elle la serrait le dimanche. « Pourquoi vous taisez-vous ? » me dit-elle. Je serrai ses doigts avec fureur. « Dormons », lui dis-je. Je ne voulais pas dormir. J'ignorais ce qu'il désirait, cet arc tendu de l'attente. Cinq minutes après, Aline dormait. Choses, objets m'en imposèrent un moment ainsi que le silence plus sévère que le silence de ma chambre. Je versai des larmes sur l'oreiller étranger. Je ne pouvais rien contre le sommeil d'une églantine. J'écoutais sa respiration, j'écoutais le mouvement de la plus antique des machines : le corps humain. Je me laissais prendre à ce conte des *Mille et une nuits* : une respiration paisible. Je m'approchai d'Aline, je cherchai sa bouche, je volai le baiser que je donnai. Aline ne s'éveilla pas, mes lèvres sur les siennes n'insistèrent pas. J'avais eu l'haleine de l'églantine dans ma bouche, cela me suffisait.

J'eus le loisir de réfléchir ensuite à la comédienne que je devenais depuis que je n'étais plus une enfant des rues. Je ne parlais plus par crainte de mal parler, mais souvent, le plus souvent possible au début du mariage de ma mère, je m'en allais distraire les ouvrières tapissières dans l'atelier de mon beau-père. J'imitais les vendeuses de poissons à la criée. Si mon beau-père surgissait, je pâlissais, je rougissais, j'avais honte de distraire son personnel et, ce qui était pis, d'être moi-même. Mon examen de conscience sur un matelas moelleux, sous un édredon nuageux. Qu'est-ce que je faisais sur la terre ? Rien. Je vivais du travail de ma mère. Son mariage m'avait pourrie. Je veux dire qu'avec la possibilité de me faire donner de l'instruction, elle m'avait enlevé mon courage de Marly, mon armure de petite fille des rues. Le piano, les livres. Je ne me disais pas Tolstoï, Dostoïevski valent des années de collège. Je ne parlais pas d'eux : ils étaient les confidents de mes nuits blanches. Je vivais dans leur univers, je me donnais à leurs personnages, je les engloutissais parce que plus je lisais leurs romans, plus la famine se développait à chaque page. La vie, ce n'est pas seulement des nuits de lectures et de gammes chromatiques. Je ne comprenais rien, je ne retenais rien, je n'obtenais pas de prix. Ma mère ne me grondait pas : elle signait mon carnet sans le lire. Cette nuit-là, dans le lit de la pure Aline, au cœur d'un foyer protestant, j'en ai eu assez, franchement assez du temple protestant, du catéchisme que je suivrais bientôt. Je ne niais pas Dieu. Je ne le situais nulle part. En semaine, j'entrais quelquefois dans les églises comme un chimiste recommençant la même expérience.

Je suivis le catéchisme assise en face d'un des neveux d'André. Il ressemblait à son oncle. Je le regardais sans franchise, il me regardait sans franchise. Il se taisait, je me taisais, il s'abstenait, je m'abstenais lorsque les autres catéchumènes effleuraient la théologie. « Vous communierez bientôt », me dit le pasteur. Je le regardai un moment, je lui répondis que je n'étais pas prête à avaler le corps du Christ. Je ne réapparus pas. Je n'ai jamais communié. C'est ainsi que je perdis le bras, la main, les doigts d'Aline.

Ingrate, devenue une demoiselle sans foi, sans loi, sans principes du centre de la ville, je m'étais éloignée de Laure qui ne venait plus, dont le tablier déshonorait leurs meubles de style. Je pouvais la retrouver au marché, l'embrasser. Je n'allais pas au marché. Laure monta, elle prospéra avec son labeur acharné ; nous descendîmes. J'entends souvent sa grosse voix de paysanne du Nord criant pendant une dispute avec les siens : « Si je pars j'emmène cette enfant. » Nous avions eu le coup de foudre de la parenté. J'entends son rire : il secoue les lustres dans les étalages de mes parents.

Inoubliables fêtes, inoubliables festins avec un poulet, du champagne, un gâteau moka lorsque mon beau-père allait à Paris pour ses affaires. Je déjeunais en tête à tête avec ma mère. Nous parlions de tout et de rien, nous parlions de Marly, Marly notre féerie. Au paroxysme de mon bavardage et de mon insouciance, une voix intérieure demandait :

97

Fidéline, est-ce que tu nous vois ? Est-ce que notre repas te plaît ? Je me taisais, ma mère déclarait : « Encore dans la lune comme son père. » Je m'étais envolée au pays de l'adoration. Je ne trompais pas ma mère. Une autre présence s'imposait, disparaissait.

Nous dépensions sans compter quand nous choisissions de la lingerie, des chemisiers chez Mme Wyamme. Ma mère se donnait à ses achats. Je flânais, je rêvais dans le magasin, je songeais au concerto de Mendelssohn retrouvé entre des partitions. Je ne voyais pas le chemisier neuf sur le buste de ma mère : je voyais sous la musique jouée par le pianiste, les notes plus petites, plus serrées de la musique jouée par l'orchestre. « Est-ce qu'il te plaît ? » me grondait ma mère. « Il me plaît », disais-je dans un autre monde, le monde de la désolation doucereuse. « Sois à ce que tu fais, dis ce que tu penses. Est-ce qu'il te plaît ? s'impatientait ma mère. — Il me plaît », disais-je plus haut. Pour piano et orchestre. Je trouvais le concerto creux mais l'orchestre sur la portée me guidait et m'aidait à m'acheminer jusqu'au destin de Ludwig van Beethoven. Il était sourd, il composait. Je souriais au flot de dentelle de Valenciennes. Sourd, il composait. J'accourais, nous discutions tissus, garnitures, coupe, encolures, ma mère chuchotait : « Il te regarde. Si tu voyais comme le fils Wyamme te regarde ! Toi, ne le regarde pas. » J'avais l'âge de la désobéissance, je désobéissais. Je le regardais. Timide avec un joli visage et des yeux largement fendus, le fils de la maison ne me regardait plus. Il allait et venait, il semblait s'ennuyer parmi tant de blancheurs. Flattée ? Oui, tout en m'assurant que ma mère se trompait. La glace était d'accord. Nous recevions un au revoir maussade du jeune homme, plus une pièce montée d'amabilités commerciales de sa mère lorsque nous sortions du magasin. « Tu ne voudrais pas te marier avec lui ? » insistait ma mère. Je riais, je lui prenais ses paquets. Je lui répondais : « Je ne me marierai pas. — Tu feras comme les autres », concluait ma mère. Je me fâchais : « Je ne me marierai pas ! Je serai libraire ! » Elle oubliait ses avertissements du matin, lorsque j'étais petite fille. Je les portais dans mes ovaires.

Incapable de vendre un mètre de galon, incapable de tenir les livres de la comptabilité, si je descendais au magasin, c'était pour attendre ma mère, pour l'observer, pour l'épier dans ma cachette : un couloir sombre. Je suivais le mouvement de leurs lèvres à tous les deux à travers la vitre de leur bureau. Je ne me disais pas ; ils travaillent, ils discutent de leur travail. Je me disais : ses cheveux sentent le meuble Directoire, la toile de Jouy, ses yeux reflètent la moire hautaine, le taffetas changeant. Ses cheveux ne sentaient plus la bonne vieille odeur de crasse lorsque nous avions eu la gale amenée par des soldats allemands pendant la guerre ; ses yeux ne désignaient plus le fait-tout avec le ragoût de pommes de terre. J'attendais pendant une heure, une heure et demie, qu'elle voulût m'emmener jusqu'au carrousel. Elle sortait parfois du bureau en coup de vent, elle venait vers moi comme j'allais vers elle, elle m'encourageait : « Patiente un instant, nous partons. » Je la perdais de nouveau, je suivais de nouveau son animation. Mon beau-père marchait dans le bureau, ma mère tournait les pages des grands registres, elle posait des chiffres. Quand elle fermait les livres, quand elle se levait enfin, je me sauvais au premier étage, je la retrouvais près de moi dans un monde quelconque. La vitre de leur bureau fondait mais ce n'était plus nos ruisseaux de Marly.

La marche en bois rehaussait la foire sur la place Poterne, elle nous séparait du grouillement des mu-

siques. Je me grisais avec les cariatides, les cabo-
chons, les éclats de miroir. Des adolescents, avec des
semis de confetti dans les cheveux, achetaient
d'autres cornets de confetti. J'entrais à l'intérieur du
carrousel avec mes rouleaux rose, bleu, vert ; nous
marchions sur des litières. Un manège humain tournait autour de l'autre manège en jetant des poignées
de confetti. Les sages étaient assis sur des chaises de
jardin. Ma mère s'installait, séparée de la musique
barbare, des cris et des bousculades, par son chic et
son dédain intérieur. J'avais vieilli, je ne voulais
plus monter dans une gondole. Je voulais un cheval,
le plus grand, pour voir, pour être vue. Je recevais
des confetti dans les yeux, dans la bouche, des
bandes m'entraînaient. Je devenais un glaïeul
orgueilleux sous une pluie de papier. Enfin je parvenais à monter sur le manège. Je retrouvais la selle
de velours rouge, les guides. Je m'installais pour un
voyage quand je mettais mes pieds dans les étriers.
La cadence au début ressemblait à un rêve. C'était
doux, c'était lent. Nous tournions enfin. Ma mère.
Je ne la vois pas. Où est-elle ? La voici. Elle m'a vue,
elle me voit, elle donne un coup de menton dans
ma direction. Oui, elle est séparée de la fête, oui,
elle pourrait m'en séparer. Je ne veux pas. Mollement, mollement je lance mon premier serpentin
vers sa chaise. Maintenant elle regarde le gratin de
la ville qui patiente sur les chaises de jardin. Le fils
Wyamme seul, en retrait, me lançait autant de serpentins qu'il pouvait. Je voyais en passant des
jeunes gens cruels : ils ouvraient la bouche des
jeunes filles et la remplissaient de confetti. Les gail-
lardes leur recrachaient les pastilles en papier au
visage. La virtuosité des employés qui allaient et
venaient sur le plancher roulant m'étonnait. Ma
mère se levait, elle se fâchait contre moi si des
jeunes gens voulaient me faire manger des confetti.
Je m'attendrissais sur les chevaux de bois qui tour-

naient à vide à côté du mien. Ni morts, ni vivants.

Je descendais après le vingtième ou le trentième tour. Nous sortions du carrousel.

Mon beau-père, rapidement, a vendu ses magasins. Ce n'est pas une vente : c'est une expédition. Maintenant nous habitons un chalet devant le Jardin public, sur une place mouvementée : voitures et passants le jour, sifflements et duels des vents la nuit. J'étudie les Impromptus de Schubert sans me décourager, je promène le bébé né avant que mes parents cèdent leur commerce. Je lui parle, je le prends dans mes bras, je le serre contre moi, cependant je le respecte trop. Je ne le gronde pas, je ne le secoue pas, je ne lui donne pas des petites tapes ici et là. Il m'effraie dès que son visage change. Cette moue qui annonce son chagrin alors qu'il se porte bien m'épouvante. Je l'observe trop, son cerveau m'intrigue. Non je ne suis pas lointaine. Je suis dévote. Je joue à la maman comme joue une enfant. Je donne et me donne une représentation. Je veux le bébé heureux, très heureux. La longue durée de ses pleurs, de ses cris, voilà le mystère des mystères. Je ne me dis pas : Tu pourras en avoir un comme celui-là.

Je poussais la voiture d'enfant quand j'ai rencontré Mlle Fromont. Elle est devenue surveillante au collège de D... Elle m'a dit « C'est dommage, vous devriez finir vos études. Décidez votre mère. » Je n'osais pas répondre : Finir mes études ? Je ne les ai pas commencées. Mes parents partiront bientôt pour Paris. Vivre à Paris ? Quelle horreur. Je ne veux pas être engloutie par les millions d'habitants, les millions d'immeubles, les millions de voitures, les milliers de rues de la capitale. Je préfère vivre en vase clos dans un collège. J'irai au collège de D... Ma mère à qui j'ai demandé un conseil veut ce que je veux. J'ai promis de l'assiduité.

Nous commencions la semaine le dimanche soir dans la cordonnerie après notre grande sortie. La cordonnerie de notre collège ne ressemblait pas aux échoppes où le clou, la forme, le marteau nous invitent à remettre nos pieds sur les pavés. Nous cirions dans une chapelle de monotonie, sans fenêtres, mal éclairée ; nous rêvions avec nos chaussures sur nos genoux les soirs de rentrée. L'odeur vertueuse du cirage, cette odeur fortifiante dans les drogueries nous anémiait. Nous languissions sur le chiffon. Nous étions arrivées, deux par deux, avec l'adjudant qui s'ennuyait. Maintenant la nouvelle surveillante assise comme nous sur la banquette lisait et poursuivait le récit hors du collège, hors de la ville pendant que nous caressions dans le vague le cuir avec la laine. Nous étions, ce soir-là, dix rentrantes blêmes dans une lumière de salle d'attente ; dix rentrantes qui ne se parlaient pas, dix boudeuses rassemblées qui se fuyaient.

Je peux compter et recompter : il y a trente jours que, de nouveau, je suis pensionnaire, il y a vingt-six soirs qu'Isabelle crache sur le collège en crachant sur sa chaussure. Mon cirage serait moins dur si je crachais comme elle. Je pourrais l'étaler. Elle crache. La meilleure élève serait-elle fâchée ? Je suis la mauvaise élève, je suis la plus mauvaise élève du grand dortoir. Cela ne me fait ni froid ni chaud. Je déteste la directrice, je déteste la couture, la gymnastique, la chimie, je déteste tout et je fuis mes compagnes. C'est triste mais je ne veux pas m'en aller d'ici. Ma mère s'est mariée, ma mère m'a trompée. La brosse était tombée de mes genoux, Isabelle avait donné un coup de pied à ma brosse à reluire pendant que je ruminais.

— Ma brosse ! Où est ma brosse ?

Isabelle crachait plus fort sur le box-calf. Ma brosse était sous le pied de la surveillante. Son coup de pied, elle me le paierait. Je ramassai l'objet, je renversai le visage d'Isabelle, j'enfonçai le chiffon maculé de cirage, de poussière et de crème rouge, dans ses yeux, dans sa bouche, je regardai sa peau laiteuse dans l'échancrure de son uniforme, j'ôtai ma main de son visage, je revins à ma place. Isabelle, furieuse et silencieuse, se nettoyait les lèvres et les yeux. Elle cracha une sixième fois sur la chaussure, elle souleva les épaules. La surveillante ferma son livre, claqua des mains : la lumière sursauta. Isabelle frottait sa chaussure.

Nous l'attendions. « Il faut venir », lui dit avec timidité la nouvelle surveillante. Nous étions entrées dans la cordonnerie avec des talons bruyants mais nous partions dans l'effacement avec nos chaussons noirs de fausses orphelines. La silencieuse, proche parente de l'espadrille, feutre ce qu'elle foule : la pierre, le bois, la terre. Des anges nous donnaient leurs talons quand nous quittions la cordonnerie avec de la tristesse douillette qui descendait dans nos chaussons. Chaque dimanche nous montions au dortoir avec l'adjudant à nos côtés, nous respirions l'odeur rosâtre du désinfectant. Isabelle nous avait rattrapées dans l'escalier.

Je la déteste, je veux la détester. Je serais soulagée si je pouvais la détester davantage. Demain nous serons encore à la même table au réfectoire. Son vague sourire quand j'arrive en retard. Je ne peux pas changer de table. Je l'ai écrasé son sourire. Ce cran naturel... Je l'aplatirai aussi. J'irai chez la directrice s'il le faut mais je changerai de table.

Nous sommes entrées dans un dortoir où le sombre éclat du linoléum prédisait la solitude de l'allée à minuit. Nous avons soulevé notre rideau de percale, nous nous sommes retrouvées dans notre chambre sans serrure, sans murs. Isabelle a fait glisser, après les autres, les anneaux du rideau sur la tringle, la sentinelle s'est promenée dans l'allée. Nous avons ouvert nos valises, nous avons sorti notre linge, nous l'avons rangé sur la planche dans notre penderie, nous avons gardé les draps pour notre lit étroit, nous avons jeté la clef dans la valise que nous avons refermée pour huit jours, nous avons fait notre lit. Nos objets dans de la lumière municipale ne nous appartenaient pas. Notre uniforme, nous l'avons reformé sur un cintre pour la promenade du jeudi. Nous avons plié nos dessous, nous les avons déposés sur la chaise, nous avons décroché notre peignoir.

Isabelle est sortie du dortoir avec son broc.

J'écoute le frottement du gland de sa cordelière sur le linoléum. J'entends le tambourinage de ses doigts sur l'émail. Son box en face du mien. J'ai cela en face de moi. Ses allées et venues. Je les guette, ses allées et venues. Elle se moque parce que je m'enferme dans la salle de solfège pour étudier les arpèges diminués. Elle me dit que j'exagère, elle me dit qu'elle m'entend de la salle d'étude.

J'étais sortie dans l'allée avec mon broc.

Encore elle, toujours elle, encore elle sur le palier. Je me serais déshabillée lentement si j'avais su qu'elle prendrait de l'eau au robinet. Je me sauve ? je reviendrai ici quand elle sera partie ? Je ne me sauverai pas. Elle ne me fait pas peur ; je la déteste. Elle sait qu'il y a quelqu'un dans son dos mais elle ne se presserait pas. Quelle nonchalance... Elle n'a même pas la curiosité de regarder qui est derrière elle. Je ne serais pas venue si j'avais prévu son indolence. Je la croyais partie : elle est près de moi. Son broc sera bientôt plein. Enfin. Je les connais ses longs cheveux défaits, ce n'est pas nouveau puisqu'elle les promène dans l'allée. Pardon. Elle m'a dit pardon. Elle a frôlé mon visage avec ses cheveux pendant que je pensais à eux. Cela dépasse l'imagination. Elle a rejeté sa chevelure pour me l'envoyer au visage. Elle ignorait que j'étais derrière elle et elle m'a demandé pardon. Ce n'est pas croyable. Elle ne dirait pas je vous fais attendre, je m'excuse, le robinet est détraqué. Elle vous lance sa chevelure pendant qu'elle vous demande pardon. L'eau coule moins vite. Forcément, elle triche avec le robinet. Je ne te parlerai pas, tu n'auras pas un mot de moi. Tu m'ignores, je t'ignore. Pourquoi veux-tu que j'attende ? C'est cela que tu cherches ? Si tu as le temps, j'ai le temps. La surveillante dans l'allée nous appela comme si nous étions deux complices. Isabelle s'en alla.

J'entendis qu'elle mentait : elle expliquait à la surveillante qu'il y avait eu un arrêt d'eau. Je rentrai dans mon box.

La nouvelle surveillante lui parla ensuite à travers le rideau de percale. Elles se confiaient qu'elles avaient le même âge : dix-huit ans. Le sifflement d'un train échappé de la gare leur coupa la parole.

J'entrouvris mon rideau : l'adjudant s'éloignait, il reprenait sa lecture dans l'allée, une élève trafiquait avec les papiers de ses friandises.

— J'ai des ordres stricts, murmura la nouvelle surveillante. Pas de visites dans les box. Chacune chez soi.

Dès que nous avions fini notre toilette, nous nous montrions allongées et proprettes à la surveillante.

Des élèves lui offraient des sucreries, la retenaient avec des amabilités, des flatteries, pendant qu'Isabelle se retirait dans sa tombe. Dès que j'avais trouvé mon nid dans le lit froid, je l'oubliais mais si je m'éveillais, je la cherchais pour la détester. Elle ne rêvait pas à voix haute, son sommier ne grinçait pas. Une nuit je m'étais levée à deux heures, j'avais traversé l'allée, j'avais retenu ma respiration, j'avais écouté son sommeil. Elle était absente. Elle se moquait de moi jusque dans le sommeil. J'avais serré son rideau, j'avais encore écouté. Oui, elle était absente, elle avait le dernier mot. Je la détestais entre sommeil et éveil : dans la cloche de six heures et demie du matin, dans le timbre grave de sa voix, dans l'écoulement de ses eaux de toilette, dans sa main qui refermait la boîte de savon dentifrice. On n'entend qu'elle, me disais-je avec entêtement. Je détestais la poussière de sa chambre quand elle faisait glisser le ramasse-poussière sous mon rideau, quand elle tapotait sur la cloison, quand elle enfonçait son poing dans la percale de mon rideau. Elle parlait peu, elle faisait les mouvements commandés, au dortoir, au réfectoire, dans les rangs : elle réfléchissait dans la cour de récréation. Je cherchais d'où lui venait son arrogance. Elle était studieuse sans zèle et sans suffisance. Isabelle dénouait souvent la ceinture de mon tablier, elle jouait à l'hypocrite si je me tournais, elle commençait la journée par cette taquinerie de petite fille et tout de suite renouait la ceinture dans mon dos, m'humiliant deux fois au lieu d'une.

Je me levai avec des précautions de contrebandier. La nouvelle surveillante cessa de se brosser les ongles. J'attendis. Isabelle, qui ne toussait pas, toussa : ce soir-là elle veillait. J'escamotai sa présence, je plongeai mon bras jusqu'à l'épaule dans un sac de tissu morose accroché dans la penderie. Je dissimulais ma lampe de poche et des livres à l'intérieur du

sac à linge sale. Je lisais la nuit. Ce soir-là je me suis
recouchée sans soif de lecture, avec le livre, avec la
lampe de poche. J'ai allumé, j'ai couvé du regard
mes silencieuses sous la chaise. Le clair de lune artificiel qui venait du box de la surveillante étiolait les
objets de ma cellule.

J'éteignis, une élève froissa du papier, je repoussai le livre avec une main désabusée. Plus gisant
qu'un gisant me dis-je parce que j'imaginais Isabelle
toute roide dans sa chemise de nuit. Le livre se
ferma, la lampe s'enfonça dans l'édredon. Je joignis
les mains. Je priais sans paroles, je réclamais un
monde que je ne connaissais pas, j'écoutais tout près
de mon ventre le nuage dans le coquillage. La surveillante éteignit aussi. La chanceuse dort, la chanceuse a une tombe en duvet dans laquelle elle s'est
perdue. Le tic-tac lucide de ma montre-bracelet sur
la table de nuit me décida. Je repris le livre, je lus
sous le drap.

Quelqu'un espionnait derrière mon rideau.
Cachée sous le drap, j'entendais le tic-tac inexo-
rable. Un train de nuit quitta la gare derrière le
sifflement qui perçait des ténèbres étrangères au
collège. Je rejetai le drap, j'eus peur du dortoir
silencieux.

On appelait derrière le rideau de percale.

Je faisais la morte. Je ramenai le drap au-dessus
de ma tête. J'allumai ma lampe de poche.

— Violette, appela-t-on dans mon box.

J'éteignis.

— Qu'est-ce que vous faites sous vos couvertures ?
demanda la voix que je ne reconnaissais pas.

— Je lis.

On arracha le drap, on tira mes cheveux.

— Je vous dis que je lisais.

— Moins haut, dit Isabelle.

Une élève toussa.

— Vous pouvez me dénoncer si vous voulez...

Isabelle ne me dénoncera pas. J'abuse d'elle et je le sais.

— Vous ne dormiez pas ?

— Moins haut, dit Isabelle.

Je chuchotais trop fort parce que je voulais en finir avec la joie : je m'exaltais jusqu'à l'orgueil.

Isabelle en visite ne quittait pas mon rideau de percale. Je doutais de ses longs cheveux défaits dans ma cellule.

— J'ai peur que vous me répondiez non. Dites que vous me répondrez oui, haleta Isabelle.

J'avais allumé ma lampe de poche, j'avais eu malgré moi une prévenance pour la visiteuse.

— Dites oui ! supplia Isabelle.

Maintenant elle s'appuyait d'un doigt à la table de toilette.

Elle serra la cordelière de sa robe de chambre. Ses cheveux croulaient sur ses vergers son visage vieillissait.

— Qu'est-ce que vous lisez ?

Elle ôta son doigt de la table de toilette.

— Je commençais quand vous êtes arrivée.

J'éteignis parce qu'elle regardait mon livre.

— Le titre... Dites-moi le titre.

— *Un homme heureux*.

— C'est un titre ? C'est bien ?

— Je n'en sais rien. Je commençais.

Isabelle partait, un anneau du rideau glissa sur la tringle. Je crus qu'elle rentrait dans sa tombe. Elle s'arrêta :

— Venez lire dans ma chambre.

Elle repartait, elle semait du givre entre sa demande et ma réponse.

— Vous viendrez ?

Isabelle quitta mon box.

Elle m'avait vue dans les draps jusqu'au cou. Elle ignorait que je portais une chemise de nuit spéciale, une chemise de nuit de lingère. Je croyais que la

personnalité s'acquérait avec des vêtements coûteux.
La chemise en mousseline de soie frôla mes hanches
avec la douceur d'une toile d'araignée. Je me vêtis
de ma chemise de nuit de pensionnaire, je quittai
aussi mon box, avec mes poignets serrés dans les
poignets réglementaires. La surveillante dormait.
J'hésitai devant le rideau de percale d'Isabelle.
J'entrai.

— Quelle heure ? dis-je avec froideur.

Je me retins à la portière, je braquai ma lampe de
poche du côté de la table de nuit.

— Approchez-vous, dit Isabelle.

Je n'osais pas. Ses longs cheveux défaits, ceux
d'une étrangère, m'intimidaient. Isabelle vérifiait
l'heure.

— Venez plus près, dit-elle à sa montre-bracelet.

Opulence des cheveux qui balayaient les barreaux
à la tête du lit. Cet écran miroitait, il cachait le
visage d'une allongée, il me faisait peur. J'éteignis.

Isabelle se leva. Elle s'empara de ma lampe, de
mon livre.

— Venez maintenant, dit-elle.

Isabelle s'était recouchée.

De son lit, elle dirigeait ma lampe.

Je m'assis au bord du matelas. Elle tendit son bras
par-dessus mon épaule, elle prit mon livre sur la
table de nuit, elle me le donna, elle me rassura. Je
le feuilletai parce qu'elle me dévisageait, je ne sus à
quelle page m'arrêter. Elle attendit ce que j'attendais.

Je m'accrochai à la première lettre de la première
ligne.

— Onze heures, dit Isabelle.

Je contemplais à la première page des mots que je
ne voyais pas. Elle me prit mon livre, elle éteignit.

Isabelle me tira en arrière, elle me coucha sur
l'édredon, elle me souleva, elle me garda dans ses

bras : elle me sortait d'un monde où je n'avais pas
vécu pour me lancer dans un monde où je ne vivais
pas encore ; les lèvres entrouvrirent les miennes,
mouillèrent mes dents. La langue trop charnue
m'effraya : le sexe étrange n'entra pas. J'attendais
absente et recueillie. Les lèvres se promenèrent sur
mes lèvres. Mon cœur battait trop haut et je voulais
retenir ce scellé de douceur, ce frôlement neuf. Isabelle m'embrasse, me disais-je. Elle traçait un cercle
autour de ma bouche, elle encerclait le trouble, elle
mettait un baiser frais dans chaque coin, elle dépo-
sait deux notes piquées, elle revenait, elle hivernait.
Mes yeux étaient gros d'étonnement sous mes paupières, la rumeur des coquillages trop vaste. Isabelle
continua : nous descendions nœud après nœud
dans une nuit au-delà de la nuit du collège, au-delà
de la nuit de la ville, au-delà de la nuit du dépôt des
tramways. Elle avait fait son miel sur mes lèvres, les
sphinx se rendormaient. J'ai su que j'avais été privée d'elle avant de la rencontrer. Isabelle renvoya sa
chevelure sous laquelle nous avions eu un abri.

— Croyez-vous qu'elle dort ? dit Isabelle.
— La surveillante ?
— Elle dort, décida Isabelle.
— Elle dort, dis-je aussi.
— Vous frissonnez. Otez votre robe de chambre.
Elle ouvrit les draps.
— Venez sans lumière, dit Isabelle.
Elle s'allongea contre la cloison, dans son lit, chez
elle. J'enlevai ma robe de chambre, je me sentis trop
neuve sur la carpette d'un vieux monde. Je devais
venir tout de suite près d'elle puisque le sol me
fuyait. Je m'allongeai sur le bord du matelas ; prête
à m'enfuir en voleuse.
— Vous avez froid. Venez plus près, dit Isabelle.
Une dormeuse toussa, essaya de nous séparer.
Déjà elle me retenait, déjà j'étais retenue, déjà
nous nous tourmentions, mais le pied jovial qui

touchait le mien, la cheville qui se frottait à ma cheville nous rassuraient. Ma chemise de nuit parfois m'effleurait pendant que nous nous serrions et que nous tanguions. Nous avons cessé, nous avons retrouvé la mémoire et le dortoir. Isabelle alluma : elle voulait me voir. Je lui repris la lampe. Isabelle emportée par une vague glissa dans le lit, remonta, piqua du visage, me serra. Les roses se détachaient de la ceinture qu'elle me mettait. Je lui mis la même ceinture.

— Il ne faut pas que le lit gémisse, dit-elle.

Je cherchai une place froide sur l'oreiller, comme si c'était à cette place que le lit ne gémirait pas, je trouvai un oreiller de cheveux blonds. Isabelle me ramena sur elle.

Nous nous serrions encore, nous désirions nous faire engloutir. Nous nous étions dépouillées de notre famille, du monde, du temps, de la clarté. Je voulais que, serrée sur mon cœur béant, Isabelle y pénétrât. L'amour est une invention harassante. Isabelle, Violette, disais-je en pensée pour m'habituer à la simplicité magique des deux prénoms.

Elle emmitoufla mes épaules dans la blanche fourrure d'un bras, elle mit ma main dans le sillon entre les seins, sur l'étoffe de sa chemise de nuit. Enchantement de ma main au-dessous de la sienne, de ma nuque, de mes épaules vêtues de son bras. Pourtant mon visage était seul : j'avais froid aux paupières. Isabelle l'a su. Pour me réchauffer partout, sa langue s'impatientait contre mes dents. Je m'enfermais, je me barricadais à l'intérieur de ma bouche. Elle attendait : c'est ainsi qu'elle m'apprit à m'épanouir. La muse secrète de mon corps, c'était elle. Sa langue, sa petite flamme, grisait mes muscles, ma chair. Je répondis, je provoquai, je combattis, je me voulus plus violente qu'elle. Le claquement des lèvres ne nous concernait plus. Nous nous acharnions mais si, à l'unisson, nous redevenions méthodiques, notre salive nous droguait. Nos lèvres après tant de salive échangée se désunirent malgré nous. Isabelle se laissa tomber au creux de mon épaule.

— Un train, dit-elle pour reprendre haleine.

On rampait dans mon ventre. J'avais une pieuvre dans le ventre.

Isabelle dessinait, avec son doigt simplifié sur mes lèvres, la forme de ma bouche. Le doigt tomba dans mon cou. Je le saisis, je le promenai sur mes cils :

— Ils sont à vous, lui dis-je.

Isabelle se taisait. Isabelle ne remuait pas. Si elle dormait, ce serait fini. Isabelle avait retrouvé ses habitudes, ses colliers. Je n'avais plus confiance en elle. Il faudrait partir. Son box n'était plus le mien. Je ne pouvais pas me lever : nous n'avions pas fini. Si elle dormait, c'était un rapt.

Faites qu'elle ne dorme pas sous un champ d'étoiles. Faites que la nuit n'engendre pas la nuit.

Isabelle ne dormait pas !

Elle souleva mon bras, ma hanche pâlit. J'eus un plaisir froid. J'écoutais ce qu'elle prenait, ce qu'elle donnait, je clignotais par reconnaissance : j'allaitais. Isabelle se jeta ailleurs. Elle lissait mes cheveux, elle flattait la nuit dans mes cheveux et la nuit glissait le long de mes joues. Elle cessa, elle créa un entracte. Front contre front, nous écoutions le remous, nous nous en remettions au silence, nous nous soumettions à lui.

La caresse est au frisson ce que le crépuscule est à l'éclair. Isabelle entraînait un râteau de lumière de l'épaule jusqu'au poignet, elle passait avec le miroir à cinq doigts dans mon cou, sur ma nuque, sur mes reins. Je suivais la main. Je voyais sous mes paupières une nuque, une épaule, un bras qui n'étaient pas les miens. Elle violait mon oreille comme elle avait violé ma bouche avec sa bouche. L'artifice était cynique, la sensation singulière. Je me glaçai, je redoutai ce raffinement de bestialité. Isabelle me retrouva, elle me retint par les cheveux, elle recommença. Le glaçon de chair m'ahurit, la superbe d'Isabelle me rassura.

Elle se pencha hors du lit, elle ouvrit le tiroir de la table de nuit.

— Un lacet ! Pourquoi un lacet de chaussure ?

— Je noue mes cheveux. Taisez-vous, sinon nous nous ferons prendre.

Isabelle serrait le nœud, elle se préparait. J'écoutais ce qui est seul : le cœur. Celle que j'attendais venait avec ses préparatifs.

De ses lèvres tomba un petit œuf bleuté où elle m'avait laissée, où elle me reprenait. Elle ouvrit le col de ma chemise de nuit, elle vérifia avec sa joue, avec son front la courbe de mon épaule. J'acceptais les merveilles qu'elle imaginait sur la courbe de mon épaule. Elle me donnait une leçon d'humilité. Je m'effrayai. J'étais vivante. Je n'étais pas une idole.

Elle ferma le col de ma chemise de nuit.

— Est-ce que je pèse ? dit-elle avec douceur.

— Ne partez pas...

Je voulais la serrer dans mes bras mais je n'osais pas. Les quarts d'heure s'envolaient de l'horloge. Isabelle dessinait avec son doigt un colimaçon sur la place pauvre que nous avons derrière le lobe de l'oreille. Elle me chatouilla malgré elle. C'était saugrenu.

Elle mit ma tête dans ses mains comme si j'avais été décapitée, elle ficha sa langue dans ma bouche. Elle nous voulait osseuses, déchirantes. Nous nous déchiquetions à des aiguilles en pierre. Le baiser ralentit dans mes entrailles, il disparut, courant chaud dans la mer.

Nous avons fini de nous embrasser, nous nous sommes allongées et, phalange contre phalange, nous avons chargé nos osselets de ce que nous ne savions pas nous dire.

Isabelle toussa, nos doigts entrelacés se turent.

— Laissez-vous faire, dit-elle.

Elle embrassait les pointes du col, le galon de ma chemise de nuit ; elle façonnait la charité que nous avons autour de l'épaule. La main attentive traçait des lignes sur mes lignes, des courbes sur mes courbes. Je voyais sous mes paupières le halo de mon épaule ressuscitée, j'écoutais la lumière sous la caresse.

Je l'arrêtai.

— Laissez-moi continuer, dit-elle.

La voix traînait, la main s'enlisait. Je sentais la forme du cou, de l'épaule, du bras d'Isabelle le long de mon cou, autour de mon épaule, le long de mon bras.

Une fleur s'ouvrit dans chaque pore de ma peau.

Je pris son bras, je remerciai avec un baiser violet à la saignée.

— Comme vous êtes bonne ! ai-je dit.

La pauvreté de mon vocabulaire me décourageait. Les mains d'Isabelle tremblaient, elles ajustaient un corselet de linon sur l'étoffe de ma chemise de nuit : les mains tremblaient d'avidité comme celles des maniaques.

Elle se dressa, elle força ma taille. Isabelle, avec sa joue sur la mienne, racontait une histoire d'amitié à ma joue.

Les doigts d'Isabelle s'ouvrirent, se refermèrent en bouton de pâquerette, sortirent les seins des limbes et des roseurs. Je naissais au printemps avec le babil du lilas sous ma peau.

— Venez encore, dis-je.

Isabelle flatta ma hanche. Ma chair caressée se faisait caresse, ma hanche que l'on flattait irradiait dans mes jambes droguées, dans mes chevilles molles. On me torturait menu, menu, dans mon ventre.

— Je ne peux plus.

Nous attendîmes. Il fallait épier des ténèbres aux aguets.

Je la pris dans mes bras mais je ne la serrai pas à mon gré à cause du lit étroit, mais je ne l'incrustai pas en moi. Une petite fille brusque se dégagea :

— Je veux, je veux...

Je voudrai ce qu'elle voudra si les pieuvres paresseuses me quittent, si dans mes membres cesse le glissement des étoiles filantes. J'espère un déluge de rochers.

— Revenez, revenez...

— Vous ne m'aidez pas, dit Isabelle.

La main avança sous l'étoffe. J'écoutais la fraîcheur de sa main, elle écoutait la chaleur de ma peau. Le doigt s'aventura où les fesses se touchent. Il entra dans la rainure, il en sortit. Isabelle caressa les deux fesses en même temps avec une main. Mes genoux et mes pieds pourrissaient.

— C'est trop. Je vous dis que c'est trop.

Isabelle indifférente, flattait vite et longtemps.

On me tenaillait, on m'épiçait. Isabelle tomba sur moi.

— Etes-vous bien ?

— Oui, dis-je, insatisfaite.

Elle revenait, elle me proposait un baiser avec ses lèvres sages sur les miennes.

Iabelle se faisait les griffes dans l'étoffe sur ma toison, elle entrait, elle sortait, quoique n'entrant pas et ne sortant pas ; elle berçait mon aine, ses doigts, l'étoffe, le temps.

— Vous êtes bien ?

— Oui, Isabelle.

Ma politesse me déplut.

Isabelle persévéra autrement, avec un doigt

monotone sur une seule lèvre. Mon corps prenait la lumière du doigt comme le sable prend l'eau.

— Plus tard, dit-elle dans mon cou.

— Vous voulez que je parte maintenant ?

— Ce serait plus raisonnable.

Je me levai :

— Vous voulez que nous nous séparions ?

— Non.

Elle m'enlaça pendant que je feignais de lui résister. C'était la première fois que, debout, elle me serrait contre elle.

Nous écoutions le tourbillon de l'astre dans nos entrailles, nous suivions les moulinets de ténèbres dans le dortoir.

A mon tour, je ramenai Isabelle d'une plage éventée en hiver. J'ouvris les draps, je la guidai :

— Il est tard. Tout à l'heure j'avais tort : il faut que vous dormiez.

— Mais non.

— Vous bâillez... vous vous endormez...

Je la regardais comme je regarde la mer le soir quand je ne la vois plus.

— Oui, il faut que vous partiez, dit Isabelle.

Si je m'ennuyais — je m'ennuyais souvent puisque je ne travaillais pas — j'ouvrais la porte de mon casier, je me distrayais avec les étiquettes sur les livres fermés, je croyais que mes livres dormaient debout. J'avais écrit les noms des auteurs sur les étiquettes. Je croisais les bras, j'écoutais longtemps et, finalement, j'entendais la rumeur des tragédies antiques.

— Du muguet !

Le bouquet composé de quelques brins était couché sur ma trousse de cuir. Je voyais un crucifix vert et blanc, en feuilles et en fleurs, allongé sur ma trousse. Le don me durcissait : j'étais trop heureuse. Je refermai la porte de mon casier, je me séquestrai en moi-même, je revins au casier. Le bouquet ne s'était pas envolé. Elle m'avait offert des fleurs du roman, elle avait déposé des feuilles en fer de lance et du porte-bonheur comme on dépose, pour l'abandonner, un enfant dans un panier. Je m'enfuis au dortoir avec mon trésor.

Que ferons-nous la nuit prochaine ? Demain dans cette classe, devant ce pupitre, je me souviendrai de ce que nous aurons fait. Je fixe petit *b*. Je vais me souvenir vite de ce que nous avons fait la nuit dernière. De tout ce que nous avons fait, avant que l'élève prenne le chiffon, avant que l'élève efface petit *b*. Nous n'avons rien fait. Je suis injuste. Elle m'a embrassée, elle est venue. Oui, elle est venue. Quel monde... Elle est venue sur moi. Je me jette aux pieds d'Isabelle. Je ne me souviens pas de ce que nous avons fait et je ne pense qu'à cela. Que ferons-nous la nuit prochaine ? Une autre élève effacera le triangle, petit *a*, petit *b*, petit *c*.

C'était plus strict que dans une église. Isabelle étudiait à la première table près de l'estrade. Je m'installai à ma place, j'ouvris un livre pour lui ressembler, je guettai, je comptai un, deux, trois, quatre, cinq, six, sept, huit. Je ne peux pas l'aborder, je ne peux pas la sortir de son livre. Une élève vint sans hésiter à la table d'Isabelle, elle lui montra une copie. Elles discutaient. Isabelle vivait comme elle avait vécu avant de m'entraîner dans son box. Isabelle me décevait, Isabelle me fascinait.

Je ne peux pas lire. La question est dans chaque méandre du livre de géographie. Où pourrais-je user le temps ? Elle se tourne de profil, elle s'expose, elle ignore que je la reçois, elle se tourne de mon côté, elle ne saura jamais ce qu'elle m'a donné. Elle parle, elle est loin, elle discute, elle travaille : un poulain gambade dans sa tête. Je ne lui ressemble pas. J'irai vers elle, je m'imposerai. Elle bâille — qu'elle est humaine —, elle enlève l'épingle de sa torsade de cheveux, elle la remet. Elle sait ce qu'elle fera la nuit prochaine mais cela ne la préoccupe pas.

Isabelle se pencha quand l'élève quitta la salle d'étude. Isabelle m'avait reconnue.

J'avançais dans l'allée, à l'étroit entre les murs de ma joie.

— Mon amour. Vous étiez là ? dit-elle.

J'eus du vide dans la tête.

— Amenez vos livres. Nous travaillerons ensemble. On étouffe ici.

J'ouvris la fenêtre et, par héroïsme, je regardai dans la cour.

— Vous n'amenez pas vos livres ?

— C'est impossible.

— Pourquoi ?

— Je ne pourrais pas travailler près de vous.

Quand elle me revoit et que son visage est altéré, c'est authentique. Quand elle ne me voit pas et que son visage n'est pas altéré c'est authentique aussi.

— Vous voulez bien de moi ? dis-je.

— Asseyez-vous.

Je m'assis près d'elle, je sanglotai d'un sanglot de bonheur.

— Qu'y a-t-il ?

— Je ne peux pas l'expliquer.

Elle prit ma main sous le pupitre.

— Isabelle, Isabelle... Que ferons-nous pendant la récréation ?

— Nous parlerons.

— Je ne veux pas parler.

Je lui repris ma main.

— Dites ce que vous avez, insista Isabelle.

— Vous ne comprenez pas ?

— Nous nous retrouverons. Je vous le promets.

Vers sept heures du soir des élèves m'entourèrent, proposèrent une promenade, des bavardages. Je bégayai, je me séparai des élèves. Je n'étais plus libre et j'avais changé d'âge. Ecouterai-je encore devant la fenêtre du Jardin d'enfants la surveillante qui suit des cours au Conservatoire, qui étudie du Bach sur le piano de la classe maternelle comme je l'écoutais ? Isabelle rangeait ses livres, Isabelle était proche. Je me pétrifiai.

Ma peau de pêche : la lumière de sept heures du soir dans la cour de récréation. Mon cerfeuil : la dentelle arachnéenne dans l'air. Mes coffrets religieux : les feuillages des arbres avec les reposoirs de la brise. Qu'est-ce que nous ferons la nuit ? Le soir se risque dans le jour. Le temps me caresse mais je ne sais pas ce que nous ferons la nuit prochaine. J'entends les bruits et les voix de sept heures du soir qui flattent l'horizon pensif. C'est le gant de l'infini qui m'empoigne.

— Qu'est-ce que vous regardiez, Violette ?

— Là-bas... les géraniums...

— Quoi encore ?

— Le boulevard, la fenêtre, c'était vous.

— Donnez votre bras.

Le soir venait sur nous avec son manteau de velours qui s'arrêtait aux genoux.

— Je ne peux pas vous donner le bras. Nous nous ferons remarquer, nous nous ferons prendre.

— Vous avez honte ? dit Isabelle.

— Honte de quoi ? Vous ne comprenez pas ? Je suis prudente.

La cour fut à nous. Nous courions en nous tenant par la taille, nous déchirions avec notre front cette dentelle dans l'air, nous entendions le clapotis de notre cœur dans la poussière. Des petits chevaux blancs chevauchaient dans nos seins. Les élèves, les surveillantes riaient et claquaient des mains : elles nous encourageaient quand nous ralentissions.

— Plus vite, plus vite. Fermez les yeux. Je conduis, dit Isabelle.

Nous avions un mur à longer. Nous serions seules.

— Vous ne courez pas assez vite. Oui, oui... Fermez les yeux, fermez les yeux.

J'obéis.

Ses lèvres frôlèrent mes lèvres.

— J'ai peur... des grandes vacances. Isabelle... J'ai peur de notre dernière journée dans la cour, en été... J'ai peur de me tuer en tombant, dis-je.

J'ouvris les yeux : nous vivions.

— Peur ? Je vous guide, dit-elle.

— Courons encore si vous voulez.

J'étais exténuée.

— Ma femme, mon enfant, dit-elle.

Elle donnait et elle retenait les mots. Elle pouvait les serrer contre elle en me serrant. Je dépliai à moitié les doigts autour de sa taille, je comptai : mon amour, ma femme, mon enfant. J'avais trois bagues de fiançailles aux trois doigts de la main.

Les élèves se taisaient pour la minute de silence. Isabelle changea de place. Nous fermions les rangs, nous gardions nos distances.

— Je vous aime.

— Je vous aime, dis-je aussi.

Les petites mangeaient déjà. Nous avons feint d'ignorer ce que nous nous étions dit, nous avons bavardé chacune de notre côté.

J'arrivai routinière sur mon rideau de percale. Une main de fer me reprit, me conduisit ailleurs. Isabelle me jeta sur son lit, enfouit son visage dans ma lingerie.

— Revenez quand elles dormiront, dit-elle.

Elle me chassait, elle m'enchaînait.

J'aimais : je n'avais pas d'abri. Je n'aurais que des sursis entre nos rendez-vous.

Isabelle toussait assise dans son lit, Isabelle était prête sous son châle de cheveux. Son châle. Le tableau auquel je revenais me paralysait. Je m'écroulai sur la chaise, ensuite sur la carpette : le tableau me suivait partout.

Je me déshabillai dans l'ombre, je plaquai ma main chaste sur ma chair, je me respirai, je me reconnus, je m'abandonnai. Je tassai le silence au fond de la cuvette, je le tordis en tordant le gant éponge, je le caressai sur ma peau pendant que je m'essuyais.

La surveillante éteignit dans sa chambre. Isabelle toussa encore : elle m'appelait. Je calculais que si je ne refermais pas la boîte de savon dentifrice, je me souviendrais de l'atmosphère avant de retrouver Isabelle chez elle. Je me préparais un passé.

— Vous êtes prête ? chuchota Isabelle derrière mon rideau.

Elle repartait.

J'ouvris la fenêtre de ma cellule. La nuit et le ciel ne voulaient pas de nous. Vivre à l'air libre, c'était souiller le dehors. Il fallait s'absenter pour embellir la soirée des arbres. Je risquai ma tête dans l'allée mais l'allée me rebuta. Leur sommeil m'effrayait : je n'avais pas le courage d'enjamber les dormeuses, de marcher pieds nus sur leur visage. Je refermai la fenêtre et, comme les feuillages, le rideau de percale remua.

— Vous venez ?

J'allumai : ses cheveux tombaient comme je l'avais imaginé mais je n'avais pas prévu sa chemise de nuit gonflée de rusticité. Isabelle repartait.

J'entrai dans son box avec ma lampe de poche.

— Otez votre vêtement, dit Isabelle.

Elle se tenait sur un coude, sa chevelure pleuvait sur son profil.

— Otez votre vêtement, éteignez...

J'éteignis ses cheveux, ses yeux, ses mains. Je me dépiautai de ma chemise de nuit. Ce n'était pas neuf : je dévêtais la nuit des premiers amants.

— Qu'est-ce que vous faites? dit Isabelle.

— Je traîne.

Elle piaffait dans le lit pendant que par timidité je posais nue pour les ténèbres.

— Mais qu'est-ce que vous faites?

Je me glissai dans le lit. J'avais eu froid, j'aurais chaud.

Je me raidis, je craignis de froisser sa toison. Elle me forçait, elle m'allongeait sur elle : Isabelle voulait l'union dans nos épidermes. Je récitais mon corps sur le sien, je baignais mon ventre dans les arums de son ventre, j'entrais dans un nuage. Elle frôla mes hanches, elle lança des flèches étranges. Je me soulevai, je retombai.

Nous écoutions ce qui se faisait en nous, ce qui émanait de nous. Des couples nous cernaient. Le sommier gémit.

— Attention! dit-elle sur ma bouche.

La surveillante avait allumé dans sa chambre. J'embrassais la bouche d'une petite fille parfumée à la vanille. Nous étions redevenues sages.

— Serrons-nous, dit Isabelle.

Nous avons resserré notre ceinture de misère.

— Broyez-moi...

Elle voulait bien mais elle ne pouvait pas. Elle triturait mes hanches.

— Ne l'écoutez pas, dit-elle.

La surveillante urinait dans son seau de toilette. Isabelle frottait son orteil sur mon cou-de-pied en signe d'amitié.

— Elle s'est rendormie, dit Isabelle.

Je prenais Isabelle dans sa bouche, j'avais peur de la surveillante, je buvais notre salive. C'était une orgie de dangers. Nous avons eu de la nuit dans notre bouche et dans notre gorge, nous avons su que la paix était revenue.

— Ecrasez-moi, dit-elle.

— Le sommier... il gémira... on nous entendra.

— Le sommier... il gémira... on nous entendra.

Nous nous parlions entre les feuillages serrés des nuits d'été. J'écrasais, j'obscurcissais des milliers d'alvéoles.

— Est-ce que je pèse ?

— Vous ne pèserez jamais. J'ai un peu froid, dit-elle.

Mes doigts voyaient ses épaules glacées. Je m'envolai, je pris avec mon bec les flocons de laine accrochés aux épines des haies, je les mis sur les épaules d'Isabelle. Je tapotais ses os avec mes marteaux duveteux, mes baisers dévalaient les uns par-dessus les autres, je me lançais dans un éboulis de tendresse. Mes mains relayèrent mes lèvres fatiguées : je modelai le ciel autour de son épaule. Isabelle se souleva, elle retomba et je retombai avec elle au creux de son épaule. Ma joue se reposa sur une courbe.

— Mon trésor.

Je le disais à la ligne brisée.

— Oui, dit Isabelle.

Elle dit : « Je viens », mais elle hésita.

— Je viens, dit encore Isabelle.

Elle renouait ses cheveux, son coude aérait mon visage.

La main se posa sur mon cou : un soleil d'hiver blanchit mes cheveux. La main suivait les veines, descendait. La main s'arrêta. Mon pouls battait contre le mont de Vénus de la main d'Isabelle. La main remonta : elle esquissait des cercles, elle débordait dans le vide, elle élargissait les ondes de douceur autour de mon épaule gauche pendant que mon épaule droite était abandonnée à la nuit que zébraient les respirations des élèves. J'apprenais le velouté dans mes os, l'aura dans ma chair, l'infini dans mes formes. La main traînait, emmenait des rêves de fumée. Le ciel mendie quand on vous caresse l'épaule : le ciel mendiait. La main remontait, ajustait une guimpe de velours jusqu'au menton, la main persuasive redescendait, appuyait, décalquait les courbes. A la fin ce fut une pression d'amitié. Je pris Isabelle dans mes bras, je m'ébrouai de reconnaissance.

— Vous me voyez ? dit Isabelle.

— Je vous vois.

Elle me coupa la parole, elle se glissa dans le lit, elle embrassa les cheveux bouclés.

— Des chevaux, cria une élève.

— N'aie pas peur. Elle rêve. Donne ta main, dit Isabelle.

Je pleurais de joie.

— Vous pleurez ? dit-elle avec anxiété.

— Je vous aime : je ne pleure pas.

J'essuyai mes yeux.

La main déshabilla mon bras, s'arrêta près de la veine, autour de la saignée, forniqua dans les dessins, descendit jusqu'au poignet, jusqu'au bout des ongles, rhabilla mon bras avec un long gant suédé, tomba de mon épaule comme un insecte, s'accrocha à l'aisselle. Je tendais mon visage, j'écoutais ce que mon bras répondait à l'aventurière. La main qui se voulait convaincante mettait au monde mon bras, mon aisselle. La main se promenait sur le babil des buissons blancs, sur les derniers frimas des prairies, sur l'empois des premiers bourgeons. Le printemps qui avait pépié d'impatience dans ma peau éclatait en lignes, en courbes, en rondeurs. Isabelle allongée sur la nuit enrubannait mes pieds, déroulait la bandelette du trouble. Les mains à plat sur le matelas, je faisais le même travail de charme qu'elle. Elle embrassait ce qu'elle avait caressé puis, de sa main légère, elle ébouriffait, elle époussetait avec le plumeau de la perversité. La pieuvre dans mes entrailles frémissait. Isabelle buvait au sein droit, au sein gauche. Je buvais avec elle, je m'allaitais de ténèbres quand sa bouche s'éloignait. Les doigts revenaient, encerclaient, soupesaient la tiédeur du sein, les doigts finissaient dans mon ventre en épaves hypocrites. Un monde d'esclaves qui avaient même visage que celui d'Isabelle, éventaient mon front, mes mains.

Elle se mit à genoux dans le lit :

— Vous m'aimez ?

Je conduisis la main jusqu'aux larmes rares de la joie.

Sa joue hiverna au creux de l'aine. Je braquai ma lampe de poche, je vis ses cheveux répandus, je vis mon ventre sur lequel pleuvait la soie. La lampe glissa, Isabelle donna un coup de barre.

Nous nous épousions en surface avec des crocs dans notre peau, du crin dans nos mains ; nous tanguions sur les dents d'une herse. Nous nous mordions, nous malmenions les ténèbres.

Nous avons ralenti, nous sommes revenues avec nos panaches de fumée, nos ailes noires aux talons. Isabelle bondit hors du lit.

Je me demandais pourquoi Isabelle se recoiffait. D'une main, elle m'étendit sur le dos, de l'autre elle me chagrina avec la lumière jaunâtre de la lampe de poche.

Je me cachai dans mes bras :

— Je ne suis pas belle. Vous m'intimidez, dis-je.

Elle voyait notre avenir dans mes yeux, elle regardait l'instant suivant, elle le retenait dans son sang.

Elle revint dans le lit, elle me convoita.

Je la flattais, je préférais l'échec aux préparatifs. Faire l'amour dans une bouche me suffisait : j'avais peur et j'appelais au secours avec mes moignons. Deux pinceaux se promenèrent dans mes replis. Mon cœur battait dans une taupinière, ma tête était pleine de terreau. Deux doigts contrariants me visitaient. Que la caresse est magistrale, que la caresse est inévitable... Mes yeux clos écoutaient : le doigt effleurait la perle. Je me voulais spacieuse pour le seconder.

Le doigt royal et diplomate avançait, reculait, m'étouffait, commençait à entrer, vexait la pieuvre dans mes entrailles, crevait le nuage sournois, s'arrêtait, repartait. Je serrais, j'enfermais la chair de ma chair, sa moelle et sa vertèbre. Je me dressai, je retombai. Le doigt qui n'avait pas été blessant, le doigt venu en reconnaissance sortait. La chair le dégantait.

— Vous m'aimez ? dis-je.

Je souhaitais une confusion.

— Il ne faudra pas crier, dit Isabelle.

Je croisai les bras sur mon visage, j'écoutai encore sous mes yeux clos.

Deux bandits entrèrent. Ils m'opprimaient, ils voulaient, ma chair ne voulait pas.

— Mon amour... Tu me fais mal.

Elle mit ma main sur ma bouche.

— Je ne me plaindrai pas, dis-je.

Le bâillon m'humiliait.

— J'ai mal. Il le faut. J'ai mal...

Je me donnai à la nuit et, sans le vouloir, j'aidai. Je me penchai en avant pour me déchirer, pour me rapprocher de son visage, pour voisiner avec ma blessure : elle me rejeta sur l'oreiller.

Elle donnait des coups, des coups, des coups... On entendait des claquements. Elle crevait l'œil de l'innocence. J'avais mal : je me délivrais mais je ne voyais pas ce qui arrivait.

Nous avons écouté les dormeuses, nous avons sangloté pour respirer. Ils avaient laissé une ligne de feu.

— Reposons-nous, dit-elle.

Mon souvenir des deux bandits s'adoucissait, ma chair blessée guérissait, des bulles d'amour montaient. Mais Isabelle revenait et ils tournaient de

plus en plus vite. D'où arrivait cette lame de fond ?
Enveloppement suave. J'avais de la drogue dans les
talons, ma chair visionnaire rêvait. Je me perdis
avec Isabelle dans la gymnastique pathétique.

Le plaisir s'annonça. Ce ne fut qu'un reflet. Des
doigts lents sont partis. J'étais affamée de présence :

— Votre main, votre visage. Venez plus près.

— Je suis fatiguée.

Faites qu'elle vienne, faites qu'elle me prête son
épaule, faites que j'aie son visage près du mien. Il
faut échanger de l'innocence avec elle. Elle n'a pas
de souffle : elle se repose. Isabelle toussa comme si
elle toussait dans une bibliothèque.

Je me levai avec d'infinies précautions, je me sentis toute neuve. Mon sexe, ma clairière et mon bain
de rosée.

J'allumai. J'avais vu le sang, j'avais vu mes
cheveux rouges. J'éteignis.

Le froufrou de ténèbres à trois heures du matin
me glaça. La nuit s'en irait, la nuit ne serait bientôt
que des larmes.

Je braquai la lampe, je n'eus pas peur de mes
yeux ouverts :

— Je vois le monde. Il sort de toi.

L'aube et ses linceuls. Isabelle se peignait dans
une zone à elle, où ses cheveux étaient toujours
défaits.

— Je ne veux pas que le jour vienne, dit Isabelle.

Il vient, il viendra. Le jour fracassera la nuit sur
un aqueduc.

— J'ai peur d'être séparée de toi, dit Isabelle.

Une larme tomba dans mon jardin à trois heures
du matin.

Je me refusai à la moindre pensée, ainsi elle pourrait s'endormir aussi dans ma tête vide. Le jour
prenait la nuit, le jour effaçait nos mariages. Isabelle s'endormait.

— Dors, dis-je près des aubépines en fleur qui avaient attendu l'aube toute la nuit.

Je sortis du lit en traître, je m'approchai de la fenêtre. Il y avait eu, très haut dans le ciel, un combat et le combat refroidissait. Les brouillards battaient en retraite. Aurore était seule et personne ne l'inaugurait. Déjà un fouillis d'oiseaux dans un arbre, déjà picorées les premières clartés... Je voyais le demi-deuil du nouveau jour, je voyais les haillons de la nuit, je leur souris. Je souris à Isabelle et, front contre front, je jouai au bélier avec elle pour oublier ce qui mourait. Le lyrisme de l'oiseau qui chante et précipite la beauté de la matinée nous épuise : la perfection n'est pas de ce monde même quand nous la rencontrons.

— Il faut que tu partes, dit Isabelle.

La quitter en paria, la quitter à la sauvette m'attristait aussi. J'avais des boulets aux pieds. Isabelle m'offrait son visage désolé. J'aimais Isabelle sans gestes, sans élan : je lui offrais ma vie sans un signe.

Isabelle se dressa, elle me prit dans ses bras :

— Tu viendras tous les soirs ?

— Tous les soirs.

— Tu ne vois donc pas qu'elle est clouée ? Tu peux toujours lui parler, dit Anaïs à Isabelle dans la cour.

Oui, j'étais clouée sur la surveillante-musicienne qui jouait du piano, sur ses bras nus modelant l'atmosphère du Jardin d'enfants, sur la masse de cheveux dans son cou, sur sa jaquette de bure marron, sur les cygnes, sur les canards de celluloïd.

Elle ferma le piano, elle devina une présence :

— Vous écoutiez ce que je jouais ?

— Je vous écoutais.

Elle arriva près de l'appui de fenêtre. Je tournai

la tête : Isabelle au loin, sans compagne, me voyait.

— C'est un concerto de Saint-Saëns, dit-elle. J'ai raté le Premier Prix avec lui. Par timidité.

— Par timidité, ai-je répété.

Je n'osais plus la regarder.

— Vous étudiez la composition, dis-je sans voix.

— Oui, j'étudie l'harmonie.

Je me sauvai.

Isabelle venait à ma rencontre :

— Elle joue encore ?

Ses lèvres tremblaient.

— Elle ne joue pas. Elle étudie l'harmonie. Elle me l'a dit.

Des petites filles nous ont séparées comme à chaque récréation.

Maintenant nous marchions autour de la cour. Les yeux d'Isabelle ne quittaient pas les miens. Je songeais aux monuments. Les monuments se nommaient : Conservatoire, Concerto, Harmonie.

Isabelle entoura mes épaules.

— Nous allons nous aimer tout en nous promenant, dit-elle. Ne sois pas triste.

— Je suis triste ?

— Tu es triste, dit Isabelle.

— Elle joue, je l'écoute. C'est tout.

— Oui, c'est tout, dit Isabelle. Regarde... là-bas... le soleil sur la vitre. C'est d'une force, c'est d'une gaieté...

Je ne pouvais plus avancer. La noblesse d'Isabelle m'anéantissait. Isabelle me mettait à l'abri d'un danger — j'ignorais quel danger — quand je revenais vers elle, quand je fuyais, quand je n'écoutais pas Hermine jouant du Bach.

Dans la nuit, je dis à Isabelle :

— Elle marche, elle veille, elle étudie. Je reconnais son pas.

Isabelle me serra dans ses bras :

— Ne me quitte pas.

Le box d'Isabelle était au-dessous de la chambre d'Hermine.

Des jours passèrent, l'été charmait le printemps.

La température : une rose toujours ouverte. Les soirées : la même légende sans personnages. Des oiseaux invisibles témoignaient de la perfection de la lumière. Tant et tant d'oiseaux éveillés, cachés ; tant d'historiens de chaque minute de chaleur, de chaque minute de douceur. Je sortais de la salle d'étude, je rencontrais Hermine à l'improviste, dans les couloirs de l'ancien cloître. Hermine me parlait d'une Sonate de Franck qu'elle déchiffrait, de Prélude, Choral et Fugue, du *Concerto italien* de Bach qu'elle étudiait, d'un Trio de Beethoven qu'elle jouait tous les jours avec ses sœurs, de ses promenades avec elles et son père. Je lui demandais ce que voulaient dire les expressions : cassation, altérer les sensibles, flûte obligée, basse continue, flûte traversière.

Isabelle, sans une phrase, m'offrit un livre : *La Musique et les Musiciens*.

L'été nous accabla. Les élèves se groupèrent à l'ombre des platanes. Nous, nous marchions autour de la cour, des gouttes de sueur scintillaient sur le front d'Isabelle.

— Le cours de cosmographie est fini. Dis quelque chose, Isabelle !

— Il n'y aura plus de cours de cosmo. Tu entends ? Elles nous appellent... Elles crient : « Ici il fait meilleur ! »

— N'y va pas, Isabelle.

— N'y va pas, Violette

Se commander ainsi, c'était vérifier combien nous étions inséparables.

Nous marchions de plus en plus vite avec notre armure de chaleur.

— ... Il n'y aura plus de cours de physique et chimie.

— Oui, Isabelle.

— ... Il n'y aura plus de cours d'algèbre et géométrie.

— Oui, Isabelle.

Isabelle a épongé son front :

— Ta main. Donne ta main.

— Elle est moite. C'est de la sueur.

— Donne !

J'ai trouvé le mois de mars à l'intérieur de la main d'Isabelle.

— Les professeurs ne viennent plus. C'est la fin. Qu'est-ce que nous allons faire ? Qu'est-ce que nous allons devenir ?

Elle abandonnait ma main.

— On se verra pendant les vacances, ai-je avancé.

— Ça te suffit ?

Son visage implorait. Il devenait friable.

— J'ai chaud, je ne sais plus...

Isabelle observait les fenêtres.

— Le collège a changé, le collège change, dit-elle.

— Le collège est vide. Non, il n'est pas vide. Il est calme. Tout le monde est dehors.

Isabelle se contractait.

— Le collège bientôt n'existera plus, dit-elle. Je vais le quitter.

Elle avait été reçue à son examen de fin d'études et moi à mon examen de passage.

— Décide, ai-je supplié.

— On ne peut rien décider, dit Isabelle. Viens au frais.

Elle m'emmena jusqu'à la fenêtre du Jardin d'enfants. Le piano : fermé. Le sable : enlevé. Les cygnes et les canards : disparus.

— Pourquoi as-tu voulu que nous nous arrêtions ici ? ai-je demandé à Isabelle.

Isabelle épongeait mon front, mes mains.

— C'était pour la fraîcheur, uniquement pour la fraîcheur, dit-elle.

Nous avons trouvé un de ces coins toujours neutres entre des profils de ciment.

Elle m'a jetée contre le mur.

— Tu es près de moi ? Tu es vraiment près de moi ?

— Oui, Isabelle, oui.

— Serre-moi, dit-elle. Je ne veux pas, je ne veux pas, gémit-elle.

— Je ne veux pas me séparer de toi ! ai-je crié.

— Serre plus fort, dit-elle.

Elle s'est détachée avec brusquerie.

J'ai demandé à Isabelle ce qu'elle fixait ainsi.

— Les cailloux, dit-elle.

Les cailloux, c'était nous ; c'était l'instant tout nu.

Et puis elle s'est recoiffée sans me quitter des yeux. Ses yeux exprimaient trop.

— Changeons de place. Je t'en supplie, marchons, dis-je.

— Tu veux partir mais tu ne partiras pas !

Isabelle m'effrayait.

Des heures ont sonné à l'horloge de la cour d'honneur.

— Va-t'en ! Va-t'en !

J'obéissais à Isabelle. Je m'étais plantée en plein soleil.

— Reviens...

Je suis revenue, brisée. Soudain, un projet.

— Sauvons-nous ! dis-je. La grand-porte est entrouverte quand ils livrent.

— ...

— Pourquoi ne veux-tu pas répondre ?

— Parce que c'est impossible, a murmuré Isabelle..

— Sauvons-nous, Isabelle... C'est l'été. Nous coucherons à l'intérieur d'une meule. Nous trouverons bien un morceau de pain...

Isabelle a tiré fort mes cheveux en arrière.

— Les gendarmes, la gendarmerie, c'est pour qui ? dit-elle. Une heure après nous serions ici. J'ai tout pesé, j'ai tout calculé.

Sa main dans la mienne. Je l'avais eue des centaines de fois en entrant, en sortant entre les grandes tables de marbre du réfectoire. Notre mariage à chaque heure du jour et de la nuit n'était plus le même. Nous boudions tout ce bleu endimanché.

— C'est effrayant, a dit Isabelle.

— Les grandes vacances ?

— Oui.

Des parents réclamaient au loin leurs enfants au parloir. D'autres élèves s'installaient aussi à l'ombre des platanes avec les transats, de la couture, des livres. Tout ce bleu au-dessus des arbres couronnait juillet.

— Viens ! a dit Isabelle.

— Où veux-tu aller ?

— En plein soleil.

— Nous aurons trop chaud. A quoi ça sert ?

Isabelle semblait hors d'elle-même. Elle frottait ses yeux. Elle voulait que ses pleurs soient des poussières. Je l'entraînai jusqu'au milieu de la cour.

— Et maintenant ?

Des flèches de feu tombaient sur notre nuque. Une odeur d'eau de vaisselle persistait. Nous étions face à face, souffrant sans défaillance de la chaleur et de notre idée fixe.

— Je t'apprends, je te retiens. Dans le fond de tes yeux, dit Isabelle.

Une surveillante nous a appelées.

— Ne réponds pas, dit Isabelle.

— Vous aurez une insolation criait la surveillante.

— Ne réponds pas, commandait Isabelle. C'est
notre dernier jour.

La surveillante était rentrée dans le préau. Isabelle souriait avec son bon sourire aux nuances
infinies.

Nos nuits. Où retrouver nos nuits ?

Des élèves, à leur tour, nous appelaient. Toutes
les élèves nous voulaient près d'elles.

— Attendons en plein soleil puisque c'est ce que
tu veux, ai-je dit.

— Attendons, a dit Isabelle, et trace un cercle.

J'ai tracé un cercle avec mon talon.

— Tu voulais partir ? Tu voulais une maison
pour nous deux ? dit-elle.

— Oui, oh oui ! Une maison pour nous deux...

— C'est notre maison, a dit Isabelle.

Elle ne jouait pas, elle ne se moquait pas. Je la
regardais, mais j'étais séparée d'elle à cause de cet
enveloppement : la chaleur.

— Parlons. Isabelle...

— Non. Regarde, regarde encore.

— Quoi ? Le cercle ? notre maison ?

— Ce qui va nous arriver.

— Je ne peux plus. C'est le soleil. Tu ne me
parlais pas ainsi. Cette voix, ce ton...

— Je n'allais pas te quitter, a dit Isabelle.

La chaleur commençait de me droguer. J'ai voulu
réagir.

— Ta mère viendra demain ?

— ...

— Tu vivras en famille ? Il faut que je sache...

— ...

La chaleur répondait pour Isabelle avec ses battements dans mes artères, sur mes tempes.

— Si tu devenais surveillante... Tu serais libre.

— C'est fini ? dit Isabelle.

La chaleur. Un miroir dans lequel Isabelle veillait.

— C'est fini, Isabelle. Je ne sais plus ce que je dis. Emmène-moi... dans notre coin...

Isabelle, aveuglée par le soleil, traînait une infirme.

Le temps, le bourreau indifférent. Je le voyais sur une petite araignée. Vivace, noire. L'araignée fuyait sur le sol noir.

Le soir, pendant le dîner au réfectoire, des élèves parlèrent de leur avenir. Reçues à leurs examens, elles ne doutaient de rien. Pauline serait avocate, Andréa doctoresse, une troisième savante comme Pasteur, précisa-t-elle. Loys voulait devenir professeur d'enseignement ménager. Isabelle écoutait loin de ce monde. L'étude supprimée, nous montâmes tout de suite au dortoir.

Je retenais Isabelle devant son rideau de percale :

— Si tu veux, lui dis-je avec des précautions dans la voix, si tu veux, je peux t'aider à faire tes valises, je peux t'aider à ranger ton linge dans ta malle. Nous serions encore ensemble...

Isabelle était pâle. Elle suivait le mouvement de mes lèvres avec trop de bonne volonté.

— Ecoute, dit-elle avec une gentillesse effrayante.

Elle levait son index.

J'écoutai : des élèves, deux par deux, chantaient ou dansaient sur leur sommier métallique. J'étais folle d'amour pour ce nouveau visage d'Isabelle : du flou. La douleur n'avait plus de relief.

— Tu ne veux pas que je t'aide ?

— Va chez toi, va, me dit Isabelle.

Je traversai l'allée. Toute une saison d'ouragans et de tempêtes voulait naître dans ma gorge. Je soulevai mon rideau de percale, la soirée par la fenêtre ouverte était un défi de douceur. La douce soirée dehors avançait avec la douceur élémentaire d'une barque à la dérive. Je rentrai dans mon box.

Le cri traversa le collège.

Je me réfugiai dans l'angle entre la fenêtre et la penderie, j'appuyai mon tablier sur ma bouche. Les élèves, toutes les élèves couraient dans l'allée.

— Qui a crié ainsi ? demanda la surveillante.

— Isabelle.

Je me remis au piano pendant les vacances ; j'écoutais le jeu d'Hermine, j'étudiais sans l'espoir de mieux jouer, je déchiffrais l'Etude en arpèges : le souvenir du grand livre d'Harmonie m'obsédait.

L'été ruissela sur l'automne, Isabelle viendrait bientôt.

J'ai attendu son télégramme une journée. Je quittais le piano pour la vitre de la fenêtre, je quittais la fenêtre pour le piano. Cernée par son lit, le mien, sa chaise, la mienne, sa table de toilette, ma table de toilette au dortoir, je croyais à la résurrection du collège. L'indifférence des télégraphistes sera toujours bouleversante. Je tenais son télégramme, promeneurs, enfants, amants quittaient le Jardin public pour la foire de la place Poterne. J'ai ouvert la fenêtre de ma chambre, j'ai donné des verdures à Isabelle avant son arrivée. Maintenant le télégraphiste contemplait la voiture d'un marchand de glaces.

La gare végétait, mais un chariot, la bascule, un porteur, un flâneur, le guichet fermé, l'étiquette d'une valise enregistrée, la poussière qui habillait la gare de mélancolie surannée, me prédisaient : elle vient. Le volet de fer de la librairie proposait la méditation, le tramway avec son timbre et le refrain des essieux ajoutaient de la frivolité aux petits déplacements.

L'employé a ouvert la porte, les rails ont suggéré le regard des oiseaux nocturnes. Toute la ville somnolait au-delà des quais. Les premiers voyageurs appartenaient encore au train, aux panoramas. Je voyais la vitesse dans leurs yeux récurés. Isabelle apparut la dernière. Sans me regarder. Ses cheveux sages, sa robe simple, ses gants de provinciale me grisaient. L'austérité dans la gare donnait un appétit considérable à mes entrailles. Elle présenta son billet avec une bonne volonté d'élève, elle se tourna enfin de mon côté.

— Bonjour, dit-elle avec froideur.

— Bonjour, dis-je avec la même froideur.

Nos semaines de séparation nous séparaient encore.

Isabelle posa sa valise à terre, elle arrangea sa torsade de cheveux.

— Vous avez reçu mon télégramme ? dit-elle, affairée.

L'employé ferma la porte donnant accès aux quais.

— Je ne serais pas venue si je ne l'avais pas reçu.

Elle sourit. La logique lui plaisait.

Quoi dire lorsque le ventre crie famine ?

— Le voyage n'a pas été trop long ?

— J'ai lu, dit Isabelle.

— Nous fermons, mesdames, a crié le preneur de billets. J'ai suivi Isabelle. Sa mise modeste m'oppressait et m'enchantait. Nous avons contourné un ramasseur de crottin.

— Quel chemin prenons-nous ? dit Isabelle.

Je lui demandai si elle préférait traverser la ville ou bien suivre les boulevards extérieurs. Elle préférait suivre les boulevards.

Un tramway rentra dans la ville dont elle ne voulait pas.

Nous longions de coquets magasins. Isabelle ne regardait rien et, comme dans la gare, elle ne voulait pas que je porte sa valise.

Brusque, elle est venue :

— Tu ne m'oubliais pas ?

Je retrouvai sa voix. Un aiguiseur de ciseaux et de couteaux m'a tout repris avec sa poussette, sa clochette.

— Je ne t'oubliais pas. Je ne dormais plus...

— Tais-toi, n'explique rien, a crié Isabelle.

Elle a regardé un étalage de dentelles de Valenciennes.

— Me taire ? Pourquoi me taire ? Si nous parlions de nos vacances...

— Tu ne comprends pas ? a dit Isabelle. Les vacances n'existaient pas.

— Je comprends, ai-je dit tout bas. Tu te promenais ? Tu lisais ? Parle de toi, parlons de toi...

Isabelle a poussé un soupir.

— Je t'en prie. Allons chez toi, dit-elle.

Elle ne voulait pas de mon bras, ni de ma main. Elle voulait plus.

— ... Mes parents sont à Paris. Ils reviendront la nuit prochaine...

Isabelle n'a rien dit.

J'ai détesté la température sur commande. Fini, la chaleur stridente avec les hurlements des petites et des grandes. Estaminets, confiseries, salons de thé s'offraient. Fini, la grand-porte fermée à double tour. Les premières feuilles tombaient, l'été déclinait, se reposait, traînait.

— C'est encore loin chez toi ?

— Non !

— C'est une fabrique ici ?

— Oui !

— Où mène cette ruelle ?

— En ville. Tu me parlais au collège... Qu'est-ce que tu as ?

— Nous sommes dans les rues, a dit Isabelle. Ça me manquait plus qu'à toi.

Je songeai : si je pouvais lui montrer l'entrepôt où viennent échouer les tramways...

— Ça te plaît les boulevards ?

— Qu'est-ce que tu vas chercher ! a dit Isabelle.

Désir de la brutaliser, désir de la piétiner pour me retrouver, pour la retrouver, pour tout retrouver.

— Montons, dit-elle en arrivant.

Ses cheveux croulèrent quand je refermai la porte de ma chambre.

La nuit j'ai dit à Isabelle : « Nous sommes chez nous. » J'attendais sa réponse dans le silence confortable des doubles rideaux, des vieux bouquins. « Si tu veux... nous sommes chez nous », a répondu Isabelle. Une élève à gauche, une élève à droite ne s'éveilleraient pas, la surveillante ne se lèverait pas à l'improviste.

— Tu écoutes ?

— Qu'est-ce que tu voudrais que j'écoute ? a dit Isabelle. Je regarde, je me repose.

Elle apprenait ma chambre, les ténèbres inoffensives.

Le silence ne retenait pas un danger.

Une grotte procure trop de sécurité. Je me reposais dans une grotte avec Isabelle. J'ai allumé :

— Elles te manquent ?

Isabelle a froncé les sourcils :

— Le collège ? Les élèves ?

— Tu vois ! Elles te manquent. Il te manque.

— Ici c'est différent, a dit Isabelle.

J'ai éteint.

Les ténèbres dans ma chambre m'ennuyèrent : je ne voyais pas Isabelle. Le divan pour une personne nous rapprochait, mais il ne gémissait pas comme le lit dans le box d'Isabelle. J'ai demandé si elle voulait une fenêtre ouverte. Non. Si elle voulait voir les statues du Jardin public. Non. Avec des ventres, des cuisses, des hanches rêveuses. Non, non. Elle était bien où elle était. Si elle voulait manger des fruits assise sur l'appui de fenêtre. Pas soif, pas faim. Un minuit cristallin entre les anges de leur pendule Directoire ne l'a pas atteinte. Qu'est-ce qu'elle voulait ? Le carré de chocolat sur la table de nuit, la rose dans le verre à dents, ma lampe électrique, l'arrêt de notre respiration lorsqu'une élève se plaignait en dormant ?

— Nous sommes libres, Isabelle. Nous voulions être libres. Descendre, se promener nues dans la maison. C'est possible.

Isabelle se caressait le front avec ma main.

— Tu te racontes une histoire, tu nous racontes des histoires. Nous ne sommes pas libres. Nous serons séparées, nous serons toujours séparées.

Le lendemain matin ma mère m'a appelée, Isabelle ne s'est pas éveillée. Elle reposait sur un oreiller de nuages. Son épaule dénudée, sa gorge, avec le flux et le reflux de tout ce qui vit sur la terre, s'offraient à un ciel de lit. Elle pouvait dormir jusqu'à midi, nous étions donc libres. C'était elle qui me racontait des histoires. J'ai quitté Isabelle comme je ne la quittais pas au collège. Je revenais dans mon box avec tant d'anxiété, tant d'espoir...

— Je vais beurrer tes tartines, sale gâtée, a dit ma mère.

Je me suis assise en face d'elle, j'ai été conquise.

— Est-ce qu'elle est arrivée ? a demandé ma mère.

— Isabelle dort encore. Marthe ne t'a pas dit que j'ai été la chercher à la gare ?

Ma mère s'est arrêtée de repasser le beurre sur mon pain. Elle devinait que ses questions me déplaisaient. Elle a continué :

— Marthe m'a dit que tu avais attendu le télégramme toute la journée. C'est drôle : tu ne peux pas être calme ?

Ma mère a glissé les tartines beurrées devant mon bol :

— Si tu lui montais son déjeuner ?

— Non, puisqu'elle dort. Je préfère parler de Paris avec toi. Où êtes-vous allés ? Comment est Paris ?

Ma mère buvait son café au lait. Elle s'est presque emportée :

— Mange ! Si tu voyais ta mine ce matin ? Paris ? Eh bien, Paris c'est toujours la même foule, le même bruit. Ton beau-père m'a emmenée au Caveau de la République, aux Deux Anes. Les soldes chez Amy Linker étaient moches. Je t'ai acheté une robe... Il faudra l'essayer si vous voulez sortir ce soir.

Elle s'est levée, elle s'est occupée de son bébé. Il dormait de ce sommeil idéal : celui d'une pâquerette en plein champ dans la fraîcheur de sept heures du soir.

— Sortir ce soir ? ai-je dit ahurie.

— Pourquoi pas ce soir ? Ah ! celle-là ! dit-elle dans l'escalier.

Je l'amusais, je la flattais. Elle ne pouvait pas comprendre.

Je frappai à la porte de ma chambre, j'entrai.

— Tu ne revenais pas, dit Isabelle.

Elle s'excusait parce qu'elle était chaussée, coiffée, habillée.

— Nous sortirons peut-être ce soir...

— Sortir ? a dit Isabelle.

Elle s'est approchée, le visage inquiet.

— Ce n'est pas sûr... Une idée...

— J'étais venue pour toi, j'étais venue pour être près de toi, a dit Isabelle.

Je l'ai prise dans mes bras. Elle m'étouffait, je retrouvais ma visionnaire. Sa tête est tombée sur mon épaule, notre matinée dépérissait.

— Tu pleures ?

Isabelle frottait ses paupières.

— On veut tenir tête au soleil, dit-elle. Je faisais ça quand j'étais jeune...

Isabelle ne parlait jamais de son enfance. Isabelle improvisait. Oui, notre maison la déprimait.

J'ai présenté Isabelle à ma mère. Ce n'était pas brillant. Trop vrais, son air moqueur, sa mèche de cheveux qu'elle rejetait avec arrogance. Isabelle balbutia des fadaises. Ma mère l'étudiait. Elle étudiait surtout les formes, l'habillement. Les ombres de la déception passaient sur son visage.

Isabelle avec ses formes opulentes, resplendissait quand elle était nue. J'arrivais dans son box, elle m'attendait nonchalante, tout abandonnée sur un coude.

— Isabelle a été reçue. Elle a son diplôme de fin d'études, ai-je dit.

— Ce n'est pas une paresseuse comme toi, a dit ma mère.

Isabelle n'a pas protesté.

L'après-midi, j'ai proposé sans franchise une promenade pour distraire Isabelle. Le visage de ma mère a changé. Je l'exilais. Je lui ai proposé de venir avec le bébé. Elle a refusé, Isabelle a vomi son mépris dans mes yeux : C'est cela nos nuits ?

— Tu dois essayer ta robe si vous voulez sortir ce soir, a dit ma mère.

— Nous sortons ? a dit Isabelle.

Elle se retenait à une page de musique.

— C'est la foire, a dit ma mère. Vous n'aimez pas la foire ?

— J'ignorais, a dit Isabelle.

Le recueil a glissé de ses genoux.

— Vous ne vouliez pas sortir ? a dit ma mère comme si Isabelle était une mijaurée.

— Ce sera comme vous voudrez, a répondu Isabelle.

Elle a rangé le recueil de musique sur le piano.

Je ne devais pas essayer dans ma chambre, je ne

devais pas essayer dans le cabinet de toilette, je ne devais pas essayer dans la chambre de ma mère. Je devais essayer dans la salle à manger, à côté du piano. J'ai obéi.

Isabelle s'est levée de la banquette pendant que je tournais pour l'arrondi. Ses yeux exprimaient : Si je pouvais m'enfuir, si je pouvais disparaître...

— Vous ne restez pas près de nous, a dit ma mère.

— Je regarde le jardin, a dit Isabelle.

Ses bras sont tombés.

Je n'osais pas déclarer : Isabelle se console avec des massifs devant une vitre.

— Donnez-nous votre avis, a dit ma mère.

Isabelle a répondu, oui la robe est jolie, oui la longueur est bonne, oui elle est ronde, oui elle sera pratique, oui il n'y a que Paris.

J'avais la fièvre pour cette robe neuve, pour la soirée. Ma mère encourageait ma coquetterie.

— Enlève-la, sale gâtée, dit ma mère.

Je penchais du côté de l'intimité maternelle.

Plaire aux chevaux de bois, plaire aux sièges en fer dans les airs, plaire aux lutteurs drapés dans leur satinette, plaire aux yeux roses et verts du nougat, plaire aux filles sur les estrades de la parade...

— Tu verras le fils Wyamme, dit ma mère.

Le départ, quelle histoire, quelle révision depuis la tête jusqu'aux pieds.

Dehors j'ai dit : « Là-bas, c'est Marly, l'avenue Duquesnoy. » Le « ah ! » d'Isabelle a été plus vieux, plus lointain que Marly et l'avenue Duquesnoy. J'ai dit : « C'est le boulevard du collège de Valenciennes. Toujours malade, toujours les contagions, les épidémies. Fidéline a été enterrée. Pleurésie, point de côté. — Ah ! Ah ! » Isabelle se fichait du graphique de mes souvenirs. Sa mémoire, ce n'était pas ma vie privée. Conciliante avec le silence des belles maisons, un lever de paupières pour la porte du collège de Valenciennes, la lèvre humide pour la tombée de la nuit, qu'est-ce que je pouvais reprocher à Isabelle ? Il a fallu entrer dans la ronde des musiques avec notre cœur de papillotes noires.

— La foire, a dit Isabelle.

Je me taisais je respirais une trace de poudre sur la joue d'Isabelle. J'écrasais le visage d'Isabelle dans un lilas d'hiver en fleur.

Elle a voulu acheter les serpentins, elle a voulu me les offrir. Son amabilité avec la caissière ne me surprenait pas. Nous sommes malheureux, nous nous rejetons sur les indifférents. Jusques à quand rirait-elle, la tête renversée, les yeux chavirés, la bouche offerte à ce ciel de froidure ? Des jeunes gens soufflaient avec leur mirliton dans les oreilles d'Isabelle tandis que le visage toujours renversé, elle refermait son porte-monnaie. D'autres nous poussèrent à l'intérieur du carrousel, ils me séparèrent d'Isabelle. D'autres dans une foule compacte comme du levain vidaient leurs cornets de confetti sur la tête d'Isabelle, dans sa gorge. La foule m'entraînait. Isabelle ne se défendait pas, c'était ce qu'il y avait de plus pénible. Je la retrouvai givrée de petites étoiles vert absinthe, rose acide, bleu nattier. D'autres nous jetèrent des confetti dans les yeux, ils nous séparèrent encore. La foule me portait, je crachais du papier, le manège ralentissait. Une main de fer serra mon bras, la main me sortit de la foule.

— Monte, me dit Isabelle avec une voix méconnaissable.

Elle m'aida à m'asseoir sur le premier cheval — ce premier cheval pour voir, pour être vue —, elle me donna un serpentin : ses doigts étaient glacés. Elle refusa de s'asseoir sur le cheval à côté du mien. Elle entoura, avec son bras charmant, l'oreille dressée, peinte en blanc, elle me dit : lance, commence. Le manège tourna, une musique de cuivres, de cymbales, de tambours nous chauffa la tête. Lance, commence, redit-elle sans s'animer. Isabelle plaisait. Hommes et femmes lui envoyaient des serpentins et, chaque fois, avec la souplesse d'un animal, elle les évitait, elle les refusait. « Lance, commence », cela devenait une sinistre mélopée. Je lançai le premier, il retomba sur une chaise. Isabelle ouvrit ma main, elle mit dedans un autre serpentin.

Des serpentins lancés d'en bas m'entourèrent, m'entravèrent. Le jeune homme à l'abri sous son feutre rabattu baissa tout de suite les yeux.

— C'est le fils Wyamme ? dit Isabelle.

— C'est lui.

— Lance, dit-elle.

— Partons. Tu as froid, tu es pâle.

— Lance, redit-elle.

Je lançai au fils Wyamme tous les serpentins qu'elle me donnait. Le jeune homme recevait les miens comme moi les siens : sans rien manifester.

Isabelle ne demanda pas d'explications, je ne me défendis pas. Je ne connaissais pas le fils Wyamme, je ne lui parlais pas. Il me saluait parfois quand il s'ennuyait sur le seuil du magasin. C'était un visage agréable. Ma mère échafaudait des projets auxquels je ne m'arrêtais pas.

— Je suis nommée à Compiègne, a dit Isabelle.

Elle parlait droit devant elle.

— Vous allez être fatiguée. Ne restez pas debout, lui a dit l'employé.

— A Compiègne ? Ce n'est pas possible. Pourquoi ?

Isabelle a jeté un rouleau dans les bras d'une adolescente.

— Tu me le conseillais. Je me suis débrouillée.

— A la rentrée ?

Isabelle me communiqua d'abord sa charge de tristesse.

— Oui, à la rentrée. Tu m'écriras ?

— Je t'écrirai. Partons... Rentrons...

— Partir ? Nous arrivons, a dit Isabelle.

Elle a pris un serpentin à la litière sur le plancher du manège, elle l'a enroulé autour de mon cou. Elle serrait.

— Violette, Violette... Ah ! Violette, pourquoi m'avoir amenée ici ?

Isabelle a enlevé le serpentin d'un coup sec.

C'était fini.

Hermine s'est levée, elle a boutonné sa jaquette de bure marron.

— Jouez-le encore.

— Je vous le joue tous les jours.

— Vous le jouez de mieux en mieux.

Hermine s'est remise au piano, elle a joué le *Concerto italien* de J.-S. Bach dans la salle de solfège, loin du Jardin d'enfants, loin de la récréation de midi. J'écoutais aussi intensément qu'elle interprétait. Elle se concentrait jusqu'à prendre un air bougon. Ses doigts puissants simplifiaient sur le clavier les mathématiques exaltantes de Bach. Je levais les yeux. Les notes de la dictée musicale au tableau évoquaient humblement le compositeur quand il composait. Je recevais tant de la musique et de l'interprète qu'à la fin je me fermais comme une motte de terre.

Je retrouvais sa passion de la musique dans son étreinte, dans son baiser. A la balafre de cheveux d'Isabelle succédaient les joues brûlantes d'Hermine. Un Concerto, des Nocturnes, des Sonates redevenaient des mains, des lèvres, un souffle.

J'accourais, elle accourait quand elle était libre à onze heures et demie. Elle aurait voulu m'enfoncer dans le mur pendant que je serrais les revers de sa jaquette qu'elle ne quittait jamais.

Nous sortions de la salle de solfège, Hermine me

parlait du lapin apprivoisé de la famille, d'une
semaine de vacances sur une plage où le vent, le
froid, les dunes... Leurs bains ressemblaient au
déluge après le déferlement d'arpèges du dernier
Prélude de Chopin. Elle ouvrait son livre de bota-
nique, elle m'expliquait l'anatomie d'une plante.
Une seconde, disait-elle. Elle revenait dans le couloir avec une reproduction de la tête de Beethoven.
Elle vivait ardemment avec peu d'argent, beaucoup
de curiosité, de courage, d'élan pour les livres, la
nature, une cigarette, un corsage à couper, un
concert, une conférence, une lime à ongles. Ses
narines frémissaient, ses yeux étincelaient, son
indulgence en salle d'étude était proverbiale. Elle
criait les noms des bavardes, elle ne s'abaissait pas
jusqu'à la punition. Je restais trop longtemps près
d'elle sur l'estrade. Mlle Fromont entrait, elle prenait la place d'Hermine au bureau, elle nous surprenait. Elle nous surprenait aussi quand elle sortait de
sa chambre dans le couloir de la salle de solfège.
Mlle Fromont se taisait, ses yeux me disaient : Vous,
vous avancez sur la corde raide.

Je recevais des lettres tristes d'Isabelle. La superbe
Isabelle devenait minable. Je lui répondais, je ne lui
répondis plus. Je l'abandonnai dans le collège où je
l'avais envoyée.

Hermine, descendue d'un étage, surveillait les
« moyennes ». La nuit, une porte nous séparait de
dortoir à dortoir ; le soir j'entendais ses réprimandes. Notre nouvelle surveillante au profil de
brebis prolongeait ses ablutions. Sa lumière s'éteignait, Hermine me torturait. Je me levais, je trottinais dans l'allée, je m'arrêtais devant la porte de
notre surveillante, je convoitais la porte d'Hermine.
La frontière me tentait jusqu'au délire. Je me recou-
chais. Le lendemain matin je lisais dans mon box
les *Nocturnes* de Chopin dans une édition de
poche.

Hermine joua de moins en moins : nous avions des rendez-vous. Elle me parla du directeur du Conservatoire avec qui elle étudiait l'harmonie, de l'enseignement donné à la Schola Cantorum.

Blanche Selva enseignait à la Schola Cantorum. Elle était venue à Valenciennes où elle avait donné un récital, ses petites mains brodaient du Mozart... Je l'avais revue dans la gare, elle repartait pour Paris. Je racontais tout cela à Hermine, j'avais l'illusion de composer pour elle un menuet. Je ne lui parlais jamais de la porte de la tentation, du feu dans ma bouche, dans mon ventre.

Sa jaquette de bure, ses jambes robustes, ses talons bottier, ses hanches étroites, ses narines en alerte m'obsédèrent jusqu'aux insomnies insupportables. Voir ses cheveux épars, contempler son sommeil.

Une nuit, je tournai la poignée de la porte. Je réussis. J'étais dans son dortoir. Il y a des victoires qui sont des pressentiments. Elle ouvrit les yeux, elle sourit, j'entrai dans son lit.

Je suis revenue dans mon box avant le lever du jour, Isabelle me manquait.

Au petit déjeuner, je cherchai Hermine au réfectoire. Où pouvait-elle être ? La surveillante générale claqua des mains, nous nous rangeâmes. La place d'Hermine était vide à la table des surveillantes ; le regard de la surveillante de mon dortoir croisa le mien. Nous sortîmes. Je la cherchai dans la cour, je la cherchai en étude. Comment veux-tu qu'on le sache, ce qu'elle est devenue, me répondaient les élèves.

A onze heures et demie, une externe me jura qu'elle venait de voir Hermine sortant du bureau de la directrice. Je courus jusqu'à la salle de solfège, je retrouvai seulement la chaleur animale des élèves. Je n'osai pas me risquer dans les dortoirs. A midi, au réfectoire, son couvert n'était pas mis. A table, une bonne élève chuchota : ne tourne pas la tête, tu ne la verras pas. Je m'emportai : pourquoi je ne la verrai pas ? L'élève ne soupçonnait rien. Elle chuchota encore derrière sa main : on dit que c'est grave, on dit qu'elle part.

La surveillante de mon dortoir allait et venait dans l'allée du réfectoire. Son regard croisa le mien. Je comprenais : nous avions été dénoncées. Je m'informai sans trop insister : le soir Hermine partait. Elle avait trouvé un poste d'institutrice dans un village.

Je lui prenais le Conservatoire, les leçons d'harmonie, ses visites chaque jour chez les siens, ses joies chez eux. C'était injuste : je n'étais pas renvoyée. J'ai reçu une lettre d'elle par l'intermédiaire d'une élève, je lui ai écrit la nuit, sous le drap, avec ma lampe électrique. La petite écriture aiguë d'Hermine me ravissait autant que ce qu'elle m'écrivait.

Privée de musique, de ma mère, d'Hermine, redevenue chaste et solitaire, je me vouai de plus en plus au cours de morale. Les Stoïciens qui ne donnent rien, qui n'étalent rien m'enfiévraient. Je plaidais la cause de Marc-Aurèle contre la majorité des élèves qui ne voulaient pas de cet absolu de retenue. Moi qui pleurais toujours, je me bagarrais pour des yeux secs. Le cours fini, je discutaillais avec des villageoises. Elles m'écoutaient avec le regard lourd du bétail de leurs parents. J'aurais discutaillé avec le tableau, les chaises, la corbeille, le bureau tout en serrant le porte-billets avec les lettres d'amour d'Hermine dans la poche de mon tablier. Séparée de celle que je commençais d'aimer, je souhaitais un plus grand chagrin pour le cacher.

— Qu'est-ce que tu dis ? me demandait une bande d'élèves.

— Je dis que je serai le forgeron de ma douleur.

— Violette Leduc est cinglée, déclarait la bande.
Distribution de petits pains mollets. Le goûter.
J'accourais.

Vivant pour mes lettres écrites la nuit, vivant
pour celles qui ne me quittaient pas, pour celles que
j'attendais, la prétention en moi s'affirma avec le
sentiment. Ne rêvez pas, me disait-on aux cours. Je
ne rêvais pas. Je crachais sur tout, sur tous. L'idiote
préférait gradins, colonnes, pierres sur les albums à
une page de Sophocle. Ne dormez pas les yeux ouverts, me disait-on. Je ne dormais plus. Je me rassa-
siais du mot oracle. Le mot grandissait, l'univers au-
delà du collège et de la ville pesait de la pesanteur
d'un oracle qu'on espère. Eschyle répondait au
cours suivant. Je tombais de ma chaise, je renversais
mon encrier. L'éternité de Dieu, c'était maintenant
l'éternité de la simplicité d'un texte. Je fourrageais
dans ma frange de cheveux.

Un dimanche de grande promenade nous avons
rencontré à la sortie de la ville, dans un paysage
noirâtre, Hermine avec ses sœurs et son père. Ils
pressèrent le pas, ils évitèrent les surveillantes, les
centaines d'élèves. Je croyais à une apparition
puisque la disparition elle aussi était instantanée.

Des chapelets de semaines, de nuits, de journées.
Je fatiguais les horloges, les horloges me fatiguaient.
Je ne me mariais plus dans le réfectoire : j'avalais
des cuillères à soupe de moutarde pour les lentilles
sans Isabelle, pour le café au lait sans Hermine.
Dix-huit ans. Quelle farce, un acte de naissance.
J'avais cent quatre-vingts ans lorsqu'une élève mas-
sacrait une sonate dans le Jardin d'enfants, j'avais
quatorze ans lorsque je recevais une lettre de ma
mère, j'avais mes dix-sept ans lorsque l'élève-com-
plice glissait une lettre d'Hermine dans la manche
de mon tablier. Je lisais la lettre dans les cabinets
où j'avais aimé Isabelle, je la relisais dans mon box,
je m'écroulais sur mon lit pour *L'Oiseau prophète*.

Hermine le jouait avec une simplicité remarquable. Je ne me disais pas : elle ne joue plus, son piano je le lui ai pris.

Je ne me souviens pas comment ni avec qui je suis sortie un jeudi après-midi. J'ai couru seule au rendez-vous hors de la ville, j'ai retrouvé Hermine, comme cela était convenu dans nos lettres, dans un paysage sans arbres, sans maisons, sans usines. Baraques et cabanes au loin appauvrissaient le terrain vague. La bise et ses griffes, la mosaïque des éclats de charbon, l'herbe rare, sans couleur. Poignée de main secouante. Je redevenais une élève, elle une surveillante.

— Il y a longtemps que vous m'a...ttendiez ?

La bise me coupait la parole.

— J'arrivais, a dit Hermine. Vous écoutez. Qu'est-ce que vous... é...coutez ?

Il fallait happer la bise avec un hiver hors de saison.

— J'é...coute et... je n'é...coute pas. C'est plus fort que moi. Je vous revois, vous... êtes près de moi, de...vant moi, cependant c'est... vous jouant, c'est vous me jouant du piano que je vois.

Je mentais et je ne mentais pas.

— Je vous jouerai *L'Oiseau prophète*, a dit Hermine.

Oui je mentais. Non je ne mentais pas. La fumée qui sortait de la cheminée d'une baraque, c'était la souplesse de *L'Oiseau prophète*. La voix qui s'élevait de la toiture éventrée d'une cabane c'était : « Le voyage n'a pas été trop long, Isabelle ? — J'ai lu, Violette. » Cabane et baraque ne me donnèrent plus rien.

— Je vous parlais, a dit Hermine. Vous êtes fâchée ? Ça vous déplaît de me retrouver ?

Elle devenait trop vite une élève suppliante. Je me demandais pourquoi je me raidissais.

— Fâchée ? C'est vous qui devriez être fâchée. C'est ma faute si vous êtes partie du collège. Ce qui est arrivé est de ma faute. Parlons de vous. Comment est... le village ? Comment... va le piano ? Vous étudiez ? Vous avez du temps pour étudier ?

— Je n'ai plus de piano, a dit Hermine en baissant la tête comme si, elle, elle était coupable.

Elle a continué de supplier en silence. Je voyais dans ses yeux un avenir d'indulgence.

— Oh ! je me suis organisée. Je joue encore. J'étudie le dimanche à la maison, a dit Hermine.

Elle voulait me rassurer.

Elle a levé le col de sa jaquette. Ses joues rouges fouettées par la bise, deux accords parfaits. Hermine regardait le ciel descendu plus bas que le terrain vague ; elle humanisait ce paysage avare.

— Votre carrière est brisée !

Hermine a souri comme sourient ceux qui ont fini.

— Ma carrière ? Ma carrière n'est pas brisée. J'avais raté mon Premier Prix...

La bise sifflait en balayant les herbes misérables.

— Vous ne serez pas professeur de piano !

— Je suis institutrice, a dit Hermine.

Une lumière d'orage bleuissait le paysage. Il partait à la dérive.

Nous courions à la recherche d'un fossé en nous tenant la main. La glace était rompue. Presque, deux romanichelles insouciantes, presque. La bise durcissait nos lèvres, soulevait nos jupes. Nous avons trouvé la pente d'un talus, je suis tombée aux pieds d'Hermine. La bise m'aidait. Hermine se défendait.

— Pourquoi êtes-vous venue si vous avez peur ?

— Je n'ai pas peur, a dit Hermine, mais ici c'est impossible.

J'exigeais d'elle l'impossible. Il y a des êtres qui

sont notre plus grand risque. Hermine : déjà mon vertige, déjà ma dureté.

Hermine s'est laissée glisser sur l'herbe et le poussier.

— Surveillez a dit Hermine.

Sa prudence m'exaspérait.

— Je ne peux pas embrasser et surveiller.

Elle ne se défendit plus mais elle supplia. Elle voulait une sentinelle pendant que je voulais assassiner sa pudeur, oui assassiner. Je devais guetter d'un côté, elle de l'autre. Nous changions de place. Horreur de notre mise en scène involontaire. La bise, comme un reptile, glaçait nos bras, nos jambes.

— Quelqu'un ! a dit Hermine avec terreur.

— Je vous dis que non !

Il fallait contrôler là-bas, suivre les progrès ici.

— Quelqu'un ! a redit Hermine sans regarder autour d'elle.

Nous avons croisé nos bras sur nos genoux, nous avons caché notre visage. La bise nous donnait des coups de canif sur la nuque.

— Je voulais tant vous revoir, dit-elle.

— Moi aussi je voulais vous revoir, dis-je.

Je le disais sans amabilité. J'avais d'autres exigences.

Je tournai enfin les yeux du côté d'Hermine. Les yeux dans les yeux, ce n'était pas une atteinte à la pudeur. Plus de bise, plus de griffes, plus de coups de canif.

Hermine a voulu que nous partions, elle a voulu que je ne la regarde pas. Elle insistait.

— Pourquoi ? disais-je avec une vraie tristesse, pourquoi me repoussez-vous ?

Elle ne se décidait pas à me répondre.

Maintenant le soleil nous réchauffait. Mais je n'étais pas venue pour un air joué dans une clarinette car ce jour-là c'était cela le soleil blondinet.

Elle s'expliqua, droit devant elle.

Elle voulait que je regarde ailleurs parce que ses joues rouges la désolaient, parce que son visage était trop important. Elle le confiait sans drame, sans chiqué, avec une peine sans changement de voix. Je n'ai pas répondu. Comment serais-je parvenue à répondre ? Je l'aimais : j'aimais sa faiblesse. Mon ancienne surveillante, mon aînée de cinq ans, ma virtuose des soirées de mai s'ouvrait. C'est l'orgasme, la confiance.

Elle a dit que nous devions nous quitter, que je devais partir la première.

— Je vous reverrai ?

— Je l'ignore, a dit Hermine.

Je suis revenue sur mes pas :

— Hermine...

— Oui. Ne me le demandez plus. C'est impossible ici.

Le terrain vague avec sa brise charmante semblait un au-delà de jardins en fleurs, de prairies.

— ... Je ne vous demande rien. Vous vous trompez. Votre visage... Votre visage, Hermine, c'est votre ardeur... Vous ne joueriez pas comme vous jouez.

— Serrons-nous encore la main, a dit Hermine.

Isabelle ne se confiait pas. Isabelle brisait jusqu'aux délices de l'humus. Isabelle, Hermine, mes candélabres lorsque je pars dans la crypte de la folie.

L'aveu d'un visage trop important, de joues trop colorées qu'est-ce que c'est quand il y a tant de vies à sauver ? Mon début avec Hermine. Tu parlais, tu te désolais, je te recevais, je voyais la couleur vert tendre de ta désolation. Je la revois. Ma sobre désolée, j'étais déjà une gerbe de souffrances. Je t'écoutais, une lumière de fin d'après-midi proposait des perspectives.

— Votre mère viendra. Votre mère apprendra tout.

— Je ne peux pas vous les donner. Je ne les ai pas. Ma mère ne viendra pas.

Mœurs, comme ils disent dans les journaux. Mœurs, lettres d'ancienne surveillante à élève, d'élève à ancienne surveillante. J'avais été dénoncée. Journée d'interrogatoire dans le bureau sacré. La directrice voulait mes lettres. J'ai lutté pendant des heures et des heures. Je me croyais perdue, la surveillante générale est entrée, elle a emmené la directrice. Miracle : on jouait du Clementi sur le piano de l'économat. J'ai quitté le bureau de la directrice, j'ai bondi jusqu'à l'économat malgré mon épuisement. La bonne grosse paysanne, l'excellente élève Amélie, ma voisine à l'étude du soir, étudiait. J'ai pris ses mains, j'y ai placé une vingtaine de lettres renfermées dans les petites enveloppes bleu ciel, avec l'écriture énergique d'Hermine à l'encre noire. « Jette dans les cabinets, déchire, je t'en supplie. » Amélie s'est levée, je suis revenue dans le bureau de la directrice.

— Les lettres !

Visage desséché.

— Les lettres !

Voix de corbeau.

— Les lettres !

Le drame n'a pas de fin.

— Les lettres !

Tout pourrit, tout est intoxiqué.

— Les lettres !

Le presse-papier sur le bureau, marbre dans lequel je devenais marbre pour me reposer...

— Les lettres !

La large ceinture en dentelle de daim sur le ventre, sur l'absence de ventre de la directrice. Le mal — où est le mal s'il vous plaît ? — qu'elle créait depuis que j'avais ouvert la porte de son bureau était un abcès entre nous. Elle voulait lire d'abord des lettres d'amour, me renvoyer ensuite. On réparait un toit, le quotidien était insupportable. Marteau, marteau, marteau, marteau, marteau, marteau... Je comptais les coups de l'évasion.

— Sortez. Vous êtes renvoyée. Votre mère viendra vous chercher.

Je m'en allai, je traversai le préau où je leur jouais des tangos le dimanche soir. Professeurs, élèves, surveillantes — tout se tait sur les ondes de la médisance — me voyaient et me fuyaient. J'étais contagieuse. Je montai au dortoir, je me couchai en plein jour, sans manger, j'avais mal à la gorge, le disque tournait : ma mère ne viendra pas, ma mère ne fourrera pas son nez là-dedans. Le lendemain, je suppliai une élève. Puisque mes parents ont quitté le Nord pour Paris, ma mère aura mon télégramme à Paris. Le surlendemain ma mère télégraphiait. J'irais à Paris sans qu'elle vienne. Ma mère ordonnait.

J'ai une mère bleu azur, je l'aime à travers la tragédie, je l'aime après la tragédie. Ma mère, c'est le vent du large parce qu'elle ne passera pas le seuil d'un bourbier.

Une surveillante neutre m'accompagna avec ma malle dans un fiacre jusqu'à la gare.

Je montai dans le train. Mon premier grand voyage toute seule. J'étais libre, libre avec des naseaux de cavale. Tout se présentait, tout se proposait, j'allais au-devant de tout, je l'atteignais, je le laissais à la vitre du train. Hermine m'écrira-t-elle encore ? Ma mère m'attendra-t-elle à la gare ? Oui puisque la directrice lui a télégraphié l'heure de mon arrivée. Y aura-t-il un nouveau drame ? Mon cœur... un métal qui vibre.

Quel roulement solennel sous la verrière, quelle abondance de porteurs. C'est sombre, c'est vaste, c'est énorme et voici que j'adore la suie des locomotives qui se reposent à Paris. J'ai tant moissonné les rails aux embranchements. Je voyais ma mère au premier rang : une tache d'élégance. Une jeune fille et une jeune femme. Pacte de grâce. Je l'ai embrassée, elle a répondu : « Ma robe te plaît-elle ? » Nous parlions de sa toilette dans le taxi. Ma mère devenue parisienne anéantissait la directrice, le collège se volatilisait. Pas la moindre insinuation. Elle me donnait son tact en me donnant Paris. Je prenais les immeubles, leur hauteur, la patine de leurs murs, la longueur des rues, les passantes, les passants, une femme non maquillée m'étonna. Ce que deux petites cavités peuvent recevoir et garder... Les épaules sont écrasées. « Tu frissonnes. Tu as froid ? » me dit ma mère. « Tu frissonnes », insistait ma mère. Parce que Paris est indifférent et grand.

« Deviens institutrice », suppliait ma mère. Je lui promis d'obtenir mon certificat d'études secondaires. J'irais au lycée Racine à la rentrée. Si je ne devenais pas institutrice, ma vieillesse ressemblerait à son enfance misérable. Ma vieillesse l'effrayait. Elle m'offrit la chambre la plus tranquille de leur appartement place Daumesnil. Je leur jouais du piano le soir, mon beau-père ne parlait pas du collège, de mon renvoi. J'ai attendu avec ma mère pendant des semaines une réponse d'Hermine à qui j'avais écrit. C'est ma mère aussi qui est entrée dans ma chambre avec le même carré bleu pâle. Je voulais douter encore : j'ai reconnu l'écriture incisive. Hermine me répondait, Hermine n'était pas fâchée.

Paris sortit de terre, je partis au-devant de lui. Le zinc, les zincs à midi. Apéro, diabolo-menthe, mêlé-cass, blanc panaché, tu viens au bistrot, tu viens t'en jeter un derrière la cravate ? Pour moi ce sera du gros qui tache, pour moi ce sera une jambe de bois. Leur vocabulaire m'exilait. Mais je voyais la transparence du coude à coude. Midi. Du genièvre, de la bière dans les estaminets de mon pays. Midi à Paris. Ils joueront au diabolo-menthe, au mêlé-cass. Ce sont des jeux. Ils ne jouaient pas : ils buvaient et fraternisaient avec des couleurs. Je les croyais frivoles, vantards, leur accent de Parigos me choquait. Vivre dans une capitale est harassant. Ils réagissaient avec leurs blagues, leur gouaille, leur accent.

Pluie d'amants à midi. Des amants dans les rues, des amants sur les bancs, des amants devant les étalages. Ils font l'amour avec leur tour de taille. Les tempes s'embrassent quand les bouches ne se joignent pas. Les autres, tous les autres, descendent l'escalier du métro à une allure... C'est encore un travail après leurs heures de travail. Qu'ils sont soucieux, qu'ils sont tendus, qu'ils sont pâles les Parisiennes et les Parisiens. Les soucis. Des kilomètres de soucis d'un quartier à un autre. Mon premier été à Paris, la chaleur à Paris.

Paris est vide dans notre rue, Paris est malgré tout une forêt de jolis mollets. Paris sent l'aisselle parfumée. Ce tracé d'anisette dans l'air... L'air de Paris. Je suis dans une nacelle, il n'y aurait qu'un peu de lest à jeter si je voulais... Paris est lourd, Paris est

léger, c'est Paris. Les champs, les prés, un coquelicot, un bleuet... Leurs tissus imprimés, leur corps
plus affiché que s'il était nu. Des moineaux, des
moineaux nés à Paris. Force et suprématie de
l'oxygène, de la chlorophylle des platanes de
Paris.

Mes parents voyagèrent, un soir j'attaquai. Le
métro. Est-ce que je rendrai ou non cette odeur de
narcisse étiolé dans le métro ? Gare-toi poussin, le
train entre en gare. Pour un fracas, c'est un fracas.
Les mineurs de Denain avec leurs yeux blancs dans
leur visage noir me semblaient plus gais que les
voyageurs sous terre avec leur visage de papier
mâché. Je dédaignais leur accent un peu ricanant,
j'appréciais leur empressement lorsque je me perdais dans les couloirs. Manque de chance, chaque
portillon me faisait un affront. Je revins à la surface, je partis à la découverte du boulevard Saint-
Michel depuis la place Saint-Michel jusqu'à la fontaine Médicis. 1926. Paris captivait les cinq parties
du monde. Un Hindou, coiffé de son turban au
coloris délicat me rappelant la couleur de mes
bandes de flanelle, buvait de la bière à une terrasse,
une Hindoue dans son désordre savant de soieries,
une Hindoue couleur feuille morte écrasait de douceur ma main avec sa sandale. La belle bouche des
Noirs changeait ma bouche en hortensia. Je passais,
je fleurissais pour la nuit de leur visage. Une Japo-
naise poussait avec sa socque du vermillon sur
l'asphalte. Croix inoubliable du boulevard Saint-
Germain avec le boulevard Saint-Michel. Traversée
d'un trottoir à un autre pour une oasis d'obscurité.
C'était plus fort qu'un tombeau.
— Où suis-je ?
— Vous êtes à côté des ruines du Jardin de
Cluny.
Je tournai le dos aux cinq parties du monde,

j'agrippai les barreaux. La nuit grisonnait derrière les barreaux, lecteur. L'aube timide, l'aube qui se risque : la nuit qui rajeunit à dix heures du soir dans le Jardin de Cluny... Je retrouvai mon Isabelle adorée, je lui racontai les pierres des Beaux-Arts. Elles changent un peu de place si je les regarde longtemps, ma chérie. C'est le mouvement des siècles, ce n'est pas une illusion. Ecoute, oh ! écoutons ensemble. Silence ou bruissement ? Bruissement d'une tunique de tragédienne... Est-ce possible mon amour dans ce jardin d'herbes et de pierres rangées et classées ? Bruissement, bruissement, c'est du théâtre éternel. Trois blocs. Seraient-ce les yeux de la tragédie ? Oui mon petit enfant, oui. Jardin de Cluny, théâtre de silence et d'orgueil. Les ruines, les pierres : les secrets dans leur chrysalide. Ruines du Jardin de Cluny, vous êtes mon premier grand souvenir à Paris.

Isabelle aimée, Isabelle abandonnée. La croix formée par le boulevard Saint-Germain et le boulevard Saint-Michel, je te la donne. Paris, ma première promenade à pied, Isabelle tu m'offrais du muguet. Moi je vais ourler le bas de ta robe avec les roses, les violettes, les œillets de la marchande au coin du Jardin de Cluny. Sept heures. A sept heures le commerce mourait dans mon pays. Une enseigne. Celle du *Café de la Source*. C'est presque un poème de Verlaine. C'est Rimbaud que je cherche.

— Où suis-je, monsieur, s'il vous plaît ?

— Vous êtes place de la Sorbonne. Plus haut, c'est la gare du Luxembourg.

La Sorbonne. Je me parle à voix haute quand je suis impressionnée. La Sorbonne. Oserai-je un jour picorer des frites dans un carton comme le font tous ces jeunes gens à deux pas de leurs études ?

Je reviens à Rimbaud le dimanche matin 13 juillet 1958. L'immeuble où j'habite est vide. Ils sont en vacances, ils sont aux champs, l'été sans soleil est

moelleux, France III au poste de radio donne la
Cantate 170 de J.-S. Bach. Le commentateur explique : le chanteur est une haute-contre. Qu'est-ce
qu'une haute-contre ? Ecoutons. Voix d'ange et voix
humaine, récitatif côtoyant la flûte obligée, l'orgue,
l'orchestre. Entrelacs de tristesse et de sérénité. Flûte
obligée. Quelle grâce et quel commandement. Les
musicologues sont inventifs. C'est fini. La voix n'a
pas monté. Ouvrons au hasard les psaumes d'*Une
saison en enfer*. « Apprécions sans vertige l'étendue
de mon innocence », écrit-il. Verlaine, Rimbaud,
London illuminent ma chambre.

Je reviens aussi à ma première sortie le soir dans
Paris. Livres de psychologie, livres de philosophie,
livres de sciences, livres d'astronomie... Soulever de
terre cette librairie, l'emporter sur mon dos, avoir
sur mes épaules le vert liniment des couvertures.
C'était ma première station devant la librairie des
Presses Universitaires. Un autre jour je bus à longs
traits les titres de la collection Garnier.

Nouvel aspect du quartier Latin : les vendeurs de
fruits tournaient avec leur voiture des quatre saisons autour de la fontaine Médicis, ils s'installaient
au coin des rues, ils vendaient à la criée. A sept
heures, dans ma ville du Nord, la primeur, la grosse
pomme jaune, d'un jaune éteint, d'un jaune
modeste, d'un jaune murmuré comme un pardon, la
grosse pomme veillait avec sa couleur de bonne
espérance dans une boutique enténébrée. J'achetai
des pêches pour mon dîner. Les grilles du Jardin du
Luxembourg protégeaient un jardin d'une surface
inaccoutumée. Je m'enfonçai, je trouvai avec difficulté un banc libre près du Sénat. Je dînai. Les
statues entre les feuillages prophétisaient avec leur
grand corps simple la tombée de la nuit. L'Antiquité me rafraîchissait. J'avais lu tant de citations
sur le Jardin du Luxembourg dans *Comœdia,* dans
Les Nouvelles littéraires... J'y étais. Conquête et vic-

toire anonyme parmi les anonymes. Les derniers
jeux de velours et de lumière entre les arbres, voilà
mon butin. Je tournai la tête : je préférais Capou-
lade au Panthéon. Des chaises, deux par deux, l'une
vers l'autre, témoignaient de tendres dialogues. Je
mangeai mes fruits au-dessous d'un fouillis
d'oiseaux heureux.

— Voulez-vous m'en donner une ?

J'ai tressailli.

— Vous donner quoi ?

— Une pêche.

— Vous n'êtes pas Français.

— Je suis Argentin.

Il changeait mes fruits avec ses doigts effilés, avec
son accent chantant. Nous mangions des mangues.
Il me dit qu'il aimait la littérature moderne, qu'il
lisait Proust. Qu'est-ce que je risquais ? Jeunes filles
et jeunes hommes enlacés nous encerclaient sans
nous voir. Je l'écoutais avec, en plus, la présence de
la merveilleuse couturière pour l'ourlet de ses lèvres,
le sculpteur pour le modelé de la fossette au milieu
du menton, le drapier pour le coup de ciseaux des
yeux allongés, le ciseleur pour les cheveux bouclés
dépassant la coiffe du chapeau à larges bords, le
ténébreux accapareur de ténèbres pour les cils et les
sourcils. Chassé-croisé de modestie et de vanité. Je
voyais mes petits yeux, ma grande bouche, mon gros
nez sur le glacis du col de la chemise.

L'inconnu ouvrit les jambes, il se pencha en
avant, il mangea une, deux, trois, quatre, cinq
pêches. Le jus mouillait les graviers.

— Maintenant allons dîner, dit-il.

Il contrôla les bords de son chapeau de shérif, il
m'emmena dans un restaurant de Montparnasse. Il
m'interrogea. Je citais des titres, des noms d'auteurs.
J'ai dit *Le Coq et l'Arlequin*, il a répondu *Plain-
Chant*. J'ai dit *L'Annonce faite à Marie*, il a
répondu *Tête d'Or*. J'ai dit Francis Jammes, il a

répondu Guillaume Apollinaire. Il m'a offert *Du côté de chez Swann*. Qu'est-ce qu'il voulait ? Initier une Française à la littérature française. Il était si aimable, si raffiné, si correct, si sûr de lui quant à ses connaissances littéraires, qu'il n'existait pas. Il disparut de son hôtel, rue Cujas, je l'oubliai. Je ne l'écrivis pas à Hermine, je ne le racontai pas à ma mère.

Du côté de chez Swann. Les deux volumes à la portée de ma main m'ont suivie pendant plus de trente années. La poussière ne veut pas d'eux. Si je les ouvre, j'entends comme si c'était hier les vocalises de l'accent argentin. C'est de la jeunesse immortelle plaquée sur les périodes de Proust. Hélas ! depuis que j'ai écrit cela, l'Invisible qui vient ici, la nuit ou bien en mon absence, a déchiré la couverture, mettant à nu les cahiers reliés. Je ne compte plus les livres dans ma chambre qu'il détruit ainsi : Bossuet, Mallarmé (plus que les autres), Saint-John Perse... Signal et signature d'un vampire qui s'attaque aux livres.

Le lycée Racine à côté de la gare Saint-Lazare, proche du métro du même nom, dans les parages des grands magasins, des hôtels de touristes, des cafés et restaurants bondés me donna la fièvre. Je venais chercher de l'enseignement en pleine fournaise. J'entendais le bruit de la foule et de la circulation jusque dans les classes. Le niveau des études m'épouvanta, je repris ma place au dernier rang de tous les cours sauf à celui des littératures étrangères. L'intelligence, l'élégance, le maquillage savant d'une élève me terrifiaient aux cours de sciences et de mathématiques. Je m'effondrais quand on m'interrogeait, les exercices de voltige de l'élève me réduisaient à rien. Elle et les autres se moquaient de mon visage, de mon ignorance, de ma timidité. J'étudiais la nuit pour suivre de moins en moins. Je m'affaiblissais. Je crachai le sang une nuit entière après l'extraction d'une dent. Je m'appauvrissais malgré l'échange de lettre de chaque jour avec Hermine. Mon expérience, ma supériorité me venaient de mes sens. Je devais le cacher à tout le monde.

Archange, j'ai été injuste avec toi dans *Ravages*. C'est un roman, c'est notre roman, c'est romancé. Archange, tu auras bientôt soixante ans. Archange, je ne crois pas que tu volais dans les troncs. J'espère que tu me hais. Tu peux haïr, tu as été imparfait.

Voici comment je le rencontrai.

Un dimanche après-midi j'entrai dans la salle du cinéma Marivaux. Salle pleine à craquer. Une place, la dernière place m'a dit l'ouvreuse. Je venais voir comme toi *Ariane, jeune fille russe* avec Gaby Morlay, Victor Francen. Un profil dans la salle m'exalta comme vous exalte un Choral joué à l'orgue. Je découvrais l'austérité d'un profil ; les ressources et les richesses, l'éthique du clair-obscur. Ajoutons l'attirance foudroyante. Moi lycéenne, moi provinciale fraîchement débarquée, j'offris une cigarette à mon voisin de droite, au profil méditatif. Le voisin prit ma cigarette sans tourner la tête. Nous fumions notre Camel, nous regardions le film, nous pensions l'un à l'autre sans nous connaître. Trop proches, trop séparés. Quel mélange déjà, quelle étrange préface. Toute la distance du cap Nord à Palmyre, tout le rapprochement d'un épi de seigle à un autre épi de seigle. Je sortis, il me suivit. Apéritif, brasserie. J'ai raconté notre soirée avec des variantes. Je lui confiai, lycéenne, lycée Racine. Des jours passèrent. Je ne le revoyais pas. Banalité, me disais-je. J'écrivais chaque jour à Hermine, je l'aimais dans mes lettres, je m'aimais dans ses lettres, je lui dissimulais le cinéma, ma soirée avec Gabriel. Je dissimulais ce qui existait, ce qui n'existait plus : présence et absence du profil dans le cinéma. C'est exact, je ne voulais pas qu'il vienne à la porte du lycée Racine. J'étais, je serai toujours emmaillotée dans le qu'en-dira-t-on. Je cherchais Gabriel quand je sortais du lycée. Souvenir de notre explication sur le banc du métro. Sa docilité. Elle me chagrinait, sa docilité. Ne revenez pas, il ne faut pas nous revoir. Il ne revenait pas.

Je sortis du lycée un après-midi avec une foule d'élèves. Je n'avais pas à tourner la tête. Les autres fois je le cherchais devant moi, près de l'entrée du métro. Ce jour-là je tournai la tête avec une len-teur... Ce sont des ententes, des gestes, des mouve-ments préparés avant notre naissance. Il attendait appuyé contre le mur du lycée, il me voyait au-delà... Les élèves se dispersèrent, je me retrouvai seule près de lui. Il mendiait sans ouvrir la bouche, sans tendre la main. L'un soutenait l'autre, Paris s'effaçait.

— Comment va ? dit-il avec un faux entrain.

Je ne pouvais pas le remercier pour son visage bien rasé, pour ses cheveux lissés avec de la go-mina.

— Il ne fallait pas... Si mes parents me voyaient...

— Vos parents ne vous verront pas. Il y a une pâtisserie plus loin, dit-il.

Son calme, ses yeux verts me dépaysaient.

— C'est impossible. Il faut que je rentre... Nous habitions place Daumesnil, maintenant nous habi-tons porte Champerret. Je m'en vais.

Il sourit, son visage s'éclaira. Paris revenait, Paris m'encourageait.

— Je sais où vous habitez, dit-il.

— Vous êtes venu porte Champerret !

— Oui. Allons goûter.

Son aide, une nuance, quand nous traversions les carrefours. Je songeais à sa bouche d'homme réfléchi, à ses lèvres fines sur lesquelles mes problèmes d'algèbre se résolvaient et se dissolvaient.

— Pas si près, ai-je dit à sa bouche juste à la hauteur de mon épaule. Nous marchions.

J'entrai avec lui dans la pâtisserie et dans la féerie : il m'invitait à goûter. J'entrai dans le troupeau des femmes à qui un homme offre quelque chose.

Gabriel demanda deux assiettes, deux fourchettes. La commerçante s'affairait sans voir le pardessus minable. Je le voyais trop.

Nous mangions des petits livres avec de la crème au milieu couleur de meringue. Gabriel me devina.

— J'aime ce qui est bon, dit-il.

Je changeai, le lycée Racine changea. Gabriel m'attendait sur l'estrade du bureau des professeurs, sur le cadran des horloges, sur le papier de mes copies. Quand deux lignes se joignaient pour un losange, Gabriel m'attendait aux quatre coins du losange. L'élève interrogée écrivait pour lui je vous attends quand elle posait une équation au tableau. Je ne désirais pas Gabriel, je ne voulais pas qu'il me désirât. Je patientais dans la société des élèves pendant qu'il patientait seul tous les jours, seul dehors, seul dans la foule. Je fermais mon poing, je regardais l'heure à ma montre-bracelet avec un mouvement viril de mon bras, un mouvement pour Gabriel en hommage à sa douceur, à sa démarche un peu féminine, à sa taille fine. Je le retrouvais, il m'éblouissait parce qu'il était stoïque. Ses goûters, ses liqueurs, ses apéritifs me flattaient. Plus que cela. Il donnait et se dominait, il me grandissait. A ma soif, à ma faim d'Hermine, il répondait sans paroles avec une petite assiette, une petite fourchette, un grand verre d'alcool. Je lisais la soif, la faim de Gabriel dans ses yeux implorants, dans son regard intense d'animal qui veut vous décider à le caresser. Une cliente entrait dans la pâtisserie,

Gabriel s'approchait sans me quitter des yeux, je trébuchais : je devenais trop vaste. Il voyait la mer, il cherchait la barque. Je devenais la barque et la mer. J'aimais sa fidélité, j'aimais son bras sous le mien, j'aimais sa patience, j'aimais ses sacrifices.

— Une minute bonhomme, me disait-il dans la rue.

Il s'arrêtait, il me montrait et m'expliquait avec enthousiasme une affiche de Paul Colin, il me décrivait les tableaux d'Othon Friesz, il signalait un changement de lumière du côté de la Trinité, la permanence d'un nuage blanc au-dessus de mon lycée, une flaque d'arc-en-ciel à nos pieds, le malheur relatif de deux hommes sandwiches pour la publicité d'un restaurant de la rue Saint-Lazare. Nous frôlions, nous devancions les putains du quartier, il leur offrait en passant son amitié. Il serrait mon bras pour un garçon de café disant au revoir à son remplaçant à la terrasse. Il observait tout, tout l'intéressait. Il prenait Paris ; ses yeux toujours en prières m'exprimaient : sers-toi, prends-le, c'est lui en moi pour toi.

Commissionnaire à Clermont, il achetait ici ce qui manquait aux femmes de là-bas : mercerie, porcelaine, quincaillerie. Notre liberté à quatre heures de l'après-midi me grisait. Il voulait que je fume dans la rue, son audace m'étourdissait.

— La semaine dernière, vous êtes allée aux Galeries avec votre mère et votre frère. Vous êtes montés dans le « S ».

— Quoi ? Comment le savez-vous ?

— J'ai suivi l'autobus avec un taxi.

Ses yeux ajoutaient : N'insistez pas. C'est ainsi.

— Votre mère a demandé un citron pressé. Vous, une glace. Votre mère s'impatientait.

— Vous étiez là !

— J'étais là.

Je lui ai dit : J'ai une amie.

— Nous irons à Montparnasse !

Je lui ai dit : Avant j'avais Isabelle.

— Nous irons au *Dôme* !

Je lui ai dit : J'ai une amie. Je lui écris tous les jours.

— Nous irons au *Select*.

Je lui ai dit : Elle m'écrit tous les jours.

— Nous irons au *Jockey*, bonhomme, nous irons tous les deux. — J'ai une amie !

Gabriel a compris, ses sacrifices ont grandi.

Mon amour.

Minuit moins vingt. Mes parents dorment, l'appartement dort, l'immeuble dort. Tu pourrais venir, la ville est un masque. Tu ne viendras pas. Je n'ai pas voulu de rideaux aux fenêtres. Pour toi, cette fête de lumière sur la vitre d'une lucarne. Des lampadaires dans un autre univers. C'est gracile, c'est blafard. Tu veilles, tu me l'as écrit. Nous tenons compagnie à la nuit ! La chaise, l'armoire, ma serviette de classe... Les choses, les objets vous usent. Je détourne la tête. Ils m'engouffreraient. Le silence dans ma chambre est le silence de ton piano, le silence de ce que tu ne joues plus. Tu modelais la sonorité, la mousse des forêts égayait le ciel. Une grande musicienne studieuse. Mon rêve. Ton souffle sur ma main qui t'écrit. La nuit, cela est plus facile. Les distances, les nôtres, sont discrètes. Quand m'embrasseras-tu jusqu'à ce que je demande grâce ? J'embrasse tes phrases, j'embrasse tes mots, je promène mes lèvres sur ton papier à lettres. Quand seras-tu dans mes bras ? J'ai des écrins pour toi. La glace le dit aux creux de nos épaules lorsque je m'habille, lorsque je me déshabille. Je pleure. Je ne m'habitue pas à ton écriture. Elle court aussi sur un clavier. Je veux te voir, Hermine. Aimer, ce n'est pas être séparées. Il n'y a plus de souffle sur ma main. Tu es absente, tu es toujours absente. Paris avec toi. C'est incroyable. Irai-je chez toi ? C'est impossible. Ta lettre de ce matin est un bandeau de fraîcheur sur mon front. Ne quitte pas ta jaquette marron, ne la quitte pas. C'est toi, c'est ta signature sur mes paupières baissées. Nous avons eu mal-chances sur malchances. Crois-tu que cela conti-nuera ? Qu'est-ce que nous deviendrions l'une sans l'autre ? Réponds. Qu'est-ce que nous deviendrons ? Je t'écrirai demain.

Non, je ne peux pas te quitter. Tu es généreuse, Hermine, tu me donnes des détails. Je vois les des-sins dans ta classe, je vois le visage des élèves, je vois la directrice. Elle enseigne aussi ? Deux salles pour une école de village, c'est superbe. Le jardin, le vôtre à toutes les deux est-il bien exposé ? Tu cul-tives. Tu as du temps pour cultiver ? C'est magni-fique. Ce sont des riens mais ces riens me per-mettent de te reconstruire chaque fois que je te relis. Soudain Paris est petit, soudain Paris est froid. Il y a tant de solitaires ici. Chacun vit dans sa cage. Tu me parlais du Luxembourg, tu m'en parlais dans les couloirs du collège. Nous irons au concert si tu viens. Tu donnes des leçons particulières, tu couds, tu lis le soir... Tu ne perds pas ton temps. Ma paresse est la même. Je travaillerai à la fin de l'année scolaire. J'ai peur de la fin de l'année sco-laire. Je voudrais voir la table en chêne, le fauteuil. Ton père est gentil. Tu vis seule, tu es chez toi. Je suis fière de toi, mon chéri. Si je pouvais devenir institutrice comme toi, dans le même village, dans la même école. Joue la dernière Etude le dimanche si tu es seule avec le piano, joue-la pour moi mon amour, joue cela à la fin du jour. Violette.

L'enveloppe était cachetée. J'ai éteint, j'ai chuchoté dans mon lit : Joue l'Etude, joue l'Etude...

Je me menaçais et menaçais Hermine.

Joue l'Etude ! Je te dissimule Gabriel, le film *Ariane, jeune fille russe*, le cinéma Marivaux, d'autres cinémas avec lui. Sa fièvre, la moiteur de sa main dans la mienne, ses prières, ses appels de bête muette, je ne t'en parle pas. Joue l'Etude à la fin du jour pendant que nous savourons Paris, toi, mon eau pure. Je te trompe lorsqu'il m'offre une cigarette. Je te trompe, tu triomphes. Je ne peux pas te l'écrire. J'ai besoin de toi, j'ai besoin de lui, tu ne comprendrais pas. Si tu te fâchais, je ne le verrais plus. Je ne cours pas le risque. Ma mère a son mari le dimanche soir, le dimanche après-midi. J'ai Gabriel. Je ne peux pas t'écrire : j'ai été le chercher dans un cinéma. Je crains ton jugement, je veux garder ce que j'ai : Hermine, Gabriel. Qu'est-ce que j'ai ? Un homme inoffensif à qui je plais et je plais rarement. Un homme plutôt petit, mal habillé, un homme étriqué. Voilà pour la galerie. Un homme qui se domine, s'oublie, se sacrifie. Un géant. Un parterre d'orchidées dans un champ de navets. Je le calme avec des caresses séparées de mes mains. Me désire-t-il vraiment ? Je ne crois pas. Il désire son supplice. Le supplice de ce qui vous échappe. Son argent... Il entre dans un café, il jette en pourboires son morceau de pain du lendemain. Il ne parle pas de ses soucis d'argent. Sa pudeur est colossale. Manchettes élimées, col douteux, nœud de cravate crasseux. J'ai honte de lui comme nous avons honte des martyrs.

Il a les filles. Je les oubliais. Je ne pourrais pas t'expliquer cela, Hermine. Toi tu joues le *Concerto italien*. Il lit, il aime la musique, Gabriel. Il sabote lecture et musique pour le goûter d'une lycéenne. Ce n'est pas un vieillard, ce n'est pas un homme mûr. Vingt-six ans. Il te prend mes baisers, Hermine. Je dois me pencher, je dois payer ma sécurité avec mes caresses frauduleuses. Non, tu ne peux pas comprendre.

Hermine me répondit, comme si elle avait reçu cette lettre écrite sur l'ardoise de la nuit, qu'elle devait venir à Paris pour une démarche. Je quittai le domicile de mes parents pendant deux jours. Elle m'embrassa, elle déclara qu'elle voulait que nous allions nous coucher, qu'elle ne demandait que cela à Paris. Première nuit à l'hôtel du Panthéon, dimanche et nuit suivante à l'hôtel du Grand Condé. Le concert après l'épuisement.

Partageons le dernier croissant, Hermine. Vous garderez la chambre ? Oui nous gardons la chambre. Ta montre, n'oublie rien, prends ta montre sur la table de nuit. Nous serons de face, au Châtelet ? Si nous courons, oui. Nous ne serons pas les premiers mais nous ne serons pas les derniers. Tu verras une foule d'étudiants. C'est cela le Châtelet ? Oui. Ce sont des étudiants ? Oui, ils grimpent à l'amphithéâtre. Fatiguée Violette ? Oui mais légère, légère... Oh ! Rien, Hermine, rien ; parle tout bas. Gabriel ! C'est lui, il est derrière nous, il est fou. Grande lumière et grande avalanche d'anthracite. Comment a-t-il appris que nous allions au concert ? Comment a-t-il su qu'Hermine est à Paris ? Je ne peux pas calculer le nombre d'heures pendant lesquelles il a guetté, attendu. Maintenant il tient son rôle d'anonyme près de nous. Il me fait jouer un vilain rôle. Je ne peux pas lui en vouloir. Il se rappelle à mon souvenir, il ne veut pas être supprimé. Il voulait voir comment est Hermine. Parle, Violette. Tu ne me parles pas, pourquoi ? Je parle Hermine. Je te demandais si la foule d'étudiants te plaît ? Elle me plaît beaucoup, Violette. Il frôle mon épaule avec sa joue. Je lui ai donné sans le vouloir mon épaule à frôler. Il est impossible. Tu vois Hermine, nous avançons enfin. Son audace m'attriste. M'enchante. Nous serons de face comme tu l'as dit, Violette. Il escroque, ce martyr. Parle, Violette. Où es-tu partie ? Il est plus agile que nous, il nous a précédées

dans les escaliers. Ses longs cheveux. Il se fiche de
ses longs cheveux quand il entre au *Jockey*, quand il
rayonne, quand il se saigne pour que nous écoutions
chanter Kiki de Montparnasse... Oui Hermine, c'est
toujours ainsi : beaucoup de marches à monter pour
les places bon marché. ... Le banjo, l'alcool, deux
« bolcheviks » comme la dernière fois. Oui toujours
la course dans les escaliers, la meilleure place est au
premier arrivé. Il a ce qu'il voulait. Derrière nous et
près de nous. Rentrons à l'hôtel, Violette. Tu le
désirais tant ce concert, Hermine... Rentrons à
l'hôtel, je me déplais ici. Ton Concerto préféré de
Schumann. Tu frissonnes, Violette. Tu es comme
moi, tu ne te plais pas ici. Je ne frissonne pas,
Hermine. Oui je frissonne parce qu'il est déjà assis.
Deux places libres devant lui. Comment a-t-il fait
pour les garder, pour les préserver ? Rentrons à
l'hôtel, Hermine, rentrons. Non Violette ; l'orchestre s'accorde et maintenant nous dérangerions les
autres. Je fraude. Je fraude entre mes cils pour
le voir. Il frôle mon dos avec son genou comme
il frôlait mon épaule. Nous assassinons Hermine
pendant qu'elle sourit aux altos. Du blanc dans
ses mains... Qu'est-ce que c'est ? Je vais tourner
la tête, je vais assassiner un peu plus Hermine. Les
livres ! Les livres promis. Patiente bonhomme, je te
les trouverai dans une édition rare. Il appuie l'édition rare sur ses revers élimés, il me signifie qu'il les
a trouvés, achetés. Demain aura-t-il du savon pour
se laver ? Demain il m'offrira *Si le grain ne meurt*
qu'il tient à deux mains, demain Hermine s'en ira.
Je devrais crier ce qui est, le lustre devrait tomber.
Pompier, gentil pompier, jette-nous tous les trois à
la porte du théâtre, Hermine est un agneau,
l'agneau écoute l'ouverture d'*Egmont*. Elle prend
ma main, elle remercie la musique. Gabriel, c'est
cela jouir ? Hermine, c'est cela mourir au paradis de
l'ignorance ? Violette, c'est cela trahir ?

— Deviens institutrice, a dit ma mère. Qu'est-ce que tu feras si tu ne deviens pas institutrice, si tu n'es pas reçue ?

Elle se tourmentait de plus en plus :

— Pense à ton avenir. Il faut penser à l'avenir.

Je la rassurais.

— Je serai reçue.

— Tu le crois ?

— Je serai libraire. Je serai employée dans une librairie.

— C'est vrai ?

J'aimais toute une femme désarmée dans une petite question.

J'ai suivi les cours de la Maison du Livre, l'examen au lycée approchait, je récoltais ce que j'avais semé : ma paresse, mon insouciance, mes centaines d'heures perdues pour les études, mes promenades avec Gabriel, mes lettres écrites à Hermine. Je voulais être reçue pour ma mère, pour sa tranquillité. J'oubliai, dans le désarroi du temps perdu, mes souhaits d'école avec Hermine.

Je voulais dire à ma mère : je suis reçue. Les élèves révisaient, j'apprenais. Je voyais un soleil jour et nuit, ce soleil m'oppressait. J'aurais pleuré tout mon sang pour l'approcher. Qui était-il, ce soleil ? Le groupe des bonnes élèves sûres d'elles. Leur succès. Ma tête se vidait au fur et à mesure que je l'emplissais. J'enviais la vacance des demeurés. Ma mère, à l'époque où j'apprenais la table de multiplication, me consolait souvent avec : ce que tu ne retiens pas le soir même, le lendemain tu le sais. Le lendemain, à l'époque de l'examen, je me levais avec une vieille ruche moisie à la place du cerveau. Géographie, histoire, quelle mélasse. J'aurais échangé chaque matin mes livres de classe pour le balai des balayeurs.

Un après-midi, après un cours de révision au lycée Racine, je trouvai ma mère dans ma chambre. Elle préparait deux valises. Nous avions parlé souvent d'un départ : Nous partîmes le cœur gros, timides, déroutées. Ma mère regretta le soir même ce qu'elle avait fait. J'avais la fièvre, je lui disais que je voulais un studio. C'était un mot à la mode. Nous étions descendues dans un bon hôtel, nous prenions nos repas à *La Reine Pédauque* comme lorsque nous venions à Paris. Nous cherchions aide et protection dans le confort. Ma mère ne pouvait pas vivre séparée de son mari et de son fils. Nous parlions d'eux sans cesse, nous errions même assises dans un café ; je commençais une angine. Ma mère me supplia à la fin de la journée du lendemain de téléphoner à mon beau-père, de lui demander si nous pouvions rentrer. Il répondit : « Oui, rentrez. » Je tombai malade : angine couenneuse, jets de permanganate, bleu de méthylène, ma mère me soigna avec dévouement. Mon beau-père ne venait pas dans ma chambre, je n'osais pas demander s'il parlait de ma santé. Elle sortit avec lui le dimanche suivant. Ils dînèrent en ville, ils fêtèrent leur réconciliation. J'étais seule, avec la vieille Marie, leur bonne, j'étais triste, j'étais amère. Mon beau-père fut glacial dans la salle à manger quand je me rétablis. Il me répondit « Bonjour », sans plus. J'étais responsable de notre départ, c'était injuste. J'avais influencé ma mère comme elle m'influençait. Avec quel élan j'avais téléphoné afin qu'elle rentrât chez elle.

Reçue à l'écrit, recalée à l'oral, je n'ai pas travaillé pendant les vacances, je ne me suis pas représentée en octobre. Ma mère n'insista pas. Elle acceptait et se désolait.

— Paresseuse, disait-elle.

Ma mère croyait que je ne trouverais pas de travail. Mon beau-père voulait que je paie ma pension.

J'ai mis une annonce dans la *Bibliographie de la France*. Le numéro de mon annonce me fascinait. Le miel du travail se préparait dans une série de chiffres comme se prépare le miel du bonheur ou du malheur dans une annonce matrimoniale.

J'ai lu la lettre d'Hermine, je suis sortie en trombe de ma chambre :

— J'irai la voir si je travaille ?

— Tu iras, dit ma mère. Ne claque plus les portes. Sois raisonnable, fais-le pour moi. Tu claques toujours les portes. Quelle furie... Pourquoi Violette ?

La bonne entra dans la salle à manger, ma mère se tut. La bonne repartit.

— Pourquoi Violette ?

Ma mère préparait une jupe à plisser chez la plisseuse, de la couleur du cacao. Ma mère palpait, mesurait, épinglait, faufilait un automne à la douceur uniforme. Mon travail se préparait aussi dans la nouvelle jupe qu'elle m'offrirait.

— Je fais tout pour toi, dit-elle ; je fais tout pour que tu sois contente. Qu'est-ce que tu as à me reprocher ?

Aussitôt qu'elle faiblissait, je lui en voulais.

— Tu devrais t'occuper au-dehors. Tu t'encroûtes ici, lui dis-je.

— J'y réfléchirai, dit-elle.

Ses yeux d'acier me redemandaient pourquoi je claquais les portes, ce que je lui reprochais.

Je m'attendris à m'en trouver mal. Encore Marly, encore les pissenlits, toujours Marly, toujours les pissenlits. Je ne supportais pas notre tête-à-tête, je ne supportais pas le retour de sa jeunesse, celui de mon enfance.

Je ne pouvais pas lui dire : je claque les portes, je suis une furie parce que je suis de trop. J'en suis à Marly, à nos cabanes à lapins après la mort de Fidéline. Avec toi, j'en serai toujours là. Je massacrerais une porte pour nos hivers dans le Nord, pour nos gaufres, pour la gale, pour mes poux. La gale nous venait des pauvres soldats — notre soufre, notre bain — ; mes poux d'une mystérieuse écolière lorsque je commençai d'aller à l'école. Le peigne fin dans la main de ma mère... le sarclage dans mes cheveux. Bon ordre de ma souffrance. Le peigne, une lyre pour son énergie. La vermine ne résiste pas à ma mère, la vermine meurt entre les ongles de ma mère.

Nous avons eu les mêmes souvenirs :

— J'étais gaie ? a demandé ma mère.

— Tu ne t'en souviens pas ?

— Tu te souviens mieux que moi, dit-elle. Explique...

Elle repoussa sa jupe ; elle s'évada de l'appartement.

— Tu étais toujours gaie. Tu chantais.

— Je chantais ? dit-elle avec une voix d'enfant. Je chantais et je n'avais pas un sou, dit-elle avec extase.

Je parlais souvent de Gabriel quand mon beau-père était à ses occupations.

— Je vous ai vus, me dit ma mère.

— Nous !

— Vous ! Sur les boulevards. Avec le même imperméable. Je n'ai rien dit à ton beau-père... Sois prudente, pense à ta mère. C'est samedi. Si nous allions au *Prado* ? Habille-toi, arrange-toi.

Je battais des mains, je sautais sur leur tapis.

Ma mère se maquillait le moins possible dans son cabinet de toilette, je « m'arrangeais » dans ma chambre.

— Tu entends ? Fais attention, criait-elle. C'est un homme.

Elle est venue à la porte de ma chambre avec la houppe. J'oubliais ses conseils. Je me perdais dans le parfum délicatement sensuel de sa poudre de riz.

— ... Ce n'est pas un homme comme les autres, ai-je dit.

— Presse-toi. Nous n'aurons pas notre table !

Elle revenait dans son cabinet de toilette, je la suivais avec ma houppe. Notre maquillage n'était pas savant, notre « Centre de Roses », notre fard pour les joues était le même.

— C'est un homme, recommençait-elle.

— Il ne demande rien, il n'exige rien.

Ma mère prolongeait ses sourcils avec un crayon.

— Il serait le premier, déclarait-elle.

— Je te dis qu'il n'est pas comme les autres.

Je lui dissimulais Gabriel en lui dissimulant mes caresses et mes baisers forcés.

Je compare la gaieté de nos sorties le samedi après-midi à la gaieté des fleurs et des bouquets peints par Séraphine de Senlis. Je traversais avec ma mère une foule de petits yeux de toutes les couleurs depuis la porte Champerret jusqu'à la place Pereire. Mon entrain, ma joie se projetaient et ils me revenaient multicolores.

— Ne me donne pas le bras. Mais que tu es paysan ! me disait-elle.

Paysan. Le masculin m'affligeait.

Je ne me fâchais pas. C'était impossible avec la foule de petits yeux aux couleurs rieuses. 1927. Je ne me souviens pas de sa robe, de son chapeau, de son sac, de ses gants. Je me souviens : je l'aurais voulue plus excentrique.

— Avance devant moi, lui disais-je.

Ma mère obéissait.

— Tu me diras...

J'étais le maître, elle était l'écolière dans notre monde de l'élégance.

— Alors ?

Elle m'interrogeait sans tourner la tête, sur le qui-vive. Ses bas et ses escarpins me plaisaient.

Elle revenait.

— Alors ?

— C'est classique. C'est trop classique.

— Celle-là ! concluait-elle.

Plus de trente ans après je comprends comme elle : j'exigeais trop d'elle ; je désirais pour elle une robe, un chapeau uniques. J'imagine, plus de trente ans après, les passants, les voitures s'arrêtant pour ma mère comme ils s'arrêtent dans les films de Méliès.

Nous arrivions avenue de Wagram vers quatre heures.

— Les cigarettes, disait ma mère.

La fête commençait. J'entrais seule dans le plus étroit des débits de tabac, à côté du music-hall *L'Empire*. J'attendais mon tour avec plaisir et anxiété. La buraliste prenait le paquet demandé sans voir le rayon, avec une virtuosité de mécanicienne.

— Viens, nous irons la semaine prochaine, s'impatientait ma mère si je m'arrêtais devant les affiches et les photographies d'artistes de *L'Empire*. Nous dépassions le music-hall, nous hésitions tout près du *Prado*. L'entrée passait inaperçue quand on n'était pas initié.

— Entre la première, me disait ma mère.

J'obéissais, je la protégeais parce que de nous deux elle était la plus féminine, la plus belle. Je descendais un escalier moelleux qui pouvait mener à un sous-sol d'amis, je tenais la rampe-cordelière, ma main glissait pour le relief et le contraste avec les marches pâmées sous le tapis de l'escalier. Ma main glissait fort sur la cordelière avec des réminiscences de cordages : le paquebot du Havre lorsque j'étais allée en colonie de vacances en Angleterre après le mariage de ma mère. Un nœud : Southampton. Un nœud : traversée de Londres à la vitesse d'une fermeture éclair. Un nœud : Bakewell, le Derbyshire. Un nœud : le cottage de la vieille demoiselle avec son jardinet de lavande. Un nœud : la lavande aussi haute que nos blés des Flandres. Un nœud, un nœud, un nœud, un nœud, un nœud, un nœud : des épis de lavande, le bleu abstrait de la lavande sur sa tige, les desserts succulents, les troupeaux ondulants, la soûlerie d'herbe verte, la surveillance maternelle de la châtelaine. Des pêches cachées dans de la crème, manman.

— J'ai connu ça, disait ma mère. Les glaces... les glaciers qui livraient chez ton père...

Tant mieux si les réceptions des autres devenaient ses réceptions ; pourtant glaces et glaciers glaçaient mes souvenirs : mon nœud papillon dans mes cheveux à quatorze ans et demi sur la photographie de la colonie de vacances ; la carte postale de Dorothy Barker avec la reproduction de sa maison.

Les cosaques sur l'estrade chantaient *Les Yeux noirs* en russe, un soliste dans la salle se frayait un chemin avec sa balalaïka. Rideau. Le soliste était monté sur la scène, vingt balalaïkas avec un autre air russe exaltaient grelots et traîneaux. Nous retrouvions notre table habituelle.

— Qu'est-ce que tu veux ? s'irritait ma mère.

La vendeuse de gâteaux attendait avec ses pinces au-dessus de son éventaire ambulant. Qu'est-ce que je voulais ? Voir mon âme et mon cœur de vingt ans dans un ruban. Voir le ruban frémir, voltiger au-dessus d'une vingtaine de balalaïkas. Un gigolo se levait, il baisait la main de la femme qu'il attendait.

— C'est triste, tu sais, Violette...

Des serveurs refusaient en y mettant des formes des clients déçus. La salle était toujours comble.

— C'est triste de devoir demander de l'argent

chaque fois que je n'en ai plus. Nous ne serions pas ici si je n'avais pas ma cachette. Il ne m'en donne pas beaucoup à la fois parce qu'il a peur que je t'en donne. C'est la raison.

Des émigrés russes qui s'étaient retrouvés huit jours avant dans la même salle se retrouvaient encore avec tant de chaleur qu'ils changeaient huit jours en vingt années.

Rideau.

Les musiciens descendaient dans la salle, ils se reposaient près de l'escalier.

Les femmes l'espéraient, la plupart d'entre elles venaient pour lui, les hommes au bar pivotaient sur leur tabouret. Serveuses et serveurs fraudaient pour le voir et l'écouter.

— Ce n'est pas Chaliapine mais il a une belle voix grave, chuchotait une des vieilles dames à la table à côté de la nôtre.

Le grand cosaque seul sur l'estrade chantait sans chercher les effets. Il nous décrivait la steppe, il la décorait avec ses modulations, il l'assombrissait, il la réchauffait, il l'éclairait, il la dramatisait, il la parcourait, il la hérissait, il nous l'offrait. Si la langue russe me dépaysait, je retrouvais le Nord, avec sa rudesse et sa force. Prestige des émigrés. Qu'ils étaient riches ces romanichels aristocrates, puisque je dégrafais la pelisse du Tsar, puisque j'amidonnais le col de Lénine, puisque je brossais le bonnet de Trotsky, puisque je ratissais le jardin de Tolstoï pendant que le cosaque chantait un air à faire éclater d'entrain une isba. Je l'entends encore. Qu'est-ce que je fais ? Je donne un coup de pied au landau dans la célèbre descente du *Cuirassé Potemkine* afin qu'il naisse plus vite le monde nouveau au bas de l'escalier.

Rideau. Repos. Le chanteur disparaissait. Le regard perdu, il réapparaissait, il avançait dans *Les*

Steppes de l'Asie centrale entre les tables. Il refusait la fleur, il refusait la cigarette.

— C'est vraiment un bel homme disait ma mère avec détachement.

Nous demandions l'apéritif après le goûter.

Ce soir-là mon beau-père parla de politique à table. Les grèves le mettaient hors de lui ; il fallait dresser les ouvriers... Ma mère regardait notre Marly dans mes yeux, je regardais notre Marly dans les yeux de ma mère. Il chercha un nom de politicien, je m'écriai :

— Rappoport !

— C'est cela, mon petit. Tu as trouvé, me dit-il.

Ma mère exultait. Enfin sa fille n'était pas un cancre. Si je pouvais trouver des Rappoport nuit et jour, me disais-je.

Nous allions à *L'Empire* en matinée, nous prenions des places bon marché, nous devenions à l'amphithéâtre des mousses en haut d'un mât.

Marcel Jouhandeau m'a dit un jour : « Vous avez un tricot de clown (tricot à larges rayures vertes et mauves), nous sommes des clowns. Nous aimons, ils rient après que nous sommes partis. » Grock faisait son numéro seul. C'était un clown que nous admirions encore après qu'il avait quitté la scène. Sa bouche ? La courbe d'un grand feston. Son menton volumineux ? Une noix de coco. Son crâne ? Un œuf de Pâques. Ses gants ? Empruntés à un goliath. Ses yeux de Mars-Avril-Mai. Une ronde d'enfants. Sa fraîcheur au-dessus des applaudissements. « Pourquoi. » « Sans blague. » Les points de suspension après le « Pourquoi », après le « Sans blague » se changeaient en points phosphorescents. Grock couchait sa joue au creux de son épaule, il attendrissait en s'attendrissant, il envoûtait son public avec le « Sans blague ». Il jouait aussi du... Je ne me souviens pas du nom. J'ouvre le nouveau Petit

Larousse Illustré, je l'ouvre au hasard, à la page des noms propres, en étant persuadée qu'il jouait de l'ocarina. Je tombe sur Crèvecœur-le-Grand. Oui Grock, vous étiez un Crèvecœur-le-Grand. Nous crevions de plaisir pour votre triomphe. Je me souviens du nom. Il jouait du bandoléon, il dessinait des cercles fantastiques avec ses bras. Il escamotait ses dons lorsqu'il interprétait assis sur le dossier de la chaise, quand il tirait des sons d'un microbe : le plus petit violon du monde.

Huit jours après le spectacle, j'ai dit à ma mère :

— Il faut absolument que nous retournions à *L'Empire*.

— Tu veux revoir Grock ?

— Non... C'est un nouveau programme.

— Tu l'as vu ? Avec qui ? Violette sois raisonnable, Violette sois prudente. Ça pourrait t'arriver comme à une autre. Je connais les hommes. Tous les mêmes.

— Nous irons à *L'Empire* jeudi ?

— Pourquoi ? Puisque tu l'as déjà vu.

— Je le reverrais avec toi. Nous irons ?

— Oui, puisque tu me dis que c'est bien.

Le lourd rideau se leva, la jeune femme allongée sur le divan à gauche du plateau s'éventait avec son éventail en plumes d'autruche. Ce passe-temps était saisissant parce qu'il semblait avoir commencé longtemps avant que se lève le rideau de scène. S'éventer, c'était remplir cent années. La jeune femme était seule sur l'immense scène. Les livres nous apprennent que dans une ruche des milliers d'abeilles battent des ailes pour éventer la reine. La jeune femme avec mille doigts, mille poignets, mille mains éventait la solitude. Elle leva un pied, elle joua avec la pointe de sa mule. Tant d'aplomb pour affirmer sa frivolité lui seyait. J'ai regardé ma mère.

Ses petits cils battaient tellement elle cherchait à comprendre.

— Tais-toi, me dit-elle pendant que je ne disais rien.

Tout palpitait : la touffe de plumes sur la mule, le pied, la cheville, l'éventail, le poignet, la main. Des yeux d'hommes se désaltéraient, les projecteurs envoyaient de l'or et de l'argent sur les cheveux blonds. Et puis un livre d'heures s'est ouvert, une miniature s'est animée. Pompadour a moulé la jambe. Marie-Antoinette a ciselé les doigts. Maintenant une grande coquette se voilait jusqu'au-dessous des yeux avec son éventail. Les plumes palpitaient toujours. Je n'abandonne pas les spectateurs quand je vais au spectacle. J'ai vu un acacia dans un chapeau sur les genoux d'un chauve pendant que l'artiste nous donnait de l'autruche palpitante. La jeune femme se sépara enfin de son éventail, la robe tomba comme tombe le premier flocon au début de l'hiver. Quelqu'un se permit de tousser.

Un maillot, un deux-pièces étincelant, simple comme le souvenir d'une lueur de coquillage la nuit sur la plage. Instant miraculeux lorsque la corde lisse est envoyée à l'artiste. Je me rapprochai de ma mère :

— Comment la trouves-tu ?

— C'est fou, dit ma mère sans me regarder.

Elle grimpait à la corde lisse, c'était un singe notre petite perle fine. Chaque mouvement était un bijou. Ses gestes auront eu la finesse des cheveux. Le bout de ses pieds dans les anneaux, elle se balançait et nous regardait la tête en bas. La mort évidemment était dans la salle. Au premier rang. Avec un de ces torticolis... C'était trop haut, un vivant. A ce moment rétablissement de l'acrobate. La jeune femme dominait et régnait sur les espaces, la mort était escroquée. Cette torsade des mains s'enroulant aux cordes des anneaux, cette prise d'amitié... C'est franc, elle ne peut pas mourir, disais-je en pensée à ma mère. Obscénité, ses mollets pliés sous les cuisses, ses cuisses écartelées. Oh ! le deux-pièces était irréprochable : tout ce qui devait être refusé était refusé, notre vague désir d'elle se confondait avec notre cœur lorsqu'il est barbouillé. Cela nous venait de son dilettantisme pendant qu'elle se balançait et regardait, mais elle lança son trapèze comme un mécanicien lancerait son rapide d'une main.

— Tu aimes ? Ça te plaît ? dis-je à ma mère.

— Je serais difficile, me répondit-elle en fermant et en ouvrant les yeux afin de se recueillir une seconde.

Je te fais grâce, lecteur, de la description des roulades de soprano d'un corps d'acrobate autour de la barre d'un trapèze. Elle croisait, elle décroisait ses pieds, elle aiguisait ses doigts de pieds à la vitesse des pattes de mouche, elle décorait d'abord ses exercices périlleux. Elle s'en alla se suicider d'un trapèze à l'autre. La mort en guenilles s'appauvrissait. Le suicide était surmonté.

— Qu'elle est mignonne, me souffla à ce moment ma mère.

Le courage l'attendrissait.

Exercices périlleux, ô longues années d'entraînement pour une vingtaine de minutes problématiques. Le rideau tomba.

— C'est un ange, dit ma mère.

A ce moment Barbette est revenu devant le rideau. Le visage sain, le visage frais et démaquillé, le peignoir bien fermé, le cheveu plat, le jeune Anglais saluait, il s'esquivait, il se protégeait à la stupéfaction, des applaudissements.

— Je ne regrette pas d'être venue, dit ma mère.

Nous goûtâmes sur nos genoux avec ce qu'elle avait apporté.

— Maintenant tu vas me dire avec qui tu es venue ici, dit ma mère.

— Avec Gabriel bien sûr ! Tu ne t'en doutais pas ? Nous étions au promenoir.

— Pourquoi au promenoir ?

— C'est moins cher et c'est plus près de la scène.

Elle s'emporta :

— Ce n'est donc pas un homme ? C'est quand même un homme ! Tu ne vas pas me dire qu'il n'a pas quelqu'un !

— Tant mieux si Gabriel a quelqu'un comme tu dis.

Je la déroutais. Elle trouvait des surnoms pour Gabriel : Moutatiou, Mamoizelle. Moutarde. Elle le rabaissait, elle me peinait. Je n'osais rien lui dire : je riais avec elle.

Je me croyais une polyglotte, je me croyais une farceuse, je croyais en jeter plein les oreilles lorsque enfant j'inventais une langue étrangère. J'espérais surprendre et stupéfier. Voici un échantillon (je faisais les demandes et les réponses) :

— Chroum glim glam gloum ?

— Blam glom glim gam.

— Vram plouminourou ?

— Flarounitzoucolunaré.

— Motzibou ?

— Motzibou.

Je souhaitais provoquer le fou rire ; j'étais secouée, stoppée par mon fou rire.

Ma grand-mère le supportait, elle était sourde, ma mère criait : « Va dire ça dehors. » Après le mariage de ma mère, une femme de ménage se laissa prendre. Qu'est-ce que c'est ? dit-elle. De l'allemand ? De l'anglais ? De l'espagnol ? De l'italien ? C'est autre chose, dis-je en m'éloignant.

Cab Calloway à *L'Empire*, c'était autre chose. Il chantait, il improvisait, il prononçait des mots insensés, des mots insignifiants, des mots durs, des

mots fermés, des mots métalliques, des mots percu-
tants, des mots explosifs, des mots serrés les uns près
des autres. Surimpression du rythme de son jazz qui
l'accompagnait lorsqu'il fredonnait.

— Il scatte formidablement, dit le jeune homme
à son voisin.

— Il scatte, c'est un scatteur, dis-je tout bas à ma
mère.

— Oh ! tu sais moi, dit-elle sans s'émouvoir.

Ce qui lui échappait, elle le négligeait.

L'ère de la T.S.F. commençait. Mon beau-père
fabriquait, le soir, après ses occupations, un poste à
découvert. Son matériel atteignait l'ampleur et la
profondeur descriptive du morceau de Grieg :
« Dans le hall du roi des montagnes. » Les premiers
sons, les premières émissions, les premiers parasites
— la friture, disait-on —, l'intonation de la voix
incroyable, indiscrète, merveille de présence du
speaker, sont historiques. Un monde naissait. Les
ondes. J'entendais la *Toccata et Fugue en ré mineur*
de Jean-Sébastien Bach. Les grandes orgues écoutées
pour la première fois hors d'une église devenaient la
plus grande des églises : celle des mélomanes. Dieu
interprétait dans une cathédrale, la cathédrale de
Bach. Je venais près du cadre, des lampes, des fils, je
m'approchais du clavier de Cortot, de Braïlovski,
d'Iturbi, de Tagliaferro, de l'archet de Thibaud.
Concerto de Liszt, de Chopin, de Schumann pour
piano et orchestre... Le Pleyel offert par ma mère
toujours aussi beau devenait dérisoire. Je me décourageais mais à l'avance je me consolais avec les
disques à la radio.

Enfin j'ai reçu une lettre de la *Bibliographie de
la France*. J'étais convoquée, je devais me présenter
le lendemain matin chez un grand éditeur de la rive
gauche. J'ai relu cinquante fois la convocation, la
formule de politesse, la signature de l'inconnu, l'en-

tête de la maison Plon, les deux initiales tapées à la machine, séparées du texte.

— Explique, dit ma mère.

Je lisais, je lisais mais je ne pouvais pas lui expliquer ce que c'était une maison d'éditions.

— C'est une marque, lui dis-je, c'est une marque en bas des livres. Si un écrivain est au Mercure de France, il n'est pas à la N.R.F., il n'est pas chez Flammarion, aux Presses Universitaires...

— C'est trop compliqué, dit ma mère. Explique quand même...

Je soulevai les épaules par ignorance :

— Attendons demain.

A table ma mère nous servait et, souvent, elle m'avantageait. La cuisine était simple, excellente. Ses tartes, ses crèmes, ses crêpes, de la quintessence. Son gâteau de marrons inoubliable, sa purée de pommes de terre incomparable, les sauces, les jus de viande légers.

— Non je n'ai pas appris. Je voyais grand-mère, dit-elle chaque fois.

Elle me touche quand elle dit grand-mère en parlant de sa mère. Fidéline, à ce moment-là, est notre grand-mère à toutes les deux. Elle m'émeut quand un souvenir de son enfance remonte. Elle chuchote :

— Vous avez encore mal a'man ?

A'man. Le plus léger des oiseaux se pose sur la lyre du souvenir. Fidéline te voici transfigurée. Métamorphosée. A'man. Te voici changée en joli petit garçon de Biskra.

J'ai traversé la place Saint-Sulpice, j'ai cherché la maison d'éditions dans une rue étranglée. Un cycliste est sorti avec une pile de livres. C'était elle, ma porte. Je suis entrée dans la cour, j'ai retrouvé le calme de ma province. J'essuyais mes narines, elles brillent souvent, mes mains moites. J'ai ouvert la première porte sans me presser, j'ai été coiffée par la verrière. J'ai ouvert la deuxième porte, j'ai reçu l'horizon des livres dans les casiers. Un autre cycliste, qui partait avec une pile de livres à couverture jaune, m'a demandé pourquoi je n'avançais pas. La grandeur de la salle, la hauteur du plafond, la dimension des échelles devant les casiers, la discrétion des employés sur les échelles, glissant ou sortant les livres des cases me saisissaient. Fini, le silence antique des bibliothèques de nos lycées. Livres non lus, livres fermés vivaient, voyageaient dans la salle. Jeunes femmes et jeunes filles, avec des livres derrière elles dans les casiers, avec des livres devant elles sur les comptoirs, triaient, séparaient, rassemblaient, intercalaient des feuilles de papier. La caissière était bien enfermée dans sa caisse. Jeunes et vieux commissionnaires sortaient contents de leurs provisions. J'ai descendu les marches, j'ai montré la convocation.

— Je la conduis. Elle ne trouverait pas, a dit une jeune femme à une autre.

Nous avons monté deux marches, nous avons tourné à droite. Nous regardions l'une et l'autre un panorama de colombiers avec des blancheurs vieillottes, des blancheurs éteintes : la tranche des livres. Nous avons monté l'escalier dans la salle de vente, nous avons regardé un paysage de petits garde-manger culturels. Des machines à écrire cliquetaient dans notre dos, du côté de « la direction », mon émotion grandissait. Elle a ouvert une porte à gauche, nous avons descendu des marches, nous avons longé un couloir monotone, nous avons descendu d'autres marches à droite, nous avons commencé de nous introduire dans un autre couloir avec des photographies sous verre sur le mur à gauche. Elle a ouvert la porte à droite, nous sommes entrées dans un bureau tapissé de dossiers, de classeurs. La pièce était sombre, petite, avec une table au milieu. Une employée classait du courrier.

— C'est sûrement pour la publicité, a dit mon guide à l'employée.

Elle m'a quittée.

J'ai donné ma lettre à l'employée, elle m'a quittée aussi.

Vite, un peu de curiosité :

« ... suite à votre honorée du... nous sommes dans l'obligation... il nous est donc impossible... »

Qu'est-ce que j'ai à patienter ici puisqu'ils ne voudront pas de moi ? Devenir une vieille lettre commerciale, devenir la formule : « suite à votre honorée... », jaunir à l'intérieur d'un classeur puisqu'ils ne voudront pas de moi. Triste jaquette de laine, triste sac à main, triste cour, c'est l'autre côté de la maison d'éditions, triste lumière. S'ils voulaient de moi comme employée... Qu'est-ce que je vais leur dire ? Je rêve ou bien quelqu'un écrit ici avec une plume d'oie ? Cela ne sert donc pas seulement aux étalages fignolés des papetiers ?

— Si vous voulez me suivre, a dit la quadragénaire au teint couleur d'archives.

Je suis entrée dans un bureau moderne : je me souviens de mon premier pas sur le tapis gris. La quadragénaire a refermé la porte. Il s'est levé, il est venu :

— Plus fort, je suis sourd. Je suis le directeur de la publicité. Plus fort.

— Je ne dis rien, monsieur.

— Plus fort, je vous prie.

— Je me tais, ai-je insisté la gorge serrée, sans élever la voix.

Il tenait son oreille comme un cornet, il tendait son visage du côté de ma bouche.

— Elle vous dit qu'elle ne vous dit rien, cria un agréable jeune homme qui paraissait avoir vingt-cinq ans. Il était assis à une petite table dans un coin de la pièce, près de la fenêtre.

— Avez-vous des certificats ?

— Des certificats ? dis-je, absolument abrutie.

Je relus, l'espace d'un éclair, la mention assez bien pour mon certificat d'études primaires affichée dans une cour d'école après que ma mère s'était mariée. Je rengainai mon certificat d'études.

— On vous demande si vous avez déjà travaillé, dit le jeune homme au visage rond, aux yeux noirs.

Il parlait avec son fume-cigarette au coin de la bouche.

— Non, je n'ai pas travaillé, dis-je avec sincérité.

Le visage énergique du quadragénaire s'attrista.

— J'ai suivi les cours de la Maison du Livre, j'ai mon certificat de fin d'études secondaires...

Le visage franc du quadragénaire se ranima.

— L'écrit. La moitié, dis-je à voix basse pour ne

pas mentir à moi-même, pour mentir sans audace aux deux autres.

— Les cours de la Maison du Livre ? Parfait, dit-il.

Il repartait à sa table. Plutôt petit, il ressemblait avec sa courte moustache grise à un Français et à un Anglais.

— Voici ce dont il s'agit, dit-il.

Il désigna une chaise.

— Je descends à la fabrication, dit le jeune homme.

Grand, bien bâti, vêtu d'un costume bleu marine, debout il semblait plus âgé. Il serrait sur son cœur un livre démantelé, je me demandais où étaient les fils de la reliure. Il sortit, la démarche traînante, la forme de sa tête trop ronde.

Le directeur m'expliqua ceci : ils me donneraient chaque matin des revues, des hebdomadaires, des quotidiens, j'y trouverais des articles, des études, des échos, des entrefilets encadrés au crayon bleu concernant les auteurs de la maison Plon, je les découperais et je les collerais sur des feuilles volantes, j'écrirais la date, le nom du journal au-dessus de l'article, le nom du critique au-dessous du texte imprimé ; j'aiderais Mlle Conan dans son classement ; il réfléchirait, il m'écrirait, il me paierait six cents francs par mois. Il me demanda si je me croyais capable de faire ce travail.

Il me reconduisit jusqu'au bureau des classements. La politesse c'est aussi de la discipline, martelait son pas. Mlle Conan le relaya jusqu'à l'escalier, où je croisai l'homme au visage rond, aux yeux noirs.

— J'espère que vous allez revenir nous voir, dit-il avec son élégant fume-cigarette au coin de la bouche.

La même colonne de fumée bleuâtre montait.

Maintenant il tenait plusieurs revues, un livre des

éditions Gallimard. Déjà je ne pouvais l'imaginer autrement qu'avec de l'imprimé-tentation.

J'étais revenue dans la grande salle, je revoyais le nombre incalculable d'alvéoles pour les livres. Revoir. La fraîcheur était partie cependant l'attraction à gauche pour les casiers ne faiblissait pas. Ils éditaient Tchékhov, Dostoïevski... Le désir de découvrir Tchékhov, Dostoïevski était déjà satisfait dans chaque casier.

— Aie confiance, ça ira, me dit Gabriel. Tu verras, ça gazera. Ils te prendront. Pourquoi voudrais-tu qu'ils ne te prennent pas ? Et surtout ne te fais pas de mousse, bonhomme.

Gabriel me réconfortait le long des petites baraques, sur le trottoir des grands boulevards. « Pourquoi voudrais-tu qu'ils ne te prennent pas ? » Son bras serrait le mien, ses doigts moites entre les miens demandaient : Pourquoi ne dois-je pas te prendre, toi ? Je rejetais la demande, mon bras, ma hanche, mes doigts s'éloignaient.

— Veux-tu en écluser un ? Viens.

Il m'emmena à *La Lorraine,* place des Ternes, un des cafés à la mode.

Ils me prirent.

Je descendais de l'autobus « S », j'arrivais le matin à 8 h 10 par la rue Servandoni plus proche de l'église Saint-Sulpice, plus exiguë, plus vivante, plus populaire, je faisais un crochet, je lisais vivement, si j'étais en avance, les titres des livres, le sommaire de la revue *Europe* à l'étalage de la librairie des éditions Rieder. Gabriel m'offrait souvent *Europe,* dirigée par Jean-Richard Bloch. Nous avions lu de lui *La Nuit kurde* que nous aimions beaucoup. *Europe,* à cette époque, était une revue littéraire internationale, l'avant-garde de la littérature de gauche. La couverture fauve avec ses caractères noirs vous sautait aux yeux : un révulsif pour l'esprit. J'étais devenue une employée et, comme les autres, je devais arriver d'abord par ce boyau, traverser ensuite le service de l'emballage sombre et métallique où tous rivalisaient de gaieté. Mlle Conan venait toujours la première ; elle n'était pas réjouissante. Je trouvais à ma place les journaux du soir, je cherchais les encadrements ou bien l'X bleu au coin de l'article, je lisais du commencement à la fin la plus anodine des critiques pour le plus anodin des romans. Je satisfaisais ma conscience d'employée. Je me jetais sur le feuilleton littéraire du *Temps,* celui de *L'Action française,* pour l'échange d'injures bon enfant entre Léon Daudet et Paul Souday. Leurs lecteurs attendaient leurs colères. Léon Daudet n'appelait pas autrement Souday que Sulfate de Souday... Ces polémistes n'étaient pas Léon Bloy mais ils avaient quand même le don d'accrocher, celui de divertir. Leur table à écrire était un ring. Les feuilletons de Souday consacrés à l'abbé Mugnier, critique érudit et raffiné, sont mémorables. J'appris que des écrivains tremblaient en envoyant leur livre à Paul Souday.

Les autres journaux étaient-ils sur la table du secrétaire de publicité ? Je sortais de notre bureau morose, je me délivrais des ronchonnements de Mlle Conan, des classeurs et des dossiers, j'allongeais le cou dans le bureau moelleux, plus clair que le nôtre. Les piles de journaux du matin, de l'étranger et de la province étaient là. J'avais, avant leur lecture, un rendez-vous avec les rotatives de la nuit, les rédacteurs, les linotypistes, j'étais fidèle à ce rendez-vous. Le directeur, M. Halmagrand, arrivait vers neuf heures. Nous reconnaissions son pas, nous n'osions pas regarder les vitres dépolies lorsqu'il longeait le couloir et, s'il entrait à l'improviste, nous lui disions bonjour avec l'ensemble d'un chœur dans un orphelinat. La pensée que c'était un époux, un père ne m'effleurait pas. C'était une discipline, un combattant devenu sourd à la guerre de 1914. Sévère sans être méchant, il était toujours maître de lui. Il réclamait un dossier en arrivant, il fallait voir sa vivacité. Sa secrétaire semblait sortir d'une boîte tellement elle était soignée, bien habillée, bien maquillée. Elle descendait en réalité du train de Bourg-la-Reine, elle s'était levée avec son mari à cinq heures du matin. La maison parlait de son endurance, de ses prouesses pour changer tant de fois de toilette avec un petit budget.

Un parfum caramélisé de Camel... M. Poupet avec son fume-cigarette au coin de la bouche, son pas traînant même s'il se pressait. Il se couchait tard, il était de toutes les grandes premières, de tous les grands dîners, de tous les grands concerts. Il sortait pour son plaisir et pour la maison d'éditions. Le directeur ne se montrait pas dans les milieux littéraires et mondains. Il écoutait, il recueillait. J'étais déçue lorsque le secrétaire refermait tout de suite leur porte, j'étais sur le gril lorsqu'il ne la refermait pas.

— Je vous en supplie, ne classez pas. On n'entend pas. Je voudrais entendre...

Mlle Conan souffrait de l'estomac, elle suçait des pastilles dès le matin.

— Entendre quoi ? J'ai mon travail, ronchonnait-elle avec son entêtement de Bretonne.

— N'ouvrez pas la fenêtre, suppliai-je. On n'entendra rien.

Elle soufflait, elle se plaignait, elle déclarait :

— Je suis de Guingamp. A Guingamp nous avons de l'air.

Elle refermait la fenêtre, elle classait dans une chemise, elle « méronnait » (c'est un mot de patois du Nord. Il signifie bougonner).

— ... J'ai rencontré Jean à l'entracte, criait le secrétaire. Je l'ai très peu vu. Il y avait un monde fou.

— Un monde fou ? reprenait le directeur.

Je me levais sans bruit, comme si je ne devais pas effrayer une tourterelle dans la corbeille à papiers. Je m'approchais de Mlle Conan.

— Qui est-ce Jean ?

Mlle Conan séparait les doubles des lettres tapées en trois exemplaires.

— Vous mangez encore ? me disait-elle avec hargne.

— C'est mon petit pain de dix heures... Qui est-ce Jean ?

Mlle Conan continuait son classement :

— Vous lisez. Vous n'avez pas deviné que c'était Cocteau ?

— Cocteau !

La maison d'éditions le publiait dans sa collection « Le Roseau d'Or ».

Je revenais à ma place, M. Poupet apportait les journaux de province, repartait. L'odeur du sucre roussi de la Camel dans notre bureau, c'était la soirée de la veille avec une seule volute. Le temps passé encore incandescent comme le bout rouge de la cigarette, c'était Cocteau qu'ils appelaient Jean, c'était Cocteau sorti de ses livres, de ses photographies.

Timide, incapable de suivre ou de tenir une conversation, je n'enviais pas le secrétaire. J'enviais le directeur qui recevait des lendemains de soirées comme un feuilletoniste reçoit les péripéties de son intrigue. Parallèlement, je me refusais au spectacle des Ballets russes. Le présent n'est pas une légende. Le présent était de la légende. Nijinski, Kharsavina, Serge de Diaghilev... Je ne les ai pas vus. Ils me surprenaient et me surprennent autant qu'un chef-d'œuvre que je ne verrai pas dans un musée de Londres ou de New York. Nijinski est mort, Nijinski ne dépérit pas. Le titre de sa danse *Le Spectre de la Rose* est devenu le titre d'un poème immortel.

Je lisais, je découpais, je collais jusqu'à midi. Les revues me décourageaient et me désolaient. J'aurais voulu lire *Etudes, Le Mercure de France, La Revue des Deux Mondes, La Nouvelle Revue française* du début à la fin pour nager dans tous les courants de la littérature ; midi sonnait à travers la maison, il m'enlevait à la colle, au pinceau, aux revues, aux journaux. Je rencontrais souvent dans le couloir ou dans l'escalier un homme de petite taille toujours vêtu d'un raglan de lainage non doublé, suggérant le négligé vestimentaire d'un pur intellectuel, et aussi la pèlerine d'un berger. Le parapluie au bras, le corps projeté d'un côté, le visage singulier sans être laid, l'œil vif, la barbiche pointée comme un index cherchant d'où vient le vent, l'homme de petite taille était une proue, la maison d'éditions un navire, amenant à Paris des titres de livres modernes étrangers. Gabriel Marcel, c'était lui, créait la collection « Feux croisés » ; des noms enfiévraient déjà le rez-de-chaussée, le premier étage : Rosamond Lehmann, Aldous Huxley, Jakob Wassermann. Je sortais avec les autres employés, la lumière pétillait dans mes yeux, les ailes des pigeons claquaient, le receveur de l'autobus « S » criait « complet », les cloches de l'église se mariaient pour un mariage. J'attendais l'autobus suivant. Je préférais la plate-forme, je me penchais, je me tenais sur la pointe des pieds, je recevais de l'air vif, je souhaitais être remarquée par les fidèles de la plate-forme, j'oubliais d'aimer et d'admirer Paris tout bouillant d'autos, de passants. La chaîne, la poignée se balançant continuellement, les allées et venues du receveur, ses brefs moments de répit... Je vivais de la vie de l'autobus. J'exultais lorsqu'un étudiant sonnait à la place du receveur, je croyais un instant à une communauté roulante. Le passage de la rive gauche à la rive droite, de la rive droite à la rive gauche m'exaltait quatre fois par jour. Cela commençait par le classicisme de la place de la Concorde. Je suis impuissante, j'ai besoin de comparaisons si je veux célébrer la place de la Concorde. Je pense à elle, je la vois, elle s'impose lorsque j'écoute *Le Tombeau de Couperin*. Un danseur danse un pas de deux. C'est elle, c'est encore elle. J'ignore tout de l'architecture ; pourtant les perspectives, les échappées, les proportions, le face à face des frontons et des colonnes, le face à face d'un jardin et d'une avenue, le trait d'union des chevaux de Marly, l'aération entre les lampadaires, entre les balustrades et les colonnades, je les ressens jusqu'à la brûlure, jusqu'à la morsure, jusqu'à l'incrustation. Lignes à l'encre bleu royal des architectes de la Concorde. Je les vois sur mon bras. Le plus simple des tatouages c'est elle, c'est encore elle. Je passai donc quatre fois par jour le pont. Si je lisais à l'intérieur de l'autobus, si je rêvais sur la casquette du receveur ou du conducteur, je me retrouvais avec des atours de flots et de pierres : la droite et la gauche du pont. Un pont est une conquête. Le passant marche sur l'eau. Le ciel bleu rêvait à du bleu, le fleuve avec ses troupeaux de vaguelettes et d'ondulations était plus sérieux. L'autobus franchissait la Seine. Paysages, fresques lointaines, mes batailles graciles, mes victoires remportées. Je cherchais la buvette de la Chambre des Députés. L'autobus se vidait, il se rechargeait devant « La Crémaillère », devant « Tunmer », place Saint-Augustin. J'entrais dans l'appartement à 12 h 35 ou 12 h 40 si tout allait bien. C'était prêt. Je jetais ma serviette en cuir sur mon divan, je parcourais la lettre d'Hermine, je la remettais sur la table à côté du petit pain au lait avec le jambon, la banane, le chocolat. J'avais un quart d'heure pour engloutir une montagne de purée, des endives cuites, deux tranches de faux filet, du fromage, de la compote. « Mange, mange », suppliait ma mère. Elle me servait, je lui disais que je serais payée, que la fin du mois approchait. Mon beau-père arrivait, je repartais avec la lettre d'Hermine, mes provisions pour quatre heures. Tête de ligne, nous étions deux ou trois dans l'autobus. Coiffée d'un béret basque ou d'un feutre masculin, vêtue d'une redingote à martingale, je désirais jusqu'à crier grâce le luxe de Paris à une heure de l'après-midi. J'étais prête à tout — ce prête à tout je ne pouvais pas le préciser — pour une automobile de luxe, pour une arrivée au restaurant Larue, pour une rafle avec argent comptant de l'étalage Lachaume rue Royale, pour boire au bar chez *Maxim's*. Je me soulevais de la banquette pour la lingerie de « Charmereine ». Plus je préférais les tenues masculines, plus je me rongeais pour les frivolités, pour les belles voitures, pour les belles fourrures. Je convoitais Paris à travers une grille d'or de la porte Champerret à Sèvres-Babylone. Envier. C'est une souffrance bleu turquoise.

Je trouvais des journaux dans lesquels j'avais manqué des articles, j'étais penaude, j'oubliais le superflu de Paris. Le lendemain je désirais encore me damner, je veux dire me perdre sans savoir comment. Paris, mes affres d'argent à l'heure des déjeuners importants.

Une jeune fille entrait à trois heures. « Bonjour », nous disait Mlle Perret avec rudesse. Sa froideur m'intimidait, son habillement m'impressionnait. Elle dénouait les rubans de sa longue pèlerine brunâtre de montagnard, elle se séparait de sa pèlerine et de son béret avec désinvolture. Les boucles dorées de ses cheveux coupés court éclairaient notre triste bureau, les classeurs, les dossiers. Grande, majestueuse, importante avec un visage sérieux et fragile, son teint, sa peau, la circulation du sang sous la peau m'annonçaient l'impondérable sérénité des Vierges de Botticelli. Ses longues mains correspondaient avec son visage. Je retrouvais des roseurs dans ses tailleurs gris de coupe sévère, aux revers croisés. La soie du chemisier bruissait au-dessous du drap ou du fil à fil lorsqu'elle s'asseyait à ma droite, lorsqu'elle ramenait la manchette souple avec un geste décidé.

— Quoi de neuf ? me disait-elle.

Mlle Conan monologuait, elle ouvrait un peu plus la fenêtre. Son monologue ressemblait à un vol de bourdon devant un soupirail.

Je donnais à lire à ma voisine et ma supérieure dans le travail les journaux, les articles, les échos découpés.

Le directeur de la publicité entrait, il lui serrait la main.

— Paul Bourget viendra dans une heure. Vous me préparerez son dossier, criait-il.

Il emmenait ma supérieure dans son bureau.

— Paul Bourget viendra ? C'est vrai ?

— Il faut que je mette son dossier à jour. Ah la la !... Toujours classer. Je n'en peux plus.

— J'ai une coupure pour lui. Tenez.

— Vous mangez déjà ?

— Il est trois heures et demie. C'est l'air de Paris. Comment est-il ?

— Vous le verrez.

— Je ne le verrai pas. Avec les vitres dépolies...

— Vous voyez les autres.

— Oui, mais lui c'est Paul Bourget.

— Oh ! il peut venir. Mon dossier est prêt.

Le Disciple. Je vais voir *Le Disciple.* La vie quand même... Vous cirez vos chaussures au collège, dans la cordonnerie, et puis pfuitt... Vous voilà certaine que l'auteur du *Disciple* viendra. Ce n'est pas lui que j'attends. C'est sa renommée. La vie quand même... Elle fait tout ce qu'elle veut. Ce n'est pas la vie. C'est la Bibliographie de la France. J'ai vingt ans. J'aurai vu l'auteur du *Disciple* à vingt ans. Je préfère Claudel. Tiens, je ne me demande pas comment est Claudel. Il a une foule de lecteurs, l'auteur du *Disciple*. Je verrai une foule de lecteurs, je verrai des milliers et des milliers de lecteurs en un seul homme, quand cet homme passera devant nos vitres dépolies.

— Il est âgé ?
— Oui il est âgé.
— Il est grand ?
— Oui, il est grand.
— Il se tient droit ?
— Oui, il se tient droit.

Mlle Perret écrivait ses textes avec la plume d'oie qu'elle trempait dans de l'encre verte. Je jetais un œil sur son papier, je lisais une phrase, un mot. Je l'enviais : elle écrivait. Je ne la jalousais pas puisque j'aurais été incapable d'écrire. Elle arrivait et partait quand elle voulait. De cela j'étais jalouse. Elle me parlait de sa mère très belle, très élégante, elle me parlait de son beau-père, directeur d'un grand quotidien de Paris. Je me demandais pourquoi elle m'interrogeait sur mes livres préférés. Elle me mettait en confiance avec beaucoup de diplomatie. Je lui en voulais après m'être confiée et, en même temps, j'avais un vague pressentiment, un bon pressentiment. Sa violence, ses mouvements d'humeur lorsque Mlle Conan l'exaspérait, m'agaçaient ou me satisfaisaient, son orgueil me blessait ou m'exaltait. C'était un caractère. Ce caractère parlait tout à coup avec douceur et pureté d'une amie. Nous attendions Paul Bourget. Il est venu un autre jour.

Je changeai de train à D..., dans le froid, dans la nuit noire. Volatilisée la gare du collège, les rues du collège, le collège. Je venais voir Hermine. Je montai dans un bon vieux compartiment d'omnibus, j'admirai mon feutre, mon manteau, le col de ma chemise d'homme, mes gants, ma valise choisie avec ma mère aux Champs-Elysées, à « Innovation ». Je me révisai. La lumière délabrée éclairait loin de mon feutre, loin du col de la chemise, loin de ma valise beige pâle. Des ouvriers sur le marchepied regardaient, se sauvaient, chahutaient. Leurs cris, le bruit gras de leurs souliers à clous réchauffaient le quai. Coups de sifflet.

Nous partîmes dans un train irréel, un train de fête foraine. Je me rétrécis, je devins une arête. J'aimais Hermine, j'avais été séparée d'elle long-temps ; je l'aimais avec tant de joie, tant de confiance, tant d'appréhension... Le train, avec ses répétitions de ferrailles, se frayait un chemin dans une chenille de ténèbres. Les villages proches les uns des autres : un nom avec une voix. La nuit couvrait les plaines, nous repartions, les ouvriers s'envoyaient des au revoir chaleureux. Ils se séparaient mais leur lendemain, leur jour de repos, les unissait. Nous passions devant eux sans les voir.

Auvigny. Le chef de gare criait enfin le nom du village avec l'entrain d'un marchand de journaux. Le nom était lancé, je voyais du plant de fraisier. Le nom de son village, une preuve de printemps dans les mois à venir. J'abaissai la vitre. Hermine ne sera pas venue, Hermine aura eu peur du froid, de la nuit. Séparer le froid de la nuit pour elle. Des ouvriers silencieux descendaient, les musettes avec les gamelles remuaient encore les hanches, la lan-terne se balançait, la locomotive était révisée. Un air de flûte dans ma tête, le babil de Dieu. Je cher-chais Hermine. Un aigle s'abattra sur mes épaules... Qui sera-t-il ? Isabelle.

Le train repart. Qu'est-ce que je vais devenir ? De la nuit dans la nuit.

— Ici, dit-elle avec une voix sourde.

Elle alluma sa lampe de poche. J'écoutais encore le « Ici » sorti des ténèbres.

— Ta jaquette marron...

— Tu l'aimais, dit-elle.

Elle me serra la main avec fougue. Des travailleurs aux portières nous appelaient, l'omnibus repartait.

Les voyageurs se dispersèrent.

— Viens, dit-elle sur ma joue glacée.

Des chevaux tiraient un tombereau. J'écoutais leurs sabots, j'écoutais la cadence de la nuit, du froid, l'émiettement bleuté de la glace sur les flaques d'eau.

Tombereau, chevaux, conducteur s'éloignèrent dans un pays de ténèbres à eux.

— Tu ne parles pas, Hermine.

— Toi non plus tu ne parles pas.

Un pas a suffi pour quitter le chemin, pour avoir les jambes fouettées, un visage plat, les dents étincelantes de froidure. J'ai trouvé de la chaleur dans la bouche d'Hermine, elle a trouvé de la chaleur dans ma bouche. Je palpais, je modelais sa jaquette. C'était toute Hermine : la salle de solfège, le *Concerto italien*. Hermine libérée des études surveillées, arrachée du Conservatoire, rejetée dans un village. J'abritais les coudes de la pianiste, je serrais les revers de la nouvelle institutrice. Je demandai où étaient les habitants. « Chez eux », dit Hermine en riant.

Elle me guida jusque chez elle. Le premier étage condamné, la maison étant trop grande pour Hermine. Le couloir glacé comme le dehors. Elle a ouvert une deuxième porte, elle m'a donné le sommeil des meubles de chêne au-dessous de la lumière des abat-jour, la chaleur du poêle, les biscuits, les fromages de la grandeur d'un timbre-poste, le Sandeman, les Camel, le jazz au-dessus de la table, la trépidation du musicien à la batterie. Je cherchai le piano. Pas de piano. Hermine m'expliqua son attente, ses préparatifs depuis jeudi. Elle prenait la poudre, le peigne, la houppe dans ma valise, elle disposait les choses près du divan. La chemise de nuit avec l'empièicement de dentelle ocre cousue au point de bourdon me plaisait-elle ? Oui, elle me plaisait. Elle devait me plaire. Sa vie était foutue, Hermine rayonnait. Boisson, cigarettes, lingerie, chaleur, saxophoniste au jeu lent, elle m'offrait un Paris plus émouvant que mon Paris déprimant à travers la vitre de l'autobus.

J'ai marié mes doigts avec les cheveux d'Hermine. L'amour. Les barreaux du temps tombèrent en poussière plusieurs heures. Les barreaux se sont relevés d'eux-mêmes.

Mes vêtements sur la chaise me dépaysaient. Le jazz persévérait.

Hermine se rhabilla. Il y a des souvenirs sans passé. Je me souvenais du bordel sans le connaître lorsque le corsage glissa sur les seins luxuriants, lorsque la jupe serra des hanches et des fesses de gitan. Hermine insistait pour me servir au lit. Je m'attristai en ne voulant pas l'attrister. J'aurais préféré la suivre partout, j'aurais préféré Hermine couchée, écrasant des mégots contre le mur. Elle surveillait les viandes, elle ouvrait les boîtes de conserve, elle débouchait les bouteilles. Un violoniste jouait seul, il improvisait. Le jazz le plus audacieux se réduisait à un archet acrobatique. La fantaisie était angoissante.

— Qui est-ce ?

Hermine est venue, elle doutait de mon ignorance.

— C'est Michel Warlop, dit-elle.

Je l'embrassai dans le cou, dans le creux où l'homme autant que la femme sont douceur de marabout.

— Je ne suis pas plus avancée. Qui est-ce Michel Warlop ?

— Un violoniste extraordinaire. Il a préféré le

jazz après le Conservatoire. Il est à Paris maintenant. C'est toujours le même jeu fiévreux.

J'ai caressé les cheveux d'Hermine, son visage est devenu un oiseau prisonnier.

C'était bon le Sandeman. C'était du feu sous la cendre. Elle repartait, elle s'affairait. J'apprenais la table, les chaises, le fauteuil de cuir.

— A Paris, je bois, dis-je dans une crise d'ennui.

— Tu bois quoi ? cria Hermine.

— Ne t'inquiète pas. Je bois du Pernod. Place Pereire à sept heures du soir.

— Tu ne bois pas seule.

— Je bois seule.

— Tu ne me l'écrivais pas. Je cherche... Non tu ne me l'écrivais pas !

— Je ne te l'écrivais pas. C'est grave ?

— Ce n'est pas grave. Tu me le cachais.

— Je ne te le cache pas. Je te le dis. Tu me le reproches.

— Je ne te reproche rien. Nos promenades du jeudi... Avec mon père et mes sœurs, la musique d'ensemble, nos lectures, nos travaux de couture, est-ce que je t'en parle dans mes lettres !

— Oui. Souvent.

— Pas avec autant de détails qu'il faudrait. Tu es seule ? Tu es vraiment seule place Pereire à sept heures du soir ?

Elle a enchaîné sans attendre mon mensonge, elle a ajouté qu'il faisait plus frais, qu'elle frissonnait. Je voulais hurler : « Tu frissonnes parce que je mens. » J'ai réussi à dire seulement « Gabriel ». Tout bas. Je voulais ajouter : « Je le bois avec lui », je ne retrouvais pas ma voix. Je n'étais pas venue pour me séparer d'Hermine, je n'étais pas venue pour me séparer de Gabriel. Gabriel, un autre monde avec mes caresses-remerciements dans un autre monde. Il soutenait Hermine sans que je lui

209

parle d'elle. Je me voyais dans ses yeux, je m'y voyais dans la plus vraie des lumières pour Hermine-Violette. Je m'envolais vers Hermine aussitôt ma bouche prêtée à Gabriel. Les deux pernods qu'il préparait avec amour... Il aimait, il supportait jusqu'à l'extravagance. De quoi aurais-je demandé pardon ? Prononcer son prénom, c'était livrer Gabriel à des milliers de grimaces avant une parole d'Hermine.

Elle ferma la porte, ainsi j'aurais la chaleur de la chambre. Un chanteur de jazz anglais suggérait la quiétude de l'homosexualité.

Je devais me coucher, je devais me poudrer, je devais porter la chemise de nuit luxueuse. Je devais devenir une putain : elle voulait être une martyre.

— Hermine !

Elle accourait, elle tenait le miroir plus haut, plus bas, plus à droite, plus à gauche. De nous deux c'était elle la plus jolie, la plus féminine, la plus valeureuse. Elle repartait à reculons. J'étais sa relique, son miroir.

Je me ramassai autant qu'un hérisson, je massacrai mes paupières. Gabriel, dans un éclair sous mes paupières, du bleu vif déchiqueté, bordé de points d'or, Gabriel a resplendi sans visage, sans forme.

Je fixais la grosse émeraude de la Chartreuse, la plante en suspens de l'Izarra. La moiteur de mes mains, c'était la moiteur des mains de Gabriel.

« J'irai Violette ? Dis-moi que tu voudras, bonhomme. » Voilà ce qu'il demandait sur la couverture des livres d'Hermine.

« Tu veux ? Je t'attendrai jusqu'au lendemain soir. » Voilà ce qu'il balbutiait dans les moulures de la glace sur la cheminée.

Elle, elle me demandait si je voulais être son enfant, si je reviendrais le samedi suivant, si je voulais

vivre avec elle au cas où elle obtiendrait son changement.

Oui je serai son enfant, oui je reviendrai le samedi suivant, oui je vivrai avec elle si elle obtient
son changement.

Hermine me dévore, Hermine me pique partout
avec une aiguille, elle donne ce qu'elle a à donner
entre les pores de ma peau. Gabriel me tourmente :
il est seul. J'ai un fiévreux, j'ai un malchanceux. Il
me dit au revoir à deux heures du matin près de la
cage de l'ascenseur de la porte Champerret. C'est un
archet survolté, Gabriel. Je préfère Hermine ;
cependant Gabriel m'est indispensable. Gabriel
dans les ténèbres autour de la maison d'Hermine. Si
je la trompe lorsque j'explique à Gabriel comment
elle joue le *Concerto italien*, tant mieux. Si je dis à
Hermine qu'il veut une fleur de lis dans sa braguette quand nous sortons ensemble, elle cachera
son visage dans ses mains.

— Tu ne regrettes pas le collège ? Tu vas t'abru-
tir ici.

Je la surprenais. Hermine a rêvé.

— Regretter le collège ! Je t'ai. Je leur apprends
le solfège. La directrice m'appelle, nous prenons
l'apéritif avec son mari. Les parents des élèves sont
gentils.

— Le soir, loin des tiens, ce n'est pas triste ?

— Je couds, je t'attends, je t'écris, je lis tes
lettres.

— Ton piano, Hermine. Tu peux le dire. Loue
un piano.

— Non puisque je vais demander mon changement pour me rapprocher de toi. Du voile de soie
avec des pointes de mousseline te plairait ?

— Travaille pour toi, achète du tissu pour toi.

— Non.

Hermine n'achètera rien pour elle. Hermine ne
peut pas. C'est une droguée de sacrifices.

— Rédiger des échos ! C'est impossible, monsieur. J'écris des lettres mais des échos, un écho...

— C'est moins long un écho, dit le directeur de la publicité. Vous essaierez. Mlle Perret vous montrera, M. Poupet vous corrigera. Voici ce dont il s'agit. Avez-vous lu les livres d'Henry Bordeaux ?

— Non.

— C'est parfait. Vous les lirez. Donc voici ce dont il s'agit. M. Henry Bordeaux s'est plaint de la mévente de ses livres. Ce n'est pas exactement une mévente, c'est un ralentissement passager. Il nous demande de lui faire de la publicité. Une publicité discrète. Vous lirez les journaux le matin, vous lirez Henry Bordeaux l'après-midi. Vous lirez tous ses livres. Vous chercherez dedans des sujets d'échos se rapportant à l'actualité littéraire, sportive, théâtrale, cinématographique, scientifique... Vous me soumettrez les projets, nous en parlerons. Un mot encore. Vous ne citerez pas le nom de Plon. Vous glisserez le titre du livre avec ou sans le nom de l'auteur au milieu du petit texte. La coïncidence doit sembler naturelle.

Une demi-heure après cet entretien, un employé m'apporta l'œuvre d'Henry Bordeaux.

Je coupai les pages avec lenteur. Je voulais à l'avance un sujet d'écho dans une voyelle, dans une consonne, dans une préposition. J'eus une agréable surprise : de page en page l'adultère bourgeonnait. Mais au moment où je me réjouissais, où je me disais : c'est fatal, c'est irrésistible, les amants vont s'aimer, je tourne la page, c'est accompli, c'est consommé... Je tournais la page, l'épouse, que je croyais au bord du gouffre trottinait, calme et délivrée, sur des pétales de procession menant à son foyer. Je frappais la table avec mon coude.

— Qu'est-ce qu'il vous arrive ? s'inquiétait Mlle Conan.

— Il ne m'arrive rien. Je boude.

Obsession des sujets à trouver. Si l'auteur né à Thonon situait un de ses romans dans un village de montagne, je suppliais Naples, Palerme, Athènes, Le Caire, je leur demandais de se changer en village de montagne français. Le soir j'ouvrais mon atlas de poche, je tendais un fil télégraphique de Rutland à Tebessa, je plaçais dessus des centaines d'hirondelles : des sujets d'échos se rapportant aux livres d'Henry Bordeaux. Je lisais maintenant les faits importants dans le trou d'une aiguille, les faits secondaires à la loupe. J'ouvrais les dossiers, je relisais les textes de ma supérieure dans le travail. Si je me souvenais des critiques de ma mère — « C'est lourd, c'est trop lourd ce que tu écris » —, je me décourageais à l'avance. Mon ascension m'effrayait. Le service des empaqueteurs et des empaqueteuses de livres, leurs chansons, leur gaieté... La terre promise de l'insouciance de laquelle j'étais rejetée. Si je parvenais à rédiger des bouts de texte, je serais la punaise de l'œuvre d'Henry Bordeaux et la punaise de l'actualité.

Je me lançai au-dessous des bonnes feuilles que je classais : les *Cahiers* de Maurice Barrès. Je me lançai pendant l'absence de Mlle Perret. Ecrire à côté d'elle, cela m'était impossible. Enfin je lui montrai ce que j'avais écrit. Elle le lut, elle me dit avec des précautions que c'était trop long mais qu'elle leur soumettait à l'instant.

Elle sortit du bureau avec ma misère, une employée apporta les premiers placards tant attendus de *Poussière* de Rosamond Lehmann. Je classai les placards, j'attendis le résultat, dépiautée comme un pauvre petit garenne.

Ils entrèrent dans le bureau, la mine triste.

— C'est trop long, c'est trop lourd, dit le secrétaire de la publicité avec son fume-cigarette au coin de sa bouche. Vous recommencerez.

L'odeur de la Camel, ma mère fumait une Camel

quand nous sortions, l'expression « c'est lourd », rien ne manquait : ma mère et M. Poupet m'anéantissaient.

Je donnai les premiers placards de *Poussière* au secrétaire. Son visage s'illumina. Il repartit en les lisant.

— Vous disiez ? lui cria le directeur de la publicité.

— ... Je vous disais que Marcel Jouhandeau habite à côté du métro aérien, c'est sinistre. Oui les Pincengrain. Oui son premier livre.

Le secrétaire de la publicité, à l'avant-garde de la littérature, me serrait le cœur.

Lire les surréalistes, lire les écrivains explosifs sur une chaise contemporaine des romans courtois, lire *L'Amour fou* entre le ciel et le gazon, où il n'y a plus que du ciel et du gazon.

Gabriel m'attendait à six heures et demie dans le déchirement, dans les vibrations de taffetas : l'envol des pigeons de la place Saint-Sulpice.

— Alors bonhomme ? me dit-il avec anxiété.

Je ne voulais pas et je ne pouvais pas parler. Je l'entraînai du côté de Sèvres-Babylone.

— C'est trop lourd, c'est trop long ! me suis-je écriée.

Des passants se retournèrent.

— Le piano... Mon piano... J'étudiais, Gabriel, j'étudiais autant que je pouvais, j'espérais. Je ne suis arrivée à rien. Tu entends ? A rien ! Dis quelque chose.

— Je dis que tu as failli te faire écraser à l'instant.

— Je m'en fiche.

— Je ne m'en fiche pas. Ça me plaît quand tu t'emballes.

— Je ne m'emballe pas. Je suis découragée, je suis triste.

— Mais non tu n'es pas triste ! Tu veux boire ?

— Marchons dans la rue du Vieux-Colombier.

— Sacré bonhomme. Il faut mettre un pied devant l'autre, il faut prendre son temps pour tout. Tu vois cette cour ? Il y a un graveur. Louis Jou. Un graveur. Tu imagines le soin, la patience, son amour du texte et de la difficulté ? Tu recommenceras ton écho demain.

Je serrai le bras de Gabriel, il serra ma main avec son bras contre sa hanche.

— Oui je recommencerai.

Gabriel embrassa ma main de toutes ses forces.

Je recommençai le lendemain, le surlendemain, la semaine suivante avec la hantise des phrases lourdes, des phrases longues. J'ambitionnais la brièveté d'une volaille picorant un seul grain. Le soir, par contradiction, j'ouvrais Bossuet, j'admirais les périodes, je feuilletais une phrase de Proust, mes yeux étaient pleins de larmes.

— Vos échos sont partis, me dit enfin le secrétaire de la publicité.

Il rentra dans leur bureau, il parla de la santé de René Crevel.

Deux jours après, j'aperçus Henry Bordeaux. Grand, robuste, les joues colorées, c'était bien le montagnard de ses romans. Il souriait, donc il était satisfait. Sa longue conversation dans le bureau du directeur ? Moi-et-mes-textes, mes textes-et-moi. La gorge sèche, j'épongeais l'intérieur de mes mains. Henry Bordeaux entra ensuite dans une petite pièce, sorte de parloir et de boudoir austères entre le bureau directorial et notre bureau. Je collai mon oreille au mur, je suppliai Mlle Conan : le cliquetis des classeurs cessa. Je ne comprenais pas ce que disait l'auteur des *Roquevillard* mais je n'en doutais pas : il prolongeait l'entretien moi-et-mes-textes, mes-textes-et-moi. Il partit sans tourner la tête du côté de nos vitres dépolies.

Le samedi suivant, Gabriel m'offrit, gare du

Nord, à une heure moins le quart de l'après-midi, l'aller et retour de mon voyage : cent vingt francs. Il m'offrait et me donnait cent vingt fois Hermine. Il prit pour lui un billet de quai, il me foudroya de surprise lorsqu'il monta dans le train, risquant une amende, une nuit au poste puisqu'il n'avait pas de quoi payer. J'ai raconté avec exactitude, dans *Ravages*, nos voyages, sa disparition et sa réapparition. Oui je m'en allais voir Hermine, oui je disais à Gabriel qu'il devait descendre du train. Il se perdait dans Lille ou dans Amiens jusqu'au dimanche soir. Me retrouver dans le train du retour, faire l'amour avec les cernes sous mes yeux, c'était donc cela son paradis ? C'était donc cela le paradis de mon avarice, de ma mauvaise foi, de ma coquetterie. Il me fallait un suppliant devant un verre d'alcool au wagon-restaurant. Pas une question. Le regard. Son extase : plus doux que bander. Son regard : du sperme, malgré lui, malgré moi.

Hermine donnait des leçons particulières, elle veillait, elle cousait ma lingerie au point de bourdon. Plus Gabriel se sacrifiait, plus j'étais prise dans l'engrenage de leurs sacrifices.

— J'en ai un !

On sonna Mlle Conan. Elle sortit de notre bureau sans entendre. Je me nourrissais de la merveille encadrée au crayon bleu par M. Poupet, insérée dans un courrier littéraire. Je jubilais pour ma création sur la création d'Henry Bordeaux.

— Si tu es contente, je suis contente, dit ma mère avant le déjeuner.

Elle jeta son sac à main sur mon divan. Ma mère s'occupait maintenant dans une maison de décoration. Elle se donnait à son travail, elle réussissait comme elle avait réussi dans sa maison de commerce. Elle plaisait à ses collègues. Elle me parlait d'un garçon sympathique, épris de musique, qui s'appelait André Claveau.

Ma mère éparpillait souvent sa monnaie — sa mitraille, disait-elle — sur mon divan de velours violacé. Envoûtée par les magasins luxueux de la rue Royale, je volais de l'argent à ma mère, je lui prenais des pièces sans remords. Je ne supposais pas qu'elle s'en apercevrait. Elle abandonnait son sac avec la même confiance le jour suivant. Je la volais de temps en temps. Elle devait s'en apercevoir à la longue. Son silence, sa délicatesse me font plus de mal aujourd'hui que l'argent dérobé. Je conservais deux ou trois jours de l'argent n'appartenant plus à ma mère, de l'argent ne m'appartenant pas, j'achetais des tickets d'autobus, je participais aux frais d'apéritif avec Gabriel.

Le pli était pris. Les journaux inséraient mes échos. Quelle reconnaissance, quelle illusion de complicité et de correspondance avec Robert Kemp parce qu'il « passait » dans son courrier littéraire tout ce que je lui envoyais. Un écho avec son titre dans *Les Nouvelles littéraires*... le sommet de la réussite.

Le soir j'ai été plus modeste grâce aux bonnes feuilles du premier roman de Rosamond Lehmann. Deux adolescentes s'aimaient, une femme osait l'écrire. Un doux soleil ruisselait en mélancolie, un personnage muselait l'histoire : Jennifer. Le prénom obsédait. Aimez-vous Jennifer ? Préférez-vous Jennifer aux autres ? Vous la trouvez trop audacieuse, Jennifer ? Ah non ! Sauvage ? Vous trouvez Jennifer trop sauvage ? Ce ne serait pas Jennifer. Nous parlions d'elle dans les couloirs, dans les bureaux, au rez-de-chaussée, au premier étage et si Gabriel Marcel circulait dans la maison avec son inséparable parapluie nous le regardions comme les enfants regardent la hotte d'un Père Noël. *Poussière*, Jennifer, c'était sa serviette. M. Bourdelle père tempérait l'atmosphère avec son grand âge, ses moustaches blanches à la François-Joseph, sa silhouette trapue.

La maison était son œuvre mais il s'effaçait derrière son fils Maurice Bourdelle. L'élégance, la désinvolture, l'allure rapide, le visage d'acteur américain avec la fine moustache brune de Maurice Bourdelle troublaient les belles jeunes femmes de son service. Des vieilles folles, des vieux laiderons patientaient pour lui, en étant venues patienter pour leurs paperasses.

Ce jour-là, après avoir bavardé, après m'être détendue avec la nièce de Chanel, avec Elizabeth Zerfuss, avec une curieuse jeune fille, un peu noiraude, à l'accent rocailleux, je trouvai un mot du secrétaire de publicité : « Vous lirez les Mémoires du maréchal Foch, vous chercherez des sujets d'échos. »

J'entrai dans leur bureau. Je m'approchai de sa petite table à droite. Une Camel se consumait dans le fume-cigarette, je soulevai le fume-cigarette. L'absence de poids de ce mince liseron noir me dépaysa. Je me penchai sur les feuillets. Le secrétaire dessinait. Je devinais son inquiétude, son tourment, sa constance puisqu'il recommençait chaque fois le même visage de jeune homme avec la tête sur le même oreiller. Je m'en allai près de la fenêtre avec un des feuillets. Je violais une intimité, mon cœur battait. J'étouffai un cri de surprise, un cri de reconnaissance, un cri de joie. Je reconnaissais le jeune homme, sa beauté floue, plus floue dans l'esquisse au crayon. La beauté de son visage : la persistance, la générosité de l'enfance. Je me souvenais de ses lèvres charnues sans être épaisses, de son nez un peu écrasé, ingénu comme la bouche. Je me souvenais, oui encore, de la floraison d'une grappe de lilas sur ses lèvres, de ses yeux clairs, de leur étonnement, du désordre de ses cheveux cendrés. Un visage de sportif pris dans une brume de candeur. Le jeune homme qui était venu incognito dans leur bureau, celui que j'avais aperçu par la porte entrouverte de notre bureau, je le voyais non seulement sur le feuillet, mais aussi dans la mémoire juvénile du secrétaire. René Crevel, notre visiteur sans pesanteur, se soignait en Suisse. J'aimai le portrait dessiné avec émotion, je m'en séparai, je rentrai dans notre bureau avec un secret. Le secrétaire de la publicité rentra aussi dans son bureau, il referma la porte. Je regrettai ma visite. Je cachai ma tête dans mes bras, sur les Mémoires du maréchal Foch, je rêvai aux voyages du secrétaire. La Suisse ne s'appelait plus la Suisse. Je la surnommais Endymion parce que je surnommais ainsi René Crevel, l'auteur entre autres de *Paul Klee*, de *La Mort difficile*, de *L'Esprit contre la raison*.

Cinq minutes plus tard, le dessinateur me dit :

— Vous ne lisez donc pas Foch ?

— Non je ne lis pas Foch !

Il m'a donné plusieurs feuilles de papier. J'ai reconnu mes textes.

— Vos échos d'hier étaient nuls. C'est à recommencer.

Il sortit de notre bureau.

Rageuse, désolée, dépossédée de ce halo d'enfance sur le portrait de René Crevel, je m'enfermai dans les lavabos. Le pardessus du secrétaire de publicité y était accroché. Je soulevai les manches, je révisai les coins des poches, le dessous des revers, la doublure. Personne ne l'entretenait. Sa mère vivait à Dijon, sa femme de ménage cirait. Non, je ne lisais pas Foch. Je lisais les comptes sur le drap lustré, sur la soie luisante. Je voyais ce qu'il mangeait dans de la vaisselle festonnée d'or : une pastille découpée dans son pardessus trop usagé. Les soirées qu'il racontait le lendemain matin, il les payait vingt fois avec de l'insécurité, le souci de se lever à l'heure. Je lisais aussi le prix de ses voyages rapides en Suisse, sa fatigue sur la doublure élimée. C'était ainsi : il vivait dangereusement. Celui que j'appelais souvent en pensée snob, traîneur de salons, intoxiqué de mondanités, devenait un besogneux du grand monde. Son poste l'exigeait de temps en temps, ses goûts l'entraînaient tous les jours. Il aimait la musique, les concerts. Il les aimait loin des livres, loin des salons et des manuscrits.

— Ce soir, il y a Wanda Landowska. Tout est loué ! J'y vais quand même, criait-il au directeur de la publicité.

Dégringolade de son budget, me disais-je. Le calme ripolin sur les murs m'aidait à réfléchir à ses acrobaties entre sa situation et le monde.

La jeune fille entra dans les lavabos, elle s'excusa. Je lui dis : « C'est moi qui m'excuse d'être ici. » La jeune fille se lava les mains, elle s'enfuit. Je la rencontrais souvent avec des piles de livres dédicacés jusque sous le menton.

Le lendemain matin je la décrivis à Mlle Conan. Mlle Conan ne voyait pas, elle ne voyait rien.

Je recommençai :

— ... Des joues fardées naturellement. Un peu trop fardées pour sa santé. Elles ne sont pas si nombreuses au service de presse. Un nez droit, un nez parfait. Distante sans être hautaine. Elle m'a parlé hier. Oui, plutôt brune.

Un dossier glissa des mains de Mlle Conan. Un tapis blanc avec le double des lettres s'étendit.

— C'est ma faute.

— Oui, c'est votre faute, dit Mlle Conan. Vous me parlez, vous compliquez mon travail et puis j'ai mal à l'estomac. A Tréguier... commença-t-elle.

Je ne l'écoutais pas, elle ne m'écoutait pas. Je déchirais les bandes des journaux, je cherchais de l'écho, de la critique, de l'entrefilet. Hermine vivait dans ma serviette de cuir avec sa lettre de la veille. « Qu'est-ce que vous pouvez vous dire tous les jours ? interrogeait ma mère. Des kakoules », répondait-elle. Le mot kakoule signifiait des riens, des inutilités.

Mlle Conan entrouvrit la fenêtre pour une illusion d'air pur de Tréguier.

— Je vois, dit-elle. C'est Mlle Radiguet.

— Quoi !

J'abandonnai critiques, échos, entrefilets.

La salle d'expédition des services de presse était calme. Les livres neufs, malgré leur couverture de couleur, suggéraient la sérénité, la fixité, la disponibilité des nénuphars. La vieille demoiselle aux cheveux blancs avec son âme en effigie sur son visage ficelait un paquet monumental. Svelte, active, infatigable à soixante-dix ans, elle coupa le papier d'emballage au fracas de tonnerre. Elle chantait. Je lui demandai de ses nouvelles. Se lever à l'aube, venir d'Arcueil-Cachan, courir, descendre, monter toute la journée... Je risquai :

— Vous n'êtes jamais de mauvaise humeur ?

— Jamais.

Elle me regardait et travaillait à la préparation d'un autre paquet.

— Vous n'êtes jamais fatiguée ?

— Jamais. Pourquoi serais-je fatiguée ?

— Vous avez toujours du courage ?...

— Toujours.

Je cherchai ce que je lui dirais. Elle me prenait ma jeunesse.

Je la retrouve, je la reconnais lorsque je demande un livre à Rose de la maison Gallimard. Rose a des cheveux gris, je ne veux pas savoir son âge, Rose est svelte, active, infatigable. Ses yeux veulent donner. Notre inquiétude est son inquiétude. Nos larmes, ses larmes qui ne tombent pas. Entre les cages et les casiers de fer, où Kafka a trouvé sa promenade champêtre, Rose circule avec l'agilité de l'écureuil. Rose, ma Fidéline adorée quand je suis détraquée, quand tu me dis : je ne veux pas te voir ainsi. Rose, ma souris azur quand tu trottines avec ta blouse bleue pour chercher, pour offrir. Rose, cherche pour toi à la fin. Entre les livres, au-dessus des titres, tu verras partout le prix d'excellence de ta vaillance. Ta vie, tu ne veux pas me la raconter ? Elle sera notre fleuve si tu te décides.

La jeune fille rentra dans la salle, elle reprit sa place devant les piles de livres. Son visage racé m'intimidait.

— Vous êtes Mlle Radiguet ? dis-je avec un filet de voix.

— Oui.

Elle ne leva pas la tête. Elle ouvrait la couverture du livre, elle soulevait l'étiquette.

— Vous êtes la sœur de Raymond Radiguet ? dis-je avec une fausse assurance.

— Oui.

La vieille demoiselle coupait du papier, le même fracas de tonnerre recommençait.

— Vous ne voudriez pas me parler de lui ? ai-je murmuré.

La couverture d'un livre est retombée sur l'étiquette ; Mlle Radiguet a posé ses mains irréelles sur le livre, elle a levé enfin la tête.

— Il était parti ; mon frère était parti, dit-elle avec gêne. Il nous avait quittés.

Elle s'anima :

— J'ai un autre petit frère, des sœurs... Je lui ressemble.

— A Raymond Radiguet ?

— Oui à Raymond, dit-elle.

Préférait-elle *Le Diable au corps* ou *Le Bal du comte d'Orgel* ? Elle éluda.

Elle éludait par la suite si je la questionnais. Plus j'insistais, plus je la blessais. Avait-elle lu ou non les livres écrits par son frère ? Raymond était un étranger trop grand pour le cercle de sa famille. L'élégance de leur visage à tous les deux, elle ne pouvait

pas la renier. Cils calmes et somptueux, peau trans-
parente jusqu'à la pureté d'une fleur de serre,
bouche digne sans puritanisme, nez droit suggérant
le classicisme, un ensemble signé Raymond Radiguet. C'était incroyable, c'était miraculeux qu'elle
éludât. Les dons de Raymond Radiguet devenaient
plus étonnants, l'écriture plus parfaite, les personnages plus saisissants.

Je voulais le raconter à Gabriel, je voulais le raconter à ma mère. Ils bouillonnaient avec leurs
découvertes, avec leurs émotions. Gabriel
mouvementait ses après-midi de noctambule avec
des pèlerinages à la galerie Jeanne Bücher, à la
galerie Katia Granoff. Il me décrivait les tableaux
de Duchamp. J'écoutais sans voir, mais l'enthousiasme de Gabriel sur ses joues devenues mauves, je
le contemplais. La dynamite de la poésie surréaliste
n'était pas finie. Les manifestes crépitaient dans les
mains de Gabriel. Paris ? Un aimant. Cocteau, sour-
cier des talents, électrisait. Je l'apercevais à travers
nos vitres dépolies, la chevelure électrique aussi, le
profil incisif. Un jour il leva les bras au ciel, il
referma ses longues mains. C'est beau, tout est beau
ici, dit-il.

A l'étrange actrice de cinéma Musidora aux yeux
phâramineux avec leur ellipse d'anthracite, succéda
une Suédoise : Greta Garbo. La pluie, le luisant de
son ciré, son chapeau cloche, ses cheveux raides, sa
bouche dédaigneuse, ses yeux balayeurs d'univers,
ses longs cils voluptueux sont devenus tout de suite
des classiques du cinéma. J'envoyai ma mère dans
une salle de l'avenue de la Grande-Armée. Elle la
vit, il lui fallut plusieurs nuits avant de retrouver le
sommeil. Lorsque ma mère dit « la divine », elle le
dit avec tant de conviction que le ciel touché est
une paupière baissée. Des heures sont insuffisantes
pour nous extasier. Le dimanche après-midi, ma
mère — elle préférait être seule pour mieux « goû-

ter » —, voyait Ludmilla Pitoëff dans le rôle de *Sainte Jeanne*. Nous discutions. Je préférais *Hamlet* avec Georges Pitoëff jouant le personnage de Hamlet tout en ne souhaitant pas une Ophélie plus éthérée que Ludmilla. Les Pitoëff jouaient au bord de la faillite. Nous y pensions et nous pensions aussi à leur amour avec leur amour du théâtre entre les tirades.

Poussière réussissait, la collection *Feux Croisés* était lancée, Gabriel Marcel circulait entre le bureau de la direction et celui de la publicité avec des titres de livres à paraître : *L'Affaire Maurizius* de Jakob Wassermann, *Jalna* de Mazo de la Roche.

Le secrétaire, en plus des sorties, des concerts, des films, des ballets, des grandes premières, lisait la nuit des manuscrits qu'il apportait, qu'il conseillait.

— Est-ce qu'il est Anglais ? a redemandé le directeur de la publicité.

— Non, il n'est pas Anglais.

— Est-ce qu'il est Américain ?

— Non. Il est Français.

— C'est intéressant ?

— Très intéressant. Si nous ne le prenons pas, d'autres le prendront.

— Prenons-le.

— Le voici.

Le secrétaire referma la porte. Ils discutaient, ils s'animaient, je rongeais mes ongles. Qui était-ce ? Qu'est-ce que c'était ?

Ma voisine de travail tomba malade. Un phlegmon. Je la remplaçai, je demandai une augmentation après des hésitations et des sueurs froides. J'obtins cent francs.

La discipline se resserrait. L'arrivée d'une machine dans la salle aux emballages nous terrorisa. La machine ressemblait aux bascules du métro, ses lèvres ne badinaient pas. Nous avions notre fiche, nous pointions deux fois par jour. Sonnerie. A partir d'une minute de retard, la machine enregistrait en rouge, ses lèvres se fâchaient. Courses, essoufflements entre l'envol des pigeons. Le directeur de la publicité vérifiait les fiches à la fin du mois, il m'appelait, il me reprochait deux minutes, trois minutes, cinq minutes de retard. L'exactitude devenait un fléau. Le temps irréprochable : une colonne noire. Le temps dramatique : une colonne rouge. J'ai eu huit jours de vacances la première année, quinze jours la deuxième, la troisième, la quatrième année.

Hermine achetait des revues : *Vogue, Fémina, Le Jardin des Modes.*

J'effeuillais le Paris inaccessible des magasins de luxe de la rue Royale, du faubourg Saint-Honoré, Hermine tournait les pages, Hermine brisait la vitre de l'autobus à une heure de l'après-midi. Un village me donnait à des centaines de kilomètres de Paris le visage d'une Juliette de trente ans. Elle vivait son bonheur dans l'objectif du photographe de *Vogue,* elle abandonnait sa chevelure. Lady Abdy, nous lisions son nom au-dessous de la photographie, reflétait la grâce et la distinction. Abeille insatiable, je me gorgeais de ses traits, je m'enivrais de sa beauté en profondeur. Nous la retrouvions le mois suivant. Elle régnait. Nous devions la revoir au théâtre des Folies-Wagram, dans *Les Cenci* d'Antonin Artaud. Le texte brûlait acteurs et spectateurs. Nous écoutions l'inceste, nous écoutions le meurtre sur la longue robe de toile couleur fraise écrasée de Lady Abdy. Les cheveux défaits parfumaient l'incestueuse.

Hermine feuilletait, elle appuyait son doigt des scherzos et des adagios sur les choses coûteuses.

— Je ne veux rien.

Je voulais l'impossible : les yeux, le teint, les cheveux, le nez surtout, l'assurance et l'arrogance des mannequins.

La semaine suivante j'errai rue de la Paix. Le samedi j'ai dit :

— Des mules de chevreau rose... Voilà ce que je voudrais. Avec des talons couverts d'or. Je les ai vues rue de la Paix, à l'étalage de Perugia.

— Je les ai vues aussi, a murmuré Hermine.

Elle a désigné les revues de modes, elle a ouvert son porte-billets.

Nous les sortions souvent de la boîte, de leur enveloppe de papier de soie. Je modelais l'or et la forme du talon avec mon pouce, Hermine flattait le chevreau. J'entrais la moitié de mon pied dedans, je ne tenais pas en équilibre sur les talons. Je les avais achetées trop petites pour avoir d'elles deux objets d'art. Des années passèrent, j'oubliai leur prix. J'avais hérité d'une cendrillon sortie de la misère. J'ouvrais la boîte, je vérifiais leur qualité. L'or et le chevreau veillaient dans leur chapelle. D'autres années passèrent, je les offris à Mme Welsch, la secrétaire de Denise Batcheff.

— Tu ne voudrais pas t'habiller ainsi ? proposait Hermine.

Elle appuyait son doigt des Ballades et des Nocturnes sur un tailleur aux épaules carrées.

— Ce n'est pas joli ce que j'ai ? Touche.

— Je le touche a dit Hermine puisque je te déshabille. Au collège tu ne portais pas de cravate. Je me souviens de tes macarons sur les oreilles, ensuite de ta frange dans laquelle tu fourrageais...

— Je portais un uniforme. Qu'il était laid... Je le déformais exprès.

— Tu as changé, dit Hermine.

Elle a refermé le catalogue.

— Dis que je me déguise !

Elle m'interrogeait avec son visage baigné

d'amour. Elle a secoué la tête, elle s'est refusée à l'émotion.

— Tu ne te déguises pas. Tu les imites.

Je me fâchai.

Je réentendais quand même la réflexion dans la maison d'éditions : « J'ai vu Violette Leduc au concert... Oui, dans le même accoutrement. » Je durcissais mon visage baroque avec des cheveux coupés au rasoir au-dessus des tempes, je me voulais un concentré de curiosité pour le public d'un café, pour le promenoir d'un music-hall parce que j'avais honte de mon visage et qu'en même temps je l'imposais. Avouons-le : je désirais plaire à Gabriel. Ma cravate, mon sexe pour Gabriel ; l'œillet à ma boutonnière choisi chez la fleuriste à l'orée de Levallois-Perret, mon sexe pour Gabriel. C'est avec de la fièvre que j'achetai mon premier short, un short d'homme, pour une journée de canotage sur la Marne. Je me souviens de la blessure profonde au pied de Gabriel. Il ne voulait pas boiter, il ne boitait pas. Dix ans plus tard, il m'a dit : « Ton short était trop grand, je ramais, je voyais, c'était plus douloureux que ma blessure au pied. »

Je rejetais la femme au loin, je collais le compagnon à la peau de Gabriel lorsque ma manchette frôlait sa manchette pendant notre poignée de main. Je me voulais ce qu'il me voulait : indifférente à l'opinion. Complexes. J'ai appris le mot après. Je me voulais à la proue de mes complexes.

Gabriel s'assombrissait, il changeait de conversation aussitôt que je parlais de mon acte de naissance. Gabriel avait perdu son père depuis longtemps. Sa petite dent scintillait davantage quand il me disait : ils étaient marchands de meubles à Caen. Sa mère préférait sa fille. Une enfance frustrée.

Quant à Hermine... je devais parler de mon père, je devais décrire son train de vie, celui de ses parents, celui de son frère à Paris. J'effaçais ma mère, j'enluminais mon père.

Paris-Plage mûrissait pour notre semaine de vacances. Forêt, fiacres, toilettes, villas miroitaient dans les revues. Je lui demandais : chez toi, avec tes sœurs, tu feuilletterais ça ? Comment peux-tu poser une question pareille répondaient d'abord ses yeux. Elle s'écriait : Où trouverions-nous le temps mon pauvre chéri ? Avec nos livres à lire, la musique à déchiffrer, nos promenades le soir... Elle me démontrait une Hermine insouciante et authentique chez les siens, une Hermine soucieuse d'être généreuse avec moi jusqu'à supprimer livres, promenades, musique. Au début je n'exigeais rien. Maintenant j'exigeais qu'elle vît moins les siens. Je méprisais leur vie de famille, leur spontanéité parce que je désirais cette vie et que toujours j'en serais rejetée.

Le matin de notre départ en vacances, elle m'éveilla, elle éteignit la lampe, elle ouvrit les volets.

— Elle est finie, dit Hermine. Essaie.

Je voulais un col serré jusqu'à l'incrustation. Hermine dit qu'elle le modifierait, qu'elle le perfectionnerait dans la chambre d'hôtel. Pardon pour ma nuit blanche, pardon pour ce triste résultat, suppliaient ses yeux. Elle tomba de fatigue pendant le voyage. L'interprète intrépide de la sonate dite *La Pathétique* s'écroulait pour un chemisier cousu main. Je secouais Hermine, elle retombait, je suffisais seule à la course au panorama. Des gardes-barrières invisibles me donnaient des coups de poignard avec leur petit jardin, leurs petites cordes à linge, leur petit poulailler, leur petit potager. Je détournais la tête, j'allumais une cigarette. La sonnette d'alarme se proposait. Descendre, piétiner le chemisier, chercher, torse nu sous ma jaquette, une maison à l'abandon, tout recommencer avec Hermine. J'ai pris une revue de modes dans la valise, j'ai demandé si nous irions dans un hôtel près de la plage. Hermine dormait.

L'arrivée dans la gare de la station balnéaire m'a déçue. J'espérais une foule de jolies femmes et de jolis garçons dénudés et bronzés sur le quai, j'espérais le sel avec les embruns sur leurs lèvres, j'espérais la rosée des bains de mer en bracelets, en colliers, j'espérais une terrasse de buffet de gare avec le ramage de Montparnasse, avec la blancheur coriace des plastrons, le chaste décolleté des smokings, la virtuosité des souliers vernis, les arabesques des bras sortant des perles. La province vivotait entre les porteurs blasés, Hermine se cachait pour bâiller. Je retrouvai mes frivolités dans le courant d'air idéal de la rue principale. La mer, loin de notre arrivée, donnait de sa solitude et de son immensité aux tables dressées. Des calèches de louage rentraient.

— Ne dors pas. Tu dors debout. Tu ne veux pas qu'on entre ici ? Tu ne veux pas qu'on s'aime ici ?

Hermine a cherché. Son visage ne s'ouvrait pas.

— S'aimer ici ? Qu'est-ce que tu veux dire ?

J'offrais l'amour à un cierge qui fond.

— L'hôtel ne te plaît pas ?

— Entrons, a dit Hermine.

J'effleurais le bois d'une chaise, les meubles rustiques dans l'entrée de l'hôtel perdaient de leur importance.

— Partons... Je préfère ton fauteuil, ai-je dit dans un élan de renoncement.

— Trop tard, a dit Hermine.

Un obséquieux est arrivé :

— Ce serait pour combien de nuits ?

J'ai vérifié mon nœud de cravate.

Une jeune fille nous a menées jusqu'à notre chambre. Qu'il était doux de se changer en deux enfants trouvées assises sur un lit, avec une écuelle de calme à nos pieds.

— Ne sois pas fatiguée...

— Je ne suis plus fatiguée.

J'ai fermé les doubles rideaux.

Meubles, objets, acomptes d'éternité. O sillage de la résignation, ô note soutenue, ô fidélité des grandes orgues jusque dans les meubles et les objets. Hermine couchée en travers du lit souriait au plafond. Son visage redevenu ardent était plus intense que son sourire.

— Je le joue, a dit Hermine.

— Le *Concerto italien* ?

— Oui.

Elle jouait de mémoire, elle s'absorbait. Je ne devais pas écouter.

Plus tard j'ai dit :

— Tu veux ?

Hermine voulait ce que je voulais.

Je la déshabillais avec des mains de miniaturiste. Des femmes, sans doute des femmes de service, de fenêtre d'hôtel à fenêtre d'hôtel, tonifiaient les espaces avec leurs éclats de voix. Nous plongeâmes dans notre azur habituel.

Deux heures plus tard dans la même rue de Paris-Plage :

— Suivons-les, Violette. Un instant, pas plus d'un instant, je te le promets.

— Tu es folle. Il n'y a qu'eux dans la rue. Ils s'en apercevront. Nous sommes venues ici pour suivre les gens ?

Hermine a soulevé les épaules :

— Ce ne sont pas des gens. Lève ton col. Nous sommes au bord de la mer. Je vais les suivre seule.

Hermine partait. Elle ressemblait à un artiste peintre avec son feutre noir. J'ai trottiné à côté d'elle :

— Tu peux me dire ce que tu leur trouves ? Elle est maigre, il est gras.

Les vitrines de chaque côté de la rue se renvoyaient les choses.

— Moins haut, a chuchoté Hermine. Elle n'est pas maigre, il n'est pas gras. Ils s'aiment.

J'ai ri. Je me forçais.

— Tu sors de l'hôtel, tu devines qu'ils s'aiment...

Hermine a considéré l'expression de mon visage :

— Ne sois pas jalouse, dit-elle. Nous aussi nous nous aimons.

Elle a mis son bras sous le mien. Il a fallu les suivre.

L'homme, une soixantaine d'années, toute sa force, toute sa virilité reposant dans ses reins, s'est tourné vers sa compagne. Son visage coloré, ses boucles de cheveux gris retombant sur son front ont réchauffé la rue. Transmission de mouvement : ils se sont unis en se prenant la taille, ils ont continué leur chemin. Nous allions droit devant nous, jusqu'à la blondeur charitable du sable, jusqu'à la frange, jusqu'à l'étirement de la vague. La mer du Nord avec ses résonances de caverne livrait une bataille. Nous tenions notre chapeau, nous serrions notre jupe entre nos jambes, nous titubions. Le vent nous possédait, nous étions ridicules. Pas d'estivants, pas de parasols ouverts.

— Parle.

— Je la regarde, a dit Hermine.

— Pendant des siècles ?

— Pendant cinq minutes.

Un homme ramassait les vieux papiers. Il nous demanda une cigarette, il la rangea à l'intérieur de sa casquette.

La promenade en fiacre dans la forêt nous ranima. Le cocher désignait les villas, il citait le nom des propriétaires. Reposées par le trantran des roues caoutchoutées, rajeunies par la santé des

arbres, semblables à deux gamines effrontées, nous
nous poussions du coude lorsque nous reconnaissions des noms lus dans *Vogue,* dans *Fémina.* La
station se transforma en alcôve jusqu'à notre
départ.

Des parutions importantes étaient dans l'air.
Montherlant téléphonait, il demandait de la publicité pour une réédition du *Songe* dans une édition
populaire. Julien Green débutait : il ne levait pas
souvent les yeux pendant qu'il dédicaçait son premier livre sinon pour parler de musique avec le
secrétaire. Timide, il intimidait. Le manuscrit qu'il
ne fallait pas laisser « échapper », c'était *Mont-
Cinère* (publié avant *Poussière*) devenu des piles de
livres sur notre table. Un météore tomba dans notre
bureau : Georges Bernanos. Nous avions lu les
bonnes feuilles de *Sous le soleil de Satan,* nous
attendions un auteur au physique peu rassurant.
Quels œillets il nous lança au visage avec son rire le
jour de son service de presse. Tout l'amusait sans
mièvrerie. Beau de la beauté d'un hidalgo de quarante ans, le teint mat, les yeux passionnés avec de
temps à autre les paillettes de l'enfance. Ses yeux :
deux volcans dans leur plénitude. Une présence
opulente. Dès qu'il se taisait, c'était un don
Quichotte bien nourri, de taille moyenne, avec le
même feu, avec la même tempête dans la tête. Il
improvisait, en se souvenant. Le souvenir de son
bref séjour en prison avec Henry Bernstein pendant
leur service militaire l'amusait jusqu'à le secouer.
Une bombe explosa dans tous les services ; la
curieuse jeune fille un peu noiraude, à l'accent
rocailleux, penchée sur sa machine à écrire dans le
coin le plus discret du secrétariat écrivait : Henri
Massis, le premier, avait lu son manuscrit. Elle écrivait le soir. Nous ne l'avions pas supposé, nous ne
l'avions pas deviné, voilà ce qui nous étonnait. Le

pseudonyme était prêt : Michel Davet. Le titre aussi : *Le Prince qui m'aimait.* Je ne l'avais pas lu, je
ne savais pas ce que c'était.

Mes retards sur la fiche de pointage, mon gain
dérisoire, mes heures de présence, de 8 h 15 jusqu'à
12 heures, de 13 h 30 jusqu'à 18 h 30 du lundi au
samedi 12 h 30, ma course jusqu'à la porte Champerret, pour être mieux nourrie, la chasse aux échos
pendant des années, les livres vidés de leurs anecdotes, la montagne de revues, de quotidiens après
deux jours de répit, les ronchonnements de Mlle Conan me décourageaient. Je pris en grippe le service. Il y aura toujours des intermèdes. Simonne
Ratel, une excellente journaliste attachée au journal *Comœdia,* ouvrait la porte de notre bureau, elle
inondait la pièce de soleil. Elle nous demandait
comment nous allions, elle nous donnait le mois de
mai chaque fois qu'elle venait. Elle me dit combien
lui plaisait ma jupe plissée bleu lavande, mon pull-
over de la même couleur. Classeurs et dossiers devenaient charmants. Mlle Conan fredonnait après le
départ de la semeuse de printemps.

J'étouffais dans notre bureau, je partais à la recherche de bavards et de bavardages dans les autres
services, un directeur surgissait, je mimais une occupation, j'inventais un renseignement à obtenir. Je
me retrouvais dans la librairie, je saluais Jérôme et
Jean Tharaud, je remerciais Stanislas Fumet généreux avec mes échos insérés dans le journal
L'Intransigeant, je m'enfonçais dans les locaux com-
pliqués et exigus de *La Revue hebdomadaire.* Livres
et manuscrits, ainsi que de la mauvaise herbe, envahissaient tout. Le directeur, François Le Grix, four-
nissait un labeur acharné pour sa revue. Un jeune
homme élégant le secondait. Le maintien, la discrétion, le doux visage fermé, la froideur agréable de
Robert de Saint-Jean, secrétaire de rédaction,
m'intimidaient. Je revenais dans notre bureau, je

m'occupais, je végétais. Mes yeux tombaient sur le buvard, je mâchais ma banane, mon petit pain dans un univers de mollusques. Je ramassais mes yeux, je les replaçais, je vivotais pour l'ascension d'un moucheron sur la vitre, pour la débandade solitaire d'une araignée, pour l'aumône d'une horloge sonnant la demie. Je détachais les filaments à l'intérieur de la pelure du fruit.

Elle, elle arrivait dans ses fourrures à la fin de l'après-midi, sa voix me tenait en haleine. Forte, sereine, lumineuse, c'était la voix d'une jeune fille domptée par une adulte. Soupirs, pauses, respiration d'une musique, rien ne manquait. Ordinaire de sa mélodie : « Paris est de plus en plus encombré. Vous ne vous faites pas une idée de la circulation. Nous avons mis trois quarts d'heure pour venir de... jusqu'ici. » L'actrice Simone publiait son premier roman *Le Désordre* dans la collection « La Palatine », le directeur la recevait dans le boudoir près de notre bureau. Sa vitalité me subjuguait à travers le mur, son élocution me fortifiait. Je parlais pour elle, je parlais avec elle, j'étais au spectacle. La sève de la facilité pétillait dans ma tête. Je revenais à la table, moisissure d'habitudes, je m'imposais au porte-plume couché devant l'encrier, à la feuille de papier blanc, à sa terrible nudité, j'étais maîtresse de mon effort avant de m'efforcer. J'avais vu jouer l'actrice au Théâtre de l'Œuvre, dans *L'Acheteuse* de Steve Passeur, j'avais lu *Le Désordre*, j'avais retenu l'atmosphère singulière du roman. Elle parlait, elle parlait : notre pauvre bureau s'élargissait, se changeait en file d'automobiles, en avenues, en rues, en carrefours. Je l'ai rencontrée longtemps après, aux environs de Paris, dans un préau pour conférences, échanges, discussions entre écrivains. C'était le soir à Royaumont. Les auteurs jouaient aux charades sur l'estrade. Ils trouvèrent *Sparkenbroke*, ils cherchèrent une autre devinette. Mme Simone dans sa fourrure de fin de journée créa, je ne sais comment, un cercle à confidences. Nous étions trois : Renée Saurel, Jean Amrouche, moi-même. Les souvenirs affluaient dans un éclairage en détresse. Mme Simone se souvenait des questions moqueuses posées à Marcel Proust dans le monde. « Alors mon petit Marcel, on travaille toujours ? » « Alors mon petit Marcel, il avance ce grand travail ? » Ce soir-là l'actrice empoignait autant qu'elle charmait. Elle écrivait de vive voix.

Hermine a été nommée en Seine-et-Marne. Quitter ses parents... C'est facile, c'est très facile sur le moment. C'est plus difficile après. Je me suis séparée de ma chambre, de leur appartement, du groupe d'immeubles, du XVII⁰ arrondissement avec une aisance imprévisible. Hermine était venue déjeuner chez eux. Nous fermions tous les yeux. Notre liaison, nous la rendions imprécise. Pourquoi quitter ses enfants, ne serait-ce pas facile aussi ? Je les soulageais de mes mouvements d'humeur, de mes emportements, de mes sorties nocturnes, de mes retards à l'heure du dîner. Mon départ pour ma mère : l'extraction de son roman. J'enlevai avec indifférence mes nippes de mon armoire de jeune fille. Hermine me demanda pourquoi j'avais vécu des années dans une chambre avec une fenêtre sans rideaux.

— Parce que je me fiche de tout le monde, dis-je à Hermine.

Je quittai donc mes parents avec la légèreté d'un promeneur à l'heure de la fermeture d'un square. Je descendis leur escalier avec la fierté d'un coq, premier chanteur des premières lueurs. Gabriel, devenu portraitiste dans les cafés de Montparnasse, dormait à la cime des désaxés. Je m'installai avec Hermine dans un hôtel meublé de Vincennes, dans une rue tranquille à deux pas des tramways.

J'arrivais fourbue à huit heures du soir. Je me séparais des foules, des piétinements de la station de métro Châtelet, des attentes entre les chaînes et les piquets de la porte de Vincennes. La cuisine, sa superficie de mouchoir de poche... L'odeur romantique du veau dans la casserole me suggérait des attitudes d'enjôleur de village. Je penchais un peu plus mon béret, je croisais les bras, j'attendais le dîner appuyée contre la porte de notre garni, imprégnée encore du bonheur de notre porte, au fond du couloir, au dernier étage.

— Biniou, s'écriait-elle.

Elle venait avec le livre de cuisine de ma grand-mère, les recettes qu'elle copiait dans les journaux s'envolaient.

Satisfaite de sa journée de classe, de la directrice, de ses élèves, de ses collègues, de Paris, de Vincennes, de son sommeil, de son réveil, de ses nuits courtes, de ses projets de leçons de solfège, Hermine chantait un scherzo, elle prononçait le nom de chaque note, elle plaquait les accords avec sa tête à gauche, pour les basses, à droite pour les aigus. Elle se penchait à la lucarne : la lumière était classique.

— Qu'est-ce que tu vois ?

— Couperin.

— Viens, lui disais-je. J'ai faim.

Guérie, ma supérieure dans le travail apparut de moins en moins. Le bureau, les échos l'ennuyaient malgré son régime de faveur. Elle s'occupait d'une compagnie de théâtre « Les Tréteaux », elle écrivait une pièce : *Notre-Dame de la Mouise*. Elle nous donnait trois heures, deux heures, une heure de présence, elle ne nous donna plus rien. Je travaillais pour deux, je travaillais aussi pour le secrétaire de publicité, j'espérais que mes gains seraient doublés. Rien ne vint. Je me plaignais à tous, sauf au directeur, sauf au secrétaire. J'obtins une augmentation de cinquante francs par moi.

J'attendais mon tour avant de monter dans le tram à la porte de Vincennes, je me souvenais de ma mère rencontrant Gabriel dans un café de la porte Champerret. J'écoutais mon passé avant l'arrivée d'Hermine à Vincennes :

« Viens manman. Je lui ai promis que tu viendrais. Il nous attend dans le café. Tu voulais, tu ne veux plus ? Je te répète qu'il est dans le café comme c'était convenu. Sois belle, habille-toi, mets tes renards. Je parlerai, Gabriel parlera. Entre la première, manman. Qu'il te voie. Oui l'homme seul, à la table dans le coin. Oui, c'est Gabriel. Avance, il nous a vues. »

« Comment le trouves-tu manman ? — Il ne parlait pas. — Non, il ne parlait pas. — Ses yeux dans les tiens, c'est fou Violette. — Qu'est-ce que tu veux dire avec "c'est fou" ? — Te regarder ainsi sans rien demander... »

« Comment trouves-tu ma mère ? Gabriel je te parle et tu ne réponds pas. Comment trouves-tu ma mère ? Elle ne te plaît pas ? — Non, elle ne me plaît pas beaucoup. — Explique-toi. — Il n'y a rien à expliquer, bonhomme. »

La vie en hôtel meublé excite. Le mobilier se compte sur les cinq doigts de la main, il nous délivre de la peine des déménageurs. Ce qui se loue allège. C'est la transition entre le dénuement et la possession. Une chambre d'hôtel meublé est l'aboutissement d'une salle d'attente. Cloisons entre les chambres, résonances maudites, résonances aphrodisiaques, communauté d'alvéoles, contagion de la bagarre, du rut, du drame. Nous recommençons l'amour avec nos voisins les amants. Nos semblables en gueulant se précisent, ils nous donnent et nous leur donnons l'ivresse, la rage. Promiscuité, pénétration, mirage d'une communauté, voilà l'hôtel meublé.

Regrets, manies, nostalgies chaque samedi entre Chaussée-d'Antin et Havre-Caumartin.

Paris est tuant Paris me tue me noie je me promène et je meurs dans ce fleuve d'autos forcenées plus vite moteurs oui tout droit oui là-bas le lit m'attend le ciel borderait mon flanc je suis la foule la foule me suit notre chambre morceau de journal sur la chaussée Violette se promenait Hermine enseignait le tic-tac voulut s'envoler de la chambre qu'elles négligeaient une main sur mon front point d'interrogation c'est un platane c'est une feuille un arbre pleure je suis la foule la foule me suit il faut traîner il faut s'encrasser il me faut ce bruit d'une artère de Paris il me le faut sur ma nuque froide est la musique cylindrique un sac est pris un sac est accroché la foule hésite la femme arrache son sac à la hanche de l'homme sauvés ils ne se connaîtront jamais qui me force à venir ici le samedi j'ai tant de cimetières sur les épaules Fidéline Isabelle Gabriel ça meurt c'est mort fleurissez-nous petite mère entre Havre-Caumartin et Chaussée-d'Antin fleurs de tristesse tant de blancs œillets ébouriffés chez les lingères quand l'incestueuse a perdu son frère la charité monsieur la charité madame si j'osais c'est pour réchauffer mes petits cimetières arrêtons-nous devant ce frais bocage entre les pieds des mannequins d'étalage Hermine je te parle croque la craie mange le tableau rumine notre chambre meublée on ne dit pas un petit peu on dit un peu je ferai attention manman une autre fois je ferai attention combien de fois m'a-t-elle regardée ainsi commençons je plisse mon visage avec tes grimaces tu auras des rides plus tard je plisse mon visage procédé-souvenir pour son regard après que j'ai dit un petit peu elle me reprend je baissais les yeux je lève la tête je la surprends ne me regarde pas ainsi pendant que je ne regardais pas tu n'y es plus magister je n'insiste pas je ne lui dis pas tu m'observais tu étais détachée je préfère la gifle la roue le fouet pour un petit peu au lieu d'un peu mais pas me regarder ainsi trop détaché trop indifférent les hommes non les hommes ne profitent pas de votre absence d'une seconde pour vous glacer satyre votre main j'appelle un agent c'est une jeune fille c'est une enfant qui menace volatilisé le satyre la sagesse moisie de notre chambre quand elle est seule j'ai jeté les anémones le vase rêve incroyable l'homme et la femme avec le sac d'une autre entre eux se sont trouvés minute pavoisée traîneaux aériens de sueur et de poudre de riz ils se parlent ils partent une rencontre le ciel laisse naviguer un petit cœur doré c'est banal c'est crucial si c'était Gabriel si c'était Hermine je suis clouée sur place je songe à ce que je ne songeais pas bouscule-la elle avancera se planter ici une idiote une rencontre champ à perte de vue de l'horticulture mes yeux mes clématites bleues je suis aveugle printemps quel genre avec son béret basque sur le côté vous vous croyez où Gabriel mon philtre dans un profil avançons puisque je suis la foule puisque la foule me suit qu'est-ce que ce battement le petit entre mes lèvres pour Hermine bouche-émotion bouche-tremblement pour Gabriel quand il me dit tu me plais bonhomme sa main tombe sur la mienne il l'a dit c'est fini Gabriel se tient la joue sous le dôme du Sacré-Cœur je vais mieux c'était un vertige une bouffée de chaleur un mirage femme plus homme sur l'autre trottoir égal deux inconnus l'autre trottoir repart avec la barque à la voile noire un désespoir à soustraire je vais bien non cela me reprend quels élancements j'ai trente-deux dents malades sur le cœur tu n'es jamais contente Violette ne sois pas exigeante sois dans la vie bon sang pas de reproches manman Gabriel a un ciel de lit au-dessus de son hôtel c'est un roi le roi de ceux qui ne pensent pas au lendemain je suis la foule la foule me suit Hermine surveille la récréation Gabriel se soûle de sommeil Hermine Gabriel m'écartèlent recommence pour voir Hermine et Gabriel m'écartèlent tu sais ce que tu es lorsque tu te délivres de cela non je ne sais pas Violette en sucre d'orge ne sait pas Hermine virgule doux Jésus point d'exclamation elle est venue réfléchis le Conservatoire englouti timide elle ne pouvait pas donner des concerts où va-t-il ce bel homme visage et tour d'ivoire ont passé raté son premier prix sa carrière visage d'un bel homme une croix à méditer professeur de musique où peut surnager son traité d'harmonie historien veux-tu que j'emplisse ton encrier plus tard tu nous écrirais colombes et pigeons s'abattaient sur Paris cette année-là Paris fut inondé avec des plumes et du duvet va donc Cyrano de Bergerac ils te le crient ma

Violette ils s'esclaffent les mômes de la capitale mon
nez mon os et ma viande à souffrance je le pinçais
avec une pince à linge ma pince à linge à seize ans
seize ans l'océan me demandait la charité seize ans
mes entrées dans le coucher de soleil ah visage sexe
du miroir ah miroir dans lequel hommes et femmes
sont tous putains je te plais Gabriel point d'interrogation j'ai des petits pieds ma mère dit à Hermine
regardez elle a des pieds d'enfant je suis la foule est-
ce que la foule me suit un vitrier dans le remous
c'est mal élevé ça exhibe son métier taisez-vous avec
vos petits cimetières sur vos épaules c'est inévitable
monsieur le vérificateur ce sont mes tombes avant
de naître il faudra que nous en parlions avec
Gabriel tais-toi sourire grand siècle des mannequins
de magasins tu te démodes avec Gabriel il t'a jugée
ton portraitiste bon je veux qu'il dorme dans un
cygne en bois des Iles non dans un cygne en syco-
more non dans un cygne de la grandeur d'un nid je
connais les oiseaux ils ne me refuseront pas ce service un rouge-gorge construisait une merveille avec
le poil des lièvres qui se battaient Gabriel tire sa
révérence Hermine lui a pris ses sacrifices pourquoi
ne me l'as-tu pas écrit Violette j'aurais compris je
suis la foule la foule me suit sans importance
mazette dirait ma mère sans importance ses nuits
dans les rues d'Amiens pendant que nous droguions
nos jambes trois points de suspension interrogateurs
elles préfèrent un ensemble de petit dîner elles ont
choisi sans acheter j'ai choisi Hermine Gabriel est
ici à la pointe de mes cils vous sortiez en camarades
ouais il suppliait ma main donnait sur la flaque de
cheveux entre les aines l'homme quand c'est un friselis une aria sous ma main mes aïeux Gabriel s'est
retiré dans ses macadams de Montmartre mensonges
cachotteries placés d'eux-mêmes au mont-de-piété
quel genre c'est vrai mon béret penché d'un côté
quelle maigreur quels cernes au revoir reflet à la

prochaine mannequins votre sourire m'envoûtera encore votre bronzage c'est mon bain ma serviette de cuir sous le bras mes paupières chastes ô combien chastes mon regard oblique je suis l'apparence je me promène dans une forêt les sexes brûlent.

J'entrai dans le grand magasin.

Quelle tête, ma pauvre Violette. Bonne averse de lumière électrique pourtant. Si tu cherches la maison pour deuil en vingt-quatre heures, tu te trompes, tu t'es trompée. Tu as passé le seuil du palais de la frivolité. Pourquoi suis-je entrée ici ? Hermine voudrait. Qu'est-ce qu'elle voudrait, Hermine ? « ... Je te préférerais avec un chapeau, des cheveux plus longs. Une cloche. » Elle veut une femme avec une cloche. Ici les étiquettes nous égarent, crise de convoitise. Des moissons moissonnées à emporter. La belle amour de la chose et de l'argent. Quel soupir. Je suis où je dois être.

Je demeurai stupide à côté des ascenseurs.

Les clientes exténuaient les miroirs avec ce qu'elles préféraient. J'entendis ma mère au loin. « Sois femme. Quand seras-tu femme ? » Je confondais la tactique et la coquetterie morale avec la parure. Mains avides. Yeux assoiffés. Visages de coquettes, visages de savants. L'atmosphère m'engourdissait, le clignotement du bouton de l'ascenseur m'endormait. Du limon, c'est du limon. Qui parlait sous mes pieds ? Le parquet du grand magasin ne voulait pas de mon limon.

Nuages blancs, nuages roses, nuages bleus, nuages verts. Ils m'attirèrent. Je soupesais, je chiffonnais, je caressais, je griffais, j'enfonçais mes ongles. Je barbotais dans cette mousse qu'on appelle le luxe à la portée de tous. Une chaleur m'envahit. Nuage parmi les nuages parce que vendeuses, clientes, chefs de rayon s'agitaient loin de mon commerce et de mes amitiés avec la soie. Je m'appesantis, je regardai avec de la colère qui me venait de je ne sais d'où, je

regardai à droite, à gauche. « Des cheveux plus
longs... » Hermine, un cache-sexe couleur de feuille
de muguet, cela te plairait-il ? Un noir, un bleu, un
jaune, un orange, un saumon ? Je mis, comme si je
l'avais toujours fait, le noir, le bleu, le jaune,
l'orange, le saumon dans ma serviette. Un vol, une
rose étranglée. La magnificence de mon petit vol me
venait de la rapidité avec laquelle la chose à vendre
se changeait en chose vendue sans payer. Je cueillais
des cache-sexe. Je bruissais, j'avais des ailes, des ailes
et des ailes dans la tête, j'étais fiévreusement seule
en ayant le monde dans mon dos. Ah ! que je me
délivrais de la suffisance des choses neuves. Encoura-
gée, je m'acheminai vers les houppes de laine, de
velours, les poudriers, les bijoux scintillants, les fan-
freluches, le clinquant. Je volais aussi pour dérober
aux femmes ce qui les féminise. Un rapt dans une
nuit à moi personnelle puisque les autres ne me
voyaient pas. Enfin j'avais beau calculer et poser les
jalons de la malhonnêteté, prévoir la seconde de la
prise de l'objet, témoigner à l'avance de la sûreté de
mon geste, je m'abandonnais au pire et au meilleur,
à l'échec et à la réussite, à la mort et à la vie, à
l'enfer et au paradis pendant l'instant où je volais.
Ma serviette gonflait d'inutilités. Je cessai après
avoir pris une pince à épiler.

Je quittai le grand magasin ni fière ni humble.
Maintenant la foule était une foule rafraîchissante.

— Suivez-moi, dit-on dans mon dos.

Je tournai la tête.

— Suivez-moi, dit la même voix près de ma
tempe.

Je le suivis. Je tournai avec lui le coin du magasin
et, après cent mètres dans une rue reposante,
j'entrai dans l'antre des voleurs pris. D'autres anonymes qui ressemblaient à mon accompagnateur
avec leur costume mastic attendaient debout près

d'une table derrière laquelle un anonyme assis attendait aussi.

L'accompagnateur prit ma serviette, il sortit les choses et les objets un à un.

— Pourquoi faites-vous cela, me dit-il.

Les anonymes me regardaient sans méchanceté.

— C'est la première fois, dis-je.

Je pleurai sans remords, sans regrets. J'essuyai mes yeux, je vérifiai les témoins de mon paradis que je perdais.

— Pourquoi faites-vous cela, redit l'anonyme.

Il referma le fermoir de ma serviette de cuir. C'était presque paternel. Je sanglotai.

— C'est la première fois, redis-je entre mes sanglots.

Je sanglotai plus fort sur ce qui se fait et se défait tout de suite. Choses volées, choses envolées.

— Ma serviette, m'écriai-je. Vous me la rendrez ?

Il mit à part cette vieille serviette à laquelle je tenais plus qu'à n'importe quoi au monde.

— Je la garde, me dit-il.

J'ai tendu mes bras vers elle.

— Ma serviette, ma serviette..

J'appelais le résidu de ma prouesse.

L'anonyme ouvrit un registre, il inscrivit la liste des objets volés. Les anonymes inoccupés s'intéressaient à l'insecte avançant sur le papier.

Je pleurais à chaudes larmes sur mon aventure démaquillée.

— Vos nom, prénom et adresse, dit l'anonyme.

Il ouvrit un autre registre.

— Vous n'allez pas me garder ?

— Vos nom, prénom et adresse.

Il s'impatientait. Je m'effondrai.

Les autres m'observaient avec la compassion des animaux lorsque rien de nos misères ne leur échappe.

Je gémissais, je cherchais leur pitié :

— J'ai un beau-père... Ce sera terrible si mes parents l'apprennent. Ma mère, pour ma mère... Qu'est-ce que je vais devenir, qu'est-ce qu'elle deviendra...

Je pensais à ma honte devant eux, devant elle, à leur choc.

J'épelai mon nom, l'adresse de mes parents parce que nous devions, ce samedi-là, habiter deux jours chez eux pendant leur absence.

— Pourquoi faites-vous cela ? recommença-t-il.

Il donna un coup de poing sur la table. Je le chagrinais.

Il s'attendrit, exprimèrent les regards des autres.

— C'est la première fois. Croyez-le.

Il me fixa.

— Je le crois, dit-il.

Il ne manquait pas de métier.

— Mais pourquoi ? dit-il encore.

J'étais libre. Rien n'était décidé. Je devrais revenir au début de la semaine suivante. Il me rappela, il me demanda mon métier. Je lui parlai de mes échos dans les journaux, j'espérais fortifier son indulgence. Vous n'êtes pas une voleuse professionnelle. Vous êtes une limace, me dirent ses yeux en guise de conclusion.

Ma serviette de cuir me manquait. Les musettes se ressemblent plus qu'on ne croit. Je murmurai un timide au revoir messieurs.

Je sortis meurtrie, saignante, abrutie. Je ne reconnaissais rien. De l'eau bleue brouillait mes idées. J'allais entre la prison manquée et l'oxygène à reconquérir. L'odeur des gaufres, du sucre vanillé à mi-chemin du Printemps et des Galeries Lafayette, délicieux traquenard jusque-là pour mon souvenir de Fidéline, me chassa sur l'autre trottoir. Mystère d'un recommencement, je pleurai à côté de la même soie, de la même dentelle : celles des magasins « A la Ville du Puy ».

Hermine a mis le couvert dans la salle à manger de mes parents en vacances pour deux jours. J'ai fléchi :

— Hermine, je voudrais te dire...

Je le racontais sans paroles.

— Parle, a dit Hermine.

J'offrais un visage de solitude, j'offrais le dernier grain de poussière que je deviendrai.

— Pourquoi me regardes-tu ainsi ? Tu me fais peur.

Paris était un roulement par la fenêtre ouverte. Hermine a frissonné.

Elle caressait mes cheveux, elle m'appelait : « Mon enfant à moi. » J'ai pris sa main, je l'ai gantée de baisers.

— Je te donnerai ce que tu voudras. Demande, implorait-elle.

Je lui présentais une aurore : un recommencement. Elle m'offrait apéritif, cinéma.

Ma musicienne, ma sourde.

Vois, entends. Je te donne la couronne d'étincelles de la lampe Pigeon de Fidéline, la flamme battue et rebattue dans une soucoupe de suif.

Hermine a fléchi aussi. Nous étions sur leur moquette, face à face, séparées.

— Regarde, a-t-elle dit comme si c'était important.

Un moineau retardataire sautillait sur l'appui de fenêtre. La soirée dehors devenait inconfortable entre chaque sautillement.

— Tu as pleuré. Dis ce que tu as, suppliait Hermine.

Le moineau s'envola vers un univers irrésistible, pour toujours inconnu de nous. Il nous délivra, il nous laissa une cour des miracles : culs-de-jatte, nous avancions l'une vers l'autre.

Je me remis à pleurer.

— Tu ne m'aimes pas, dit Hermine, tu es triste.

— Je ne t'aime pas, Hermine ?

Je me sentais coupable, je désirais tout croire, tout recevoir. Mes larmes mouillèrent la nuque d'Hermine.

— Se désoler alors que nous avons une soirée, une longue journée devant nous. Tu as un sujet ? Tu as un motif ?

— ...

Elle s'est levée, je l'ai suivie. Elle arrangeait les pointes de ses cheveux lisses. Ils finissaient en accent grave sur les joues.

J'enveloppai à deux mains ses cheveux courts.

Hermine s'est dégagée :

— Laisse-moi prendre une cigarette...

Ce soir-là elle fumait des Maryland. Son style de fumeuse ressemblait à son écriture incisive.

— Je veux savoir ce qui est arrivé.

Je t'adore, j'ai volé, c'est dans mon gosier. Je croyais que j'aimais Hermine.

Elle m'a demandé ce que je voudrais. J'ai répondu avec mes larmes : un chapeau, des cheveux plus longs, c'est ce que tu veux. Hermine criait : Demande-moi des tas de choses, des tas. Je voudrais une houppe en velours. Je me poudrerai quand nous sortirons. Tu en auras plusieurs, répondait Hermine. Je voudrais de la lingerie de toutes les couleurs. Je te donnerai de la soie naturelle, du satin réversible, du voile de soie mon petit, ma petite... Je choisirai dans les grands magasins si cela s'arrange. Pourquoi cela ne s'arrangerait-il pas ? dit Hermine sans comprendre, sans chercher. Elle veut une femme, elle aura une femme et je n'ai plus à voler, me suis-je dit. J'étais lasse. J'avais besoin d'elle et j'avais besoin de l'hiver pour le sommeil de la terre. Elle était partie dans le cabinet de toilette, prête à payer les étoffes de Lesur, de Colcombet que nous ne connaissions pas encore.

Le samedi, Hermine est un meuble verni. Ce soir j'ai dérobé, ce soir je suis contagieuse. J'entendais le frottement reconstructif de la brosse à habits. Non je n'ai pas revu Gabriel. Le jour il dort, tu le sais. Gabriel est frileux, il a trop dormi à la belle étoile. Gabriel est un frère à travers les siècles. Elle brossait ses cheveux. Se taire, c'est donc cela vivre ensemble. Je me tais, mon soupir te dit : j'ai volé. Maintenant je suis un malheureux petit chien, il vient de naître, il est perdu dans une ruelle à trois heures du matin. Ça dort, Hermine, et tu ne vois rien. Il respire vite, il appelle sans cris. Hermine se consacre à la gomina. Gélatine rose sur cheveux noirs. Le brillant d'une rota.

Je ne me souviens pas où je l'ai rencontré. Je me souviens que Gabriel, ce soir-là, devait dîner dans notre chambre. Sa voiture aura ralenti, il sera descendu, il m'aura suivie. Marcher plus vite, marcher plus lentement, changer de trottoir, inventer la tête levée pour le jour déclinant, une cadence de solitaire invincible. Etre suivie. Un trottoir me courtisait.

Je montai dans sa voiture, nous échangeâmes nos métiers. J'appris qu'il était l'aide de camp du général Lyautey. La simplicité de son automobile me contrariait. Le comble du raffinement, me disais-je en regardant ses gants de cuir déformés. Je me souviens de son unique confidence : il jouait du piano pendant les insomnies de son chef. Son grade d'aide de camp au loin, son piano la nuit au-dessous des astres du désert, m'effarouchaient. Il parlait de la soirée, des livres qu'il lisait, de notre prochaine rencontre, d'un dîner au restaurant Lapérouse. Il s'exprimait avec une facilité qui me glaçait. Il éludait avec politesse aussitôt que j'évoquais, avec mes pauvres chromos sur ma langue, les palmiers, les sites, les femmes voilées. Il était venu à Paris, il parlait de Paris. Mais des autruches ébouriffaient les acacias, un tigre s'impatientait dans chaque voiture de sport, des gazelles sur leurs hauts talons vernis s'enfonçaient dans nos oasis, les jardins. Il s'arrêta où je le demandai, nous parlâmes de tout et de rien.

Sa correction stupéfia Violette. Elle le quitta les mains vides. Elle désirait de lui une liasse de billets qu'il aurait jetés dans une poubelle, qu'elle aurait repris aux ordures avec sa bouche.

Je m'engouffrai dans le couloir de l'hôtel meublé, Hermine et Gabriel se jetèrent sur moi en riant d'un rire faux. J'attendis plaquée contre le mur.

— Vous m'avez vue ?

Hermine a répondu :

— Nous t'avons vue à travers la vitre du café. Gabriel m'offrait l'apéritif. Nous t'attendions.

— Tu te promenais en voiture, a tranché Gabriel. Elle aussi, elle peut se distraire.

Les narines d'Hermine frémirent. Elle reprochait à Gabriel sa franchise.

— Nous suivions presque votre conversation, a dit Gabriel avec un mauvais sourire.

Le même rire les a secoués. Je leur disais qu'ils étaient stupides.

— Moins que toi avec ton air solennel dans une auto particulière, a répliqué Gabriel.

— Elle est revenue, laissez-la tranquille, a dit Hermine.

— C'est un aide de camp. Nous causions.

— Je m'en fous, a dit Gabriel. Votre dîner... Il brûle !

— Montons, a dit tout bas Hermine.

Elle m'a emmenée par la main. Gabriel traînait dans les étages, il sifflotait le refrain de la hargne.

Il reste pour manger, uniquement pour manger, me disais-je. Il y a des pitiés déchirantes.

Hermine a pris mon manteau, ma serviette, mon béret.

— Va-t'en, ai-je crié à Gabriel.

Gabriel s'est illuminé :

— Oh ! oui, a-t-il dit. Tu permets que j'enlève cette tache avant ?

Il a gratté avec son ongle une tache blanche sur le revers de son veston.

Béret, manteau, serviette sont tombés des mains d'Hermine :

— Il faut qu'il mange. Il ne peut pas partir ainsi.

— Je m'amuse comme un petit fou, a dit Gabriel.

C'était une de ses expressions habituelles.

— Va-t'en. Je veux être seule avec elle. Tu ne comprends pas ?

Hermine s'est affairée. Elle a sorti un morceau de viande d'une casserole, elle a préparé un sandwich colossal.

— Je comprends, a dit Gabriel. Le retour, l'épanchement. Tu le reverras ?

— Je ne veux pas que vous la tourmentiez, a crié Hermine.

Il mordait furieusement dans le sandwich. Il partit.

Hermine a refermé la porte, elle a sangloté sur mon épaule.

— Vous me guettiez, vous m'espionniez.

— Tu m'en veux ? a dit Hermine.

— Je ne t'en veux pas. Je suis dégoûtée.

— Tu m'en veux, a repris Hermine. Voici ce qui est arrivé. J'étais revenue plus tôt. Gabriel attendait. Il faisait les cent pas. Il te cherchait dans mes yeux, il m'en voulait. Il m'en voudra toujours. J'étais là devant lui, j'avais presque honte d'être moi-même. Je me demandais ce que je pourrais lui donner. Je n'avais rien à lui donner. Il a frissonné, il m'a demandé si par hasard tu n'étais pas dans la chambre. C'est impossible, me suis-je écriée. Appelez la première, me dit-il. Dis-moi ce que j'ai, Violette. Je suis brisée. Vous me brisez, lui et toi. J'ai crié du côté de notre fenêtre. Ensemble, a dit Gabriel, ce sera plus fort. Des fenêtres se sont ouvertes, un enfant a pleuré. Il a fallu se résigner. « Guettez le tramway, courez au-devant d'elle quand elle arrivera, je vais tout acheter pour le dîner. » Voilà ce qu'il trouvait. J'étais là, incapable de soulever un pied, stupide avec mon porte-billets dans ma main. Il ne gagne pas beaucoup, ça se voit. Eh bien, ce soir il a tout dépensé pour nous trois. Je le comprends seulement maintenant : je lui ai pris son argent, le dîner est raté, il est seul dans la rue. C'est ma faute, tout est de ma faute.

Hermine pleurait.

— Rien n'est de ta faute. Je l'ai chassé.

— Oui tu l'as chassé, a dit Hermine.

Je voulais l'emmener, rafraîchir son visage. Elle refusa.

— Si je te racontais ce retour en automobile ? Il joue du piano la nuit pour...

— Je t'en supplie, a sangloté Hermine. Je ne veux rien savoir. Sois heureuse chaque fois que tu peux l'être, a-t-elle dit avec un pauvre sourire.

Elle a recommencé :

— Pourquoi suis-je venue à Paris ? Entrouvrir la poche de son veston, glisser mon porte-billets. Je le pouvais, je ne peux plus. Demain ce sera changé.

— Demain il ne viendra pas.

— Il m'interrogeait. A quelle heure rentre-t-elle les autres soirs ? Il m'observait, il me jugeait parce que je lui répondais : quand elle veut, quand elle peut. Il m'a demandé la clef de notre chambre, il est entré le premier. Il voulait m'aider. J'ai offert l'apéritif dans la chambre, il a refusé. Seul, il t'aurait attendue autrement, avec plus de douceur.

— Je vais te raconter comment c'est arrivé. Une rencontre, une simple rencontre...

Elle a pris mon visage avec brutalité :

— Tu ne me raconteras rien. Moi je raconterai.

Ses lèvres, ses joues remuaient.

— Quelles histoires parce que je me suis promenée...

— Comme tu te trompes, comme tu nous ignores, a-t-elle dit. Maintenant où est-il ? Il est seul et la nuit tombe sur lui. Agenouillons-nous.

— Tu deviens folle. S'agenouiller pour qui ?

— Pour lui, dit-elle tout bas. Tout ce qu'il pouvait donner, il le donnait. Son argent, son angoisse, son anxiété. « Je vous offre un verre en bas, nous lui sauterons dessus quand elle arrivera. » Maintenant il n'a sans doute pas de quoi se payer une assiette de soupe. « Va à la fenêtre, a dit Hermine. Cherche-le. »

Les lampadaires éclairaient une rue déserte. Chacun vivait chez soi, chacun vivait pour soi. Je pleurais avec Hermine, je pleurais sur lui, sur elle, sur moi-même.

— Il marchera jusqu'à demain. Je le connais. Si tu crois que la ville va le posséder. Il ne donne rien quand il ne veut rien donner.

— Tu ne le connais pas, a dit Hermine.

Elle a allumé. De la verdure éveillée dans le saladier protégeait le dîner avec Gabriel. Elle a éteint.

— ... Il m'offrait cigarette sur cigarette dans le café. Gabriel plaît. Tous voulaient lui parler. « C'est elle dans l'automobile, vous ne la voyez donc pas ! » Il me poussait, il était brutal. Il m'en voulait parce que je ne te reconnaissais pas. »

La lucarne s'est ouverte. Gabriel se fâchait encore. Mais un ciel clair, sans parures, invitait à cette école buissonnière de l'infini.

— Paris se prépare à s'amuser, dis-je avec résignation. Laisse-toi aimer.

— Non.

Eglogue simplifie. Elle refuse ses hanches en chevelure. Eglogue, miséricorde de mon vocabulaire, intercède.

— Gabriel se promène et nous, dis-je avec rancœur.

— ... Mon petit. Je te voyais sans te voir dans l'auto. J'ai dit à Gabriel : « C'est elle. » Non je ne l'ai pas dit. C'était un soupir. Tu revenais, mon cœur s'était mis à battre comme lorsque je joue des adagios. Tu promenais ton doigt sur la vitre de l'auto, tu regardais droit devant toi. Je ne devais pas voir et il n'y avait rien à voir. Tu ne parlais pas souvent, tu ne bougeais pas, ça ressemblait quand même à un spectacle.

J'ai allumé.

Hermine se regardait dans la glace. Coup de menton, coup de conscience idéale. Elle poudrait son petit nez aux narines trop rapaces. Une erreur de la nature. J'observais Hermine dans la glace, elle m'observait.

— Tu es malheureuse, mon pauvre petit, me dit-elle. Ta bouche est déformée.

Ce que disait Hermine ressemblait à un passé préparant un avenir.

— Joue, ai-je demandé.

— Je jouerai ce que tu voudras, a dit Hermine.

J'ai enlevé les couverts, les assiettes, les verres, j'ai préparé une chaise de concert devant la table, j'ai demandé les *Préludes* de Bach.

Hermine jouait du piano sur la table, elle suivait le clavier de gauche à droite, de droite à gauche, elle chantait en prononçant le nom de chaque note.

— Joue encore, joue les Inventions...
Elle se recueillait, ses mains sur ses genoux.
— Un autre soir, a dit Hermine.
Elle m'a regardée. C'était plus profond que pleurer.

Je pâlis, je maigris, je crachotai, je toussaillai les semaines et les mois suivants. J'avais mal au côté. Ma mère s'inquiéta. Docteurs, incertitudes des radios. Elle m'accompagna chez un spécialiste de la tuberculose. Cheveux blancs, cabinet secret, le médecin questionna avec douceur et précision. J'expliquais les foules, le tramway, le métro, le changement au Châtelet, mon absence d'appétit dans un modeste restaurant à midi. Ma mère parla de la tuberculose de mon père.

— L'hérédité ne compte pas, répondit le médecin.

Je le suivis dans un cabinet plus secret pour la radioscopie.

— Ne respirez pas.

Je m'abandonnai à ses dictées, je lui donnai les poumons de ce père étranger. Il lit à livre ouvert, me disais-je. Il ralluma.

— Qu'est-ce qu'elle a ? demanda ma mère.

— Rien de grave, dit-il, mais...

J'écoutais ses conseils. Je me souvenais du moment ineffable lorsque l'anonyme m'avait rendu ma serviette de cuir, suggéré que je ne devais pas recommencer. Ses yeux signifiaient : ça ne vaut pas la peine. Les yeux du médecin signifiaient : être malade, ça ne vaut pas la peine.

Je demandai au directeur de la publicité si je pouvais écrire les échos le matin dans ma chambre, lire les journaux l'après-midi au bureau. Hermine donnait toutes sortes de leçons particulières. Elle insistait, elle suppliait. Je laisserais tomber livres, échos, journaux, je serais la petite femme qui fait les courses, le ménage, qui prépare le dîner, qui se laisse vivre. Je ne cédai pas à Hermine. Je tenais à mes quatre ans et demi d'assiduité, à l'enveloppe avec ma paye. Ma paresse dans le passé, dans l'avenir m'effrayait. Je m'éveillais la nuit, je croyais que je n'allais plus au bureau. J'allumais, Hermine me souriait sans ouvrir les yeux. Dors, disait-elle. Elle éclatait de santé. La bonté lui réussissait. Je serrais mon avant-bras entre mon pouce et mon index, j'éteignais, je me disais : toi, voilà ce que tu es.

Ma mère insistait. Je devais abandonner mon poste. Elle m'habillerait. Hermine me nourrirait. Le bureau se changeait en champ de bataille. Je ne parvenais pas à déserter mes quatre ans et demi de routine. Mange, disait ma mère, mange, disait Hermine. Je redevenais la petite-fille de Fidéline, l'anémie me privait d'appétit. Je leur criais : J'irai, je ne m'arrêterai pas, je continuerai. Ma mère m'habillerait, Hermine me nourrirait. Qu'est-ce que je devenais ? Qu'est-ce que je deviendrais ? Qu'est-ce que j'étais ? Qu'est-ce que je serais ? Maigre, je me voulais plus maigre avec des chandails bleu foncé. Mes épaules décharnées ricanaient. J'entendais une voix : celle de Gabriel, celle d'un absent. « Tu es solide bonhomme, tu te tais, ça me plaît. Tu veux en écluser un autre ? Qu'est-ce que tu dirais d'une bonne balade le long des quais ? J'étais son homme, il était ma femme dans ce corps à corps de l'amitié. Il réapparut. Mais il venait de moins en moins. Hermine me féminisait, cela le mettait hors de lui. Je tricotais étendue sur le divan de notre chambre d'hôtel, ses yeux frôlaient mes jambes, ses yeux se détournaient. Après, son regard m'exprimait : tu deviens une putain, elle fait de toi une putain. Et son sourire navrant : mon bonhomme, mon petit bonhomme à moi est mort et enterré. Il voyait clair. Son pas dans le couloir quand il partait... Hermine n'était pas jalouse. La rage de Gabriel la désolait.

Gabriel ne revenait pas sur ses pas. Gabriel se suffisait aussitôt qu'il se retrouvait parmi les siens : les
humbles. « Tu te tais, ça me plaît. » Il se serait
trompé, Gabriel, s'il l'avait dit encore. Je parlais à
Hermine jusqu'à l'épuisement. Je démolissais
Gabriel, je démolissais ma mère. Je devais les
détruire pour me détruire. Je jacassais, je pérorais,
je critiquais jusqu'à perte de souffle. Elle me tue et
je n'ai rien à lui reprocher, me disais-je pendant
qu'Hermine préparait notre dîner, qu'elle m'expliquait un point de tricot, qu'elle me promettait la
lune.

Je finis par quitter le bureau avec un certificat du
directeur qu'on m'a volé plus tard entre les quit-
tances de gaz, d'électricité, de loyer.

Hermine se levait sur la pointe des pieds, espérant que je dormais, elle buvait son café filtre
qu'elle préparait elle-même la veille au soir. Tant
de vivacité, tant de promptitude, tant de sûreté au
saut du lit m'anémiaient au lieu de me stimuler.
Elle partait, le soleil pétillait dans ses artères, la
nuit encrassait mes veines. Je ne m'avouais pas que
je me délivrais et que je me vengeais de sa présence
trop parfaite lorsque je me rendormais.

Je recommençai à tousser. Nous dérangeâmes une
doctoresse. C'était l'hiver. Sa voix grave, son visage
sans dureté, ses cheveux courts, son manteau avec
des revers de fourrure, son halo de femme intelligente, sa classe enfin m'intimidèrent. Elle regarda
ma chemise de nuit avec l'empiècement de dentelle
ocre, mes longs bras maigres, elle me dit : « Enlevez
ça. » J'enlevai ça. Je réalisai l'étendue de ma misère
et de ma prétention devant cette femme capable : je
n'étais rien dans une loque verte. Elle diagnostiqua
une trachéite.

Je voulais embellir. Hermine acheta d'autres numéros de *Vogue,* de *Fémina,* du *Jardin des Modes.*

J'apprenais par cœur les bienfaits du tonique, de l'astringent — l'ennemi du pore dilaté —, de la mousse à nettoyer, de la crème nourrissante, du jus d'orange, de la poudre abricot. Ma tête dans mes mains, je lisais conseils, avertissements avec anxiété. Rides, patte d'oie, pellicules, points noirs, cellulite atteignaient l'aigu des calamités de Jérémie. Je lisais, je relisais de page en page mes points noirs, mes rides, mes pores dilatés, mes cheveux qui tombaient. De page en page je me désolais sans me regarder. Je voulais rajeunir avant ma vingt-cinquième année. Je le voulais pour *Vogue, Fémina, Le Jardin des Modes*. Couronnée de bigoudis, je buvais mon jus d'orange pour mes vitamines, mon teint. J'ouvrais la fenêtre de notre garni, j'apercevais du superflu : des terrassiers, des ongles noirs, des bustes de flanelle coquelicot, la géométrie des ravaleurs de façade, la bicyclette aérienne d'un télégraphiste, le caisson d'un triporteur, les casiers d'un livreur. Je ne travaillais pas, je ne voyais pas le travail des autres.

Nuages pour fenêtre ouverte, partez. C'est l'heure de la respiration, c'est l'heure de l'expiration, c'est l'heure de la culture physique. L'heure de la coulée des hanches, l'heure du tour de taille, l'heure de la chasse au double menton, l'heure de la cheville, l'heure du poignet. Fenêtre ouverte, azur pour trompettes, vous patienterez. C'est l'heure de l'assouplissement, c'est l'heure de la couleur garance dans le sang, c'est l'heure de la circulation. Allongée sur le plancher, ayant touché vingt-cinq fois la pointe de mes pieds pour rajeunir vingt-cinq fois avant ma vingt-cinquième année, je gloussais avec un sanglot dans la gorge.

Ma couronne de bigoudis dans un vieux foulard, j'enfilais un manteau d'indigente, je prenais le sac de moleskine, je partais au marché, je rencontrais les beautés des carrossiers : des automobiles neuves fleurant l'avenue du Bois. Labour, ornière, rafale, angelus, passereau, chants multicolores des oiseaux au-dessus des salades, reflet de lame de couteau sur l'épinard, rose de soleil de la scarole privée de soleil, jeunesse, émoi de la côtelette de mouton, calme et sécurité de la tranche de faux filet, je vous rejetais. Balances, plateaux pesaient ma silhouette de demain.

Hermine rentrait à sept heures, je me couchais. Je m'agitais, je voulais qu'elle donne d'autres leçons de solfège, d'anglais. Gavée de grillades, de légumes cuits, j'acceptais le ragoût de pommes de terre au lard fumé, les nouilles gratinées servis par Hermine, ennoblis par du Mumm très sec. J'allumais des cierges en pensée pour *Vogue, Fémina, Le Jardin des Modes,* j'éclairais d'intimité le pays mystérieux de la grande couture, celui des robes et des manteaux visibles dans mes bréviaires, invisibles dans nos rues.

Tu m'aimais Hermine, tu ne me suffisais pas. Il nous faut des tourbillons d'astres, des moteurs en folie lorsque midi est un nickel, lorsque douze siècles, lorsque douze mille ans sonnent le poids d'un instant. La grande Schiaparelli m'envoûtait, m'obsédait, m'éblouissait. Je l'admirais, je désapprenais à lire lorsque je devais déchiffrer le début de son nom. Je prononçais Chaparelli, je supprimais la voyelle *i* pour velouter la prononciation à la française. Je fermais la revue, je fermais les yeux, je voyais des formes, un visage. Les formes, le visage naissaient de la poussière de lumière d'un jet d'eau. Schiaparelli souveraine et diffuse tenait les rênes, son char dans un cirque romain. Je contemplais les plis de ses jupes : des gradins sans public.

J'ai ouvert les yeux, j'ai ouvert mes revues de mode. Des noms de modistes, des noms de couturiers réchauffaient le papier. Je recevais le baptême de l'élégance.

— Toi et ton fouet ! ai-je crié.

Je devais entrer en communication avec le visage-réclame d'un institut de beauté. Visage retrouvé, visage jamais familier, visage isolé dans les bandelettes. Une momie, une fatalité. Je pénétrais les yeux vides, je me promenais. Un sphinx : sous le menton, la publicité.

Hermine est venue avec le fouet, la neige soyeuse prise dans la roue.

— Tu pourrais me lire ce que tu lis, dit-elle, les joues en feu, bougonne à force de bonté.

J'ai lu : « Juillet suscite dans le sang humain... Rien ne compte que s'en aller aujourd'hui plutôt que demain... Nos désirs de campagne effeuillent la rose des vents... Prévoir pour la femme, c'est commander les toilettes. Ne cherchons pas : il les faut toutes. La signature du contrat de mariage est encore, à Paris, le prétexte d'une grande réception, où sont exposés les cadeaux et la corbeille de la mariée... Les capitons dans l'ensemble moderne. Il existe un couturier du gant. La soie artificielle renouvelle l'art du tissu. »

— Je continue ?

— Il faut que je batte les blancs d'œufs mais je reviens, a dit Hermine. Oui, continue.

Je glissais dans le lit, j'étudiais deux pages de dessins de Christian Bérard. Je glissais encore, je m'attardais sur la photographie d'un palace de Londres avec les arbres, les autos, les passants. Une grande ville, une grande coquette derrière sa voilette de brumes. Le palace me possédait. Etage après étage, je faisais l'ascension de la tour de Babel de mes désirs. Mon père, cet inconnu, je le portais dans mes yeux tandis que je lisais « Murs et parquets ont été spécialement exécutés pour assurer une quiétude absolue ». Je le portais dans mon ventre parce que mon père aimait Londres et que je l'aimais avec lui. Je revenais avec plus d'ardeur, plus de foi, plus d'espérance au conseil suivant : « ... Si vous ne vous faites pas les cils pour la journée, un soupçon de ceci les rendra soyeux et lustrés, foncés, jolis, et les fera, en même temps, retrousser gracieusement. » Je suis pour les revues de modes. De la plus modeste à la plus luxueuse.

— Schiaparelli solde, a dit Hermine. Elle m'a donné le journal. Lis, c'est écrit.

— Schiaparelli solde ? dis-je, ahurie.

Le fouet ralentit. Elle alluma une Celtique, elle m'offrit une Camel, le fouet repartit après une gorgée de Sandeman.

Hermine a crié :

— C'est décidé. Nous irons jeudi.

J'accourus dans la cuisine, elle gronda mes pieds nus. Penchée sur le fouet, ses petites mèches tombant dans ses yeux, Hermine se passionnait.

J'ai dit :

— Tu oserais ? Tu oserais entrer chez Schiaparelli ?

— Puisqu'elle solde, a dit Hermine.

Elle m'a ramenée dans notre lit, elle m'a dit de ne pas me tourmenter.

Deux jours plus tard, entre le balai, le chiffon, la cire, la paille de fer, ma couronne de bigoudis, j'ai recommencé :

— Ils nous jetteront dehors.

Hermine faisait un grand ménage.

— L'enveloppe est dans le tiroir, a dit Hermine. Qu'est-ce que tu as ?

Qu'est-ce que j'ai ? La nostalgie du sommeil doré de la cire, moi qui ne dors pas. Hermine coudra pour elle, elle coupera, elle réunira des guirlandes. L'argent. Les éclats de notre patin de paille de fer suffiront. Etre la gardienne de notre vie de tous les jours. Oui notre cinéma de quartier, oui la moiteur de notre fin d'après-midi, dans notre garni.

— N'y allons pas Hermine ! Il ne faut pas y aller.

— Tu ne te vois pas dans un vêtement Schiaparelli ?

Elle me voyait, elle s'illuminait. Les cils d'Hermine battaient aussi pour mon visage.

Rue de la Paix, quatre heures de l'après-midi. Léchons, Hermine, léchons.

— Nous aurons les rossignols si tu n'avances pas, a dit Hermine.

Le tabouret dans l'entrée de la bijouterie aux vitrines aussi sobres, aussi rigoureuses qu'un théorème, me confondait. Je me rafraîchissais les yeux à la lumière de fête nocturne des diamants. Polaire et Cassiopée tombées dans la source la plus gaie. Clins d'œil des millions sur une gorge de velours. J'aime les diamants, c'est radieux, d'une rivière je reçois des glaçons plein d'esprit. Le portier se levait, descendait la marche, enlevait sa casquette pour son rendez-vous avec une portière d'automobile.

— C'est ici, dit Hermine.

— C'est Hellstern !

Les revues de modes avec les modèles et le nom du bottier étaient plus réelles que la boutique, avare de modèles exposés. Enfin sa vitrine, la sienne. Des Américaines passèrent, rieuses, parfumées, prix d'excellence de la mode de demain.

Je serrai le poignet d'Hermine :

— C'est elle. Je lis son nom. C'est bien elle.

Je lisais Schiaparelli sur des flacons de forme baroque : le tronc d'un mannequin de couturière.

— On ne voit rien. Elle ne montre rien.

— Tu ne voudrais pas qu'on la copie ! dit Hermine. Tu te décides ?

Deux jeunes femmes, deux superbes, sortirent de la boutique Schiaparelli. Deux autres jeunes femmes entrèrent.

— Elles arrivent deux par deux. Comme nous, dit Hermine.

— ...

— Tu boudes, demanda-t-elle.

— Entre, lui dis-je. Je te dis d'entrer !

Elle obéit. Je devinais ce qui la chagrinait : son visage rond, ses joues rouges. J'avais honte aussi de son visage qui s'enflammait, qui devenait trop important. Elle plaisait pourtant. Une vendeuse lui demanda ce qu'elle désirait.

— Nous regardons, dis-je, inspirée, dédaigneuse.

— Très bien, dit la vendeuse.

Je lisais notre garni, notre enveloppe avec notre argent dans ses yeux. Elle me renvoyait ma confidence.

Hermine prit mon bras :

— Tu es déjà chez toi, dit-elle.

Un parfum vous possédait en possédant murs, tapis, mannequins de treillis. On arrivait, il vous entraînait avec la sensualité d'une valse dans une salle où le bal est commencé. Nous respirions le luxe de Paris.

— Ils vendent tout parfumé, dis-je à Hermine.

Je m'approchai du comptoir, face à la porte d'entrée. Des mains calmaient leur appétit en prenant écharpes, mouchoirs, foulards, tricots, retrouvaient le même appétit en rejetant écharpes, mouchoirs, foulards, tricots. Les clientes françaises parlaient une langue secrète. Je ne comprenais pas leur insouciance. Je m'étais trompée. La soie sentait la soie, le jersey sentait le jersey. Les murs parfumés transpiraient.

— J'ai un blanc, dit Hermine.

— Qu'est-ce que tu as ?

— J'ai un cheveu blanc.

Sa vue était perçante. Elle jouait avec lui à distance du miroir.

— Je vais te l'enlever.

Hermine est devenue écarlate.

— Ici ! Tu perds la tête.

Je soulevai son béret :

— Je l'arrache ou bien nous partons. Choisis.

— Pourquoi veux-tu me l'enlever ? dit Hermine avec tristesse.

Nous végétions.

— Soit, dit Hermine. Arrache-le, prends-le.

Courir jusqu'au miroir, opérer vite et seule, cela ne lui venait pas.

J'amenai Hermine près de la porte d'entrée.

Deux élégantes sortirent écœurées. Nous gâchions leurs habitudes.

— Tu l'as ? dit-elle, minable.

— Comment veux-tu que je le trouve ? Si tu ne tournais pas le dos à la lumière...

Hermine se tourna du côté de la place Vendôme. J'arrachai le cheveu, je le lui donnai.

— La Maison Carrée, dit-elle hagarde.

Je regardai avec Hermine la place Vendôme, la fourmilière d'immeubles alignés. Je n'appréciais pas. Schiaparelli me captivait.

— Oui, la Maison Carrée, a redit Hermine.

Les yeux noyés, elle souriait à ce qu'elle voyait.

Deux élégantes entrèrent, bousculèrent la rêveuse. Hermine tenait le cheveu entre le pouce et l'index.

— La Maison Carrée, c'est à Nîmes.

Hermine me considéra. Reproche et désolation signifiaient : je ne peux pas te donner ce que j'ai trouvé, je ne peux pas.

— Ce sera la Maison Carrée chaque fois que je reviendrai, dit-elle dans un bon gros soupir.

Hermine tenait toujours le cheveu entre son pouce et son index tandis qu'avec une pesanteur et une majesté de duègne l'ascenseur à ciel ouvert nous élevait jusqu'au premier étage.

— L'essayage de Mme Abadie, cria dans l'escalier une vendeuse.

Mme Abadie, près de nous dans l'ascenseur, nous dit avec un gentil regard, la paupière modeste, que c'était elle l'essayage. Il y avait longtemps que les doigts de Mme Abadie fatiguaient les bagues. Une vendeuse l'emmena. Payer pour être belle, payer pour être plus belle, c'était aussi être cajolée. Mme Abadie s'éloignait avec la vendeuse. Je m'égarai avec Hermine dans un salon rond. Des clientes assises devant du marbre et des miroirs essayaient des chapeaux. Les chapeaux manquaient de calme, mais la présence d'un velours, le secret d'un rouge cerise inspiraient un merci d'amour. Je demandai les soldes entre le « n'est-il pas inouï, n'est-il pas exquis, n'est-il pas créé pour vous ? » d'une vendeuse et le « je dois dire qu'il est ravissant, je dois dire qu'il me tente » de la cliente à la vendeuse. Hermine se glaçait, j'étais prise par leurs adjectifs. Nous entrâmes dans une salle de grandeur moyenne. Le bruit des cintres soulevés des tringles, le bruit des cintres replacés sur les tringles, mettait dans la pièce un rythme de forge. Les clips des robes, des tailleurs et des manteaux m'enchantèrent. Du cuivre, du chevreau, des croissants de lune jumelés, des tubes mariés en forme de H majuscule.

— C'est du cuir leur satin, me dit Hermine avec la conviction de l'artisan appréciant une découverte.

Je palpai le grain serré d'une robe.

— De la soie, nous dit une vendeuse en passant.

— C'est impossible, dit Hermine. Pas d'ourlet, trois rangs de piqûres en bas et plus épais que du lainage. Essaie celui-là. Je suis sûre qu'il t'ira. De la soie ? Comment font-ils ?

— Tu crois qu'il coûte cher ?

— C'est sans prix, dit Hermine.

— Il doit vous aller. Vous avez la taille mannequin, dit une voix derrière moi.

Je me rengorgeai.

— Je te le disais, biniou. Tu ne voulais pas me croire, a dit tout bas Hermine. Mais oui, la taille mannequin...

Mannequin, mannequin... Je suis un mannequin, me disais-je découragée. Je m'enlisais. Sauve-moi Hermine, implorai-je. Je suis un mannequin tout nu de maison de confection, je m'enlise et tu ne verras bientôt plus que ma tête.

Une vendeuse désigna un box, elle dit que nous pouvions entrer. Un petit salon d'essayage, un miroir à trois faces, une chaise, un rideau glissant. Le box d'Isabelle, le dortoir d'Isabelle, les anneaux, le rideau de percale d'Isabelle, Isabelle... les autres jours... Mon grand souvenir dans sa grande armure.

— Donne, je vais tout garder, dit Hermine dans cet îlot de silence.

Je me voyais trois fois en enlevant mon manteau près de la glace à trois faces. L'éclairage me semblait plus cruel que dans notre garni.

— Mon Dieu, dis-je au miroir.

Hermine serrait mon manteau dans ses bras avec une bonne volonté de palefrenier. Une vendeuse nous retrouva, une vendeuse simple et précieuse dans un uniforme noir. Elle demanda à Hermine si elle voulait essayer. Hermine a rougi, elle a bafouillé des excuses, elle m'a désignée, la sympathie de la vendeuse s'en est allée, le métier a persisté.

— Voyons d'abord la jaquette, a dit la vendeuse.

J'ai réveillé la soie de la doublure. Je savourais le visage de la vendeuse. Visage allongé de madone mettant de l'ordre, anéantissant mon désordre.

— Il vous plaît ? demanda la vendeuse à Hermine.

J'essayai la jupe.

— Est-il marron ? Est-il gris ? demanda Hermine.

— Il est anguille, dit-elle. Vous le porterez avec une blouse de lamé côtelé.

— Tout ce que nous aurons à nous dire me chantaient les yeux d'Hermine.

— Je vous laisse réfléchir, dit la vendeuse.

Elle est sortie avec la discrétion d'un deuxième rôle.

Hermine me serra dans ses bras.

— Oh ! si je la salissais !

Elle ne m'a plus serrée dans ses bras.

— Tu crois que pour nous deux elle a deviné, ai-je demandé.

— Je le souhaite, a répondu Hermine.

Son visage s'est encore illuminé.

Je n'osais pas m'asseoir, je n'osais pas me regarder dans la glace à trois faces. Je me souvenais de la perfection de la coupe : épaules larges et rembourrées, taille resserrée.

Transmission de pensée :

— Et c'est ainsi que tu es bâtie, dit Hermine.

La vendeuse rentra.

— Nous le prenons, dit Hermine.

— Et vous ? dit la vendeuse à Hermine. Vous ne voulez pas choisir ? dit-elle encore, comme si elle devinait la sacrifiée, comme si elle pouvait l'aider à se reconquérir.

— Non... dit Hermine. Vraiment, non.

La vendeuse l'encourageait avec un assortiment de sourires délicats tandis que je me rhabillais.

— Nous soldons pourtant de jolies choses, dit-elle.

Hermine fermait les yeux pour mieux dire non.

Je serrais dans ma main l'enveloppe avec notre

petit argent, je regardais Hermine, j'attendais qu'elle dît : oui je vais acheter, oui, je vais choisir. J'étais amorphe, je ne démêlais plus le possible de l'impossible.

Je sortis l'argent sans montrer notre enveloppe. Je le donnai à la vendeuse. Elle s'éclipsa.

— Je suis folle de joie, dit Hermine.

— Tu me diras ça plus tard.

Hermine prêtait l'oreille ailleurs.

— On dit Skiaparelli ! s'exclama Hermine. On est en train de dire que Mme Skiaparelli sera là demain. Tu n'écoutes pas.

Je ne m'intéressais à rien.

La vendeuse aux cheveux lisses donna le carton blanc satiné à Hermine parce qu'elle voulait absolument lui offrir quelque chose. Elle nous dit à bientôt. Nous fendîmes la foule. Les fines chevilles rayonnaient à cause des bas de soie de prix.

— Faisons le tour de la place puisque c'est ta maison, dis-je à Hermine.

Des portiers, des liftiers venaient au-devant d'un couple, au-devant des bagages dans une automobile.

— L'hôtel Ritz, dit tout bas Hermine.

Elle gonfla ses joues. Elle martelait avec des poum-poum la *Cinquième Symphonie* de Beethoven. La glace à trois faces du salon d'essayage revenait sur moi avec la fureur d'un phare d'automobile, la nuit. « Tais-toi à la fin », ai-je crié.

— C'est de la musique, dit Hermine avec des excuses. Devine où je t'emmène. Tu ne te souviens pas d'un certain lamé côtelé ?

Je criai que je m'en fichais.

— Quand seras-tu contente ? dit-elle.

Je tournai le dos à Hermine, aux immeubles, au ciel qui s'assombrissait, qui se mettait à l'unisson avec les pierres, je tournai le dos aux pétunias qui frissonnaient sur un balcon.

— Jamais, dis-je les dents serrées. Je ne serai jamais contente.

— Achetons le lamé côtelé, supplia-t-elle.

Je me mis à pleurer.

— On nous regarde, on te regarde, dit Hermine.

— ...

— Viens, biniou, viens chez Colcombet. C'est à deux pas d'ici, dit Hermine.

Je tombai dans ses bras, le carton glissa sur le pavé.

— Tu ne me quitteras pas ?

— Je ne te quitterai pas, a répondu Hermine.

— Nous vivrons toujours ensemble ?

— Toujours, a répondu Hermine.

Ses yeux étincelaient ; cependant ils étaient tristes.

Elle fredonna le début de l'Adagio de la *Cinquième Symphonie*. Elle prononçait le nom de chaque note et le mi-la-do-si-la-do nous unissait tandis que nous ramassions le carton blanc satiné.

Nous longeâmes le rez-de-chaussée et la bonbonnière d'Elizabeth Arden. Des élégantes entraient, disparaissaient. Hermine cherchait l'immeuble des soieries Colcombet.

Et pan, dans l'œil. Une chevelure, une torche de vie : premier cheveu blanc d'Hermine. Il revivait et resplendissait dans une moisson de cheveux, à la place de la colonne Vendôme. La chevelure balaya en tournant sur elle-même lucarnes et fenêtres autour de la place. L'été se laissait aimer, éventer, caresser.

— Je cherche Colcombet. Si tu m'aidais...

— Je regarde...

— Quoi ?

— Rien.

Les fleuristes livrent roses, lys, glaïeuls ou lilas à l'intérieur de longues boîtes à poupées, sous de beaux papiers. On sonne, les fleurs entrent en dormant. Mon père, décide-toi. Je suis vieille, j'ai l'âge de la mort de ma grand-mère. Mon père tu aurais quatre-vingt-un ans si tu vivais. Ton âge est bizarre, ton âge serait convenable. C'est absurde, c'est tonifiant ce que je demande à tes cendres. Mon père plonge dans le sommeil lys, roses, glaïeuls ou lilas avec leur boîte. Je les éveillerai un à un dans ma chambre, je valserai avec les chefs-d'œuvre des jardiniers. Leurs serres, dit ma mère lorsqu'elle parle de la famille de mon père. Cueillir une branche de lilas dans une serre d'hiver lorsque je suis malade, lorsque je suis seule à fendre pierre. Une branche, une fois. Trop tard, c'est fini. Mon gros nez sur la vitre du fleuriste, mon gros nez proche de la rosée derrière la vitre, de la rosée qui frissonne, mon gros nez je l'écraserai encore, je verrai encore la lyre trembler, suivre son chemin sur la vitrine.

Je me racontais que je me trouvais à la Nationale des tissus rares, des tissus précieux, des tissus mystérieux. C'était une salle de planches et de rayons. Les comptoirs en bois ciré, classiques. Nus. Vous serez privées de l'odeur de souvenance et de poussière de la percale. Nous étions privées. Les vendeurs allaient et venaient sans bruit, sans gestes inutiles.

— Vous êtes couturières ? Votre carte s'il vous plaît, nous demanda l'un d'eux.

Nous crûmes la partie perdue, la dépense défendue, les tissus interdits. Hermine, la première, se reprit.

— Je couds, dit-elle, sans être couturière.

Le mot lamé assouplit le vendeur. Il partit jusqu'au profond de la salle.

— Tu n'as pas changé d'avis ? Tu le veux côtelé ?

— Tais-toi, attends, dis-je tout bas.

Des vendeurs classaient, déclassaient, reclassaient les boîtes sur les rayons.

Notre jeune vendeur, anonyme comme une feuille d'acacia, glissa plusieurs boîtes sur le comptoir, sûr de lui à l'avance. Les couvercles enlevés, il donnait chaque fois une légère, oh ! très légère tape à chaque revers du papier. L'or s'était assoupi dans le lamé de Colcombet, tandis que le bronze était en état d'alerte.

— C'est lui que nous voulions, cria Hermine.

— Oui, c'est lui ! criai-je aussi.

Le vendeur leva les yeux, il nous regarda. Il déplia le lamé avec du gris rosé entre les côtes. Il officiait. Il nous montra sans paroles l'envers doublé de mousseline rosâtre. Nous jubilions.

— Votre métrage ? dit-il enfin.

Rêveur, désabusé, automatique.

Hermine expliqua le corsage coulissé au ras du cou. Le prix importait peu. Trouver sans chercher, trouver sans choisir... Il mesurait, négligeant notre métrage, la forme du corsage. Un prêtre ne demande pas à ses fidèles comment il doit célébrer la messe.

— La soie ne vous intéresse pas ? dit-il. J'ai un cloqué qui vient de rentrer. Je l'apporte ?

Hermine battait presque des mains :

— Oh ! oui, apportez-le.

D'autres vendeurs s'approchèrent, déférents et moqueurs.

J'écrasai le pied d'Hermine, je lui griffai le poignet sous le comptoir. J'ai tenu sa main, je l'ai mise dans la poche de mon manteau, contre l'enveloppe aux économies qui contenait juste ce qu'il fallait pour le lamé.

J'ai prétexté un rendez-vous urgent.

Nous étions fourbues, le café entre *Maxim's* et « La Cour Batave » nous reçut. Se retrouver dans son milieu, quel soufflé à la fleur d'oranger ! Les consommateurs assis, debout, au comptoir, dévorant le journal du soir, nous ignoraient en nous tenant compagnie. Le bruit dans la salle, le bruit dans la rue nous reposait. Paris se libérait des magasins, des bureaux, des ateliers, la chaleur était de la chaleur d'homme libre, de femme libre, nos croissants s'effeuillaient sur nos genoux, sur la soucoupe. Nous vidions la corbeille, notre appétit ne dépassait pas notre budget.

C'était une trêve. Hermine m'a dit à l'oreille dans l'autobus :

— Un feutre anguille de Rose Descat, tu l'auras. Des escarpins anguille chez le bottier, tu les auras.

Hermine coupa, faufila, essaya le corsage de lamé. Elle se coucha à quatre heures du matin, elle se leva à six.

Tambours êtes-vous prêts ?

Vos joues ont mal de ne pas avoir mal. Le roulement sera votre félicité. Baguettes, frappez. Tambours, jouissez et que ce soit lent. Martelez, longs doigts des forêts. Et vive la fin du battement, petite aile palpitante. Roulement premier : mes bas. Roulement premier, mes bas de soie. Des abeilles j'aurai le lustre sur mes jambes. Je sortirai de notre chambre avec des élytres. Aujourd'hui marque Gui, demain marque Bel-Ami. La soie est délicate, une maille file, quelle rumeur. Une maille file, descend la pente sans skieurs. Les pieds sont toujours trop grands. J'enfile mes bas, c'est plus sérieux qu'on ne croit. Devoir de morale, la couture au milieu du mollet, la couture droite, la grande lignée pour le mollet. La peau blanche, c'est vivant pour l'œil riche des peintres. « Les houzards de la garde » chante Marie Dubas. Je suis un « houzard » avec mes bottes jusqu'à mi-cuisses, moi nue devant l'armoire à glace. Drôle d'égoutier, drôle de mousquetaire, drôle de cavalier. Je ne rêverai pas avec toi, miroir. De Mercure, je ne veux pas les éperons. Qu'est-ce que je suis, qu'est-ce que je serai quand je sortirai ? Une jument élancée. Un peu de respect pour une peau satinée qui n'est plus la mienne depuis que, carmélite de la coquetterie, j'offre ma peau au gant de crin. Tambours, tambours.

Roulement second : on a frappé, c'est raté. Qui est-ce ? C'est la femme de ménage ; Mme Péréard demande s'il faut encore désinfecter je crois que c'est inutile mon amie en a tué une avant-hier depuis rien, oui, espérons que c'est la dernière oui la clef sera au tableau. Roulement second : simplifions. La jupe, le corsage après mon Candide, mon porte-jarretelles en satin foncé. Parle miroir, sois fatigué de copier, dis que ce n'est pas beau, que ce n'est vraiment pas beau une cuisse aux prises avec la paire de jarretelles, l'ourlet du bas de soie. Tu n'as pas d'imagination, miroir. Deux colonnes, Delphes bien sûr, deux colonnes debout au fond de ton eau, glace de l'armoire à glace. Si je pouvais coudre le haut de mes bas au point de devant dans ma chair... Roulement, rou-le-ment affaibli jusqu'à l'attendrissement pour le tablier de soie à l'intérieur de la jupe Schiaparelli. On dit Skiaparelli, on est en train de dire que Mme Skiaparelli sera là demain. Chaises, fauteuils, bancs ne froisseront pas ma jupe. C'est une intouchable. Tambours, un peu de nonchalance, j'égraine un premier anniversaire, celui du luxe et de la coquetterie. Une jupe dans laquelle une valse espère. En plein biais, dit Hermine. Elle tourne, elle est sage, elle déshabille autant qu'une jupe étroite, j'achèterai *Vogue* demain. Nos légumes attachent, nos légumes seront brûlés. Nous mangerons mon après-midi, nous mangerons le récit de ma sortie.

Roulements de tambour dont j'ai besoin à l'instant où j'écris, je me souviens d'où ils viennent. 25 juillet 1960. Après un retour en arrière de trente années, un autre retour en arrière de cinq années. Eté 1955, début de ma quarante-huitième année, été 1955 la persécution n'était pas commencée. Eté 1955, sinistres fiançailles malgré moi, malgré eux, avec ceux qui me cernaient sans que je le sache. La candeur est partie, les banques du monde n'y suffiraient pas si je devais payer la rançon de ma candeur perdue. Eté 1955, mon Ibiza où j'ai eu tant de revers. Ibiza, mon bijou, ma chérie, ma blanche Arabie sertie dans de la muraille de Pierre de Ronsard lorsque notre navire à l'heure des aurores moroses venait à ta rencontre. Ibiza après la passerelle, Ibiza, un trottoir où la fête est un défilé d'esthètes. Ibis, mieux que cela : Ibiza (prononcez Ibissa). Eté 1955. Ibiza du côté de mon hôtel en montant toujours, à droite du port. Encore les remparts de Tolède, encore. Les remparts, leurs plis, leurs hésitations, leur labeur pour monter. L'île par ici est la maison enfin réalisée que je traçais à la craie lorsque j'étais enfant. Pas de pardon, pas d'attente, pas d'espérance, pas de rémission. C'est la chaleur à une heure de l'après-midi, l'univers est une corde raide, la caserne est sous le figuier. Les jeunes soldats assis en rond sous le feuillage pèlent des pommes de terre. Perdus dans leur capote, ils pèlent avec la pointe extrême du couteau. Leur camarade assis comme eux, le tambour entre les jambes, joue sans courage. C'est une corvée de patates singulière, c'est, sans tragédiens, une tragédie.

Tambours, c'est plaisant, avec vous c'est le ton juste. Moi aussi je joue : je tapote la crème rachel sur mon visage de Nordique. Je tapote, je gifle le produit, je gifle l'épiderme. C'est recommandé. Homme des cavernes, si je pouvais t'apprendre à lire, si tu pouvais me lire. Imagine un hublot minuscule de laque rose, d'un rose éperdu de pâleur à l'intérieur duquel se trouve un disque de pâte, un concentré de timidité. C'est le « rose ciel », c'est le fard gras pour les joues qui ont trahi le vent de pique : la bise. Plusieurs pastilles sur la joue gauche, plusieurs pastilles sur la joue droite puisqu'il faut tapoter avant d'étaler, c'est le secret d'un maquillage naturel, d'un maquillage parfait, précisait la vendeuse. Où achète-t-elle son timbre de voix avant de vendre ? Je voudrais devenir persuasive. Tu le sais que tu te prépares pour un cirque, clown effacé. Tambours, à l'entraînement, défense de se fatiguer, je vais entrer dans le cirque, ma piste sera les grands boulevards. De la poudre « abricot »... Le luxe nous apprend à rêver au luxe. La pression dorée de la boîte de poudre de riz exige ici, à l'instant, la ceinture cloutée d'un chevalier fabuleusement ancien. Il faut tapoter encore avec la houppe, il faut poudrer avec abondance une perruque sur chaque joue et attendre. Jusques à quand dois-je soutirer le parfum dans la boîte de poudre de riz ? Brossons le surplus du nuage et maintenant au diable les conseils, le bon goût, le raffinement. Dessinons une bouche qui saigne à rendre jaloux les livreurs de boucherie. Du bleu sur les paupières... C'est indispensable.

Roulement quatrième : c'est bleu, c'est froid. Ils diront que les peupliers ont pleuré sur mes yeux fermés cet azur courroucé lorsqu'il va pleuvoir en juillet. Dans une brasserie, à la toilette, une femme fatale faisait ses yeux avec la grâce d'une mouche aiguisant ses pattes. Un allegretto. Je barbouille mes cils, Hermine. Je te le raconterai. Hermine qui gronde les petits tabliers, Hermine qui crie en récréation. Pas le temps, le macadam m'appelle pour la représentation. Pour te défendre tu t'es bien défendue avec le lamé, Hermine là-bas dans l'odeur chavirante de l'école communale. Des cloches, des cloches plus libres dans un clocher. Comme si c'était le moment de me marier avec une armoire à glace... Des cloches, c'est un village échevelé dans notre ville.

Roulement cinquième : un peu plus guindé, tambours. Des cloches. Moi, j'ai des tuyaux d'orgue autour du cou. Je porte la Toccata, je porte la bien-aimée au ras du cou. Elle griffe dès que je baisse la tête. Supportons puisqu'il faut supporter. Mes cheveux sont pauvres, ils tombent, mes mains sont quelconques. Ça me reprend, ça recommence. La glace à trois faces de Schiaparelli est un vampire. Je suis moche. Un canal, pour me recevoir, s'élargirait. Je souffre dans les entrailles de ma grande bouche, de mon gros nez, de mes petits yeux. Plaire, se plaire. Le double esclavage.

Roulement sixième pour la couronne de bigoudis enlevés : Hermine, je t'en prie, donne-moi des cheveux. Je veux ceux de Ginger Rogers. Le pétrole Hahn, il n'y a que le pétrole Hahn, dit ma mère. Il y a autre chose. Lady Abdy le sait. Lady Abdy est belle pour l'éternité et moi je suis affreuse.

Roulement septième : tambours une pointe de guillotine, c'est le moment. J'enfile la jaquette Schiaparelli, pourquoi ne serait-ce pas solennel ? Couper ainsi du tissu, c'est de la sorcellerie. Il y a de tout en elle : du gilet de groom, du boléro, du veston orgueilleusement rapetissé de danseur espagnol. C'est amer, j'ai un citron dans la tête, un citron qui se dessèche, j'ai des épaules rembourrées, je suis une Egyptienne en toc, je me demande où me diriger, où m'asseoir, quoi faire. Hermine, peux-tu me dire à quoi je sers avec mes clips en cuivre ? Désolation des désolations mes cheveux sont ternes. Je te plains costume extraordinaire échoué dans notre garni, je te prends en pitié carton satiné pour menottes de femme de chambre. Pauvre griffe à l'intérieur de la veste, c'est donc ici que tu devais finir. Mrs Fellowes, la princesse de Faucigny Lucinge... Je ne peux même pas réciter *Vogue* par cœur. Assez, les vitrines me renverront ma silhouette. Non, encore. Mon public, c'est l'eau du miroir. Je mangerais mes escarpins anguille avec un couteau, une fourchette. C'est chic, un miroir. Ça ne fatigue pas. Il prend, il rend, l'amour, toujours l'amour.

Roulement final pour le chapeau Rose Descat. J'ai le fou rire, je me vois ayant le fou rire. Il y a de quoi : je soulève le feutre anguille de Rose Descat, je suis un grand de l'Eglise qui va poser sa mitre. Quelle plume, ce feutre. Le poids de la plume envolée. Ma mère le dit et le redit : un chapeau vous rajeunit, un chapeau vous ombrage. Il m'adoucit. Il n'est pas masculin, il n'est pas féminin. Ses bords ne sont ni grands ni petits. C'est la sobriété qui ne passe pas inaperçue. Un dernier regard de la tête aux pieds, des pieds à la tête. C'est idéal, cet ensemble vaut plus que notre dépense. C'est sans prix, Hermine parlait ainsi. Il me faut des gants de la maison Hermès. Je changerai ma voix. Il me faut la voix rauque de Marlène pour répondre aux compliments. Maintenant sors, ordure. Le tambour sous le figuier d'Ibiza puerait, tu changerais en charogne les petits soldats perdus dans leur capote. Je suis chic. Il n'y a pas d'erreur, je suis chic. Le sac coupé dans du carton, recouvert de tissu, brave Hermine, je ne l'oublie pas. Sous l'aisselle, c'est la mode. Je suis la toute neuve depuis que je suis prête. Je me demande où je vais.

Boulevard des Capucines à quatre heures et demie de l'après-midi.

Je t'en prie, Paris, sois plus transparent. Je ne me vois pas dans chaque vitrine. J'ai de l'huile dans les articulations, c'est ma gymnastique. L'agent a souri en me voyant, une dame dans son auto m'a regardée. Oui, elle a tourné la tête de mon côté. Bientôt le fleuve d'automobiles sera glacé, les conducteurs monteront sur le toit de leur voiture pour me détailler. Faut te résigner, Lolette. A part l'agent, à part la dame dans son auto... dévorée d'ennui... Je passe, inaperçue. Je me le redis, je me l'avoue, je me soulage : je passe, inaperçue. C'est horrible, c'est intenable. Je ne suis pas le centre du monde. Un, marcher au milieu du trottoir... Un, me dégager des vitrines, des objets. Deux, rejeter les épaules. Trois, rejeter aussi la tête, surtout la tête sinon ils me confondront avec une volaille à la chasse aux céréales. Avoir des fesses sculptées de torero. Sculptées dans du marbre un peu potelé. Posséder un costume de torero. J'apprendrais les couleurs des broderies dans un soleil mordant. Mes fesses me délabrent. J'ai peur, je vais les décevoir. Il y a tant d'inconnus dans mon dos. Ils se disent : bien cambrée, bien balancée. Mais oui mais oui... bien cambrée, bien balancée. Après vient mon visage, après vient la surprise, le choc. Je dois me dégager de mes vêtements, m'en séparer, tout en étant dedans. C'est cela l'aisance. Je dois survoler ce que je possède. Je fais du chemin, il n'y a pas d'erreur j'avance. Je passe, inaperçue. C'est injuste. Je ne peux pas tourner la tête. Ma mère m'apprenait que c'est mal élevé. J'espère qu'un homme va me suivre. Qu'est-ce que je risque ? Je suis dans le sein de ma famille : les passants. J'entends un pas à l'unisson avec le mien. Cela se décide, cela s'est décidé. Penses-tu ! Il bâille, le voilà parti plus loin. Cette grande jeune femme qui arrive dans le miroir d'*Old England,* c'est moi. C'est parfait, absolument parfait. Sujet de composition française : décrivez un boulevard de Paris à quatre heures et demie de l'après-midi. Début : je voyais une longue silhouette vêtue de marron, de la couleur de la purée de marrons lorsqu'on prépare le gâteau de Noël. Si je ne lui parle pas la première, il ne parlera pas. Il s'éloignera, il bâillera. Il parle :

— Est-ce que je peux vous offrir quelque chose ?

Je ne peux pas lui répondre tout de suite, je fabrique la voix de Marlène Dietrich. Il marche à mes côtés. Pfuitt... Je l'ai semé. Grande défaite malgré tout au carrefour de l'Opéra, demi-tour pour la terrasse du *Café de la Paix*. L'affluence d'étrangers me grise. Flânerie de tous les pays. Ils me regardent sans me voir, je me suis tant préparée. Mes agneaux, je cherche des chèques en blanc sur chaque guéridon, le conte de fées de la grosse galette nous en sommes tous là. Deux Anglaises, des jeunesses, à la dernière rangée. Elles s'aiment. Paris les unit, leur bercail c'est le bruit. Je suis seule, sans travail, sans projets, sans avenir. Le temps du samedi après-midi, mon repos après les échos pour les journaux. Les oisifs me surprenaient, je me promenais, je voyageais. Ce temps-là est malade. Je suis une oisive, j'ai Hermine. Elle se crève pour mes petits souliers.

— Je vous ai demandé si vous vouliez prendre quelque chose... Il faudrait vous décider, mon temps est limité.

Encore lui. Il me suivait. Il était discret.

— Non monsieur. Je n'ai pas soif.

— Nous pourrions nous revoir à l'heure de l'apéritif... Vous me plaisez. On ne me plaît pas souvent. Ce soir mon temps sera moins limité. Je ne vous dis pas que nous pourrons passer la soirée ensemble. Nous apprendrons à nous connaître. A ce soir ? A l'heure de l'apéritif ? Sans faute ?

— Oui à ce soir sans faute à l'heure de l'apéritif. Au revoir monsieur.

— N'oubliez pas.

— Je n'oublierai pas. Oui monsieur, le premier qui arrivera attendra l'autre. Sept heures ici. Je me souviendrai. Au revoir monsieur.

— Non monsieur, ce n'était pas mon mari l'homme qui vient de partir.

— Un ami sans doute, une vieille connaissance... Si c'est votre mari vous pouvez le dire. C'est gentil un mari qu'on quitte pour faire ses courses... Les femmes ont besoin de tant de choses. Il y a le mari et puis il y a le petit chéri. Ne vous fâchez pas. Vous vous fâchez, vous voyez que je ne m'étais pas trompé. Votre mari vous disait : rentre tôt parce que moi aussi je rentrerai tôt ce soir. C'est bien ma chance. N'est-ce pas qu'il vous disait cela ?

— Non monsieur ce n'était pas mon mari. Je n'ai pas de mari. Non ce n'était pas mon... comme vous dites. Il me donnait un rendez-vous.

— Vous êtes butée. Si ce n'était pas votre mari, si ce n'était pas votre petit chéri, qu'est-ce que c'est ? Bon, bon. Je vois que vous vous fâchez. Vous êtes toutes pareilles. Des soupe au lait. Mais qu'est-ce que vous avez ? Vous pouvez me demander si je suis marié. Je l'attendais. Vous ne me le demandez pas. De quoi voulez-vous que je vous parle ? Je vous parlerai de ce que vous voudrez. Les femmes, il faut les distraire. Je peux vous entretenir de tout et de rien. Il n'y a pas un sujet qui me fasse peur. Ça vous rend toute chose ce que je vous raconte.

— Parlez de ma voix.

— Votre voix ressemble à celle de Marlène.

— C'est vrai ? Comme je suis heureuse...

— On a dû vous le dire souvent.

— Oui on me dit souvent que ma voix ressemble à celle de Marlène.

— Vous faites du cinéma ?

— Non.

— De nos jours tout le monde veut faire du cinéma. Le dodo, c'est le meilleur des cinémas. Vous ne croyez pas ? Allez, venez sans vous faire prier... dans un endroit intime... où nous serons tous les deux.

— Dans un endroit intime ? J'y réfléchirai.

— Il faut que vous réfléchissiez ?

— ...

— Vous avez tort. Je ne suis pas égoïste, moi. Je pense d'abord aux petites femmes. Il faut les contenter ces petites minouches. Vous êtes attendue ? Fallait le dire plus tôt. L'heure tourne, j'aurais pas tant parlé. C'est dommage. L'homme est égoïste. Il pense d'abord à son plaisir, il est brutal. Moi je pense à votre frimousse, à la frimousse qu'il y a sous vos jupes. Après-demain, ça vous va ?

— Après-demain si vous voulez. Sur le trottoir, c'est cela, sur le même trottoir. Après-demain. Je n'oublierai pas.

— Vous ne me poserez pas un lapin ?

— Je ne vous poserai pas de lapin. Au revoir monsieur.

— Vous souriez.

— Je souris ? J'ignorais.

— Je me présente. J'ai tout vu. Il y a un moment que je vous observe. Rien ne m'échappe. Deux types vous ont accostée. J'ai tout suivi. Deux types l'un après l'autre. En plein jour, sans se gêner. Moi, à votre place... Ils ne manquent pas de culot. Je suivais, j'observais. Ils ne manquent pas de sans-gêne. Est-ce qu'ils se sont présentés au moins ? Non. Je l'aurais parié. Ça se croit tout permis. La correction de nos jours... Enfin... Un geste de vous, j'accourais. Si je vous dis je passerai un moment avec vous c'est pas pareil. Moi c'est sincère. Je connais un hôtel à deux pas d'ici. Vous verrez ? Vous entrerez la première. Je ne suis pas libre, il ne faut pas qu'on me remarque.

— ...

— Venez. Je ne vous plais pas ? Je vais vous le dire tout bas : j'aime qu'on me chatouille les seins. Je suis un homme et j'aime ça. Vous ne voulez pas ? Va te faire foutre mocheté. Tu le croyais ? Tu ne t'es pas regardée.

— Je me permets de vous accoster en tout bien tout honneur. Je n'irai pas par quatre chemins : vous m'excitez. On y va ? Je vous caresserai, vous me caresserez. Va donc mijaurée... Qu'est-ce qu'elle se croit celle-là ?

Je m'affaissai dans la volière Rumpelmayer, je demandai un Mont-Blanc, une glace en forme de pièce montée. Sinistre goûter.

Mes pieds meurtris, je rentrai avant Hermine, je pleurai dans le vieux tissu du divan.

On frappa sans audace à notre porte.

— La clef n'était pas au tableau, s'excusa Hermine.

Elle lança son béret sur une chaise.

— Tes escarpins tu les as jetés, dit-elle sans me regarder.

Elle ramassa les escarpins anguille et, tout en tenant sa serviette de cuir gonflée et déformée, elle mit les chaussures debout sur la table.

— Mon Dieu qu'elles sont belles tes chaussures.

— Elles me tuent. C'est trop étroit.

Hermine s'est assise sur le bord du divan :

— Qu'il fait chaud, dit-elle pour elle-même. Tu t'es bien promenée ?

— Je me suis promenée !

Hermine s'est levée. Elle dessinait des broderies avec un doigt sur mes escarpins.

— Je pensais à l'encolure du corsage pendant la récréation. Est-ce que ce n'est pas trop serré, est-ce que le lamé ne te griffe pas ? Ton chapeau te plaît-il toujours autant ? Réponds. Raconte. Qu'est-ce que tu as ? Tu ne dis rien. Ta jupe ? Elle n'est pas trop longue ?

Hermine penchait la tête pour ma jupe. De son visage pleuvait trop de douceur.

— Non, l'encolure n'est pas trop serrée. Oui, mon chapeau me plaît toujours autant. Non, ma jupe n'est pas trop longue.

Hermine caressait mes chaussures, la couleur du chevreau.

— Et ton sac à main ?

— On ne voyait pas que c'était du carton.

— Tes épaules dans la rue, tes épaules que tu trouvais trop larges ?

— Je... Je ne sais pas. Mes épaules ?

— Tu trouvais qu'elles étaient trop rembourrées. Où t'es-tu promenée ?

— Sur les boulevards.

— Je vais te donner mes savates, tu vas avoir froid aux pieds.

— Tes savates, quel bonheur !

J'ai pris Hermine dans mes bras.

— Il y a des surprises pour toi dans ma serviette, dit-elle.

Je la serrais, elle et sa serviette gonflée et déformée ; je serrais aussi Paris, ses autos, ses agents, ses maniaques avec leurs manies. Une fondue d'amour, c'est ce qu'on aime et ce qu'on n'aime pas.

Mon désir, mon refuge, ma catastrophe. Des guitares frémissaient dans mes jambes.

— Non, dit-elle. Plus tard.

Je m'effondrai.

— Tu ne veux pas. Tu ne veux rien.

— Je t'aime, dit Hermine, et ça ne te suffit pas.

— C'est s'aimer aussi.

Hermine fit la moue.

— Paris, Paris ai-je sangloté. Cède, moi je ferai ce que tu voudras.

Hermine attendait avec sa serviette, ses vieilles chaussures poussiéreuses, son pauvre manteau d'été.

— Tu parles comme un homme, dit-elle.

— Tu ne connais pas les hommes.

— J'imagine ce qu'ils disent, ce qu'ils exigent.

— Ils exigent qu'on leur chatouille les seins.

Hermine a ouvert les yeux.

— Ils exigent ça ?

Elle dégrafait sa serviette. Elle a sorti une bouteille de Mumm, une boîte d'asperges, une boîte de saumon.

— Ils sont seuls, ils sont malheureux. Il leur faut des fantaisies. Tu ne comprends pas ?

— Je ne comprends pas, a soupiré Hermine.

Elle s'est peignée avec son peigne de poche.

— Maintenant raconte. On te regardait ?

Je me déshabillai, je pliai, je rangeai, j'enfermai.

Elle préparait les biscuits achetés à « La Montagne », épicerie du quartier de l'Etoile.

— Parle-moi des regards que tu as eus ? On se retournait ? dit-elle après la première gorgée de champagne.

Hermine alluma une Camel, ensuite une Celtique.

— De beaux vieillards, de beaux adultes, de beaux adolescents m'ont suivie, m'ont parlé, m'ont complimentée. Quel succès...

Hermine a versé encore du champagne :

— Commence par les adolescents. Quel genre ?

Nos voisins se disputaient tandis qu'une odeur langoureuse de veau rôti s'infiltrait sous notre porte.

— Quel genre ? Le genre Chateaubriand, le genre Byron, le genre Shelley à dix-huit ans. De l'énigme et de la beauté.

— Tu plaisantes.

— Je ne plaisante pas. Si je mentais tu me croirais ?

— Je te croirais, a dit Hermine avec amour.

— Je ne mens pas.

— Comment étaient-ils ?

J'ai vidé un verre de champagne. Pour mieux les voir.

— ... Des yeux sombres dans lesquels on se perd, des bouches un peu cruelles, des cols de chemise entrouverts, des cravates molles, des cheveux en désordre, des imperméables sur les épaules.

— Tu déclames, dit Hermine.

Ma description l'ennuyait.

— Qu'est-ce qu'ils t'ont dit ?

— Voyons, qu'est-ce qu'ils m'ont dit ? Ils étaient fous de mon tailleur anguille. Ils me disaient qu'avec un costume de cette couleur-là, je promenais une nuit couleur de châtaigne à la fin d'un après-midi d'été. Un autre m'a dit que j'étais le plus séduisant, le plus doux des automnes en Ile-de-France lorsque les roses fleurissent encore, un autre a ajouté je n'oublierai jamais votre féminité d'androgyne, le triangle vivant de vos épaules avec votre taille.

Hermine a respiré fort, la poitrine emplie de ce vocabulaire :

— On parle ainsi dans les rues ?

— Puisque je te le dis. On ne parle pas ainsi dans ton tramway ?

Le visage d'Hermine s'est éclairé.

— On ne parle pas ainsi. On tricote, on lit, on réfléchit, on a des soucis. Ils cherchent des appartements, ils font des plans pour leurs vacances. Dans mon tram, on est fatigué.

Hermine m'a dit qu'elle aurait une nouvelle leçon particulière chaque jour. Elle m'a donné le crayon : compte, compte vite. Je ne devais pas oublier non plus le pointage deux fois par semaine de ma carte de chômeuse.

C'est un vendredi, le jour prédestiné de l'élégance, que je passai sous le porche de l'immeuble d'Antoine, le célèbre coiffeur de la rue Cambon. Je montai un escalier minable, j'entrai dans le local du Fox Institute, je me trouvai près de la caisse. Près de la caisse où Lady Abdy demandait ses rendez-vous, payait ses soins. *Vogue* et *Fémina* me l'avaient appris. Guenon, rugissait en moi une voix, tu veux marcher dans les pas d'une des plus belles femmes de Paris. Son visage hantait le local sans confort, sans éclat. L'eau du Fox Institute coulait avec abondance et continuité.

J'allais partir. Une vieille demoiselle avec des touffes de cheveux sur son crâne me demanda avec l'accent anglais si j'avais un rendez-vous. Lady Abdy m'intimidait tant que je bafouillai : je suis venue chez vous pour avoir de beaux cheveux. Elle consulta son livre. C'était impossible. Vous reviendrez, me dit-elle. Elle me réchauffait à cause de sa difficulté à s'exprimer en français. Mes yeux lui mendièrent des soins immédiats. Elle s'en alla dans un box qui ressemblait à notre box au collège.

— Si vous voulez attendre, me dit-elle, quelqu'un soignera vos cheveux.

La sonnerie du téléphone retentit. La vieille demoiselle parla longtemps en anglais : elle dit :

— C'est M. Fred Astaire. Il vient demain.

Je clignai des yeux, aveuglée par un nom aimé.

Une coiffeuse devant la fenêtre, une chaise devant la coiffeuse. C'est tout.

La soigneuse a pris mes cheveux :

— C'est vrai qu'ils sont malades. Nous les guérirons.

Son regard s'est détourné de la glace. De nous deux, c'était elle l'obligée.

Elle massait le cuir chevelu avec tous ses doigts sauf les pouces qui s'arc-boutaient sur la nuque. L'odeur de la pommade s'ouvrait en bouton de rose. Elle massait avec tant de régularité que je glissais dans les délices de la confession sans avoir rien à confesser. Mon intelligence menue-menue, mon cerveau attardé devenaient pommade odorante, prenaient couleur de cire. Tu es oisive, tu es malheureuse mais si une travailleuse travaille sur toi, tu t'enfonces dans le berceau des illusions.

Elle m'a dit que la pommade était un secret. Fox Institute vivifiait une chevelure avec des petites herbes venues d'Italie. Je m'abandonnais encore lorsqu'elle cessa le massage. Une enfant entra avec deux arrosoirs.

— C'est l'eau calcaire qui les tue, dit l'effacée. Nous lavons et rinçons avec de l'eau distillée. Elle est si douce... L'autre est dure.

Elle parlait sans s'animer tandis que ses yeux lançaient des feux à ses instruments de travail.

L'eau distillée achetée dans une petite bouteille... Maintenant des arrosoirs et des seaux pleins de cette eau coûteuse étaient à ma disposition. Mousser — rincer, mousser — rincer. Cela dura trois quarts d'heure, ma tête s'allégeait. Le trafic des serviettes chaudes commença.

— Ils foncent, j'étais cendrée, dis-je à la vieille demoiselle.

— Nos herbes les éclairciront. Vous serez très contente.

Elle est sortie dans l'allée.

J'ai pris mon courage à deux mains :

— Lady Abdy...

L'effacée a d'abord mis une autre serviette chaude sur ma tête. Elle s'est reposée avec sa main dessus.

— Elle vient ici, dit-elle.

Silence.

— Elle est belle, ai-je insisté.

J'ai regardé l'employée dans la glace.

— Je ne sais pas, répondit-elle à voix basse.

Mes cheveux croulèrent comme de la soie à la fin du traitement. Je craignais de rencontrer Lady Abdy dans l'escalier. Je ne la rencontrai pas.

Il n'y a eu qu'un pas de Fox Institute au coiffeur Antoine. Je l'ai franchi pour voisiner avec ce que je ne serai pas : une femme riche, une femme belle, une femme sûre d'elle. Papillon se cognant à la lampe du soir, j'attendis mon tour devant le livre de rendez-vous de l'empereur du cheveu court. C'est d'accord avec Antonio pour quatre heures, me dit la caissière.

La fête des mises en plis, des ongles vernis battait son plein. Des clientes, des amies assises l'une à côté de l'autre se souriaient, remerciaient Dieu en se regardant l'une l'autre lorsque j'enlevai mon chapeau. J'attendis encore mon tour dans la salle imposante avec ses batteries de séchoirs. Des jeunes femmes sous le casque, les cheveux pris dans les épingles neige, le filet, lisaient ou feuilletaient des revues de mode ou regardaient leurs jambes, leurs ongles, leurs pieds. Je me dissimulai entre deux séchoirs, j'étais repérée. Les têtes se relevèrent, les revues furent oubliées sur les genoux. Leur petite bouche, leurs grands yeux : leurs signes de noblesse, leur blason qu'elles portaient déjà dans le ventre de leur mère. Je me pâmais pour des minois.

Le groom a ouvert la porte, il a porté sa main à son cœur, il s'est plié en deux pour saluer deux fois.

C'était un poulet. Précédé par le groom, il venait sans hésiter.

Le groom s'est retiré, il m'a laissée avec une boule de plumes hérissées. « Moi aussi je me fâcherai », ai-je bougonné. Se fâcher et, en même temps, recevoir sur l'âme et sur le cœur la pluie de roses de la réconciliation. C'est ce qui est arrivé lorsque j'ai vu que le poulet était un éclopé. Solide travail de chirurgien et de menuisier que celui de la planchette ficelée à sa patte cassée. Il a commencé :

— J'étais aux antipodes, je suis venu pour vous sauver.

— Je suis ici pour mes cheveux, dis-je avec humeur.

Le poulet sauta sur un des fauteuils libres.

— Je plaiderai mieux, dit-il.

— Plaider quoi ?

— Votre misère. Vous voulez leur ressembler et vous ne serez jamais comme elles. Vous êtes leur chienne.

— Partez, lui dis-je.

— C'est à vous de partir. Rentrez chez vous, plongez-vous la tête dans votre cuvette. Ici vous êtes déplacée. Tout le monde le sent, tout le monde le sait. Vous cachez trop de choses.

Je m'approchai du fauteuil :

— Notre garni ?

— Oui.

— Hermine ?

— Oui.

— Ma carte de chômeuse ?

— Oui.

— Son école ? Son métier d'institutrice ?

— Oui.

— Le marché ? Les commissions ? Le sac à provisions ?

— Oui. Vous partez ? Vous êtes décidée ?

— Je ne pars pas. Je veux deux crans sous mon feutre Rose Descat, je veux deux mouvements.

Les paupières du poulet se relevèrent. J'ai cru qu'il mourait.

— Pauvre, a-t-il dit jusque dans l'infini.

Les paupières se sont abaissées :

— Vous me faites pitié. Vous êtes si malheureuse, si enchaînée, si dépourvue...

— Demain nous allons au cinéma. Nous allons voir *Wonder Bar*. Je veux deux mouvements sous mon feutre. Nous allons à l'Apollo.

— C'est sans espoir, murmura-t-il.

Malgré la planchette le poulet sauta facilement du fauteuil sur le carrelage.

— Pauvre, pauvre fille. Je vous plains mais je vous salue bien.

Il dit et il partit en claudiquant, le croupion admirable de bravoure.

Les jolies femmes recommencèrent à me livrer mon poids de souffrance. Je torturais ma lèvre supérieure à l'intérieur de ma bouche pour l'affinement de mes narines. Qu'est-ce que tu es Lolette ? Une de ces grosses têtes qui pataugent dans l'enfer des peintres flamands. J'arrivai enfin jusqu'au fauteuil d'Antonio.

Alors Antonio m'a souri, le geste large et sans cérémonie. Alors, dans le miroir extraordinaire, fresque de reflets autour du salon, je m'adonnai à mon devoir de mante religieuse sur le visage, sur le costume, sur le corps d'Antonio. Sa voix mélodieuse échappait à mes appétits de dévoreuse. Je demandai à être coiffée comme Joan Crawford. J'ouvris mon sac, je lui montrai une photographie de l'actrice découpée dans un journal de cinéma. Il comprenait sans que j'insiste. Des clientes revenaient vers lui, elles lui disaient un dernier au revoir, elles lui parlaient du prochain rendez-vous. Elles ne pouvaient pas se séparer de lui. Antonio raillait, malmenait avec tact.

Grand, souple quand il se penchait, il modelait les cheveux avec une sûreté qui procurait du bien-être. Il rejoignait sculpteurs, artisans, géomètres. Il équilibrait les volumes, il peignait avec des équations.

— J'ai mal Antonio. Je... tombée dans l'escalier. Dans votre escalier. Oui, ici.

Il me regarda dans le miroir, il rit sans méchanceté.

— Je suis tombée, Antonio. Au revoir Antonio. A bientôt Antonio.

Vêtue de gris clair, la femme d'une cinquantaine d'années, une grande dame, une grande pluie d'or et d'argent, ayant un accent étranger se détacha enfin.

Je crois bien qu'il me précisa que c'était un grand nom polonais.

Elle accourut de nouveau :

— A demain. Je... tombée...

— C'est votre faute, dit-il. Si vous ne buviez pas...

— Antonio, s'exclama-t-elle avec candeur.

— Antonio, redit-il avec indulgence.

Ma tête se couvrait de petits escargots de cheveux et je me demandais comment il changerait ces petits escargots en de croulantes ondulations. Je lui donnais les épingles et si je le faisais attendre, je me le reprochais. Les questions affluaient : comment était-il devenu le premier de Paris ? Etaient-ce ses yeux dans lesquels de la nuit s'était mise à l'abri ? Etaient-ce ses dons qui lui procuraient ce rayonnement ? Il ne me parlait presque pas, devinant qu'il ne me sortirait pas de moi-même. Il voltigeait au-dessus de son travail. Pas flatteur, pas suffisant. Franc comme la table de multiplication. Il ne peinait pas ; cependant une mise en plis le délivrait.

Une employée m'emmena jusqu'au séchoir. En chemin, je vérifiai mes escargots. Je m'installai. Je pleurai, je poussai des petits cris dans le bruit maritime du séchoir. Je me croyais seule et abandonnée si deux amies se retrouvaient. Je m'affaissais dans le fauteuil, je descendais un à un les paliers du découragement.

Les poignets des plus belles femmes de Paris frôlèrent mes poignets avec la délicatesse, le velouté, la fatalité d'une aile de chauve-souris. Les petits nez aux narines arquées voletaient contre mes temps. Ils entrèrent dans mes yeux, ils piquèrent ma nuque. Les pieds mignons planèrent plus légers que les églantiers. Ils faisaient du rase-mottes sur mes épaules. Les doigts effilés avec leur pâleur pour seul bijou montèrent, se laissèrent porter comme les feuilles détachées des branches. Bouches, lèvres ourlées pareilles à des guêpes taquinèrent, emmêlèrent les fils de ma toison intime. Une employée coupa le courant.

Adoremus à cinq voix.

Adoremus à six voix.

J'entends ce chant pour voix d'hommes et pour voix de femmes tandis que je continue mon récit un lundi d'août 1960. Les voix sont plus célestes que le ciel gris, les voix graves et profondes montent vers un ciel qui pleure chaque jour. Voici à l'improviste un coup de tonnerre, plus exactement un craquement et un déchirement qui devraient nous libérer du mauvais temps. Voici le couronnement de cet instant pris au mauvais temps, à la musique radiophonique : le Quatuor de Schubert intitulé *La jeune fille et la mort*. Ma Clotilde, mon aimée, mon sang, ma chair, ma cure de sommeil, ma maladie, ma jeune fille de quinze ans, le petit personnage dans mon récit *Les Boutons dorés*. J'ai laissé Clotilde étendue sur un banc de ciment devant une gare pour un train de 1 h 26 du matin qu'elle ne prendra jamais. J'écoute la musique. La mort est lyrique, la mort est lancinante. J'ai cinquante-trois ans, j'ai quinze ans. Le cœur est fatigué, le cœur est rafraîchi par le chagrin. Meurs Clotilde, meurs dans cette musique où le glas est une harmonie. Georges ne veut pas de toi, Georges t'a abandonnée. Clotilde, ma petite née de mes détraquements, de mes égarements, de mes naïvetés, de mes ambitions. Ma petite, mon enfant, ma moelle, mes pulsations, Clotilde de quinze ans, Clotilde de deux sous, ma petite bonne dont je suis la bonne. J'aimais une femme, j'aimais un homme. De mes deux amours est né l'enfant du désespoir. Mme R... me raconta sa jeunesse de bonne à tout faire. Clotilde s'infiltra. Clotilde naissait avec un métier. Mme R... perdit sa jeune fille de quinze ans. Ce samedi-là, terrible étourdie, je me crus délivrée. Moi, Clotilde, je croyais que je mourais pour renaître libérée. L'histoire est sans fin. La petite fille de Mme R... (quatre ans) m'a dit l'autre jour : « On te mettra en prison, c'est toi qui as fait mourir Chantal. » Et c'est ainsi que naissent les remords des pauvres folles. Non, Clotilde n'est pas morte. Elle souffre là-bas sur son banc de ciment. Il neige à côté d'elle, il pleut autour d'elle. C'est une tombe aride, cependant Clotilde vit. Les trains s'en vont, les trains reviennent, les coups de sifflet passent au-dessus d'elle. Elle mourra de mon premier soupir puisque nous mourons en naissant.

... Une employée coupa le courant. Antonio me coiffa.

J'ai été à *La Boîte à Musique,* j'ai écouté Louis Armstrong, ça m'a fait du bien.

Le même soir, deux heures plus tard.

Nous prolongions l'apéritif à la terrasse d'un café, aux Champs-Elysées. Eloges, compliments pour les deux mouvements sous le feutre Rose Descat. Maintenant Hermine se taisait, elle contemplait le feu rouge de sa cigarette dans le suave lamento du crépuscule. Paris sentait le tabac blond, Paris sentait le Mitsouko ; le crépuscule, pareil à l'aurore roulant ses rêves de clartés, venait avec sa caresse de feu de bois qui s'endort. Je tournai la tête : Hermine m'appartenait tellement elle était calme tout près, un peu plus loin. Ruche de murmures, défilé de voitures décapotées.

Le jour fléchit, des colombes couvent nos épaules, notre squelette est une chevelure, quelle souplesse, des Américaines imposent leur zibeline du soir, les pommes chips font leur bruit de papier d'emballage, une échelle de soie se repose au-dessus de notre tête. Déjà ? Déjà une veuve est emmaillotée de violet. C'est une autre chaleur, c'est une autre douceur, c'est la nuit qui descend. Une Camel ? Oui Hermine. Paris aux Champs-Elysées parle toutes les langues étrangères. Echappement libre d'une Alfa-

Romeo, la vitesse est une offrande. Hermine balance son pied, je respire l'odeur sucrée de mon poignet. Les anciens partent, ils sont partis ; les nouveaux venus avalent un cognac, ils s'en vont du côté du *Lido*. La nuit. Il faut renverser la tête, il faut chercher la nuit profonde entre deux étoiles. Ouvre ta bouche, grande ville, un astre va pleurer. Hermine a proposé une promenade à pied le long de la Seine en suivant les quais. J'acceptai.

Fini les immeubles, les fenêtres des bureaux. Murs, cloisons, choses, objets, gommes, grattoirs, encriers, vous serez livrés demain comme aujourd'hui à l'obscurité, Rond-Point des Champs-Elysées. Est-ce le bruit, est-ce l'entrain d'une machine à coudre ? C'est la régularité des jets d'eau.

Lecteur, suis-moi. Lecteur, je tombe à tes pieds pour que tu me suives. Mon itinéraire sera facile. Tu quittes les gouttelettes qui venaient te retrouver, tu t'achemines vers la place de la Concorde, tu montes sur le trottoir de gauche. Te voici, nous voici. Miracle du silence le long du bruit. Lecteur, nous dirons : nous montions sur le trottoir, nous sautions à pieds joints dans le silence. Un long, long foulard de soie naturelle resserré entre le pouce et l'index. Nous le tirons. C'est la caresse par l'étranglement, c'est la réalité d'un nouveau silence ce soir dans l'anneau du pouce et de l'index. Lecteur, suis-nous encore.

Modestie des arbres et des feuillages.

— Tes escarpins te font mal ?

— Un peu. Je m'habitue.

Modestie des arbres et des feuillages. C'est plus fastueux que le poudroiement des jets d'eau. O ma campagne entre la Concorde et le Rond-Point, tu ne me donnes pas la nostalgie de la campagne en sabots. Moi née à Arras me voici née à Paris. Les jeux d'enfants de tout à l'heure... L'invisible sera mon souvenir. Hermine... Hermine marchons plus

lentement... C'est notre enfance de pelouses interdites qui se déroule, c'est un pèlerinage sans commencement ni fin. Traînons, traînons. Tout est gra-
tuit entre la Concorde et le Rond-Point. On flatte
ma joue. Qu'est-ce que c'est, qui est-ce? C'est un
ruban, c'est la nuit travestie en jeune fille 1830. Le
printemps s'enfièvre pour le passé, nous reviendrons
puisque nous rencontrons des souvenirs. Cueillons leurs buissons, cueillons nos buissons de larmes à six ans.

Place de la Concorde, grande représentation des
illuminations. Les autos s'enfuient. Espace, recueillement, proportions ne sont pas pour les passants.

Je m'entêtais, je ne voulais pas traverser, je craignais ce soleil de vitesse, les automobiles venues de
tous côtés. J'ai donné mon chapeau, mon sac à
Hermine. La brise dans mes cheveux m'encourageait. Non je ne voulais pas avancer.

— Tes pieds te font mal? Ce sont tes escarpins, a
dit Hermine.

Qui me clouait sur place?

Hermine voulait me stimuler, elle me parlait de
ma coiffure, du lamé côtelé dans ce gala de lampadaires.

— Il faut te traîner comme une enfant, dit-elle
rieuse, un peu inquiète.

Nous marchions sur le pont spacieux. Des lointains lumineux fêtaient le fleuve.

— Il y a des gens derrière nous, chuchota Hermine.

Décidément, la soirée n'était pas très confortable
malgré sa splendeur.

Un groupe nous suivait. Ils nous dépassèrent. Des
mâles avec une femelle toute en croupe, visage ni
beau ni laid. Ce qu'elle dit, elle le cria en me dési-
gnant dans la brise du soir.

— Oh! criai-je aussi.

Je venais de recevoir le coup en pleine poitrine.

— Oh ! oh !...

Un seul coup ce n'est pas sourd. Il a des échos. Je recevais d'autres coups sur tout mon corps. Mes blessures blessaient le trottoir. Je marchais centimètre après centimètre sur du mou de boucherie.

Rondelle de bois, j'ai mal, je...

— Qu'est-ce qu'il y a ? Qu'est-ce que tu as ? dit Hermine.

Elle chercha dans mes yeux, elle s'affola sans gestes, sans paroles.

Rondelle de bois. Je rends, je dégueule les tripes que j'ai dans la tête. Rondelle de bois pour les flèches des baraques foraines, oh, oh. Rondelle de bois je te vois trop.

— Tu as quelque chose. Tu es pâle, tu es toute pâle. C'est à cause de cette femme. Je n'ai pas compris ce qu'elle t'a dit. C'est à cause d'elle, j'en suis sûre. Parle, tu me fais peur. Tu étais si bien coiffée...

Le costume Schiaparelli me quitte, il se désagrège. Ce sera bientôt un tas de flammèches. Mes bas tombent sur mes talons, c'est livide, j'ai froid aux jambes, j'ai...

— Tu ne veux pas me dire ce que tu as ? Je te dis que tu me fais peur.

— Ce n'est rien, dis-je sans forces.

Résignation souveraine là-bas du refuge pour attendre l'autobus demain. Résignation, résignation... Est-ce un endroit ou bien un mouchoir secoué pour un navire ?

Hermine a pris mon bras. Elle le serrait dans un étau :

— Nous allons chercher un restaurant, nous mangerons, dit-elle avec un faux entrain.

J'ai mal et toi tu me fais mal en serrant trop mon bras.

— Tu pourrais me répondre. Veux-tu que nous mangions ?

J'ai mal et tu me fais mal. Ton pouce. Il s'enfonce dans de la cervelle fraîche.

Elle serrait mon bras de plus en plus fort.

— Il y a sûrement un gentil restaurant. Ils ne nous serviront pas si nous arrivons trop tard, dit encore Hermine.

Les phares d'une automobile grand sport nous aveuglèrent, mes joues s'allongèrent. Elles tombaient sur mes clips en cuivre, le métal les refroidissait. Mes joues déportaient ma tête sur la droite, sur la gauche. Mon nez. Terrifiante crise de croissance, ma trompe balayait le pont. Petits cailloux, petits graviers, moindres aspérités l'écorchaient.

De nouveau les phares d'une autre automobile, un coupé avec un chauffeur vêtu de blanc nous aveuglèrent.

— J'ai faim tu sais, dit-elle avec une fausse gaieté.

Mes paupières que je ne pouvais plus abaisser rejoignaient mon front. Les saletés dans l'air venaient dans mes yeux, mes cils s'emmêlaient à mes cheveux.

— Je pensais à nos vacances, dit Hermine.

— Oui, dis-je avec un grognement de bête.

Hermine a changé de place. Elle m'entourait les épaules.

Je voulais émettre des sons. Ce n'était que des « areu » de nourrisson pris dans un crachat, une provision de chagrin que je ne pouvais pas expectorer.

Hermine, en me serrant contre elle, labourait de très anciennes épaules maintenant criblées de blessures, des blessures en forme de petits cercles les uns dans les autres.

J'ai mal et toi tu me fais mal. Tête de veau, coloris de la flanelle claire, toute languide tête de veau couchée sur la verdure du tripier, prête-moi ton sommeil, prête-moi l'extase de ta bouche fendue.

— Pourquoi ne veux-tu pas avancer ? Pourquoi ne veux-tu pas me dire ce que tu as ? Nous mangerions, tu serais moins fatiguée...

J'ai répondu oui avec le même grognement. Des cailloux tapissaient mes muqueuses. Dix, vingt, trente, quarante automobiles nous aveuglèrent. Il me semblait que chaque automobile ouvrait et fermait son poing dans chaque phare. Mes pieds ? Mes escarpins ? Des palmes, mais des palmes de boue et de glaise qui me précédaient d'une bonne longueur.

Les phares d'un autocar qui rentrait au dépôt nous jetèrent contre le parapet. Passait avec la nuit sur lui, le fleuve et les troupeaux de l'Histoire.

— Tu ouvres la bouche et tu ne dis rien, a chuchoté Hermine.

— a e i o u, grognai-je.

Ma trompe se replia sur elle-même. Je ne pouvais pas suivre Hermine.

— Colle, colle. Y a. Sur. Le. Parap. Parapet.

Hermine est revenue sur ses pas.

— Parle, ça te soulagera.

Le vent montait, je recevais de l'étoupe dans ma gorge.

— Détache-moi du pont, ai-je supplié.

Elle n'entendait plus ce que je disais.

Est-ce qu'on demande à une centaine de mouches mortes de se décoller du ruban gluant, de s'envoler ?

Mes doigts sectionnés, cicatrisés, en forme de boudins ficelés ne pouvaient plus remuer. De l'enfer, un morceau de zinc est tombé sur ma trompe.

— C'est le vent qui monte, cette fois allons dîner, a dit Hermine.

Hermine s'est jetée dans mon cou. Je ne pouvais

pas la serrer : des râteaux à longues dents se raidissaient sous la peau de mes bras. Ma tête s'est reposée sur celle d'Hermine, ma trompe me donnait une terrible migraine.

— Tu frissonnes sans arrêt, a dit Hermine.

Un automobiliste au volant d'une benne de grand luxe allumait et éteignait ses phares à la vitesse d'une mitraillette :

— Alors, mes jolies, on s'aime dans les rues maintenant ?

Hermine se mit à frissonner aussi. Le vent qui montait exigeait un désert sur le pont.

— Où veux-tu que je t'emmène, où veux-tu que nous finissions la soirée ?

Mes escarpins anguille... Ils avançaient tout seuls sur la chaussée au rythme saccadé d'un dessin animé ; ils zigzaguaient.

L'automobiliste accoudé sur son volant jouait à lumière-pas-de-lumière avec le bouton des phares.

— Le long du fleuve. Emmène-moi le long du fleuve.

— Tu parles enfin, a dit Hermine.

Nous quittâmes le pont, nous descendîmes dans la nuit. Seulettes, âgées, pauvrettes à faire gémir de pitié un silex.

Je pleurais, le sable d'une péniche était trop doux sous mes pieds.

— Tu ne vas pas te tuer ? a dit Hermine dans l'obscurité.

Me tuer : ce serait trop facile.

Le vent n'avait que faire de ma trompe, de mes palmes, de mes paupières démesurées. Il supprima le superflu. Le vent, ce soir-là, nettoyait jusqu'à la transparence. Netteté de mon chagrin, c'était insupportable.

— Va-t'en, dis-je sans méchanceté à Hermine.

Ainsi les violons pleuraient mieux au creux de l'estomac.

Le vent apporta un effluve, une surprise : un peu de musique de danse.

— Je t'en supplie, va-t'en.

Besoin de l'effacer pour m'enfoncer.

— Je vois le fleuve, dis-je à voix basse.

— Tu le vois ? cria au loin Hermine.

J'écoutais le clapotis, le feston de la nuit.

— Qu'il est sage...

— Il est sage ? cria au loin Hermine.

Je voulais aussi le balbutiement de la nuit.

— J'ai froid, dis-je avec une pauvreté d'enfant.

Le vent me donnait des coups d'éventail dans les reins, des lumières au loin me faisaient des signes, une gorge noire palpitait sous un vieil arbre. C'était le fleuve que j'aimais.

Je suis disponible, entre, mais entre donc dans l'eau, me dit cette gorge au-dessous du firmament.

J'entrerai, je creuserai sans un effort une allée de soupirantes et de soupirants à genoux pour m'approuver, le ciel sera mon panier de linge sur ma tête. Non non et non puisque mon nez de mi-carême s'en va sur l'eau. J'ai raté l'offre profonde.

Je m'allongeai à plat ventre dans le sable.

— Demain tu seras malade...

— Tu es revenue ? Oui Hermine je serai malade.

— Je t'attends.

— Va-t'en.

Elle marchait dans le sable, je ne l'entendais pas s'éloigner. Je sanglotais, mes larmes mouillaient le sable.

Reviens Hermine, reviens lorsque je t'appelle. Ton paradis, je te le bâtirai avec le duvet de notre lit.

Je cherchais Hermine.

— Ici, a dit Hermine. Je suis ici.

Je la cherchais encore dans une obscurité bousculée par le vent.

Je lui ai donné un coup de pied malgré moi.
Hermine allongée sur le sable comme je m'étais
allongée, sanglotait.

— Tu pleures ?
— Tu pleurais. Je pleure avec toi.
— Tu ne sais pas pourquoi je pleure.
— C'est ce qui me désespère.

Je l'ai aidée à se lever.

Surprises d'un désespoir, nouveauté d'une
étreinte, abondance d'un chagrin.

Nous pleurions enlacées, nous tournions sur
place, nous tournions sur la berge déserte, la morve
d'Hermine coulait sur ma joue, dans mon cou. Ma
morve coulait sur sa joue, dans son cou. Pleuraient
aussi avec nous le vent, le ciel, la nuit. Charité du
sexe. Fondaient aussi nos ovaires, notre clitoris.

Elle léchait ma morve, je léchai la morve d'Hermine.

— Mon petit...
— Ma petite...
— Mon petit...
— Ma petite...

Nous tournions, nous pleurions, elle m'appelait,
je l'appelais mon petit, ma petite à l'infini.

— Dis-moi ce que cette femme a dit.
— Cette femme a crié : « Moi, si j'avais cette tête-
là, je me suiciderais. »

Valsons, mon amour.

Valsons, ma chérie.

J'aurai vécu dans l'obsession des nourritures. Ma
mère a gavé sa fille, son fils, sa petite-fille par crainte
de leur avenir. Une maladie ou une simple grippe se
déclare, elles mettent en péril le lendemain. Ma
mère aura vécu, elle m'aura appris à vivre dans la
crainte du lendemain. Ne pas manger du mieux
qu'on peut c'est courir à sa perte. Anémiée, presque
rachitique à sa sortie de l'ouvroir, une jeune fille

— ma mère — reçut une nourriture phénoménale dans ses entrailles : un môme. Aux milliards de graines dans un jet de sperme, elle opposa pour sa fille des milliards de calories. Sois forte pour être forte dans la vie, me disait-elle. J'ai eu peur, j'aurai toujours peur du lendemain. Mourir de faim est ce qu'il y a de plus difficile au monde, m'a dit un ami. Oui et non. Je revenais chaque matin avec deux avenirs de champs de pommes de terre, de pâturages, de vergers, de potagers lorsque je portais deux sacs pleins. Je ne me fatiguais pas de regarder la merveille couchée avec ses sœurs jumelles sur du feuillage. Mariage du ciel et de l'herbe, de la rivière et de la mer, de l'arc-en-ciel et du métal argenté : la truite avec son semis de taches de rousseur. Je dois ma première truite à Hermine. Je savourai la quintessence d'un brin d'herbe, d'une rivière. D'une truite, je savourai son poème de timidité, de fragilité. Le vieil eunuque — une ombre grise — m'ennuyait et m'attristait. Il fignolait ma côtelette première, ma tranche de faux filet, il susurrait des propositions, des fadaises, il se donnait l'illusion d'un don Juan affranchi. Je riais avec autant de fausseté que de bêtise. J'étais nulle devant un malheureux tout seul avec son sexe. Je lui glissais un pourboire comme le glissaient les autres ménagères, il me chatouillait l'intérieur de la main. Après il se penchait à l'oreille de la cliente suivante, il chatouillait la main suivante. Chacun se soulage comme il peut.

L'après-midi il m'est arrivé souvent de rentrer aussitôt sortie pour ressortir pauvrement vêtue. Je tricotais dans le Jardin public de Levallois-Perret parmi les vieux, les vieilles. J'enviais les jeunes mères épanouies, j'enviais leurs horaires : la tablette de chocolat, le petit pain, le lait, l'orange qu'elles ouvraient comme s'ouvre une fleur ; j'enviais leur calme. J'oubliais leurs charges, leurs drames, leurs devoirs. Le bonheur était une façade. Je me taisais, j'étais toujours seule, je ne réfléchissais pas. Les arbres, les pelouses, les oiseaux, les tondeuses... Ce mirage et cette promesse de campagne me transperçaient. Hermine venait me chercher à sept heures. Je me sentais protégée dès que je l'apercevais. Elle me proposait le cinéma dans notre quartier pendant que je disais un au revoir silencieux à l'immense assiette de fleurs sur la pelouse. Les cris de très anciens garçons résonnaient dans le souterrain de mon enfance, j'ouvrais ma main pour un crachat de Fidéline mourante.

J'ai reçu des nouvelles de Gabriel : il est tombé malade. J'ai raconté dans *Ravages* mes visites à l'hôpital. Maison de convalescence pour indigents après sa terrible typhoïde. Nous le cherchâmes parmi des centaines d'uniformes, parmi des centaines de convalescents, dans une cour, dans un jardin, contre les murs, entre les massifs, autour des gardiens. Des hommes tournèrent la tête, ils nous donnèrent leur mauvaise mine, leur barbe naissante, le voile de leur maladie sur leurs yeux. Un fantôme nous serra la main. C'était lui. Hermine portait les gâteaux, je portais les cigarettes, les fruits. Il ne répondit pas à notre bonjour. Ses yeux verts, héroïques. Froids, ce jour-là. Infranchissables. Ses lèvres, serrées par la rage. Il nous emmena bouche fermée dans le préau. Elancement d'un souvenir : c'était l'hiver, des centaines de convalescents envahirent le préau sous l'éclairage livide. Nous nagions avec eux dans la misère, les poêles étaient choyés et bénis par des mains nuageuses. Gabriel assis entre nous deux ruminait une tache d'humidité sur le mur. Je m'efforçais de ruminer avec lui. Une mère caressait les sourcils de son fils, une femme embrassait le genou de son amant, les sans-visites allaient et venaient, les vieux admiraient leurs mains réchauffées. J'avais honte de ma santé, de ma liberté, de ma présence, de mon silence, de nos provisions. Hermine lui parla, il s'enferma. Je lui parlai aussi, il n'entendit pas. J'offris une cigarette, ses longs cils ne remuèrent pas, ses mains ne s'éveillèrent pas. Gabriel continuait de se taire derrière le brouhaha. Nous endurâmes son silence deux heures, ensuite nous déposâmes les provisions sur le banc scellé au mur, et, sans bonté, nous quittâmes Gabriel pendant qu'il réfléchissait.

Trois semaines après cette visite je reçus un petit bleu de Gabriel : « Je viendrai déjeuner dimanche. »

Son encre était toujours la plus noire, ses majuscules échevelées.

Deux heures de retard. Il sera venu de la porte Champerret à pied. Tu ne voudrais pas qu'il vienne dans le carrosse de Louis XIV. Deux heures de retard pour expier ses sacrifices. Excusez, j'arrive à pied de l'autre bout de Paris, excusez. Un clou, un cadavre se traînant pour nous voir à table. Je lui reprochai son silence, je lui reprochai son bouquet trop petit, je lui reprochai tout cela dents serrées. Il disparut. Ma branche de cerisier, mes os que je cassais à coup de marteau parce que je l'approuvais, parce qu'il me manquait une seconde après son départ.

Nous déménageâmes. Fini l'hôtel meublé. Nous avions suivi la construction de l'immeuble dans la rue Anatole-France. De la clarté, une chambre, une cuisine, un ascenseur, je ne vois pas ce que tu pourrais avoir de mieux, dit Hermine. Je répondais que j'avais le cœur serré. Fini le garde-meubles, nous profiterons du fauteuil, de ma table, et toi tu étudieras sur ton Pleyel. Ça n'a pas l'air de te plaire... mais si biniou insistait Hermine. Nous tournions une page. Oui, j'avais le cœur serré.

De nouveau les grands boulevards, la rue de la

Paix, la rue du Faubourg-Saint-Honoré, la glace en forme de pièce montée chez Rumpelmayer, de nouveau le boulevard Malesherbes, avec mes stations et mes stationnements devant la boutique « La Crémaillère ». Je suivais chaque semaine les changements du décor, les départs, les arrivées des objets. Maintenant que nous avions une chambre, une cuisine, une entrée dans un immeuble moderne, je m'arrêtais de plus en plus longtemps devant les tables dressées, le coin intime d'un studio prêt à emporter. J'eus le coup de foudre pour une table basse, en laque vert amande avec un miroir unissant les deux pans de bois. J'entrai, je demandai combien elle coûtait. J'ai dit le prix à Hermine, elle a sursauté. Je devais l'oublier. Je ne le pouvais pas. Je m'arrêtais encore pour elle, pour sa laque, pour son miroir. Un grand sec m'accosta.

— Non, a dit Hermine, je n'irai pas, je ne verrai pas cet homme. Tu peux y aller si tu veux.

Hermine cousait enfin pour elle. Un tailleur souple de satin vert absinthe avec des rayures noires. Elle assemblait les morceaux la nuit. Le Pleyel acheté par ma mère dormait sous le couvercle d'acajou. Je ne jouais pas, je ne voulais pas qu'elle joue.

J'ai poursuivi :

— Mais non je n'irai pas sans toi ! C'est nous deux qu'il veut voir.

Hermine a essayé la jupe, j'ai vérifié l'arrondi, ensuite j'ai mis un disque sur le phono.

— Ne couds pas, je te parle !

— Je ne couds pas, a dit Hermine.

Elle a piqué son aiguille dans le satin. Maintenant j'étais son livre triste qu'elle retrouvait lorsqu'elle me regardait.

— Tu veux que je te le dise ? Ces hommes qui me suivent, tu t'en fiches. Tu ne pourrais pas être jalouse ? Tu ne pourrais pas me retenir ici ? Ça ne

305

t'effleure même pas. Du moment que tu dors, du moment que tu arrives à l'heure, du moment que la directrice t'estime... De nous deux c'est toi qui penses le plus à toi.

Hermine, par lassitude, a remis le disque. La chanteuse implorait l'orchestre de jazz qui l'accompagnait.

— J'ai une bonne santé, ça te ronge, a dit Hermine.

— Quand tu ne dors pas tu te tais.

— Je voudrais bien dormir, je voudrais bien me reposer. C'est impossible.

— Dis-le que tu te trouves malheureuse.

— Comment pourrais-je dire cela, a dit Hermine avec une voix d'enfant à qui on demande de mentir.

— Un jour tu le diras.

Hermine a soulevé les épaules.

— Je ne le dirai pas. Allez, viens, viens près de moi. Tu peux me donner le bras pendant que je couds, tu peux me parler.

Hermine s'était remise à coudre sur la table en chêne. La sienne.

Je rêvais à la table laquée. La mienne. Je ne comprenais pas ce que la chanteuse chantait en américain. Parfois les imprécations finissaient en douleur de violoncelle.

— C'est décidé ? Nous irons ? Il veut nous voir au bar du *Ritz*. Tu connaîtrais le bar du *Ritz*.

Hermine a soupiré sur son ouvrage :

— Tu le connais, toi ?

— Non.

— Alors ? Le bar du *Ritz*, le bar du *Ritz*... Le Sandeman c'est le Sandeman. Il est le même chez nous et chez eux.

— Nous boirions des cocktails.

— Nous pouvons boire des cocktails ici.

J'ai soulevé le couvercle du Pleyel, j'ai fait avec l'ongle du pouce un glissando sur les touches.

— Bien sûr nous pouvons boire ici. Mais l'ambiance, le cadre, tu l'oublies ?

— Je déteste sortir, je déteste me montrer. Ça te plairait tant que ça ? Quel âge a-t-il ? Comment est-il ?

— Quel âge ? Soixante ans. Un grand sec. Soigné. Un long visage pâle. Une voix fade. Il doit être riche. Je l'ai rencontré boulevard Malesherbes...

— Tu regardais la table laquée ?

— Comment as-tu deviné ? « Vous vivez seule ? » Non, je vis avec une amie. « Une amie ? Très intéressant. Est-ce que je pourrais vous rencontrer avec votre amie ? » Je me demande si elle voudra. Vous savez, elle, les hommes... « De plus en plus intéressant. Demandez-lui. » Et il a proposé le bar du *Ritz*.

Hermine a ri :

— C'est un vieil imbécile, nous irons.

Nous connaissions l'entrée du bar du *Ritz*, rue Cambon, parce que nous léchions aussi les vitrines de Chanel.

— Le grand sec là-bas... C'est lui ! Avance ! Tu as une table libre devant toi. Avance ! Tout le monde nous regarde.

Le barman nous a aidées à nous installer.

— Une coupe, a commandé Hermine.

— La même chose, ai-je répondu.

Des yeux nous scrutaient.

— C'est ça le bar du *Ritz* ? a dit Hermine.

Elle a allumé une Celtique dans un nuage de tabac blond.

— Il nous voit, il nous fixe. Il n'ose pas venir. Je devrais y aller...

— On se croirait à Paris-Plage, a dit Hermine.

— C'est plus raffiné.

Hermine m'a donné mon paquet de Camel.

Ses yeux noirs, ses cheveux agglomérés avec de la gomina, sa peau mate ressortaient sous le chapeau de daim vert pâle penché d'un côté. Hermine étincelait. Elle a bu dans mon verre.

— Regarde-le, encourage-le... lui dis-je.

— Moi !

— C'est pour lui que nous sommes venues ici, non ?

— C'est pour toi que je suis ici !

— Je vous attendais à ma table. J'espère que je ne suis pas indiscret.

Il s'inclina devant Hermine. Le barman apporta un quart d'eau minérale. Des élégantes souriaient, nous étions cataloguées.

— Votre amie m'a beaucoup parlé de vous, dit-il à Hermine. (Il s'est assis en face de nous.) Elle m'a dit que vous jouiez remarquablement du piano. La musique est le plus noble des arts. N'est-ce pas votre avis ?

Hermine n'a pas répondu tout de suite. Je devinais que ses joues rouges la persécutaient.

— Je ne joue pas remarquablement. Tu le sais bien, m'a-t-elle dit. J'ai raté mon Premier Prix, ajouta-t-elle.

Secoué par cette confidence bourrue, il a fait le simulacre de se moucher.

— Serais-je indiscret si je vous demandais vos prénoms ?

Hermine a tourné la tête de mon côté, d'un air interrogateur.

— Hermine, dit-elle.

— Violette, dis-je.

L'inconnu but une gorgée d'eau minérale :

— C'est charmant Hermine-Violette, c'est absolument charmant.

Les emmanchures en satin glissaient des épaules d'Hermine.

— Dis-moi biniou, dit-elle dans un aparté à voix

haute, c'est charmant ou bien c'était fatal nos deux
prénoms réunis ?

— Je ne sais pas, dis-je avec gêne.

Il s'est éclairci la voix. Hermine le dépassait, Hermine le blessait.

J'ai dit :

— Vous aimez cet endroit ? Vous y venez souvent ?

Un peu de vie revenait dans ses yeux d'anémié.

— Nous c'est la première fois, n'est-ce pas Violette, a déclaré Hermine.

Il a regardé nos coupes ; il était aux abois :

— Pourquoi ne pas prendre un gin-fizz ?

— Tu veux un gin-fizz ? m'a dit Hermine.

— Oui. Appelle le barman.

— Je vous en prie, m'a-t-il dit, n'en faites rien.

Il a commandé deux cocktails.

C'est à ce moment qu'il a commencé de transpi-
rer. Hermine rougissait. Ah ! ce tailleur en satin qui
tourmentait Hermine parce qu'il était mal coupé.

— Est-ce que votre femme joue du piano ? dit
Hermine.

J'ai écrasé son pied.

— Ma femme est souffrante. Non, elle ne joue
pas, dit-il.

Nous languissions.

Aidez-moi puisque je vous connais un peu,
priaient les yeux éteints de l'homme. Je n'osais
pas.

— Nous pourrions nous retrouver dans un
endroit plus intime, dit-il.

Il s'est tourné de mon côté :

— Rue Godot-de-Mauroy ça vous plairait ? a-t-il
lancé dans un souffle.

Hermine suspendue à mes lèvres me suppliait de
refuser. Rue Godot-de-Mauroy...

— Ça te plairait ? m'a-t-elle demandé.

— Pourquoi pas ? ai-je lancé en allumant une Camel.

Il a payé le barman.

— Avez-vous lu *Sanctuaire* ? ai-je dit pour nous mettre soudain en valeur.

Déjà il nous serrait la main.

— Nous en parlerons rue Godot-de-Mauroy.

Rendez-vous a été pris pour la semaine suivante.

Des couples et des hommes seuls entraient, Hermine le regarda partir.

Le bar intimida tout à coup Hermine.

— Dis-moi que nous n'irons pas, dis-moi que tu lui as menti ? a-t-elle crié.

Elle réajusta sa jaquette en satin.

— Nous aurons le temps d'en reparler, dis-je.

Elle m'a confié sa terreur la semaine suivante, boulevard Malesherbes. Elle balbutiait comme une vieille détraquée. Nous l'aperçûmes soudain, rue Godot-de-Mauroy. Il avait l'air minable et attendrissant. Hermine se rasséréna :

— Après tout, il est peut-être gentil, me dit-elle.

— Je ne croyais pas que vous viendriez, dit-il, comme ranimé.

— Est-ce que votre femme va mieux ? a dit Hermine avec un bon sourire honnête.

Il a détourné la tête.

— J'entre le premier. Vous me suivrez.

Affaire conclue. Son ton était différent de celui du *Ritz*. Il pressait le pas.

Hermine le regarda s'éloigner :

— Viens biniou, viens pendant qu'il est encore temps.

Je me fâchai :

— Il entre, entrons.

— Pourquoi veux-tu faire ça, pourquoi ? supplia Hermine.

Je la poussai en avant.

— Maintenant montons, a dit l'homme devenu frétillant.

Déjà les tapis épais m'ensevelissaient avec mes craintes.

Une jeune femme de chambre nous a introduits dans un petit salon avec un miroir pour plafond et un autre miroir à trois faces. Des femmes nues se laissaient porter sur des nuages. Un pouf s'offrait.

— Qu'est-ce que nous faisons ici ? a dit Hermine. Ce n'est pas un bar.

— Vous n'êtes pas une enfant, mademoiselle. Asseyez-vous. On apporte le champagne frappé.

La femme de chambre est entrée. Elle a déposé le plateau, elle a disparu.

Hermine m'interrogeait. Elle feignait d'ignorer la présence de l'homme. Etait-ce un hôtel ou un appartement ?

— Les deux, a-t-il répondu. On s'aime ici. N'est-ce pas que c'est un coffret pour s'aimer ? m'a-t-il dit.

Hermine a servi le champagne. C'était pour elle un sursis. Il ne fumait pas : il nous allumait nos cigarettes.

— Partons, a dit Hermine. Je paierai la bouteille de champagne, ce sera fini... Tout peut s'arranger, Violette. Nous allons payer et nous en aller. Hermine ouvrit son porte-billets.

— Espèce de trouble-fête, ai-je dit dans un sifflement. Qu'est-ce que tu peux reprocher à Monsieur ? Tu as peur de tout.

— Je vois que vous êtes compréhensive, m'a dit l'homme.

— Biniou, c'est toi qui parles ainsi ? Tu te plais ici ? Le champagne est sucré.

— Le champagne est sec, Hermine !

— Il est chaud.

— Le champagne est glacé, Hermine.

— J'aime vous voir vous dresser toutes les deux, a
dit l'homme. Nous progressons, nous progressons...

Il a croisé les jambes. Pour lui, le spectacle commençait.

Hermine a enlevé son chapeau :

— Soit. Je ne m'en irai pas puisque tu ne veux
pas partir.

Elle a rempli les coupes.

— Venez voir votre chambre, a-t-il dit avec
entrain.

— Notre chambre ? Tu m'as trompée, dit Hermine.

Il a ouvert la porte, Hermine est entrée la première pour se jeter plus vite dans le gouffre. Elle
cachait son visage dans ses mains, elle gémissait :

— Des miroirs, des miroirs...

Elle est venue dans mes bras. Elle sanglotait.

— Partons mon bébé, partons. Tu auras ce que
tu voudras.

L'inconnu tournait autour du lit reflété par les
miroirs.

— Je suis navré. Partez puisqu'elle le veut.

Il s'est assis sur le lit en satin. Je végétais pendant
que j'essuyais les larmes d'Hermine. Je portais le
poids de sa tête sur mon épaule.

Il a quitté la chambre mais il est revenu avec une
autre bouteille de champagne.

L'alcool ce jour-là me transformait en faune. Je
promettais des sensations extravagantes à Hermine.
Brisée, elle m'écoutait, elle me regardait dans le
miroir.

— Je veux bien mais il faut qu'il s'en aille, a
gémi Hermine.

Il est sorti.

Nous avons bu et trinqué.

— Il s'ennuie, Hermine. Il est seul.

— Oui. Moi, je ne m'ennuie jamais, je ne suis

jamais seule. Je voudrais comprendre. Je ne comprends pas.

— Il se peut qu'il soit malheureux.

— Oui, il se peut qu'il soit malheureux. Trinquons, ma petite chérie.

— Trinquons. Je ne crois pas qu'il soit dangereux.

— Il n'est peut-être pas dangereux. C'est vrai, il est seul et nous sommes deux, a repris Hermine comme si c'était un mystère.

C'est à ce moment-là que je lui ai suggéré de se déshabiller. Elle pleura sur sa misère et sur sa docilité pendant que je l'aidais à se dévêtir de ses principes.

Il arriva sur la pointe des pieds. Impossible d'imaginer un homme plus vêtu, plus correct, plus enfermé dans le sur mesure. Je me déshabillai sans me quitter des yeux dans le miroir.

Et c'est au miroir qu'il a dit avec froideur :

— Vous ressemblez à un saint Sébastien.

Un compliment est un tremplin.

Couchée sur le ventre, Hermine m'attendait. J'ai jeté le drap, j'ai oublié l'inconnu, j'ai oublié Hermine pour mieux l'adorer après l'avoir sacrifiée.

— Aimez-la. Je ne vous demande pas autre chose, ai-je entendu avant que je plonge.

Ferme les yeux, ne les regarde pas, ils ne te verront pas, disais-je à Hermine lorsque ses yeux rencontraient les miroirs avec le visage affairé de l'homme au plafond.

La main décharnée me donnait une coupe de champagne lorsque je ruisselais.

Sortir de l'hôtel n'a pas été facile. L'inconnu disparut avant nous, il nous laissa des billets. Nous marchions sans échanger une parole, privées de la brise ou du vent qui nous auraient rafraîchies. J'ai demandé à Hermine pourquoi elle s'était décidée.

Elle m'a répondu qu'elle avait voulu être courageuse. Devions-nous rire ou pleurer ? Elle m'a dit que j'achèterais la table laquée le lendemain.

J'entrai dans sa librairie, le parquet ciré me surprit. La propreté dénude. La propreté aurait dénudé la pièce si de nombreuses photographies d'écrivains contemporains ne l'avaient pas habillée. Posées simplement sur les étagères, elles réduisaient à rien les abonnés. Nous choisissions leurs livres, les yeux des auteurs nous guettaient. La nouvelle abonnée donnait son nom, son adresse. Elle payait sa cotisation pour un, deux ou trois livres à la fois. Alors, elle pouvait satisfaire sa fringale de nouveautés. Adrienne Monnier recevait tout ce qui paraissait : livres, revues, manifestes, plaquettes. Les noms lus dans *La Nouvelle Revue française* ou *Les Nouvelles littéraires,* nous les retrouvions sur la longue table d'Adrienne Monnier. Nous choisissions, nous embarquions, nous partions avec une, deux ou trois nouveautés. Souvent deux abonnés s'emparaient du même livre. Adrienne Monnier avec adresse ou vérité déclarait qu'il était retenu. Poupine, majestueuse et campagnarde, les cheveux raides, bruts, blonds, argentés, coupés au-dessous d'un bol renversé, le teint frais, la joue mauve à cause d'un peu de poudre blanche sur la pommette rose, le front étroit, l'œil perçant, la voix lente, Adrienne Monnier vêtue strictement, monacalement, étrangement — oui, une avalanche d'adverbes — d'une longue robe de bure grise serrée à la taille, tombant jusqu'aux pieds, froncée, imposait le Moyen Age, la Renaissance, l'Irlande, la Hollande, les Flandres, les passions élizabéthaines. Tiens, une paysanne d'un autre siècle, se disait-on en entrant. Mon cœur battait plus fort aussitôt que j'arrivais carrefour de l'Odéon. C'était automatique, j'entrais chez une fleuriste désagréable, à l'étalage sclérosé malgré la fraîcheur des fleurs, j'achetais un bouquet, je me vérifiais dans la glace rue de l'Odéon, à côté d'un hôtel reluisant de vertu, sans clients apparents. Je me demande pourquoi les livres que je rapportais, serrés sur mon sein, les livres lus avec plaisir dans l'enthousiasme, se changeaient en déchets. Je m'arrêtais avant la façade peinte en gris. Je m'encourageais près de la vitrine à gauche de la porte : le tabernacle de l'avant-garde, le ciboire transparent de *La Jeune Parque,* du *Cimetière marin.* La vitrine centrale était éclectique avec les meilleures nouveautés, les meilleures revues. Je n'étais pas la seule à la dévorer. L'ensemble blanc, titré de rouge, se composait surtout des livres édités chez Gallimard. J'entrais, je donnais mon bouquet à Adrienne Monnier. Elle traînait un moment sur mon nom, je rendais le prêt. Elle me faisait des compliments devant peu de monde, elle m'en faisait moins devant beaucoup de monde. Elle me disait que mon tailleur anguille lui plaisait, que je lisais les meilleurs livres. Ma fièvre de collégienne montait. Elle cherchait ma fiche, elle semblait faire de la dentelle avec les centaines d'autres parce que ses mains étaient petites et potelées. Sa table ressemblait à celle des joueurs de cartes de Cézanne. Elle la quittait le moins possible. Je me désolais pour elle, pour son travail fastidieux de fiches à tenir. Le silence de la librairie était parfois pénible à supporter. Je tombai, sans exagération, dans un abîme de surprise la première fois que j'entendis Adrienne Monnier : « Gide hier soir, ici, avec quelques amis, nous a lu... » La confidence était trop forte. Adrienne Monnier me permettait d'entrevoir un monde interdit que je n'imaginais pas. Quand j'allais à l'école du village, quand les garçons rebroussaient chemin après m'avoir poursuivie à coups de pierre ou que je les avais semés, je m'asseyais, les jours de courage, dans l'herbe de la haie. J'installais mes sabots sur mes genoux, je prenais soin de les tenir à l'envers. Je me reposais. Une branche retombait, un oiseau la choisissait et, malgré la déroute perpétuelle de son petit œil, il s'y maintenait. Il supportait ma présence. Je me voulais immobile jusqu'à la racine des cheveux, jusqu'au bout des ongles, je fermais les yeux, je me refusais le balancement de la branche. Un oiseau est libre, on n'entre pas chez lui. Mais l'oiseau était inquiet. Son cœur palpitait sur le mien. J'éprouvai le même émoi en apprenant la lecture de Gide chez Adrienne Monnier. Le soir la réalité grandissait. Hermine m'écoutait avec la bienveillance, le recul d'une villageoise qui enregistre, qui demeure de l'autre côté. Je m'interrompais : les photographies des auteurs contemporains me donnaient de l'angoisse : trop de cerveaux dans une pièce. Je racontais mon bouquet, l'amabilité d'Adrienne Monnier, ses compliments. Hermine se réjouissait, supportait mon exaltation, déclarait : maintenant c'est le moment de la vaisselle. Elle me quittait pour l'évier. Seule avec moi-même, je doutais de mon rapport, de l'amabilité d'Adrienne Monnier. Je bondissais, je secouais les épaules d'Hermine. « Léon-Paul Fargue vient dans sa librairie, elle voit Valéry. Tu m'entends ? Elle voit Valéry. » Hermine me donnait le torchon, elle me répondait : « Essuie. » Le monde inabordable des écrivains, dans lequel j'aurais pataugé avec ma timidité, ma sottise, mon amour-propre si j'y étais entrée, s'éloignait. Hermine penchée sur l'évier assimilait mieux que moi ce que j'avais raconté. Hermine était profonde tandis que je me brûlais les ailes aux feux des anecdotes. J'essuyais, je tenais à ma muraille en pierre de taille : Hermine. J'essuyais, chacun de ses baisers se posait comme un bon morceau de la muraille. Elle s'endormait, je ne la dérangeais pas. Mes seize ans rappliquaient. J'enfonçais mes doigts dans mes oreilles pour annuler la respiration splendide d'Hermine, je me retrouvais lisant *Les Nourritures terrestres* sous le drap, avec ma lampe électrique. J'avais été transportée par le style, par Dionysos en jaquette de pasteur. Nathanaël, les granges, les fruits, les homosexuels. Je ne me précisais pas leur accouplement. Ils se serraient l'un contre l'autre pendant des heures. L'acte d'amour se faisait tout seul, dans le parfum d'une montagne de foin.

Qu'est-ce que je désirais d'Adrienne Monnier, écrivant sans écrire des livres, dans son bureau ouvert à tous, où les écrivains lisaient ce qu'ils avaient écrit ailleurs ? Il m'arrivait de tromper son cabinet de lecture, je montais dans l'autobus au lieu de m'enterrer dans le métropolitain, je descendais près du vieux restaurant Foyot — le même nom que celui d'une librairie du Nord, librairie bohème que je hantais —, je circulais sous les arcades de la librairie Flammarion, place de l'Odéon. J'avais un rendez-vous avec la collection Garnier. Le Luxembourg, les grilles en fer de lance avec la dorure, les portes largement ouvertes aux adolescents désœuvrés, les affiches pour les représentations du *Cid*, de *Bérénice* aéraient Sénèque et Tite-Live. Chaque livre coûtait, je crois, trois francs cinquante. Mes yeux couraient le long des titres, je satisfaisais ma rapacité. La collection Garnier me donnait l'illusion de retenir les *Essais*, les *Confessions*, Lucrèce ou Virgile en une seconde. Les mains des jeunes et des vieux flâneurs ont le même âge. La sève des bouquins circulait. Je descendais la rue de l'Odéon, je souffrais à l'improviste pour Hermine qui ne voyait pas l'étalage d'un éditeur de musique, j'y lisais le nom de Leduc sans plaisir ; je détournais mon regard de la librairie anonyme, exotique que tenait Sylvia Beach. Elle s'occupait d'introduire en France James Joyce et *Ulysses*. Sylvia Beach venait chez son amie Adrienne Monnier et repartait en coup de vent. Son corps mince, son tailleur strict, son visage puritain sans fard, sans âge, me changeaient en adolescente pantelante. Elle s'en allait la jupe étroite, le talon plat. Adrienne Monnier avait fait des débuts modestes au *Mercure de France* ; elle m'en parla ; et aussi de ses vieux parents, des pommiers normands. Je perdis la tête ; la semaine suivante je me renfrognai parce qu'elle recevait une dame fortunée avec la même amabilité. Sa souplesse me choquait. Je me renfrognai plusieurs fois. Elle ne me rassurait plus, je ne la rassurais pas. Elle devait deviner le maquereau que j'étais. Drôle de maquereau jamais content et content de peu. D'année en année, je m'attristai dans sa librairie. Je vibrais à vide. Je devins lugubre, plaignarde, larmoyante ; c'était de l'onanisme sentimental. Adrienne Monnier aura eu pitié. Débordée, faisant des sacrifices pour soutenir son cabinet de lecture — elle vendait peu de livres —, elle prit une jeune fille désagréable pour l'aider. Je devins tragique. Alors elle m'emmena dans l'arrière-salle réservée aux privilégiés, elle me demanda le sujet de mon chagrin. Je tombai à ses pieds, sous Tolstoï et Dostoïevsky, je balbutiai des fadaises compliquées près de sa longue jupe grise. Elle posa sa main sur ma tête, elle voulut me consoler. Son employée entra, Adrienne Monnier plus vive que l'éclair retrouva sa dignité. Sa gêne à cause d'une collégienne demeurée, sa transfiguration pour une employée raide comme la justice me dégoûta, m'emmerda. Je pris *Le Chiendent* de Raymond Queneau, je lus le livre, je le rapportai, je ne réapparus pas.

Une chenille, c'est lent, c'est caressant ; elle entraîne la route avec ses frissons de velours visibles et imperceptibles. Le changement d'Hermine à Ploumanac'h pendant les grandes vacances, après notre après-midi dans l'hôtel de la rue Godot-de-

Mauroy, était visible et imperceptible. Elle s'approchait du rideau empesé de la fenêtre, elle regardait, en continuant de limer ses ongles, les vagues qui montaient plus haut que les maisons, elle rêvait à autre chose, le rideau crissait entre mes doigts. Elle surveillait les progrès du hâle sur sa peau, midi somnolait dans une barque à réparer. Elle se demandait si nous aurions du crabe ou de la langouste au déjeuner. Je quittais la salle à manger, je revenais au rideau empesé. La fenêtre regardait l'enterrement de ma grand-mère un jour de pluie. Je voyais la couleur et la durée de mon chagrin sur le bouchon noirci d'un filet de pêche. Les estivants se restauraient, le rideau de notre chambre crissait, crissait. Fidéline, c'est de la craie pour les écoliers, me disais-je en avalant mes larmes. Je descendais, Hermine négligeait mes yeux rouges. J'espérais le hâle d'Hermine pour mon épiderme, je m'exposai sans ambre solaire sur les rochers. Le soleil n'aimait pas ma peau blanche. L'enfer commença la nuit. Un frôlement... et j'étais blessée jusqu'à l'os. Hermine me plaignait, elle fumait assise dans le lit, elle proposait une promenade en mer avec un pêcheur. J'éteignais, une brioche se rendormait sur mon épaule. Mes jambes enflèrent. Je voulais suivre Hermine dans ses promenades au-dessus des précipices maritimes. A nous deux, semblaient dire ses narines palpitantes. Mes jambes triplèrent, le docteur nous apprit que j'aurais dû être paralysée depuis trois semaines. Mes mollets et mes épaules empaquetés dans des pansements, nous partîmes affronter quand même les vagues dans la barque du pêcheur. Hermine riait, elle se dressait dans la barque, je tremblais de peur, l'eau se jetait sur mes pansements, Hermine enthousiasmée par les clameurs tendait les bras, le pêcheur crachait. Nous pouvions périr, dit-on à Ploumanac'h, Hermine rayonnait au-dessus des dangers. Et puis ce récurage de lumière, et puis

l'herbe grisâtre pendant nos promenades dans les
sentiers surplombant la mer, l'herbe vieille à qui
j'offrais un avenir de grandeur aux approches de
l'hiver. Hermine pensait à autre chose. A Blanken-
berge, nous mangions des frites, des moules. A Ploumanac'h, ils consolidaient leur barque, leur amour.
Hermine croquait des galettes bretonnes.

L'été suivant, à La Baule, nous avions loué une
cabine en toile rayée. J'arrivais tôt le matin, mes
pieds n'étaient jamais las de ce sable fin, fluide
comme le sable des sabliers. Des jeunes gens libres,
maigres, débraillés, plantaient des piquets, ils
emmenaient ou bien ils amenaient les toiles des
cabines sur leur dos. Ces inconnus étaient mes compagnons pendant qu'Hermine m'achetait de la santé
au marché. Dors, respire pour bien manger, tout
sera prêt. Je cherchais le dessin des pattes d'un
oiseau sur le sable ferme, je ne trouvais rien. J'étais
l'enchaînée. Il bruinait, Hermine m'avait suppliée
de lui laisser son rôle de servante. Pourquoi
n'étions-nous pas ces deux vacanciers au pantalon
relevé au-dessus des genoux, partant à la pêche à la
crevette, pourquoi ? J'attendis midi, je jouais toute
seule à la raquette, je lançais de plus en plus haut la
balle de tennis pour attirer l'attention d'un petit
constructeur de châteaux de sable. Je flânais dans
l'eau mélancolique, je me rapprochais du Croisic.
Des chevaux éclaboussaient en galopant mes joues
mouillées. Des chevaux sur la plage, le long de
l'eau. Le sébum. Il faisait des recherches pour
l'embellissement de la peau. Un ami de De Chirico.
Il m'apporta une revue avec la reproduction des
Chevaux devant la mer de De Chirico. Qu'est-ce que
c'était ? Un rêve éveillé ? Peut-être un somnambule
peignant la nuit, peut-être qu'il plongeait son pinceau dans l'œil statique d'une chouette. Hermine
vivait un grand bonheur pendant qu'elle se baignait. La nature, à profusion, lui rendait tout ce

qu'elle me donnait. Nous n'apprenions pas à nager.
Les vagues passaient, des jeunes gens nous taqui-
naient avec des aigrettes d'eau. Elle m'offrit des sandales Hermès parce que j'avais mal au côté. Ce
silence spectaculaire d'une forêt de pins pendant
mes retours sinistres et solitaires à midi. Elle ne
parlera pas. Elle ne parlait pas à table. Nous vieillis-
sions à tire-d'aile. Hermine guettait sur le balcon de
notre chambre meublée, elle fredonnait le leitmotiv
d'un Concerto de Beethoven. Je tournai le dos à la
mer, je voulus punir le soleil pendant qu'Hermine
s'immolait dans les épiceries, au marché. Un insecte
mystérieux me piqua près de l'aisselle, dans un jardin miteux où je voulais tricoter. La nuit, j'osais
dire à voix haute : c'est fini, ce sera bientôt fini,
c'est la fin. Hermine me racontait le lendemain
matin que j'avais parlé en dormant. Je sanglotais,
elle m'expliquait que je ne mangeais pas suffisamment. Un jour je m'endormis dans la cabine, après
le bain, je rêvai : j'attendais Hermine dans une graineterie, j'enfonçais mes mains dans les sacs de grain
parce que l'attente se prolongeait, parce que c'était
intolérable. Une jeune fille entra. C'était Hermine
et ce n'était pas elle. J'étais Hermine anxieuse et
négligée. Je lui dis mon attente, je lui dis qu'elle
embellissait. Elle me répondit qu'elle était venue
pour de la semence de godetias. Elle se mit à lire à
livre ouvert sur les sachets de semences. Elle était
devenue demoiselle de magasin. Elle écoutait le pas
d'une nouvelle collègue dans les couloirs de son
école. Je m'éveillai.

Octobre, novembre, décembre, janvier, février,
mars, avril, mai, juin, juillet. Je lui disais que je
voulais des vagues, elle me répondait que j'avais
voulu le Midi, que nous étions dans le Midi. Je lui
disais qu'elle n'oubliait pas la rue Godot-de-Mauroy, qu'elle n'en parlait pas, que c'était pire, je lui

321

La bâtarde 21

disais qu'elle ne riait plus, qu'elle était ailleurs. Je
me trompais. Elle était près de moi, elle chérissait la
Méditerranée et ses petits miroirs. La danse des
petits miroirs pour la Méditerranée, disait-elle. Elle
m'appelait « Poussin, biniou » pour que j'aime cela
avec elle. Je fondais de plaisir quand elle m'appelait
ainsi, mais je ne voyais pas la Méditerranée. Elle
découvrait le bruit des vagues. C'était « une berceuse », « le bonheur le plus doux qui ait jamais
existé ». Elle découvrait tout comme lorsque nous
découvrons partout l'amour quand nous sommes
prêts à le rencontrer. Mes maux de tête, la force de
mes migraines dans le Midi lui échappaient. Je
décourageais Hermine, je l'impatientais : la lumière
me blessait jusqu'à quatre heures de l'après-midi.
Tout le monde s'amusait. Le bar installé dans le
sable enchantait Hermine, un couple dansait sur
une estrade à onze heures du matin. Hermine disait
que nous buvions des cocktails bleus, elle me reprochait mes frissons, ma main froide. Je ne la voyais
pas, je n'étais quand même pas aveugle. Je n'osais
pas révéler mon ambition pour la Méditerranée :
l'encre violette dans mon encrier lorsque j'apprenais
à écrire l'alphabet. Hermine à minuit savourait la
cigarette qu'elle fumait en suivant « la berceuse » le
long des vagues. Je murmurais que la promenade
était réussie, je mentais. Le lendemain, clouée sur le
soleil, je regardais Hermine regardant la Méditerranée. Elle ne cousait plus, les pochettes avec les
patrons à la porte des merceries l'ennuyaient. Elle
écoutait, seule au bord de la mer à deux heures du
matin, « le feston de nuit », elle revenait se coucher,
vêtue de toute cette nuit couleur de brugnon. Je lui
montrais des flocons blancs sculptant le ciel, rappelant notre pays. Elle ne les voyait pas, elle ne voulait pas les voir. Elle repartait dans l'eau tiède pour
fuir un envol d'air frais. Privée soudain de sa présence, j'étais maudite et bénie. Nous buvions en

silence dans les bars, j'implorais un pardon dans ses yeux, elle riait d'un rien, prête à se délivrer, ignorant qu'elle voulait se délivrer. Des promenades, des cars. Hermine regardait avec passion les découpages de la côte, les rochers déchiquetés, les coloris violents. Un cyprès... le cyprès à côté de la tombe de ma grand-mère, mon cri de douleur échappé du cimetière lorsque muette enfant je tournais autour d'un lopin de terre sur lequel poussaient des perles mauves. C'est vrai, je ne joue plus du piano, disait Hermine en se lavant les dents. Maintenant une lumière de lampe de chevet tombait sur mes épaules lorsqu'elle fredonnait à sept heures du soir. Mon Dieu que je désirais la modestie de l'âme et des habits, mon Dieu que je désirais un changement, mon Dieu que je désirais aimer Hermine plus que moi-même, mon Dieu comme je commençais de l'aimer, mon Dieu que je souhaitais la sainteté à notre portée : un sourire sans fin au quotidien. J'ai voulu le lui dire pendant qu'elle fredonnait. « Il ne faut pas m'interrompre. Cela, tu dois me le laisser. » Je ne m'apercevais pas qu'elle commandait. A Cannes où nous étions venues en excursion, je voulais marcher le long de la mer ; Hermine voulait voir les palaces. Elle se donnait des airs de grue avec son short plus court que celui des autres, et ses hauts talons. Je lui disais que Cannes s'habillait, que nous étions trop dévêtues. Elle riait, elle s'en fichait. Son rire : la fraîcheur d'une rose bistre. Je pleurais d'amour pour elle, elle me reprochait mes larmes. Les yachts l'attirèrent. Serrés les uns près des autres, ils ne vivaient que par l'eau triste qui les faisait trembloter. Je voulus rentrer à Juan-les-Pins, elle refusa. Nous devions boire un apéritif à la terrasse du *Miramar*, nous ne devions pas manquer ce spectacle. Ses désirs ressemblaient à des adieux.

Je l'interrogeai. Elle me répondit qu'elle se plaisait à la terrasse du *Miramar*. Oh ! si elle était seule,

ce serait différent, très différent, absolument différent. Elle se baignerait jusqu'à la nuit. La
Celtique était tombée de ses lèvres à cette idée. Elle
riait avec un petit rire d'égarée tandis que défilaient
de longues voitures décapotées. L'eau est si fluide,
une fois que tout le monde est parti, lorsque tombe
la nuit. Hermine léchait un peu de cette eau salée
au coin de sa bouche. Elle repoussait ce que je lui
proposais : un soleil rouge, un soleil bêta tombant
dans la mer, l'ombre sur son livre. Je la suppliais de
continuer. Il fallait tout risquer, il fallait qu'elle se
souvienne de tout ce dont elle était privée. Ce petit
restaurant ou bien ce dîner de fruits dans sa
chambre ? Elle pouvait vivre de rien et lire en mangeant. Elle souriait, elle se perdait dans ce qu'elle
racontait avec une expression de cruauté. Qu'est-ce
qu'elle lirait ? Ce qui paraît, ce qui a paru. Des
biographies, des romans, des essais. Où lirait-elle ?
Partout. A la lumière des boutiques en marchant
dans les rues, à la lumière du clair de lune en se
reposant sur les bancs... Elle criait, des gens à une
table nous dévisageaient. Elle se lèverait à cinq
heures du matin, elle escaladerait les rochers, elle
abrégerait ses vacances, elle vivrait avec ses sœurs,
son père. Elle me supprimait, elle l'avouait.

Dimanche 27 novembre 1960 à 12 h 39. Tu le
devines, lecteur, tu le devinais, c'est la fin d'un
amour, c'est la fin d'une tyrannie. Mon stylo soulevé
de mon cahier, c'est différent. L'amour, c'est sans
fin. Ce ne serait pas l'amour. Nous aimons sous
d'autres traits ceux que nous avons aimés ou bien
sous d'autres traits nous commençons de chérir ceux
que nous aurions dû chérir. Rien ne change, tout se
transforme. Dimanche 27 novembre 1960. Vingt-six
années après ce que je viens de raconter, je vois dans
le ciel la fin de l'automne courtisé par le printemps
de l'an prochain. Hermine, Violette. Leur présent
est déblayé. Cette monstrueuse passante du pont de

la Concorde ? La providence. Je vois à travers un vitrage de tergal, je vois à travers les guirlandes brodées d'un voile de mariée, je vois les nuages se distendre, je vois deux lacs bleu méditerranée. Hermine, Violette, nos deux azurées sont séparées.

Commença à Paris le règne de l'ascenseur. Assise sur notre divan, les mains froides ou brûlantes, je guettais, j'écoutais, j'attendais, j'imaginais le claquement de la porte en fer de notre palier, je comptais les rides autour de mes phalanges. Pesant, intègre, l'ascenseur montait, descendait. Balancement des câbles, quand il repartait. Hermine refermait sans entrain la porte de l'ascenseur. J'accourais, j'ouvrais notre porte avant elle, son visage changeait. Toute une vie était finie. Je serrais contre moi une femme sans bras. Une aveugle, une sourde, une muette. Reconquérir. J'y croyais et croyais aussi que les larmes sont des armes. Si je l'attendais devant la porte de l'acenseur, elle ne pouvait pas me dissimuler à travers la vitre que tout s'éteignait en elle parce qu'elle me revoyait. J'aurais eu une chance : la gaieté, parce que la gaieté est un piège. Je ne calculais pas. Je m'élançais vers elle avec les défroques de notre passé. J'aurais voulu la perdre que je ne l'aurais pas autant perdue. Plus elle détestait mes supplications, mes lamentations, mes délectations, plus je m'y vautrais. Je m'en allais l'attendre aussi boulevard Bineau, à l'arrêt du tramway. Je croyais les autres simples, je les croyais heureux. Je confondais le monde avec un gazon, je retirais au monde ses malheurs pour grandir mon malheur. Les tramways se succédaient, je ne voyais pas son visage, je ne voyais pas son béret dans le tramway. Ses retards me désespéraient. L'heure préférée des moineaux. Ils frôlaient, avant de se poser, les troènes au-dessus de la grille d'une villa. Je vivais sans espoir dans la société des pavés. Ding...

Hermine, justement, tira le cordon de la sonnette du tram. Je la regardai avec tant d'amour qu'elle regarda. Elle me donna un sourire de pitié. Il y a des frissons prophétiques. Je frissonnai : Hermine sur la plate-forme m'offrait maintenant un sourire de coupable à cause de son retard. Nous étions trois je le comprenais : la nouvelle collègue devait être assise dans le tramway. « Quel pauvre petit visage tu as », me dit Hermine. Je me taisais. J'avais pleuré du matin au soir pour qu'elle m'aime comme elle m'avait aimée. Nous cheminâmes d'un pas léger. Ce soir-là Hermine insista pour acheter du champagne.

Si je la questionnais longtemps, je récoltais toujours la même réponse :

— A quoi je pense ? A sa bouche.

Je maudissais sa franchise.

La nouvelle collègue voulait des meubles extraordinaires, un divan extraordinaire, un studio extraordinaire. Hermine entrait en transe quand elle m'en parlait. Tous ces projets inavoués étaient plus torturants qu'une rupture.

Je ne quittais pas mon manteau d'orphelinat acheté à la Samaritaine, je voulais séduire avec mes misères. Des mendiants exposent leurs membres atrophiés. J'exposais mon visage, mon chagrin. Hermine vivait dans l'attente du lendemain matin, je vivais dans l'attente d'un miracle. Je l'attendais, je l'espérais lorsqu'elle ouvrait la porte pour s'en aller. Elle détestait les jeudis, les dimanches, elle s'endormait pour tuer le temps. La nuit, je léchais sa rose, ses pétales, ses nids. Elle me supportait avec des soupirs. Je la menaçais. Je me supprimerais, je me jetterais par la fenêtre. Hermine devait déchirer ma chemise de nuit pour me ramener dans la chambre. J'étais victime de mon chantage. Je peuplais et repeuplais mon cimetière avec mes chaussures, mes robes, mes chapeaux que je sortais des cartons.

Un dimanche, après un copieux déjeuner dans notre chambre, je lui ai dit :

— Dors, mais dors donc !

Elle s'est endormie.

Vêtue de mon manteau d'orphelinat, j'ai trotté dans les allées du Bois. Un printemps sans fleurs, sans feuilles souriait entre les branches. J'étais délivrée d'Hermine, de moi-même. Je vivrais à côté d'une femme qui en désirait une autre. Un automobiliste m'a proposé du champagne à Ville-d'Avray. J'acceptai. La maison de rendez-vous était camouflée en maison de campagne avec ses treillis, ses plantes grimpantes, ses cabinets particuliers éparpillés. Nous bavardâmes à bâtons rompus comme deux sentinelles en récréation. Soudain j'ai eu un élancement dans la tête, un pincement au cœur : Hermine. Je le suppliai. Nous devions rentrer tout de suite à Paris. Il méprisait Levallois-Perret. J'ai dû courir depuis le Bois jusqu'à notre rue. Premier rendez-vous : l'ascenseur. Premier rendez-vous : la clef dans la serrure. Le même amour recommençait avec, en plus, une fièvre de vertu. Oui je dormais, a dit Hermine. Elle me tournait le dos, elle traçait sur le mur des signes imaginaires. Sa main était retombée sur le divan. Il lui fallut cinq ou six minutes avant de me revoir, avant de voir que j'étais sortie, que je portais mon vieux manteau. Elle me demanda enfin d'où je venais. Le champagne à Ville-d'Avray, elle s'en foutait. Elle se rendormit. Je pleurai assise sur la carpette.

Notre orage, je le repoussai jusqu'à la veille d'un nouveau départ en vacances pour la Bretagne. Nos valises étaient prêtes. Mes mains froides ou brûlantes, j'attendais Hermine en suivant la course implacable de l'aiguille des secondes sur ma montre-bracelet. Six heures. Sept heures. Huit heures. Un ciel bleu ardoise menaçait Paris. Aimer, ne plus aimer, recommencer d'aimer le même être. L'amour ce n'est pas une usine. Enfin l'ascenseur, enfin le balancement des câbles.

O candeur du télégraphiste sortant le petit bleu de la sacoche. J'ai reconnu l'écriture incisive d'Hermine. « Elle m'écrit », ai-je dit tout haut.

« Chère Violette,

« Ne m'attends pas. Je ne reviendrai plus. Tu dois être courageuse. Hermine. »

La Bretagne. Nous partions pour la Bretagne. Hermine s'était sauvée. C'était impossible, ce n'était pas vrai. Je rêvais, c'était un cauchemar éveillé, j'avais la tête dérangée. C'était un faux. C'était de l'hébreu. Je ne comprenais pas l'hébreu. Qu'était-ce ce petit chiffon que je tenais sur mes genoux ? Cachet d'une poste du centre de Paris. Ne, *n-e*, ne m'attends, *m* apostrophe deux *t* -e-n-d-s. Ne m'attends pas. Mon nom, notre adresse. Vingt-cinq fois, cinquante fois. Je récitai vingt-cinq fois, cinquante fois notre adresse : mon adresse. Je ne reviendrai plus... Cela commençait, j'avais une colique. Se balancent... Les câbles de l'ascenseur se balancent quand il descend... lorsqu'on ne le voit plus. Elle ne reviendra pas. Qu'est-ce que j'avais dit ? Qu'est-ce que j'avais osé dire ? J'étais folle. Une gifle, deux gifles, trois gifles, des gifles, encore des gifles, toujours des gifles, elle est partie. Pitié, Violette, pitié. Aïe mon Dieu, aïe, aïe... Regarder fixement le couvercle du piano jusqu'à ce que cela recommence... J'avais mal partout et nulle part. Dans le centre de Paris. Je ne la retrouverai pas. J'ai mal, j'ai mal, j'ai mal. Si je pouvais pleurer. Je ne pouvais pas pleurer. Neuf ans. Hermine. Neuf ans, neuf ans, neuf ans, neuf ans, neuf ans, neuf ans. Pourquoi m'étais-je arrêtée ? Je voulais pleurer, cela m'était refusé. J'irai, je la ramènerai. Coupez ma tête, coupez. Regarder le mur deux centimètres au-dessous du portrait de Beethoven, le regarder toujours. Manman ! Au secours ! Manman, soulagemoi. Je l'aurais tant aimée. Elle va revenirrr... Je suis malade, voilà pourquoi je crois qu'elle ne reviendra pas. La charité, Hermine.

J'ai relu des centaines de fois le pneumatique : mon adresse et deux lignes. A la fin, je sanglotai.

Je me souviens, dans la compagnie d'une carte postale, sur la page à gauche de mon cahier. Reproduction du Portail royal de Chartres. Pythagore. Il est assis, il écrit. Pythagore. Un homme tronc du XIIᵉ siècle avec un visage rayonnant. Son porte-plume est un racloir de plâtrier, sa chevelure un univers de parallèles. Le nez est gros, mes enfants, le nez de Pythagore. Moi si j'avais ce gros nez je me suiciderais. Non, saleté du Pont de la Concorde. Pythagore a le front mangé par des parallèles serrées. Les lignes qui ne se rejoignaient pas, ô mes colombes, se rejoignent au milieu du front, en forme d'oiseau circonflexe. Je me noierais dans sa barbe toute en franges de couvre-lit. Nos dortoirs, nos couvre-lits gaufrés. Patience. J'écris cela pour me consoler, vingt-cinq ans après, de la fuite d'Hermine. Comme les mains de Pythagore sont laborieuses sur le pupitre du Portail de Chartres. Son visage chante le bonheur de compter.

Pythagore chéri, je veux dire Pythagore que je chéris sur une carte postale pour m'aider encore à accoucher de ma douleur après la disparition d'Hermine, pour m'aider à m'arracher d'elle vingt-cinq ans après. Le travail de séparation se refera pendant que je recopierai la notice :

Pythagore philosophe et mathématicien grec, né dans l'île Samos (vers 580-vers 500), dont l'existence est peu connue. Il aurait fondé la secte des *pythago-riciens*. Partisan de la métempsycose, il avait une morale élevée et astreignait ses disciples à une vie austère. Il croyait que les éléments des nombres sont les éléments des choses. C'est à l'ensemble de l'école pythagoricienne qu'on doit sans doute les découvertes mathématiques, géométriques et astronomiques qu'on attribue à Pythagore : table de multiplication, système décimal, théorème du carré de l'hypoténuse.

Astreignait ses disciples à une vie austère. Huit fois huit soixante-quatre, cinq fois cinq vingt-cinq, sept fois sept quarante-neuf... Comment résister à huit fois huit, à cinq fois cinq ? C'est de la gaieté irréfutable. Huit fois huit, cinq fois cinq...

Partisan de la métempsycose. Hermine est sur mon buffet, Hermine est une anémone au milieu du bouquet.

Non, lecteur, ma douleur n'est pas fabriquée. Je m'efforce d'éclaircir cette bouillie de désespoir lorsque Hermine me quitta. Nous souffrons, après nous nous aidons du vocabulaire. Je m'efforce de déblayer ma tête, mon cerveau, cette ruche en folie précipitée sous la terre, emmurée, coincée dans les avalanches de charbon. Lecteur, tu as souffert. Pour se soulager avec ce qui a été, il faut s'éterniser.

Toujours vêtue de mon manteau d'orphelinat, j'ai couru d'abord jusqu'à la porte Champerret. Deux chiens me suivaient. J'ai rugi, oui j'ai rugi sur la plate-forme de l'autobus. Une jeune fille sortait d'un magasin de disques avec plusieurs disques dans son bras, le magasin où nous écoutions des passages de *Pétrouchka* et du *Sacre du Printemps*. Hermine était trop présente, Hermine qui ne reviendrait pas n'était pas née. Je ne pouvais m'appuyer sur rien. Le receveur bavardait avec un client. Ils n'entendaient donc pas mes cris ? Ils ne voyaient donc pas mes larmes ? Mon chagrin n'était pas un masque. Nous partîmes. Je me remis à crier dans le bruit des roues et des pavés, j'arrosai la rampe avec mes pleurs.

La concierge de l'école d'Hermine finissait de nettoyer les assiettes de leur dîner, son mari lisait. C'étaient les grandes vacances, elle ne pouvait pas me dire autre chose. Je comprenais le plan d'Hermine. Elle avait attendu le soir des vacances pour disparaître avec la nouvelle collègue. Chaque petit hôtel dans Paris réclamait de moi une perquisition. Un mauvais moment à passer. Je la retrouverai, je la ramènerai. Comme je souhaitais avoir pour aide et pour proche parent un détective, un préfet. Le malheur, c'est de refuser l'épreuve tombée sur notre tête. L'immense Paris m'accablait. J'avais travaillé jour et nuit à notre rupture, maintenant j'opérais sur mes ruines. Un abcès, notre immeuble. Un abcès, l'ascenseur. J'ai supporté son parfum de gomina sur l'oreiller, j'ai supporté le piano avec ses craquements de justicier. L'aube en se levant fortifia la mauvaise nouvelle. Les objets attendaient Hermine dans leur monde. J'ai télégraphié à ma mère à Chérisy près de Dreux.

— Ta bouche est déformée, ta bouche est de travers, me dit-elle en arrivant.

Elle a lu le pneumatique, son visage n'a rien exprimé.

— Je voyais ça venir de loin. Elle n'en pouvait plus.

Moi je voyais ma mère en possession de tous ses moyens. Je m'appuyai sur Hermine perdue pour toujours.

— Je t'emmène, tu vas revenir avec moi, me dit-elle.

Je refusai. Je devais vendre le Pleyel pour avoir un peu d'argent, déménager, m'installer dans notre meublé, confier le divan, la table, les chaises à un garde-meubles. Ensuite j'irais un moment chez eux. Ma mère était mécontente. Pourquoi ne pas la suivre immédiatement ? Reprendre un enfant, cela doit être une jouissance.

Je me réinstallai dans la chambre meublée de Levallois et je partis pour Chérisy. Ma mère m'engagea à apprendre à nager avec un maître nageur, dans une rivière voisine.

Je rencontrai un consolateur. Me consolèrent son maillot rayé 1900, ses grands pieds nus, les bobines de muscles de ses mollets, ses moustaches brunes de Gaulois, ses yeux en boule de loto, sa calotte de marguerites en caoutchouc vissée sur sa tête, son village que je ne connaissais pas. Je l'aimais de profonde amitié lorsqu'il comptait un, deux, toi ! Ablation de la lettre *r*. Il l'avalait, c'était douillet. J'arrivais, je lui serrais la main, il me répondait : « Au travail ! »

— Un...

Je raclais l'herbe avec mes bras et mes jambes, j'apprenais les mouvements.

— Deux, toi !

Je donnais deux coups de ciseaux avec mes quatre membres, je réapprenais à sourire. Etait-ce à cause de l'été que le ciel pesait sur ma nuque son poids d'azur ? Un mouton bêlait au loin, des enfants s'exerçaient dans le petit bain. Un...

Je m'étendis sur le reflet du ciel, lorsque j'appris les mêmes mouvements dans l'eau, en m'aidant de la barre fixe.

— Deux, toi !

Ma longue glissade à plat ventre sur l'eau en serrant la barre fixe.

Je me jetais dans l'eau : confusion dans le remous, le bruit, les éclaboussures.

— Un... deux, toi !

Nous quittions la baignade à midi, nous allions avec la superbe des jeunes filles romaines. Où était Hermine ? Avec ses sœurs ? Avec son père ? En vacances avec la nouvelle collègue ? Je questionnais l'arbre déchiqueté dans lequel un éclair avait été pétrifié. L'arbre maudissait le ciel, la chaleur, l'espace. Le soleil supportait le cri de l'arbre.

Je nageai seule, je nageai mal, un pied hors de

l'eau. Jouissance quand même. Je ramais, mes bras étaient mes rames, j'étais la barque et tout à coup, jouissance irrésistible, la barque avançait toute seule.

Juge-moi Hermine. Condamne-moi. La nuit t'est favorable. Les toques des juges, par millions, te saluent : Voilà ta nuit. Le petit chat, ton trésor, ta consolation amené à Avallon quand nous allions dans le Morvan... Il miaula jusqu'à l'aube dans la chambre d'hôtel. La petite bête désolée à fendre l'âme, c'était toi : tu rendais chacune de mes exigences à chaque miaulement. Tu le consolais, tu le consolais... Je ne le supportai pas. Au lever du jour, je décidai qu'on l'abandonnerait dans la chambre. Tu luttais. Tu cédas. Il nous regardait interloqué, ses yeux inquiets allant de l'une à l'autre. Qu'est-ce qu'une petite bête abandonnée ? Qu'est-ce que c'était ? Ma jalousie, mon pouvoir, ma douleur, ma tyrannie. Je te broyais dans de la chair. J'ai compris que tu ne me le pardonnerais jamais. Je sortis de l'hôtel dans le carcan des despotes. Je marchais près de toi, je souffrais plus que toi. Les feuilles, les fleurs des jardins privés rassemblés en épines étaient mes trophées, le matin se levait sur de l'acier. Tu souffrais, je me déchirais. Une balance veillait, un compte-gouttes luisait. Tout me reviendrait.

Je quittai Chérisy, je rentrai dans Paris ; je ne rêvais plus : je voyais Hermine à travers la vitre de sa classe. Hermine ne me voyait pas mais elle grondait les élèves qui se tournaient du côté de la vitre. Qu'est-ce qu'elle attendait pour me voir ? Elle criait trop. Hermine avait rajeuni. Une élève lui dit qu'on la regardait. Elle tourna la tête, elle me reconnut, elle me montra son poing.

Je buvais sa présence, je ne pouvais pas partir tout de suite. La revoir. C'était donc une faute.

Je quittai la vitre, je quittai l'école.

La maladie commença après le contrecoup. Hermine. Mes yeux fermés disaient son nom, cela suffisait.

Silence d'Hermine. Absence d'Hermine. Je pleurai nuit et jour, j'espérai.

Je trouvai un bras avec la main détachée d'une poupée en celluloïd devant le portillon du square de la mairie, je l'emportai dans ma chambre, je montai les étages sur la pointe des pieds. Mes larmes tombèrent sur quelque chose. Je m'endormais à l'aube avec le bras et la main dans mon cou, je m'éveillais une heure après, j'allumais, j'enfermais la petite main dans la mienne ou bien je la réchauffais entre ma tempe et l'oreiller. Je me rendormais, je me réveillais dix minutes après parce que nous avions froid ensemble. Le bras, la main m'accompagnaient partout, ils profitaient des ardeurs de l'automne à travers la poche de mon manteau. Plus je pleurais sur eux, plus mon projet mûrissait.

Un après-midi je traversai le square. Octobre n'était pas tranquille, un jardinier balayait les feuilles mortes. Aide-moi, tu m'aideras, disais-je à la main de celluloïd enfermée dans la mienne. Un miroir dans une vitrine de verres et de cristaux me renvoya mon visage livide, la fente de mes yeux rouges. J'entrai dans le bureau de poste. J'écrivis :

« Je deviens aveugle. Je voudrais te revoir. Violette. »

Je donnai le télégramme à l'employée. Elle compta les mots.

— Mon Dieu que c'est triste, dit-elle. C'est vous qui êtes souffrante ?

— Oui c'est moi.

Je fondais d'espérance parce que j'obtenais de la pitié.

— Est-ce que vous avez un bon médecin ? dit-elle en aiguisant son porte-plume dans ses cheveux vaporeux. Avez-vous mal ? C'est vrai que vous avez les yeux rouges.

— Ils me brûlent, dis-je. Oui, j'ai un bon médecin.

— Tout n'est pas perdu ? dit-elle.

— Je ne sais pas, dis-je en pensant à Hermine.

Je m'éloignai, j'entendis le déclic : mon télégramme était happé.

— Soignez-vous bien, me cria l'employée.

Dehors, je jetai le bras et la main de la poupée.

Hermine fixa un rendez-vous dans un café de la porte Champerret. Elle était arrivée la première, elle avait bu une infusion. Ce reste de menthe ou de tilleul au fond de la tasse m'avertissait que c'était foutu. Elle me regardait sans bonté. Son visage ne montrait rien. Je me glissai sur la banquette pour être assise près d'elle. Elle tendit la main. Je suffoquais. C'était trop et trop peu. Alors je me mis à souffrir pour sa main méconnaissable, aux doigts moins déliés. Hermine soignait chaque jour ses mains lorsque nous vivions ensemble. Le garçon me demanda ce que je voulais boire. Je commandai un café.

— Tu ne dormiras pas, dit Hermine.

Je recevais un coup de couteau avec ce « tu ne dormiras pas » loin de son sommeil, loin de leur sommeil.

— Je pleure trop, dis-je. Le médecin dit que je peux devenir aveugle.

Hermine regardait mes yeux. Elle doutait et ne voulait pas douter.

— Il ne faut pas pleurer, dit-elle. Il faut te soigner.

Elle versa une autre tasse d'infusion.

— Et toi ? dis-je avec un immense espoir.

Le visage d'Hermine changea. Je ne devais pas entrer dans son intimité.

— J'ai beaucoup de travail, dit-elle.

Elle semblait enfermée dans les soucis.

Nous buvions en même temps café et infusion. C'était tout ce qui me restait d'elle.

— Je t'enverrai de l'argent, dit-elle d'une voix éteinte.

Le café était vide. Le garçon nous observait.

— Tu habites dans le centre ? Tu habites près de la gare Saint-Lazarre ?

— N'insiste pas, s'emporta Hermine.

Elle paya nos consommations. Le garçon nous regardait avec douceur.

— Il faut que je rentre, dit Hermine. Soigne-toi...

— Oui je me soignerai. Tes mains ont changé.

— C'est la vaisselle, dit-elle.

Je l'ai suivie dehors, elle m'a signifié que je devais la quitter. Hermine, une deuxième fois, partait pour toujours.

Manteau d'Hermine, béret d'Hermine, Hermine traversant refuges et carrefours de la porte Champerret. Je vivais un souvenir en pleine germination. Qui me protégeait ? Ma défaite me calmait pendant que je regagnais l'hôtel meublé.

Qui, finalement, a le plus donné à l'autre ? Moi. J'ai répondu sans hésiter. Hermine surveillante d'internat, Hermine qui étudiait le *Concerto italien* dans le Jardin d'enfants pouvait éviter, éloigner, repousser la pensionnaire Violette Leduc. J'aurais eu, c'est sûr, mon certificat d'études secondaires, je serais devenue institutrice. Hermine pouvait me chasser de son box la nuit où j'allai la retrouver. Elle serait devenue professeur de musique, j'aurais enseigné. Renvoyée du collège, elle m'écrivit la première par l'intermédiaire d'une élève ; c'est ainsi qu'à mon tour je fus renvoyée, et que j'échouai dans un lycée de Paris au niveau plus élevé ; je fus recalée à l'oral de mon diplôme de fin d'études secondaires. C'est mon métier et tout mon avenir que j'ai donnés à Hermine. Je lui donnai ma santé, mon poste dans une maison d'éditions. Hermine a surgi, elle m'a privée de sécurité. Elle m'envoya de l'argent pendant trois mois. Puis plus rien. Je cherchai du travail... J'en voyais plus qu'il n'en faut à l'intérieur de chaque rectangle dans les journaux du soir. Les Petites Annonces sont le baume Tranquille des courageux et des paresseux. Où trouver nos pareils dont nous avons besoin ? A la dernière page des journaux. Métiers, variétés des métiers, possibilité, activités, résolutions de travailler, résolutions de donner à manger aux autres bourdonnaient dans ma chambre. J'écoutais pendant mes insomnies le jazz syncopé de l'école Pigier, de l'école Berlitz, je me souvenais de ma demande dans la *Bibliographie de la France*. Trouverais-je ? L'argent du Pleyel serait bientôt de la neige au soleil. Je persévérai dans la lecture des Petites Annonces, je trouvai une offre à ma demande.

— Que pensez-vous de l'amour ?

— Beaucoup de bien et beaucoup de mal. Et vous ?

— Beaucoup de bien et beaucoup de mal, dit-il.

Il rit d'un seul éclat. Il rejeta le magazine sur la couverture duquel s'étalait la question. Je lui demandai s'il voulait s'asseoir.

Il s'assit devant la table, il regarda le sous-verre, il s'attrista. Il ouvrit le magazine.

— Je viendrai vous chercher, lui dis-je.

— Fort bien, dit-il avec un déploiement d'amabilité, de bonne grâce.

Je sortis de la deuxième salle d'attente au fond du couloir avec le souvenir de son regard doux et profond. Sa voix trop chantante me surprenait, son amabilité m'inquiétait.

Je rentrai dans le bureau, je l'oubliai.

La superficie de mon terrain d'employée était minime. Chaise, petite table, standard mural au-dessous d'une vitre et d'un guichet. Je levais la vitre pendant que l'acteur ou l'actrice refermait la porte d'entrée, je la baissais pendant qu'ils se demandaient s'ils franchiraient le seuil de l'important bureau. L'acteur inscrivait son nom sur une fiche s'il n'était pas connu. Je l'annonçais au téléphone si l'acteur était célèbre. Je tenais la vitre, je disais au vieil acteur, au débutant, à la vieille actrice au maquillage hurlant au succès : on ne peut pas vous recevoir aujourd'hui. Téléphonez, revenez... Mensonges de commande, mensonges à la chaîne, mensonges destructeurs, mensonges anémiants pendant que les hommes d'affaires se battent avec les chiffres, avec les contrats. Téléphonez, revenez. Je récitais cela de haut, je me prenais pour l'imprésario Denise Batcheff. Standardiste ratée, standardiste ayant passé l'âge, standardiste sans vélocité où était ma supériorité ? J'avais du travail, ils en manquaient. Jolie mentalité. J'écris cela au mois de juin. La couverture de laine réversible ira chez le teinturier. Je la déplie, je la soulève, je l'ouvre, je la mets sur ma tête. Couverture de miséricorde abrite et console ceux qui partaient le cœur gros.

Standardiste fantaisiste, j'embrouillais les fiches, je bouchais les orifices au hasard, je coupais les communications à tort et à travers, j'annulais la décision d'un metteur en scène ; j'affirmais que l'imprésario était sortie quand je ne le devais pas. J'affirmais qu'elle n'était pas sortie quand je ne le devais pas également.

Je n'ai pas oublié le visiteur. Il patiente pendant que dans notre bureau M. Dubondieu entraîne, développe, enjolive, cisèle, fleurit le résumé d'un scénario. Ce n'est pas un stylo. C'est une valse de patineurs. Je guette une rature, une hésitation de la plume, je guette pour rien. Pas une ligne brisée sur le papier. M. Dubondieu visse son stylo, il se lève : son texte voyage de main en main. Je suis hypocrite, je lui dis que c'est bon. Suis-je hypocrite ? Parmi les livres de ma chambre meublée de Levallois-Perret, non. Dans le bureau, oui. M. Dubondieu est sourd. Il se plie quand nous lui parlons, il a les yeux frottés au papier de verre pendant que nous lisons. C'est un provincial venu de Bordeaux qui travaille autant que deux. Son accent pimente notre bureau. Il a quarante ans.

L'imprésario Denise Batcheff téléphona que M. Sachs pouvait venir dans son bureau. Je croisai Jean Gabin dans le couloir, je courus jusqu'à la salle d'attente.

Il lisait le magazine avec plus de bonne volonté que d'application, il se mit debout avant que je parle. L'élégance de ses vêtements flottants, son visage, son menton, son front importants m'interloquaient.

— Voulez-vous me suivre ?

— Avec plaisir, ma chère enfant, me répondit-il.

Je n'avais plus l'âge d'une « chère enfant », mais c'était dit avec tant d'indulgence que j'en éprouvais aussi.

Je rentrai dans notre bureau. Jean Gabin, assis sur la table de Juliette et de Paluot, balançait ses jambes ; il parlait à M. Dubondieu. Prévert et Gabin ne se quittaient pas. Prévert burinait déjà ses répliques aux côtés de Gabin. Carné, avec ses livres sous le bras, les accompagnait. Ils nous donnaient des poignées de main énergiques.

Gabin faisait une entrée à la Jupiter.

— La tôlière où est-elle ? disait-il.

— Personne dans la tôle ? criait Prévert.

Ils rejetaient en arrière leur chapeau mou.

Brune, petite, élégante, féminine, tirée à quatre épingles, Denise Batcheff apparaissait, elle riait de bon cœur de ce qu'ils disaient.

Carné, très scrupuleux, travaillait au scénario alors qu'on donnait les premiers coups de pioche dans le brouillard, le roc, la nuit pour le film *Quai des brumes*.

Ce jour-là, Gabin, vêtu d'une veste de drap chiné vert et marron, épaisse comme une pelisse, le cou à l'abri dans un foulard de cachemire, ressemblait à un soudeur qui vit dans les étincelles.

Il leva la tête :

— Je vais pisser, dit-il à un cactus.

Il y a des virilités qui vous font jubiler.

Prévert grillait des cigarettes avec un tantinet de nervosité, Marcel Carné émergeait, inquiet, de son long pardessus en poil de chameau, Dubondieu se prenait la tête dans les mains. Nous étions amputés. Gabin nous fauchait quand il s'absentait.

Où est le visiteur poli ? Il patiente ou il s'impatiente dans le bureau de l'imprésario.

— Je reçois M. Sachs, je reviens, nous dit Denise Batcheff.

Elle s'était éclipsée pendant que Gabin sifflait.

— J'ai dansé hier soir avec une petite môme, dit Jean Gabin.

Il semblait rager mais il exultait. Môme : c'est le fruit de l'extase dans la bouche d'un dur.

Carné se débarrassait de son pardessus, Prévert écrasait sa cigarette dans un plat, Dubondieu replaçait le cordonnet de l'appareil dans ses oreilles.

— Qu'est-ce que vous racontez ? dit-il.

Son effarement plut à Gabin.

— Je raconte que j'ai dansé hier soir avec une petite môme, dans un petit bal, cria Jean Gabin dans son oreille.

— Ah ! dit Dubondieu.

Ses doigts glissaient le long du cordonnet.

Gabin s'assit avec une souplesse de gymnaste sur la table de Juliette et de Paluot. Son foulard de cachemire cachait sa chemise, sa cravate.

— On a fini la nuit ensemble, dit Gabin.

Il mit son poing sous ses narines. Il révisait l'aventure.

— Ah ! murmura Dubondieu qui souriait aux anges.

— C'est une môme qui ne va jamais au cinéma,

expliqua Gabin. Elle m'a quitté ce matin. Je lui ai dit : « Tu le connais, toi, Gabin ? — Je ne vois pas qui c'est » qu'elle m'a dit sans hésiter. Elle m'a quitté pour l'atelier. Pourquoi faites-vous cette tête-là ? nous demanda-t-il presque fâché.

La môme avec sa fraîcheur nous fermait la bouche.

— Je leur racontais que j'avais guinché hier soir dans un petit bal, dit Gabin quand il entra dans le bureau de Denise Batcheff.

Le visiteur poli refermait la porte avec précaution. J'oubliais sa canne romantique, son pardessus de demi-saison. Prévert, Carné, Dubondieu parlaient entre eux.

Je m'embrouillai dans les fiches : l'énorme Gabin, sans le vouloir, m'aidait. Le mot « guincher » me grisait. « Allô ! Ici Londres. Parlez » me dit-on. J'enfonçais la fiche, je bâillonnais Londres, je bâillonnais l'Europe. « Allô ! Ici les studios de Joinville ! » me disait-on. Mes mains tremblaient de plaisir. Je répondais : « C'est occupé. » J'avais mieux à faire : je regardais la môme de Gabin. Elle se promenait sur mes fils de laiton, elle saluait de haut Miami, Las Vegas, Honolulu, Honduras.

A six heures, l'imprésario m'appela dans son bureau : fourmilière à complexes pour ratés, pour ambitieux timides. De petite taille, placide et vivace, calme, énergique, aux aguets, Denise Batcheff dominait son bureau. Sa secrétaire personnelle classait.

— J'attends Londres, occupez-vous du standard, dit-elle à sa secrétaire.

Londres rappellerait-il ? Londres était-il fâché, l'abbaye de Westminster foudroyée ?

— Asseyez-vous, me dit Denise Batcheff avec lassitude.

Je ne pouvais pas m'asseoir : la Tamise coulait sous le fauteuil de cuir.

On ouvrit la porte capitonnée sans frapper, ce qui me surprit.

— Voici Londres, dit la secrétaire.

L'imprésario décrocha l'appareil, elle parla en anglais. Je m'assis dans le fauteuil.

J'écoutais sans comprendre, je demandais au manteau de léopard jeté sur un siège que Londres ne dénonce pas ma paresse, mes rêveries, ma maladresse. *Big Ben* entendue à la radio bourdonnait dans mes oreilles.

L'imprésario raccrocha l'appareil.

— Pourquoi coupez-vous Londres quand ils appellent ? me dit-elle navrée.

Elle ne voulait pas me tourmenter. Elle voulait me changer.

Je regardai ma robe, solde d'un couturier, exigé de l'être qui m'avait fui. Solde devenu vieux.

L'imprésario feuilleta un dossier.

— Répondez, dit-elle sans me regarder.

— Je m'embrouille, dis-je, et puis Gabin nous avait raconté un petit bal...

L'imprésario sortit un contrat du dossier, elle leva la tête, elle me fixa.

— Je m'embrouille, je ne me retrouve pas dans les fiches.

— Je crois que vous ne voulez pas, dit-elle.

— Vous vous trompez. Je suis maladroite, je suis bête.

— C'est vrai : vous n'avez pas ce qu'il faut, dit-elle sans s'impatienter. Je prendrai une autre standardiste, vous ferez les courses. Vous commencerez tout de suite. Vous porterez ce contrat à signer chez Françoise Rosay.

Interdite, je me mis debout. La femme de ménage nettoyait trop bien le bureau : les meubles, tigres cirés, brossés, époussetés, montraient leurs crocs. L'imprésario n'osait pas me déclarer : Vous êtes paresseuse. Nous aurions été d'accord. La sympathie naît de la clarté. Elle pouvait me renvoyer. Elle ne me renvoyait pas.

Je sortis du bureau avec le contrat dans une enveloppe cachetée, je revins à ma place.

L'ombre choisit un livre sur le rayon. Elle le replaça sans l'ouvrir avec des doigts parcimonieux. Elle prit un autre livre, un autre, un autre, un autre... L'ombre, de grandeur moyenne, venait tous les jours vêtue d'un pardessus de ratine beige. Le col du pardessus levé, elle frôlait la bibliothèque, elle feuilletait et rejetait. Elle était belle, ses mains étaient tristes, le romantisme sommeillait sur ses traits. Trouvera-t-elle une idée de scénario ? Nous soulevions les épaules. L'ombre se nommait Robert Bresson. Le metteur en scène des *Dames du Bois de Boulogne*, du *Journal d'un curé de campagne* ruminait ses films entre les pages des livres qui ne l'inspiraient pas.

J'arrivai place Saint-Augustin. Une nuit de gala grisait les centaines d'automobilistes poursuivis par des ennemis imaginaires. Les voitures se sauvaient boulevard Haussmann, boulevard Malesherbes, avenue de Messine, rue La Boétie, rue de la Pépinière. La lumière déshabillait les étalages, les lampadaires saupoudraient les arbres avec le givre d'un rêve, la publicité palpitait. Je me réfugiai avenue César-Caire, l'église Saint-Augustin étant fermée. Le sphinx faisait l'aumône de ses portes, de sa rosace noire, de sa grappe de dômes, à ceux qui longeaient ses grilles. Clair-obscur barbare sur les pierres encrassées, clair-obscur volage sur les gris usés. J'oubliai ma mission de fille de course. Des hommes discutaient, ils dictaient derrière les fenêtres en face de l'église ; je me retrouvai rue de la Bienfaisance. Le nom de la rue, une lucarne éclairée me consolaient de ma paresse, de ma maladresse. Je tombai nez à nez avec un homme couleur de muraille. Il récitait son chapelet en tournant autour de l'église endormie. Je le suivis boulevard Malesherbes, dans le doux éclairage, dans le doux épilogue d'une cendre de bois qui s'éteint. Etait-ce un prêtre défroqué ? *Broadway* au bout de la rue de la Pépinière aguichait avec ses enseignes lumineuses.

Je montai dans un autobus, je trichotai avec les tickets à inscrire sur la note de frais ; je finissais la journée avec un bénéfice. L'autobus ne me réussissait pas. Je désirais ce que je voyais à travers la vitre : manteau de cuir rouge, veste de daim roux, chaussures lilas, pois de senteur dans une vasque, roseurs d'une adolescente, visage studieux d'un flâneur, mousse, écume, galanteries, falbalas à la vitrine d'une lingère, petits doigts noués ensemble de deux Berbères, doigts entrelacés des amants blêmes. A pas lents j'aurais moins envié. Je convoitais comme je convoite les seigles, le mouvement, l'inclination, l'épanchement, le brassage, le jeu, la vague, la rumeur et le chemin de l'orgasme. Paris, la nuit clairette. La fête commençait sur le fleuve, sous les ponts, sur les quais. Grande reine avec mes rois le conducteur, le contrôleur, nous traversions Paris avec notre garde d'honneur : les platanes, les acacias.

Je m'échouai dans ma chambre de Levallois-Perret. Le silence, l'aparté de quatre murs et voilà Paris envolé. Mes objets étaient fantastiques parce qu'ils étaient fidèles. Bol, soucoupe, plantation de sentinelles sur la table. Pourquoi acheter des salsifis ? Quel légume borné... Il mûrit mes soupirs. Raclons puisque nous les avons achetés. Si j'avais une armoire dans ma chambre, une vraie... Si j'avais une armoire dans ma chambre les couchers de soleil me feraient des avances. J'ai un cosy, j'ai un divan entre deux tourelles disgraciées ; j'ai de l'amitié pour la clef de ma chambre, pour les immeubles au loin, j'ai un peu de ciel entre les pans de murs : la plus calmante des blessures. Mon âme respire, mes yeux divaguent quand il y a des étoiles.

Ils cuisent, les bâtons blancs. Je ferme les volets, je dis bonjour, je dis adieu à la lune fragile. Les contrevents de l'hôtel meublé : ma fierté. J'éteins l'électricité, je me lave les mains à côté du bruit grelottant des salsifis. Ah ! floconnement des familles. Non, ce soir pas de plaisir solitaire en attendant le dîner. C'est un coup de grâce quand cela commence à trente ans, quand vous avez été plaquée. Plaisir solitaire, lumière dans un miroir à Cayenne. Tu coules jusqu'aux genoux, tu serais donc une source, solitude. Ce soir je me désole, ce soir je me désolerai parce que je ne comprends pas la philosophie. Désolation de quatorze années. Lire Kant, Descartes, Hegel, Spinoza comme ils lisent les romans policiers. Plus j'insiste, plus je m'efforce, plus je pèse le paragraphe, le mot, la ponctuation, la phrase, plus je me détache de la phrase, de la ponctuation, du mot. Plus je me donne au texte, plus le texte est avare. De la braise envoyant du froid, voilà ce qu'une sotte obtient. Vingt fois, le titre de la troisième partie de l'*Ethique* de Spinoza m'a enivrée : « De l'origine et de la nature des affections ». J'ouvre le livre à la page 243 (édition Garnier), je lis au-dessous de *Définitions*, qui me grise aussi : « J'appelle cause adéquate celle dont on peut percevoir l'effet clairement et distinctement par elle-même ; j'appelle cause inadéquate ou partielle celle dont on ne peut connaître l'effet par elle seule. » Je m'emballais avant de commencer et voici que, lancée à bride abattue, je tombe sur « cause adéquate ». J'ouvre Larousse et Larousse me sert. « Cause adéquate. » Cloques d'ignorance, j'ai au front pour l'adjectif rébarbatif. Mon petit front, il me désolait ; mon petit front, je le triturais parce qu'il est chétif, dégénéré. « Cause adéquate. Cause inadéquate. » L'affection commence mal. Je suis un vieux chêne, il est vieux, je suis vieille. Adéquate, inadéquate. Mes cheveux s'allongent, si c'étaient des glaçons... je mourrais de froid avec mon désir inutile de devenir intelligente. Kant, Descartes, Hegel, Spinoza : ma terre promise s'éloigne, ma terre promise s'en va. Avoir une vie intérieure, réfléchir, jongler, planer, devenir équilibriste dans le monde des idées. Attaquer, riposter, réfuter, quel match, quelle bagarre, quelles accolades. Comprendre. Le verbe le plus généreux. La mémoire. Retenir, geyser de félicité. L'intelligence. Ma privation déchirante. Les mots, les idées entrent et sortent comme des papillons. Ma cervelle... graine de pissenlit au gré du vent. Je lis, j'oublie pendant que je lis. Je me consolerai avec le nom de Cassandre. Prononcé à voix haute, il me donne l'illusion de l'intelligence. Cassandre, Cassandre. Pudeur, élégance. Discuter, échanger des opinions, avoir des convictions. La neige ne danse pas dans la tête des idiots. Cassandre, Cassandre.

L'imprésario cherchait un titre pour un film. Nous avons inscrit des titres sur des bouts de papier. « Train d'enfer » me plaît, dit-elle. Train d'enfer était de moi. J'arriverai, me disais-je. Train d'enfer tomba dans l'oubli.

Les salsifis brûlent, les salsifis sont brûlés. J'ouvre la radio, je cherche le trille d'un violoncelle dans l'obscurité. Pas de trille. Je récite : je suis seule parmi des centaines de millions de femmes seules, d'hommes seuls. Vous le comprenez, Dieu, vous me voyez. Plus malheureux, moins malheureux. Quelle rengaine. Dieu approfondit, Dieu n'est pas simpliste. Chaque cas est unique. Dieu est attentif, espérons-le. Quel changement sans lever la tête. Le plafond maintenant est humain. Je me demande où est Dieu. Est-ce en lui que je me désespère ? Inventons Dieu puisque nous inventons des prières. Faites que je n'humilie pas, faites qu'on ne m'humilie pas.

Enlevez-nous notre pouvoir d'humilier. C'est pis que tuer. Il n'est jamais trop tard pour bien faire. C'est à vous que je parle, Dieu. Vous n'écoutez pas. Jusques à quand serez-vous absent ? Je prie sans être meilleure, sans être plus méchante. Je suis dans le courant du monde. J'humilierai sans le vouloir, ils m'humilieront sans le vouloir. Je suis parmi les vivants, c'est mon gros atout. Qu'est-ce que ce bourdonnement ? Mes oreilles quand elles ne veulent pas être seules. Mangeons, donnons notre amitié à la miette sur la table.

Cinq jours après, Michèle Morgan apparut dans la splendeur de ses yeux verts. Nous admirions jusque-là son visage sur des mètres de pellicules : les premiers essais de *Quai des brumes*. Sa voix au téléphone me réconciliait avec les fiches du standard. La vérité prenait l'ampleur d'une légende. Michèle Morgan venue du Havre à pied avec son jeune frère pour « tourner » jouerait avec Gabin. Tous parlaient de son vêtement de pluie dans le film ; Schiaparelli l'habillait pour la vie civile. Nous étions éblouis par l'adolescente se métamorphosant en étoile de cinéma. Juliette et Paluot discutaient traduction, littérature, religion avec Lanza del Vasto vêtu de velours côtelé, les pieds nus protégés par des spartiates. Nous dévorions le visage de ce jeune homme, visage d'ascète aux yeux clairs. Le gentil Lévi — un ami de Constance Coline qui traversait en trombe notre bureau — taquinait, souriait tout en s'abîmant dans les problèmes de la comptabilité.

Paluot nous quitta avec Lanza del Vasto. Ils parlaient des Indes avec fièvre pendant que la frêle et jolie Mme Welsch, deuxième secrétaire, suçait des pastilles.

Julienne à qui je n'avais jamais dit que bonjour, au revoir, bonsoir, me demanda si je pouvais l'aider à classer des lettres à signer. Je lui dis combien j'enviais son activité, sa vivacité. Je l'aidais ; je lui racontais mes dimanches les plus tristes. Elle écoutait d'une oreille : sa vitalité l'absorbait.

— Comment trouvez-vous Lanza del Vasto ? me répondit-elle tout en tapant à la machine.

— Il a un physique exceptionnel, dis-je.

Julienne me regarda, elle tapa de plus en plus vite :

— Un corps de viking, un visage d'apôtre ! dit Julienne.

Elle se trémoussait sur sa chaise. J'imaginais son sexe, ses entrailles de femme en surface. Je recommençai à parler de mes dimanches. Elle entendit.

— Vous devriez vous promener dans la campagne et lire les Pères de l'Eglise pendant vos promenades, me dit-elle.

Julienne... Un volcan d'enthousiasme. Ses lunettes la vieillissaient mais son regard — du feu généreux — embellissait son visage. Vive comme un lutin passionné. Elle nous peinait quand elle pleurait et s'égarait, quand elle parlait au téléphone à la femme de l'homme qu'elle aimait. Dubondieu mettait de l'encre dans son stylo, il regardait sans voir, sans entendre. Les sourds, quelle race...

— Le téléphone ! dit Julienne.

Je décrochai.

— Pensez-vous toujours beaucoup de bien et beaucoup de mal de l'amour ?

— Je vous reconnais ! Vous êtes Maurice Sachs. Oui, beaucoup de bien et beaucoup de mal.

— Pourquoi ne me reconnaîtriez-vous pas ? dit-il avec une pointe de moquerie.

Il y eut un vide dans le téléphone.

— Voulez-vous parler à l'imprésario ?

— Voulez-vous venir dîner demain soir rue du Ranelagh chez ma grand-mère ?

— Vous y serez ?

— Pourquoi n'y serais-je pas ? Oui je voudrais parler à l'imprésario, dit-il.

— Oui, je viendrai. Je vous donne l'imprésario.

— Parfait, dit-il, parfait, parfait. Vous descendrez à la station Ranelagh. Portez-vous bien jusqu'à demain.

Je ne m'embrouillai pas. L'imprésario était disponible. Mon « demain » survolait leur conversation.

— Parlons, dis-je à Julienne. Oh ! parlons...

Bougonne, affairée, elle tapait à la machine comme une dératée. Elle bourgeonnait encore à vingt-six ans mais ses yeux torrentueux l'emportaient sur les pointes rouges ou blanches.

— Qu'est-ce qu'il vous arrive ? dit-elle. J'ai un de ces courriers... Nous sortirons du bureau ensemble, si vous voulez.

Elle s'était mise à taper avec deux doigts pour taper plus vite. Ses boucles noires remuaient.

— Feuilletez *Les Pères de l'Eglise*, dit-elle. Ils sont là... sur le côté...

Je déposai *Les Pères* sur ma table de standardiste provisoire. Je n'ouvris pas le livre.

Elle leva enfin la tête :

— Vous avez tort, dit-elle entre deux frappes.

Bing et bing. Déjà elle repartait. Je criai :

— Vous savez... moi et la théologie...

— Vous devriez lire saint Jean de la Croix. « Mes larmes tombaient comme des chevelures. »

— Vous me récitez du Breton ?

— Je vous récite du saint Jean de la Croix, dit Julienne.

— Je lirai saint Jean de la Croix, dis-je à Julienne.

Elle commençait une autre lettre.

« Mes larmes tombaient comme des chevelures. » Je me le récitais, je faisais de la magie avec une image.

— Bonsoir, mesdemoiselles, dit M. Dubondieu.

— Bonsoir, monsieur Dubondieu.

O courtoisies quotidiennes.

Je patientai dans l'entrée, je révisai les affiches publicitaires. Je relisais *Camp volant* d'André Fraigneau chaque matin sur l'affiche en arrivant au bureau. Le titre d'un livre que je n'avais pas lu, le nom d'un auteur que je ne connaissais pas devenaient mon village, mon clocher, ma perspective.

— Ah ! ce Paris, dit Julienne.

Je lui pris le bras, je l'entraînai dans un café proche de la gare Saint-Lazare.

Grouillements, conversations, détente, repos, tabagie loin des clients, loin des chefs de rayon. Les employés du Printemps, des Galeries se désaltéraient avant d'envahir les trains de banlieue.

Nous prîmes place sur une banquette. Julienne voulut bien boire un mandarin curaçao. Elle accepta une cigarette.

Une flamme n'intimide pas. Julienne m'intimidait malgré la flamme de son intelligence, de son regard. Elle parlait, écrivait, lisait, sténographiait l'allemand, l'anglais. Elle montra du doigt un jeune homme et une jeune fille enfouis dans les bras de l'un et de l'autre. Je me détournai. Leurs baisers leur appartenaient. Le visage de Julienne était transfiguré. Je lui parlai de Maurice Sachs. Julienne souriait au couple, extasiée. Elle se tourna de mon côté, elle me confia qu'elle irait écouter *Tristan* le lendemain soir. Ses yeux étincelaient. Des vendeurs de journaux se frayaient un chemin entre les tables, un vieil homme déposa une noisette-échantillon sur les soucoupes, dans nos mains. Julienne regardait toujours les jeunes gens. Une midinette, Julienne ? Son cœur manquait du nécessaire. Elle avalait ce qui se présentait : deux amoureux. Elle finit par me répondre qu'elle ne connaissait pas Maurice Sachs. Ah oui ! elle se souvenait... *L'Ecurie Watson*... Oui

Maurice Sachs avait traduit la pièce. Oui, c'est possible, elle l'avait entrevu... Le jeune homme et la jeune fille s'en allaient, Julienne était au bord des larmes.

Dehors Paris se calmait, mais les vendeurs de journaux criaient et nous accostaient. Julienne voulait retrouver le jeune homme et la jeune fille.

— Vous ne les retrouverez pas. Ils s'aiment dans une chambre d'hôtel.

— Ne parlez pas ainsi, dit Julienne. Ce sont des enfants.

— Justement ! Il ne faut pas qu'ils perdent leur temps.

Julienne se voila la face avec *Les Pères de l'Eglise*.

Je demandai :

— Vous êtes vierge ou dame patronnesse ?

— Vierge et tertiaire dominicaine. Et vous ? dit-elle, enhardie par ma hardiesse.

— Oui et non, dis-je en fermant à demi les yeux pour la dérouter davantage.

Julienne me raconta qu'elle habitait chez ses parents, qu'elle sortait autant qu'elle voulait mais qu'elle manquait de liberté. Les résonances de *Tristan* dans sa petite chambre étriquée me peinaient pour elle. Julienne avait appris seule l'allemand, l'anglais. Sortie d'un cours privé à seize ans, elle s'était nourrie de musique, de peinture, de lectures. Elle prit dans une poche de son manteau un recueil de poèmes de Hölderlin, dans l'autre, un recueil de poèmes de Robert Browning.

— Je vous les traduirai quand nous nous promènerons dans la campagne un dimanche, me dit-elle.

Le lendemain je cherchai la station Ranelagh à la page 154 du Plan de Paris par arrondissements. Ranelagh me recevait, entre Jasmin et Muette, en

353

caractères modestes ; précédée de Michel-Ange-Auteuil et de Michel-Ange-Molitor, en caractères gras. Ranelagh. C'était oriental, guttural. Par qui avais-je été invitée ?

Rue du Ranelagh. Je me retrouvai dans une rue de province avec le silence des plantes aux fenêtres, la fraîcheur du métro dans le creux de ma main. La chaleur montait des pavés sans incommoder. Je vérifiai l'ampleur de ma robe à carreaux noirs et blancs achetée le même jour aux Galeries Lafayette, je frottai le bout de mes escarpins en daim. Non, je ne voulais pas plaire. Je voulais me présenter.

— Au premier, me dit la concierge.

Il ouvrit tout de suite la porte, il sourit : j'étais en avance. Sa bouche — une bouche de femme — ressemblait, avec la lèvre supérieure en accent circonflexe, à celle de Marguerite Moreno ; son menton important suggérait par sa courbe et son gonflement la bourse d'un paysan de Breughel. Le menton plein, le menton donateur faisait oublier la bouche. Bouche usée, bouche qui a vécu.

— Vous êtes en avance. Fort bien. Entrez dans ma chambre.

J'entrai la première. La fenêtre était ouverte sur des verdures. La rue m'apparaissait moins vieillotte, moins simple.

— Vous avez changé votre coiffure, me dit-il avec enjouement. Ça vous vieillit, ça vous va bien.

Il rit et je ris plus fort que lui.

Sa bouche quand il riait ne voulait pas de la gaieté.

La pince tomba dans mon dos, mes cheveux tombèrent dans mon cou.

— Votre coiffure au bureau ! dit-il avec sa voix chantante. Nous avons déjà des habitudes ma chère enfant...

Il me mettait trop à l'aise.

Il se frotta les mains comme s'il descendait de

chaire. Ses mains étaient charnues, son costume en tussor magnifique.

— Un whisky ? Un gin ? Un martini ? Un pernod ? Un cocktail ?

Il m'offrit une cigarette anglaise.

— Un whisky, c'est la première fois... Votre chambre est toute en livres, m'écriai-je.

Il déboucha une carafe d'orfèvre.

Je m'approchai de la table sur laquelle il avait préparé les boissons. Il me demandait si je voulais de l'eau piquante. Il a vécu, il a beaucoup vécu, me disais-je parce qu'il commençait à perdre sérieusement ses cheveux. Je ne voulais pas d'eau piquante.

— Vous boirez un whisky and soda, dit-il. Pourquoi vous singulariser ?

Il rit d'un rire bref. Il se mettait en boîte avec bienveillance. Il prépara deux whiskies. Gestes, mouvements enrobés. Il servait deux fois la messe avec ses mains potelées. La soie, le tussor bruissaient.

— La chaleur ce soir est fort éprouvante, dit-il. Quoi ?

Le « quoi » le rassurait : il feutrait la solitude. Maurice Sachs voulait une communication pendant qu'il questionnait pour rien.

— Chaud ? Il fait bon, dis-je après la première gorgée de whisky.

Il alluma une cigarette, il secoua longtemps l'allumette. La flamme s'obstinait pendant qu'il s'obstinait à l'éteindre. Il épongea son visage sans sueur.

— Je flotte, dit-il. Il faut flotter quand on est gros. Flottons. Aimez-vous ma chambre ? Il y a d'autres bouteilles de whisky dans la cuisine, d'autres cigarettes dans le tiroir de ma table. Buvez, fumez. Vous ne buvez pas, vous ne fumez pas.

Son faste et sa générosité dans le détail me pétrifiaient. Je le trouvais très bon, trop bien élevé.

— Asseyez-vous sur le divan, me dit-il.

Il se promenait avec son verre à la main.

— Non, dis-je. C'est bas. Je préfère me promener comme vous.

Je m'approchai de la table. Je n'avais jamais vu autant de photographies sur un mur.

— C'est Wilde, dis-je, Wilde avec Alfred Douglas.

Il versa une rasade de whisky dans son verre qu'il n'avait pas vidé.

— Wilde, dis-je encore pour moi-même.

Je lui trouvais une ressemblance avec Oscar Wilde.

— Allons à table, me dit-il.

La personnalité de sa chambre d'étudiant cossu me ravissait, le whisky réchauffait comme la neige dans notre main réchauffe un moment après. J'étais intimidée, transportée. Je marchai devant lui de sa chambre à la salle à manger. Je tendais mes muscles afin qu'il oubliât mes fesses féminines.

Il me présenta à sa grand-mère. Je me souviens des cheveux blancs, de leur vigueur ; je me souviens du teint pâle, du visage rond, de la réserve, de la bonne santé du regard. Quand une grand-mère n'est pas la vôtre elle ne vous touche pas.

Il tournait la salade avec la sérénité d'un chef de famille, il ajoutait de la sauce couleur corail.

— Vous aimez la...

Il dit un nom anglais que je ne compris pas. Sa prononciation m'exilait, la laitue maraîchère rosissait. Il leva la tête pour regarder sa grand-mère qui détaillait une aile de poulet. J'ai oublié comment ils en arrivèrent à m'expliquer leur parenté avec Bizet. La table ronde, la nappe de dentelle tombant à terre sur le tapis, l'argenterie, la disposition du couvert m'angoissaient. Quelle chance, leur bonne était invisible. Trois présences au lieu de deux m'auraient intimidée davantage. Je suis dans le

monde, c'est la première fois que je suis dans le
monde, me disais-je, comme je me serais dit je fais
un voyage dans la lune. J'essuyais mes mains moites
avec la nappe, j'oubliais ma serviette de table.

Il déposa deux feuilles de salade dans mon
assiette. L'assaisonnement était sucré. Je me demandais ce que faisaient des laitues maraîchères dans
une vaisselle aussi raffinée. Il changeait un légume
ordinaire en pétale de rose imbibé de confiture.

— Vous peignez ? me dit-il.

Il découpait de gros morceaux de poulet, il nous
servait.

— Je peins ? Pourquoi ?

— Vous ne mangez pas. Vous contemplez le feston de l'aurore sur votre salade. Quoi ?

Lui, il mangeait sans y toucher.

— Je ne peins pas, dis-je avec mauvaise
humeur.

Il aspergea la salade dans son assiette avec la
sauce corail. L'idée qu'il se nourrissait tant pour se
réconforter l'âme et le cœur m'effleura.

— Vous ne peignez pas. Heureusement, dit-il.
Paris regorge de peintres.

Je m'emportai :

— Vous savez bien que je travaille chez Denise
Batcheff !

Pourquoi étais-je venue ? Pourquoi avais-je déserté
ma chambre meublée de Levallois-Perret ?

— Il ne faut pas vous emballer ainsi ma chère
enfant. Il y a des milliers et des milliers de peintres
dans Paris et puis je n'entends pas quand vous parlez sottement. Vous travaillez chez Denise Batcheff.
Bon. Je travaille dans ma chambre.

— C'est différent, dis-je avec admiration.

— Ce n'est pas différent.

Je regrettais. Je craignais de l'avoir blessé.

— Si nous nous refaisions avec la tarte aux framboises ? Je déteste trente-six plats. Pourquoi des hors-d'œuvre ? Pourquoi du fromage ? Hein ?

Il flottait dans sa chemise de soie. Il découpa la grande tarte aux framboises en quatre, il mangea comme un ogre. J'allumai sa cigarette ensuite la mienne, j'espérais le surprendre. Je ne le surprenais pas.

Sa grand-mère nous dit bonsoir dans la salle à manger.

Je retrouvai sa chambre, ses livres, ses photographies, ses objets, la rue câline par la fenêtre ouverte.

— Non, allons boire de l'alcool, dit-il. L'alcool, délie, l'alcool délivre. Pas vrai ?

Je n'osais pas répondre que j'étais déliée et délivrée dans sa chambre. Paris entrait. Un Paris soumis à une rue de province.

Maurice Sachs déposa dans mes mains la photographie d'un homme jeune au visage agréable.

— Il est reparti pour les Etats-Unis. C'était mon ami, dit Maurice Sachs.

Je tournai instinctivement la tête du côté de Wilde et Alfred Douglas.

— Regardez-moi Violette Leduc, dit Maurice Sachs, avec fermeté.

Je le regardai. Meubles, livres, objets autour de nous devenaient une mise en scène sévère.

— J'aime les garçons, dit-il.

Il chercha dans mes yeux comme je cherchais dans les siens. Etonner lui convenait.

— Vous ne me surprenez pas, dis-je. J'ai lu Proust, j'ai lu Gide...

Il me surprenait. Quelle giclée de réalité. Je croyais en Charlus, je croyais en Morel, je croyais en Nathanaël. Insaisissables, fragiles malgré leur talent et leur génie, malgré le poids de leurs personnages, ils erraient dans mon esprit comme Lucile de Chateaubriand dans les couloirs de Combourg.

Maintenant ils existaient. Je frôlai quand même le veston en tussor de Maurice Sachs sans qu'il s'en aperçût.

Le silence se prolongeait, le drame de Wilde assombrissait la chambre.

— Vous êtes triste ? dis-je.

— Pourquoi serais-je triste ma chère ? dit-il.

J'avais abusé. Il me glaçait avec un « ma chère » affecté. Je voulais qu'il me dît : « Je suis triste parce qu'il est parti », je voulais violer l'intimité d'un homosexuel. Il me rejetait.

Je servis à boire, je lui offris de ses cigarettes.

— Parfait, dit-il, parfait, parfait...

Quelle onction, quelle bénédiction, quelle couronne de gentillesse, soudain, il vous mettait sur la tête.

— Je vais vous prêter mon livre, dit-il.

Il entoura de ses bras une étagère tournante.

— Vous écrivez, dis-je ahurie, vous êtes écrivain ?

— Oui, j'écris, dit-il avec une voix triste.

Il voulut rire de lui-même mais il n'y parvint pas.

Il cherchait de haut en bas, de bas en haut, la biliothèque tournait. Il cherchait, cherchait.

— Vous regardez ma chère enfant. Qu'est-ce que vous regardez ainsi ? dit-il sans lever la tête.

— Vos initiales, dis-je tout bas.

Des initiales petites, en caractères d'imprimerie, des initiales luxueuses et modestes brodées avec de la soie bleu marine... Je lisais la signature sur le cœur de l'écrivain.

— Le voici, dit-il.

Je lui pris son livre des mains.

— *Alias*, prononçai-je avec lenteur. C'est de vous...

— Vous le lirez, vous me direz ce que vous en pensez.

Je m'abandonnai à mon admiration pour la page blanche au titre rouge, dans un cadre aux lignes rouges et noires. Ecrire, être édité... Je caressai du regard les trois lettres *nrf*.

Sachs nous préparait un autre alcool avec de la glace.

— Vous êtes édité chez Gallimard !

— Vous connaissez Charvet ?

Il redevenait enjoué. Il s'oubliait dans une pirouette ; cependant l'éloquence du désespoir persistait dans ses yeux. Ses yeux : deux abîmes de douceur.

— Je ne connais pas Charvet. Je connais Jean Goudal.

Maurice Sachs alluma d'autres lampes.

— Charvet est le plus grand chemisier de Paris, ma chère. Nous irons choisir des cravates ensemble place Vendôme si bon vous semble.

C'était trop. Je me fâchai. Je me méfiais de sa proposition.

— Je travaille. Je ne peux pas vous accompagner chez Charvet. Je réponds au téléphone, je m'embrouille dans les fiches.

— Vous répondez au téléphone. La belle affaire !

Il s'éclaircit la voix, il s'assit à sa table.

Un ami, un départ. Je voyais des mains gantées de noir sur les photographies. Les mains saluaient.

— Je suis lecteur chez Gallimard, dit-il. Non je ne connais pas Jean Goudal.

J'étais au bord des larmes. Tant de souplesse dans ses attitudes me secouait. Je me dominai :

— J'avais dix-neuf ans, dis-je, je perdais mon temps au lycée Racine...

— Parfait, coupa Maurice Sachs. Je vous préfère ainsi. Continuez. Vous perdiez votre temps au lycée Racine, dit-il moqueur.

Il ouvrit un gros livre, il enferma dedans la pho-

tographie du jeune homme. Il rêvait. Je me sentais
impuissante.

Il dit :

— Où êtes-vous partie, mon enfant ? Qu'est-ce
qui vous préoccupe ?

Il tenait ses mains jointes sur la couverture car-
tonnée du livre.

— Le départ de... C'est cela qui me préoccupe...

Je montrai le livre.

— Je vous en prie, dit-il, la voix sèche. Vous
racontiez...

Il me reléguait dans un harem, parmi les
matrones. Je luttai :

— J'ai rencontré Jean Goudal à côté de la fontaine de la place Saint-Michel. C'est un écrivain
suisse. Vous ne le connaissez pas ?

Maurice Sachs hochait la tête.

— ... Non. Je ne le connais pas.

La ville, par la fenêtre ouverte, nous envoyait des
bouffées champêtres.

— ... Nous avons déjeuné en face des Galeries de
l'Odéon. Un homme seul à une table... avec un
visage de moine ou de savant. Un homme extraordinaire... Jean Goudal m'a dit que c'était Max
Jacob.

Le visage de Maurice Sachs s'est illuminé :

— Max ! Je vais vous offrir *Les Pénitents en
maillots roses*. Vous le lirez avant ou après le pensum...

Il quitta sa table de travail et, de nouveau, il
entoura la bibliothèque tournante.

— Quel pensum ? dis-je.

— La lecture d'*Alias*.

— Oh ! balbutiai-je, ce ne sera pas un pensum.

Il m'offrit *Les Pénitents en maillots roses* de Max
Jacob dans une édition à couverture romantique.

— Vous emporterez aussi *La Ballade de la geôle*

de Reading. Vous l'avez lu ? Evidemment vous avez tout lu de Wilde...

— Je ne l'ai pas lu. Je n'ai presque rien lu de Wilde. C'est sa vie qui m'émeut. On dit que c'est ce qu'il a écrit de plus beau.

Maurice Sachs ferma la fenêtre.

Je revenais à sa table. Je ne regardais pas Wilde debout, sûr de lui à côté de Douglas assis. Je contemplais Wilde seul, sanctifié par le scandale. Maurice Sachs marchait sur la pointe des pieds. Je les confondais tous les deux et j'aurais voulu serrer Maurice Sachs dans mes bras. Il feuilletait, il relisait, il me regardait. Un orchestre à cordes chantait misère et douceur de vivre quand il me regardait.

Il déposa *La Ballade de la geôle de Reading* sur *Alias* et sur *Les Pénitents en maillots roses.*

— Comme il a souffert, dis-je, mais quelle rédemption.

Le visage de Maurice Sachs changea. La bouche m'effrayait.

— Vous nous parlez de rédemption ! Les femmes sont d'une impudence... Il était célèbre, il est célèbre, reprit-il. Etre célèbre, devenir célèbre à Paris...

Ce qu'il disait le désespérait et me chiffonnait. Je le sentais fort malheureux. Je n'osais pas lui parler de *L'Ecurie Watson.* Son souhait était bancal comme souvent sont bancals nos souhaits les plus profonds. La célébrité vient malgré vous. Je n'osais pas lui murmurer : toc, le lecteur frappe sur votre page, il vous demande ce que vous écrivez, pendant que vous l'écrivez. Vous publiez. Toc, le lecteur répond, il prend ce que vous avez écrit. Tant de photographies d'hommes célèbres sur le mur, tant de livres dans la chambre, tant de petits objets de bon goût, tant de candeur me faisaient pitié. Cependant sa corpulence, son hospitalité, sa générosité pour la première soirée m'en imposaient.

— Refaisons-nous avec un dernier verre d'alcool, dit-il.

Il ouvrit la fenêtre. Paris dormait, Paris se rafraîchissait.

J'avais honte de mes hanches de femme quand je lui dis au revoir. Je me prenais pour Aphrodite, j'assassinais ma croupe. Me métamorphoser en jeune torero sortant vainqueur et glorieux de l'arène...

Métro, métro, je redeviens une ratée qui se souvient. A moi, garni de Levallois. Exténuée de nouveautés. Il est gras, il flotte, il est malin, il a des poignets de chérubin, le whisky balaie notre tristesse. Il est gai, il a envie de pleurer. Avoir de l'entregent. Il est pétri dans de l'entregent. Je ne veux pas me souvenir de lui : je le reverrai.

Je berçai les trois livres depuis Ranelagh jusqu'à Havre-Caumartin. Un voyageur dormait sur la banquette en face de la mienne, un voyageur de commerce harassé. Serviette à plusieurs compartiments, poignée ramollie qu'il serrait, cornes aux coins des rabats, stylomine agrafé. Sommeil, absence, présence de l'inconnu, offrandes à l'homme et à la chambre de la rue du Ranelagh. Je vivais le contrecoup de la soirée. Un homosexuel. Un homme qui n'est pas un moine ni un castré, ni un vieillard. Un homme qui est plus que cela, moins que cela. Un homosexuel : un passeport pour l'impossible. J'avais tant aimé Charlus bafoué, tant chéri ce lucifer de Morel, j'avais tellement avancé dans le labyrinthe d'Albertine... L'insécurité m'offrait un déjeuner chez sa grand-mère, l'impossible préparait du whisky, donnait des cigarettes, des livres. Ses yeux me poursuivaient. Ils étaient trop doux, trop tristes, trop profonds. Je m'en souvenais sur le visage du voyageur de commerce endormi comme si le visage de Maurice Sachs était une lumière. Brutalement, je dis à voix basse : pauvre bougre. Je pensais autant à

Maurice Sachs qu'à ce voyageur de commerce fourbu.

La nuit je lus *Alias*.

La nouvelle standardiste était à ma table quand j'arrivai le lendemain matin. Visage plat, grands yeux ardents. Elle me parla de son long séjour à Istanbul. Deux heures après, elle maniait les fiches avec l'agilité d'une dentellière du Puy. Denise Batcheff décida que je ferais ses courses personnelles, celles du bureau et que je serais la commise en écriture de M. Dubondieu.

Quel exil délicieux quand l'imprésario m'envoyait avec un carton à chapeau à son domicile personnel rue de Beaujolais... Je me risquais jusqu'à l'escalier de l'entrée des artistes de la Comédie-Française. Un adolescent parfois montait les marches deux par deux. Hippolyte le pardessus au vent ? C'était possible.

Je m'engageais dans la Galerie des Marchands. « Fumez l'écume de mer » conseillait une bande rose publicitaire. Les collections de timbres aux étalages m'attiraient. J'ai souhaité souvent le cachet des Îles Fidji, des Îles sous le Vent entre les mains d'un facteur me reconnaissant sans me connaître. J'écrasais mon visage sur la glace des vitrines. Antigna, Barbados, Tasmania, Malta, Cypras... Un timbre de Zem coûtait plusieurs centaines de francs. Cheveux blancs, cheveux roux, cheveux gris, roses effeuillées autour des flacons du posticheur, j'arrivais à la soie, à la moire, au gros grain du Bien public, des Services bénévoles, du Mérite artisanal, du Mérite commercial, j'arrivais au magasin Marie Stuart. Je ne respirais pas les arbres. Je respirais les seins explosifs des Merveilleuses. Leurs rubans fouettaient mon visage, le rire des Incroyables claquait. Il y a des lieux que vous ne ferez jamais taire.

Un après-midi, je lus un papier épinglé sur la porte de l'appartement : « Adressez-vous à l'étage au-dessous. » Je sonnai à l'étage au-dessous. Une femme avenante, une campagnarde polie, me fit entrer dans la cuisine. Elle prit le carton, elle dit : « Je le porte dans la chambre de Mme Colette en attendant. — Colette ? dis-je. — L'écrivain », répondit la bonne. Elle me laissa. J'étais entre les casseroles de Colette, près du fourneau de Colette, à côté du buffet de cuisine de Colette. Je dis au revoir à la bonne de Mme Colette, je descendis à pas de loup et, revenue dans les jardins du Palais-Royal, je marchai sous les fenêtres de Colette comme si elle écrivait ses livres sur les vitres.

J'observais un cycliste assis sur un banc, se reposant près de son vélo, j'observais la forme d'un bonbon dans une main d'enfant, la forme d'une fleur dans un pot, je croyais que j'écrivais sans crayon, sans papier parce que j'écoutais, parce que je retenais la caresse, la nuance, la romance du vent dans les feuilles. Je quittais les jardins du Palais-Royal, je portais la ville sur mes épaules, je dépérissais sur le chemin du retour. Une boulangerie me ranimait. Je mâchais un croissant : mes défaites, de la pâte feuilletée, tombaient sur mon vêtement comme un automne tombe sur la terre pour l'attrister davantage.

Le soir, après les Rivoire et Carret gratinées, le mousseux bon marché, la côtelette, les fraises enlisées dans le fromage blanc, je me promenais avenue du Bois. Je me promenais comme je me promène à la campagne : satisfaite de mes articulations huilées. Je respirais la soirée, un serpent me guettait : je me mis à désirer les plus belles automobiles de Paris. Une bleu tendre décapotée, doublée de cuir beige pâle, ralentit, la portière s'ouvrit à ras du trottoir. Un homme m'invita. Ses cheveux gris dans lesquels son argent ondoyait me séduisaient plus que son visage. Je montai, je mis le pied sur un fleuve d'or en fusion. L'automobile démarra. Les mains du conducteur effleuraient le volant, la vitesse aussi angélique qu'une éjaculation ne secouait pas. Nous nous taisions. La brise était plus forte que le vent. L'automobile roulait toujours plus loin dans les allées. L'auto s'immobilisa. L'homme alluma et éteignit les phares :

— Tu n'es pas belle, j'aime ça, dit-il. Embrasse-moi longtemps.

Son visage devenait méchant. Je l'embrassai longtemps sans plaisir. Les hommes toujours disponibles m'étonnent autant que des météores. Ils rencontrent une bouche, ils se jettent dedans. Le parfum de son bain, le parfum de son tabac étaient inoffensifs cependant j'eus peur quand il souleva ma jupe. J'ouvris la lourde portière, je m'enfuis sans la refermer. La nuit venait, je courais et voyais des amants qui s'enfonçaient dans les allées interdites aux automobiles. D'autres autos miroitaient, d'autres hommes au volant cherchaient. Je rentrai à pied. Qu'est-ce que je voulais ? Ne rien faire et tout posséder.

Je préparai des pommes de terre au lard pour le lendemain soir, je racontai sans voix aux épices, aux oignons que j'étais à l'abri du danger, qu'un livre m'attendait, que je pourrais lire *La Ballade de la geôle de Reading*. J'ouvris le livre, je le refermai tout de suite, j'ouvris *Alias,* je le refermai tout de suite. J'éteignis. Je revins à Maurice Sachs, à sa chambre, à la soirée rue du Ranelagh. L'obscurité en moi-même n'était pas suffisamment profonde : j'appuyai mes mains sur mes paupières, j'espérai un homme en cristal à la place d'un homosexuel. Je ne désirais pas voir l'accouplement dans ma nuit intérieure. Je voulais entendre leur bonjour, leur bonsoir, je voulais mesurer leur capacité de tendresse, prendre le pouls de leurs émotions. Je n'obtenais rien. Je voyais la masse informe de Maurice Sachs couché, sur son divan que nous avions dédaigné. Je le voyais seul, très seul sous le toit de sa grand-mère. Sa bouche qui m'effrayait accablait son visage jusque dans le sommeil, cependant la lune éclairait et délabrait les photographies d'hommes célèbres sur le mur. J'allumai, je regardai l'heure. Une heure moins le quart du matin. Je voulus m'habiller, je voulus sortir, chercher un café ouvert, lui téléphoner, le remercier de la soirée, entendre sa voix d'homme à part, pendant que les femmes avec les hommes s'aimaient, dansaient, dormaient enlacés. Je renonçai. Il m'intimidait, il m'intimiderait.

Ce dimanche-là, Julienne — influencée par l'écrivain René Schwob et rattachée comme tertiaire à l'ordre des Dominicaines — m'emmena à Port-Royal. Une centaine de jeunes filles grignotaient sur les pentes et les talus. Nous retrouvions le groupe « Chrétienté ». Je pouvais m'enfuir. M'enfuirais-je ? Prendre des décisions, m'y tenir, n'est pas mon fort. Je restai. Julienne très demandée me négligeait, c'est logique. Je cherche pourquoi elle enfermait son panthéisme dans *Les Pères de l'Eglise*. Elle buvait le ciel à la régalade, broutait les feuilles, l'herbe, les fleurs, étreignait chevaux et bœufs, berçait une masure, offrait ses bras nus au soleil, ses genoux aux cailloux, aux insectes. Nous déjeunâmes. Mon saucisson à l'ail, mon pernod, mon vin jetèrent un froid. Une jeune fille au visage ardent et ascétique d'Espagnole, avec des macarons de cheveux noirs luisants sur les oreilles parla de la lecture des Petites Heures, de la lecture du Petit Office. Elle parla aussi de théologie, le sandwich englouti. Je ne comprenais pas, je ne cherchais pas à comprendre. Le visage de la jeune fille devenait si fiévreux que je confondis bientôt la religion avec la phtisie galopante.

Le dimanche suivant, Julienne s'affairait à cueillir la pâquerette déjà ensommeillée, elle me racontait ses débuts de secrétaire aux éditions Bernard Grasset. Des lecteurs de manuscrits l'aidaient à monter sur une table, ils étudiaient la longueur de ses jupes, ils lui donnaient ses premières leçons de maquillage tout en lui parlant de Nietzsche, de la Grèce, de Wagner. Ils l'aidaient à découvrir la musique, les livres. Julienne récita du Barrès. Je n'étais pas conquise mais le style calciné de Barrès me brûlait. Julienne me raconta aussi son voyage dans le Midi avec Bernard Grasset et sa suite : il tournait le dos à la mer, il se punissait. Julienne triait ses fleurs, sa bouche faisait des bulles en chuchotant : l'Ile-de-France...

Mon après-midi, ma barque glissante... Lumière, miroir du paysage. Mesure, mollesse, soufflées, traînées dans le ciel. Ile-de-France, ma campagne revue et corrigée. Ile-de-France, mon bain de sobriété. Boules-de-neige de l'autre côté du chemin, boules-de-neige, écroulements des jardinets. Julienne pleurait. Une odeur de sueur et de plaisir, l'odeur des herbes jaunies, nous arrivait par bouffées.

— Je le cherche, dit-elle. Il est absent et présent. Vous ne pouvez pas comprendre.

Je comprenais. Je m'affligeais. Pourquoi ne sortait-elle pas quelquefois avec lui le dimanche ? Julienne rit d'un rire sinistre. C'était impossible. Elle n'osait même pas l'imaginer. Il était marié. Je cherchai comment lui saccager ses rêves d'amour, comment l'éloigner d'un univers sans espoir.

— Je connais une narcissiste incorrigible...

Julienne répondit que nous étions tous narcissistes.

Elle marchait de travers, elle pleurait dans son mouchoir.

— Je connais une onaniste...

Julienne me supplia. Je ne devais pas dire des horreurs.

— Ce ne sont pas des horreurs. Ce sont des réalités parfois préférables.

— Taisez-vous, cria-t-elle. Le chagrin l'enlaidissait.

— Tant pis, dis-je. Je ne vous distrairai pas.

— Tant mieux, dit-elle.

Elle tenait son bouquet de pâquerettes, trempées de larmes.

— Si vous appreniez à nager ? J'étais malheureuse, j'ai appris à nager dans une rivière...

Julienne me supplia de ne pas dire des stupidités.

Nous arrivâmes dans un village à la fin du jour. Des fermes, encore des fermes. Chemins de boue, fumier, basses-cours en liberté dans les ornières. Des hommes, encore des hommes chaussés de bottes ou de sabots.

— Où sommes-nous ? demanda Julienne à l'un d'eux.

— Vous êtes à Eve, dit le paysan.

Nous entrâmes dans le café. Une foule de paysans buvaient de la bière, du cognac, du vin, ils fumaient des gauloises ou du tabac gris. Julienne les regardait avec avidité, elle ignorait qu'elle les désirait tous.

Nous quittâmes Eve. La nuit commence, le ciel se penche, l'horizon avec ses lueurs est une nativité. La nuit sur ma musette et mon pubis. Deux pierres s'offraient au bord du chemin. Nous nous assîmes. Je parlai de mes années dans une maison d'éditions, Julienne se poudrait. Le fermoir du poudrier claqua. Je parlai du lycée Racine, de Gabriel, d'Hermine, du collège de D... Je ne parlai pas d'Isabelle.

— Je ne le retrouverai jamais, ai-je laissé échapper.

— Qui ?

— Gabriel.

— Il est mort ?

— Je n'en sais rien. Il a disparu. Il disparaissait souvent.

Absent pendant neuf années. Géant rigide, il passe avec sa cigarette au coin de la bouche, ses yeux neufs.

— Pourquoi n'était-il pas votre amant ? dit Julienne avec un reproche dans la voix.

— J'avais peur. Une peur panique depuis toujours. Le sperme.

Julienne poussa un cri d'horreur, puis elle eut un petit rire satisfait.

J'ai repris :

— Le désirait-il vraiment ? Je ne crois pas.

Pourquoi ne m'avait-il pas violée en plein midi, sur le dos des lézards ?

— Pauvre Violette, dit-elle. Vous êtes toujours triste.

Au bureau nous étions parfois injustes et superficiels envers Julienne. Nous échangions des sourires lorsqu'elle déclamait son amour de la Provence. Elle ne s'apercevait de rien. Elle planait. Son aveuglement, je veux dire sa générosité lorsqu'il s'agissait de sentiments pour l'autre sexe était stupéfiante. C'était navrant d'y voir plus clair qu'elle. Notre lucidité nous étriquait. Julienne espérait, souhaitait, attendait le mariage avec une lumière de légende dans ses yeux. Faire confiance. Elle faisait confiance à tous les hommes. L'époux né de ses souhaits, de ses élans, de sa patience, de son impatience, de ses méditations, de sa frénésie, de ses prières, de ses insomnies, qu'il fût comptable ou professeur était l'époux du Cantique des Cantiques. Elle sculptait son mariage, son mari. Avec quoi ? Avec ses musiques, ses lectures, ses promenades, ses aspirations. Julienne tapait tard le soir ; si je restais avec elle, elle me parlait de ses randonnées sur les collines du Midi avec son mari, cet inconnu. Elle enlevait ses lunettes. Silence. Nous écoutions son avenir. Comment était-il l'époux de l'avenir ? Ses cheveux, comme ceux de Jésus, tombaient sur ses épaules. Raides, un peu gras, parce que de longs cheveux gras sont plus abandonnés. Signature de beauté à la Byron, il claudiquait. Son front, né des longues veillées de Julienne, était cendré.

26 décembre 1963. Il neige depuis hier à midi. Neige grise, neige empoussiérée sur le sol et sur les toits à Paris. Le ciel est sale, le ciel est un bouchon de linge sale. La neige danse c'est sa seule qualité. Elle traînait hier soir, semblable aux restes d'une coupe de cheveux frisés, sur le carrelage d'un coiffeur pour hommes. La danse de la neige au début m'a rajeunie.

Je me promenais chaque jour dans le vieux port de Villefranche-sur-Mer. A l'heure de la chute de chaleur. Des océans usés, j'étais le ferrailleur. La douceur de chaque instant : ma société, mon fléchissement de nervosité. Les couleurs se calmaient. Bleu fané, bleu berceur d'une vieille barque. Ils repeignaient leurs embarcations, j'écoutais *Les Gymnopédies* comme à Paris, l'eau de mer me préparait des fresques. Bleu épuisé, autre chanson pour dormir, autre berceuse près de la carcasse d'un navire. Mon empire d'invalides, mon cimetière coq-de-roche. L'agonisant ne meurt pas, c'est le sursaut d'une proue, c'est le bateau, splendeur de rouille, qui veut partir les nuits d'orage. La mer voisine avec les épaves. Je m'asseyais sur la borne, je regardais comment s'était faite la lessive des couleurs en pleine mer alors les chevaux de halage sur mes genoux posaient leur tête. Je ne pourrissais plus dans mon dernier avenir, dans ma dernière seconde, les mouettes se taisaient quand elles passaient. Mes bateaux au rebut, les tempêtes sont des fables, mes choses mortes que mes yeux ont achetées, mes tilleuls ouvragés, mes tilleuls bourdonnants lorsque *Le Magnolia*, *Le Typhon* se tiennent encore debout. On draguera la Seine, qu'il est morose le bateau qui ressemble à un morceau d'usine sur l'eau. Ils draguent avec un bateau gris, ils purifient notre fleuve de Paris.

Ma remplaçante au standard me demanda si je voulais prendre mes quinze jours de vacances avec elle à l'île de Noirmoutier. J'acceptai. Je ne lui parlai pas d'Hermine, je ne lui racontai pas que j'étais une femme plaquée. Elle buvait sec, elle fumait du matin au soir avec une aisance, avec une nécessité rafraîchissante. Nous caquetions sur le sable, nous évoquions les yeux de Simone Signoret qui venait voir de temps en temps l'imprésario, nous admirions la volonté de Madeleine Robinson — épais manteau beige, cheveux au vent. Le monde du cinéma devenait plus humain, plus simple. Nous respirions les marais salants en dormant, dans une chambre à côté des fermes. Le soir, des fruits, un bol de lait avec la tiédeur du pis. J'aimais à midi la fraîcheur des dalles rouges de l'auberge pour mes pieds nus, j'aimais la blancheur virginale des langoustes à l'intérieur de la coquille orange, j'aimais leur sommeil compact. Nous parlions de Julienne ; nous nous demandions comment elle passait ses vacances dans le Midi.

J'avais quitté une mendiante, je retrouvai une conquérante lorsque je revis Julienne. Comme le soleil s'était fait doux pour elle, pour le hâle de ses bras, de son visage, pour l'échancrure de son corsage. Embellie, rajeunie, les traits plus flous, elle se regardait souvent dans la glace de son poudrier. Elle arrivait tôt le matin, elle se jetait sur le courrier, elle décachetait une enveloppe, elle lisait une dizaine de feuillets que couvrait une écriture d'une grandeur extravagante, elle s'exclamait, elle poussait de petits cris et de petits rires de plaisir. Elle enfermait sa lettre dans son sac, elle partait en traîneau sur sa machine à écrire. Vacances excellentes, chaleur parfaite. Provence idéale. Nous attendions. La lettre arrivait le lendemain avec des feuillets plus nombreux.

Je ramassai l'enveloppe vide, elle me remercia, alors je me permis de lui dire qu'elle semblait plus heureuse depuis son retour. Elle s'étira, son regard enveloppa un panorama bien à elle, sans doute une chaîne de bonheurs. Le lapin des champs, le thym sauvage, murmura Julienne. Le soir elle a voulu que nous sortions ensemble.

Paris prenait encore des vacances, cependant il fallait pousser avec le pied les feuilles mortes de la fin de l'été, Paris ce soir-là était une rose fatiguée. Suave décadence, d'une grande ville à sept heures du soir. J'accompagnais Julienne silencieuse et ins-pirée, il me semblait que j'avais aussi un secret à confier. Elle était plongée dans ses pensées. Une radieuse somnambule se laissa mener jusqu'à la ter-rasse d'un café. Elle déclara qu'elle voulait un pastis parce qu'il lui avait appris à boire le pastis.

— Celui qui vous écrit ?

— Oui, dit-elle en souriant à l'absent.

Le soleil couchant enflammait la vitre d'une lucarne. Elle s'allégea du prénom en regardant la vitre. Il s'appelait Roland. Elle parlait enfin. Son récit devenait mon récit. Sa rencontre, ma ren-contre.

... Elle avait couru les chemins de chèvre toute la journée, elle rentrait contente. Ce bruit de motocy-clette depuis quand l'entendait-elle ? Elle ne voulait pas de ce moteur, de ce bluff qui lui prenait le silence des collines. Elle s'était retournée, le motocy-cliste s'était arrêté net. Souvenir du pied se posant sur le sol, souvenir des longues mains dociles sur le guidon. Elle avait été éblouie parce qu'il était sûr de lui. Fureur, impatience du moteur. Julienne crut qu'il repartait. Il lui demanda où elle allait. Des espadrilles, le pur accent du Midi, des collines qui seraient bientôt mauves ou violacées... Où allait-elle ? Elle ne pouvait pas lui répondre, elle avait perdu l'usage de la parole. Dépouillée de tout ce qu'elle avait été, de tout ce qu'elle avait eu jusqu'à cette rencontre. Il s'impatientait ; si elle voulait monter sur la moto, elle devrait le serrer parce que la route avait besoin d'être refaite, et qu'ils seraient secoués. Le serrer. C'était insensé et c'était vrai : la route avait besoin d'être refaite. Non elle n'avait pas peur. Peur en Provence ? De quoi ? Ils partirent sur la moto dans un nuage de poussière... Julienne le serrait sans contrainte. Son passé, sa disette, son amour malheureux n'étaient plus que cette habitude retrouvée de serrer la taille de cet homme. La moto rebondissait, il conduisait, elle ne voyait pas son visage, c'était vertigineux. Non, elle ne regardait rien ; non, elle ne voyait rien. La solitude, la solitude autour d'eux à quatre-vingt-dix à l'heure. Il la déposa sur une place de village. Elle ne le reverra pas, le sol la quitte, le parfum du thym sauvage la désespère. Elle est seule, elle sera seule. L'inconnu avait fait demi-tour : ce serait stupide de ne pas prolonger la soirée. Une seconde de raison, elle le perdait pour toujours. Les voilà repartis dans des chemins qui allaient plus vite qu'eux. Vingt-sept ans. Il connaissait tous les chemins. Ils filaient, les plantes, les odeurs, les parfums étaient avec eux. La terre, l'herbe, les plantes se libéraient de la chaleur, de la journée. Les oliviers tombaient sur eux, des rocs saignaient, les pentes recevaient des caresses lilas. Et les parfums, et les odeurs se levant à la nuit, se croisant. Il connaissait tous les endroits où l'on pose des collets ; parfois il lâchait le guidon, c'était un acrobate. Il lui cria qu'ils dîneraient de saucisses grillées. La moto était couchée sur le côté, les saucisses cuisaient sur des branches. On se dit que le bonheur c'est impensable, que ce n'est pas palpable, Julienne palpait le tricot de l'inconnu pendant qu'il surveillait la braise, qu'il s'occupait des branchages. C'était une nouvelle vie que Julienne avait vécue ailleurs. Le bonheur est une réminiscence. De ses sacoches il avait tiré une gourde de bon petit vin. Ils se promenaient encore à deux heures du matin en se récitant du Nietzsche, du Péguy, du Claudel, du Barrès. Elle lui fredonnait *Tristan, Lohengrin.* Cet homme qu'elle avait toujours connu, qu'elle rencontrait enfin, répondait à toutes ses prières. Est-ce qu'il avait une occupation ? Le regard de Julienne changea. Une occupation ? Elle ne le lui avait pas demandé. Ils s'étaient quittés à trois heures du matin. Quelle agilité, la nuit suivante, pour ouvrir la porte d'une grange fermée. « Rien ne lui résiste. Il ouvre sans forcer, il connaît chaque loquet. » Entrez, avait-il dit à Julienne. Déjà il tenait l'échelle. Cette odeur de foin, cette débâcle de printemps d'échelon en échelon. Après ils avaient été deux bêtes simples comme sont les bêtes dans ces moments-là. Ils avaient voulu revoir la colline. Le jour se levait. Il y avait eu un chant d'oiseau. Et puis leurs ablutions dans le ruisseau, cette eau fraîche qui scintillait dans la bouche. Il lui avait cueilli des fleurs. Ils s'étaient promenés longtemps en moto avant que les villages s'éveillent. Aux saucisses succéda un lapin des champs cuit en plein air ; à la grange une autre grange ; au ruisseau un autre ruisseau. Ils ne se quittèrent plus jusqu'au départ de Julienne. Est-ce qu'il l'aimait ? Elle ne se l'était pas demandé. Elle croyait empoigner son avenir par la crinière en faisant des projets de mariage. Je me souvenais d'un passé plus vieux que celui de Julienne. Isabelle, ma passagère. Nous nous aimions, c'était notre secret. Le soir, ma tête enfouie dans l'oreiller, j'en étais à me demander, après avoir tant vécu et tant souffert, comment Julienne et le Méridional s'y prenaient pour s'aimer dans le foin.

J'étais vierge malgré mes souillures. Je souhaitais souvent retrouver Gabriel pour commencer avec lui. Et puis j'oubliais Hermine, Gabriel, Isabelle, c'est la vie. Et puis je me souvenais encore de Gabriel, d'Isabelle, d'Hermine et c'était un peu la mort. J'étais allée vers les femmes comme le paysan isolé, un soir de neige, s'en va vers une crèche. J'avais été odieuse avec Hermine mais j'avais eu autant confiance dans mes exigences que dans ses sacrifices. J'avais été toujours lasse d'Hermine, c'est ainsi. Je ne l'aurais pas quittée. Je ne pardonnais pas à une sainte de s'être reniée. Je pensais à ma vieillesse. Elle me terrifiait. Mes forces s'en iraient, je n'aurais même pas un rocher pour m'appuyer. J'étais laide, je serais un monstre de laideur.

Un sou est un sou. Nous étions près de nos sous, lorsque nous sortions ensemble. Chacune payait son apéritif, son sandwich et le pourboire était coupé en deux. Cela importait peu. Julienne bouillonnait quand même. Elle me traduisait Novalis dans les trains de banlieue. Tant de conviction, tant d'honnêteté, tant d'exaltation. Tous dans le compartiment étaient suspendus à ses lèvres. Quand elle disait : « J'y suis presque », ils souriaient avec ardeur. Ils souhaitaient le mot juste.

Un samedi matin, dans le bureau inondé de lumière, Julienne ouvre *Le Figaro* et se plonge dans la page littéraire. Moi je travaille sur un synopsis. Dubondieu écrit, la jolie Mme Welsch fredonne en suçant des pastilles.

— C'est trop fort, s'écrie Julienne.

Elle ouvre son sac à main, elle déplie une des lettres qu'elle reçoit chaque matin. Son visage s'éclaire :

— C'est cela, c'est bien cela.

— Un ennui ? demande ma remplaçante.

Maintenant Julienne rit, penchée sur le journal.

— Il recopie les *Lettres* de Diderot à Sophie Volland. C'est magnifique, Roland est magnifique.

Elle lit à voix haute des passages du *Figaro*, des passages de la lettre. Ils sont identiques.

L'imprésario m'appela. Je croyais qu'elle était prête à me renvoyer parce que j'étais de plus en plus inutile. J'enviais les cireurs de chaussures, le hasard de leur activité, leur ciel pour enseigne, la gadoue pour réclame, leur entrain à frotter.

Elle me dit qu'elle avait pris rendez-vous pour moi avec une de ses connaissances.

— Vous vous entendrez avec elle, ajouta-t-elle.

— Comment s'appelle-t-elle ?

— Bernadette. Vous irez chez elle demain.

— Pourquoi ? dis-je. Pourquoi dois-je la rencontrer ?

— Pour l'amitié, répondit l'imprésario.

— On ne prend pas un rendez-vous avec l'amitié...

— Demain à deux heures, dicta l'imprésario.

Le lendemain à midi, je m'habillai avec soin. Je choisis une robe neuve entre deux vieilles robes Schiaparelli usées jusqu'à la trame. J'étais boudinée dans ma robe neuve, essayée chez une couturière du XXe arrondissement. Elle me satisfaisait, elle traduisait mon porte-monnaie.

Je cherchai la maison dans une rue provinciale du XVIe plus guillerette que la rue du Ranelagh. Maison étroite, escalier resserré, je me retrouvai contractée, le cœur battant dans un petit salon ensoleillé.

« Je vous attendais », me dit Bernadette en venant au-devant de moi.

Je serrais enfin une de ces mains tant admirées chez Antoine, chez Schiaparelli, chez Rose Descat : une main fluide, souple, du brouillard devenu de la chair. La minceur élégante des modèles qui posent

pour *Vogue* ou *Fémina,* n'était plus silhouette
d'apparat. Paris me délabrait moins depuis que
j'étais entrée dans le petit salon. Nous vous attendions aussi me criaient les couleurs bayadères du
tricot de Bernadette. Elle me présenta Clara Malraux. Il me semblait que je rêvais éveillée ; j'eus une
attaque de timidité, la plus forte de toute mon existence. Des petites bouilloires d'eau bouillante chan-
tèrent dans ma tête. Je me paralysais, ma bêtise me
surchauffait, je ne voyais plus les yeux clairs de
Clara Malraux, les yeux bleus un peu glauques de
Bernadette. Celle-ci m'encourageait avec des sourires
et des regards pour que j'intervienne dans leur
conversation. Je ne pouvais pas. Les prénoms
d'hommes célèbres qui revenaient dans leur conversation m'écrasaient. Les doigts précieux me donnèrent une tasse de café. Comment buvait-on une
tasse de café, comment tenait-on une tasse de café,
comment prenait-on du sucre dans le sucrier ? Je ne
pouvais plus être moi-même ; leur aisance m'anéantissait. Tout se brouillait devant mes yeux. J'avalais
ce qu'elles disaient sans le comprendre. Je me
secouai. Je voulus parler, aucun son ne sortit. Elle
m'offrit une autre cigarette anglaise, une autre tasse
de café. Je refusai. J'aurais préféré mourir plutôt
que vivre devant elle comme je vivais les autres
jours. Comment pouvaient-elles parler de tout très
vite sans dire de bêtises ? Clara Malraux riait souvent d'un rire abstrait. Sa voix était musicale et
aiguë. Tout à coup, elle s'assourdissait. Clara Malraux compatissait, comprenait, repartait. Le raz de
marée de son élocution m'effrayait. Elle prit congé,
elle me donna une forte poignée de main, ce qui me
rassura : cependant son intelligence déliée comme
des doigts de virtuose, l'atrophie de mon cerveau me
séparaient d'elle. Elle part dégoûtée me disais-je.
Toujours cette mascarade de l'amour-propre et de la
fausse humilité. Vêtue d'une veste de cuir, les

cheveux pris à une Walkyrie vaporeuse, elle referma la porte.

Bernadette me posa des questions : des béquilles qu'elle me lançait. Elle se penchait sur mon quotidien, elle prenait soin de mon cerveau infirme. Le soleil des narcissistes me réchauffait. Je fleurissais, le bleu frêle, ce bleu inachevé des pois de senteur teintait les meubles et les murs. Je confiai ma solitude, son visage s'éclaira :

— Comme je vous comprends, dit-elle.

Elle écoutait, elle m'étudiait. Elle m'approuvait sans critiquer. Elle me demanda si je voulais une autre « cigue-cigue », elle m'offrit une cigarette anglaise. Le tabac serré, la finesse de la cigarette, le bleu de la fumée en suspens : je me crus un instant l'égale de ce bel après-midi parisien.

Bernadette téléphona : elle distribuait des généralités, elle me décevait. J'avais rêvé. Je n'existais pas dans son univers de femme du monde et de bon garçon. Etait-ce une femme du monde ? Je répondais non quand elle se séparait du téléphone, quand elle revenait et qu'elle me réchauffait encore avec sa bienveillance et son optimisme. Elle connaissait sûrement cinq cents personnes à Paris, elle prenait le temps de s'arrêter à une standardiste déchue. Je répondais oui lorsqu'elle disait d'un journaliste ou d'un cinéaste « ce zigoto, ce farfelu, ce mégalo ». Non, me disais-je de nouveau quand elle m'interrogeait. Je devinais aussi qu'elle avait pris une décision : ne pas s'apitoyer sur elle-même. Son oubli de soi était si persuasif que sa souple intelligence était devenue la mienne à la fin de la visite. Elle voulait changer tristesse et mélancolie en drôlerie. Elle y parvenait. Je voyais quand même de brefs reflets de tristesse dans ses yeux malicieux. Elle maintenait l'équilibre avec des « on a ri comme des bossus », « il se prend pour Louis II de Bavière celui-là », « je m'en fiche comme de colin-tampon », « ce sont des n'importe qui », « c'est con comme la lune ». Elle dit dans le courant de la conversation que « tout ce qui n'est pas ivresse de soi est compensation ». Selon elle ma situation changerait. Elle me chercherait une autre occupation, elle viendrait me prendre au bureau, nous déjeunerions ensemble, elle me téléphonerait souvent. Je soulevais Paris — oh ! pas plus haut que l'épaisseur d'un cheveu —, lorsque je quittai Bernadette. Je ne me demandais pas si elle vivait seule ou non. Elle devait aimer la musique, les livres puisqu'elle connaissait des écrivains, des musiciens.

— Maurice Sachs vous a demandée, me dit Julienne lorsque j'arrivai au bureau.

— Maurice Sachs ? Où ? Quand ?

— Il voulait vous parler. J'ai dit que vous arriveriez plus tard. Il est charmant.

— Qu'est-ce que vous dites ?

Julienne éleva la voix :

— Je dis qu'il est charmant. Il m'a beaucoup remerciée à la fin de la communication.

Je m'effondrai. Julienne tourna les talons. Déjà, sans reprendre haleine, le cliquetis de la machine à écrire.

Le passé ? C'est un ventre. Me voici dedans ; 3 h 31 à ma montre-bracelet.

— A quelle heure a-t-il téléphoné ?

— A 2 h 20, répondit Julienne sans hésiter, sans arrêter le galop de sa machine.

Presque 3 h 32 dans un immeuble de la rue d'Astorg. Le ciel est trop pâle, la chaleur trop animale. Le roulement confus de Paris. Il veut me parler, il veut me revoir, cependant... Pourquoi suis-je triste ? Il est cordial, il est amical, il est gai, il est drôle. Il n'est pas charmant ; il allège avec sa drôlerie. Il téléphonera tout à l'heure ou demain. Je l'ai vu une fois. Notre soirée, mon écrin, mon coffret. De quoi ai-je la nostalgie ? Je le buvais, je le mangeais, je le mâchais : je n'étais pas vraiment présente. Pourquoi un malaise ? Quel malaise ? Accueil parfait, hospitalité parfaite. Maurice Sachs. Son ami est reparti pour les Etats-Unis. Premier homosexuel apparu, premier homosexuel un moment effacé par la photographie de Wilde et de Bosie. C'est trop, abaissez-vous trompettes du scandale. Bosie, Bosie. Je donne mes cendres de jeune fille aux bourrasques. Bosie, je le regarde et je soutiens son regard. Je pave l'enfer avec les jeunes filles qu'il a ignorées ; qu'est-ce que je ne ferais pas pour votre belle gueule froide, Bosie ! Est-ce cela ma nostalgie ! Chevelure d'adolescent inverti, souffrances de mes doigts épris en exil. Tu as froid, homosexuelle au rebut. Wilde attendant Bosie quand se fondent le jour et la nuit, quand les chiens aboient à l'espace. Wilde attendant Bosie. Son silence, c'est mon sanglot.

— Julienne...

— Je travaille.

— Maurice Sachs... Vous croyez qu'il rappellera ?

— Je l'ignore ma pauvre amie.

Est-ce que je suis malheureuse ? Est-ce que je suis vraiment malheureuse ? La farine poisse lorsque je lave mes doigts, ça m'agace chaque fois. Je me soigne, je me soignerai toujours. Faut pas tomber malade, ma santé c'est mon capital. Cette limande-sole est énorme. Je mange. Pour qui, pour quoi ? Est-ce que je la reverrai ? Elle est trop gentille, elle se met trop à ma portée. Un autre emploi. On me prendrait au sérieux. Comment fera-t-elle pour me trouver un autre emploi ? Au restaurant je n'oserai pas me servir de la fourchette, du couteau. Je préfère sucer mes doigts. Tu vois comme tu es. Hermine m'a quittée. Elle croit que c'est un affront, elle se trompe. Ma mère dit des hommes je ne peux pas les voir en peinture. Je ne peux pas voir les femmes en peinture. Hermine m'enfermait. Est-

ce que je sors seule le dimanche ? J'en suis
incapable. Est-ce que je la tourne de l'autre côté
avec un couteau ou une fourchette ? Elle ne colle
pas à la poêle, c'est la première fois. Nous avons
besoin d'échanges ouais je lui ai dit ça mais si un
crève-la-faim frappait est-ce que je partagerais ? Partager ? Je ne lui donnerais même pas les pépins de
m-o-n citron pour m-a limande-sole. Voilà comme je
suis voilà comme nous sommes. Des phrases, des
trouvailles, cela ne nous prive de rien. Quel esbrou-
feur ce poisson, il se prend pour une perforeuse :
c'est l'huile ma vieille ce n'est pas lui ; des échanges ; l'étoile qui ne me quitte pas par la fenêtre
entrouverte, est-ce que je pourrais l'échanger pour
un souvenir ? J'irai ou je n'irai pas au restaurant ?
   Le garçon apporta les pamplemousses tranchés en
deux. J'ignorais jusque-là que le fruit se mangeât
aussi comme hors-d'œuvre. J'attendais en me
demandant si Bernadette le sucrerait ou le salerait.
Elle le mangea tel quel ; je sucrai le mien, je le
regrettai. Nous déjeunions à la terrasse d'un restaurant de l'avenue Kléber avec des arbres à côté de
nous. Cela me grisait. Ma timidité l'emporta. Je
tachai la nappe, ma serviette glissa de mes genoux
sur mes pieds, ma fourchette tomba dans mon
assiette. Bernadette venait à mon secours. Je ne me
lassais pas des perles de jais sortant en double rang
de la boutonnière, allant se cacher dans la poche où
le mouchoir souvent dépasse :
   — Quel tailleur, quel tailleur noir...
   — Une folie, dit-elle.
   — Qu'il est chic ! Il vient de chez qui ?
   De nouveau les beaux tailleurs me fascinaient.
   — Il vient de chez Balenciaga.
   Nous parlâmes de chiffons. Elle me proposa
d'aller choisir un solde chez Balenciaga.
   — Oh ! moi, dis-je avec un geste de lassitude. Je
suis moche et j'aurai bientôt trente ans...

Bernadette s'empourpra :

— L'âge ne compte pas. Vous avez de l'allure. Vous portez bien la toilette. La vitalité c'est tout pour une femme et vous en avez.

— Vous croyez ?

Bernadette était la plus âgée de nous deux. Je lui demandai si je pouvais l'appeler par son prénom. Elle était d'accord. Son optimisme me ravigotait. Comment pouvait-elle se retrouver avec elle-même après s'être tant quittée ?

J'aurais une autre occupation, je devais patienter.

— Ça alors ! dit la standardiste. M. Sachs est à l'appareil. Il vous demande à l'instant. Prenez-le.

— Oui, dis-je dans l'appareil, oui.

— Quoi oui ? dit Maurice Sachs.

— Je ne sais pas. Vous me demandiez.

Le cliquetis de la machine à écrire me faisait mal.

— Vous en avez de bonnes, dit Maurice Sachs. Oui je vous demandais. Je voulais avoir de vos nouvelles depuis l'autre soir. Est-ce Violette Leduc ou n'est-ce pas Violette Leduc qui répond dans l'appareil ?

On entrait dans le bureau, on parlait, on marchait dans le couloir, la standardiste soulevait la vitre.

— C'est elle ! dis-je.

Ma voix se brisait. Je croyais que je ne pourrais plus répondre.

— Parfait-parfait, dit Maurice Sachs. Avez-vous lu *Alias* ?

J'éclaircis ma voix dans l'appareil.

— J'ai lu *Alias*.

— Parfait-parfait, dit encore Maurice Sachs. Vous pouvez m'écrire rue du Ranelagh.

— Je n'écrirai pas, criai-je dans l'appareil.

— Ce sera comme vous voudrez ma chère enfant.
A bientôt.

— Oui.

Je trouvai Maurice Sachs ironique, affecté. J'avais
les bras cassés, je ne m'expliquais pas pourquoi.

Le soir, je relus son livre dans mon lit. Je mangeai du ragoût de pommes de terre avec du bacon et
je bus une demi-bouteille de champagne. L'homme
étincelant de la rue du Ranelagh anéantissait le
personnage d'*Alias*.

Mes développements satisfaisaient de moins en
moins M. Dubondieu. Il me regardait, il soupirait,
il enterrait mes feuillets dans un dossier.

Bernadette téléphonait souvent. Nous allions rue
Lavoisier, dans un salon de thé russe, minuscule,
décoré avec des broderies multicolores. C'est là que
je rencontrai une seule fois Elsa Triolet. Elle écrivait *Bonsoir Thérèse*. Ses yeux m'évoquaient du fer
changé en lumière, son visage rond les *Danses
Polovtsiennes* de Borodine. Elle parla de Maïakov-
sky.

— Vous vous faites trop de soucis pour votre
baron de Saint-Ange, me dit Mlle Nadia.

Elle renversa la tête : ses cheveux gris cachèrent
ce que j'effaçais avec prudence pour ne pas déchirer
le papier.

— Il n'est pas mon baron de Saint-Ange. Il me
dicte son courrier et je fais de mon mieux.

Mlle Nadia posa tout à fait la tête sur le rouleau
de ma machine à écrire. Ses gros yeux à l'envers
étaient plus gros.

— Vous le soignez trop.

Je gommai, je déchirai le papier.

— C'est votre faute !

Mlle Nadia croisa ses bras sur sa blouse.

— M. de Saint-Ange arrive tard, dit-elle avec ironie. Il a ses heures...

— Il arrive tard et il part tard.

Mlle Nadia retint un rire méchant.

— Il me déplaît votre baron de Saint-Ange. J'espère que vous avez deviné...

Elle tourna sur sa chaise à pivot, elle se pencha sur son bloc à sténographier. Quelle bonne chevelure grise, quelle bonne coupe pratique. Son accent étranger... aussi riche que du terreau sans une faute de français. Ses deux dents qui avancent, qu'elle vous lance avec ses mauvaises humeurs... Qu'il est brave son physique disgracié, quelle union ses gros yeux avec ses gros verres de lunettes.

Maintenant elle tapait. Tout le monde tapait. Nous étions cinq secrétaires sur une même rangée, chacune à une petite table avec un téléphone.

— Mademoiselle Nadia...

Elle n'entendait pas. Je me remis à la machine : « Cher Monsieur, suite à votre honorée du... » Non je ne soignais pas trop.

— Mademoiselle Nadia !

Elle tourna sur sa chaise à pivot.

— Vous vous êtes encore trompée ?

— Non. Bien sûr j'ai deviné. Chacun est libre, mademoiselle Nadia.

— Pas pour ça.

Quel feu sur son visage non poudré !

— Mademoiselle Nadia...

— Quoi ?

— Il vous dit bonjour.

Mlle Nadia s'accouda sur ma machine à écrire.

— Il me déplaît, dit-elle avec une lenteur appuyée. Je trouve ça horrible.

Son téléphone sonna.

Mlle Nadia entra dans le bureau de nos directeurs. J'attendis son retour.

C'était une Russe échappée de la révolution avec son frère et ses parents. Ses parents morts, elle désirait de toutes ses forces retourner dans son pays, y vivre avec son frère. Elle disait que c'était impossible. Elle ne pouvait pas payer le voyage. Elle aimait d'amour la Russie soviétique.

Une femme de ménage pimpante servait le thé à chaque table. Nous étions des employées privilégiées.

La serviette en cuir de Mlle Nadia était toujours ouverte, ainsi elle pouvait prendre plus vite *L'Œuvre* dès qu'elle avait un instant. Elle me lut à voix basse l'article tout en italique de Geneviève Tabouis qu'elle admirait. Elle relisait ses articles quatre fois par jour. Elle vivait pour son frère et pour la politique. Elle me prédisait la guerre et la révolte des colonies.

— Pouvez-vous venir prendre du courrier ? dit l'invisible M. de Saint-Ange.

Sa voix : un morceau de violoncelle joué sur un tapis d'héliotropes.

Mlle Nadia haussa les épaules. Je la détestais, je l'appréciais, je la plaignais. Elle n'était dupe de rien.

J'entrais. Les fenêtres donnaient sur la cour, où chaque jour des touristes regardaient le puits, les pavés, les murs, l'architecture de la maison, classée monument historique où se trouvaient les *Editions de la Nouvelle Revue critique*. J'entrais, j'attendais, le bloc sur mes genoux, le crayon sur le bloc. M. de Saint-Ange tournait les pages d'un dossier, il toussait.

— Ne vous impatientez pas, disait-il sans tourner la tête.

Je ne m'impatientais pas : j'étais au musée.

Je me persuadais qu'il lisait pour baisser les yeux, pour me transmettre la sérénité que lui procurait la perfection de ses traits.

— Comment va la sténo ?
— Mal, très mal.

Je suivais des cours de sténographie place de la République, je ne retenais rien.

Il dicta : je l'aidais à trouver des mots.

— Relisez-vous, dit-il.

Il alluma nos cigarettes avec son briquet en argent guilloché.

Je ne me relisais pas. Des hommes beaux, il y en a des moissons, et, soudain, qu'est-ce qu'un homme beau ? Son vomi entre les banquettes d'un compartiment du métro. Malgré cela, les jeunes filles désiraient M. de Saint-Ange. Les jeunes filles déraisonnables se caressaient avec du verre pilé, elles se lamentaient. « Nous le voulons. Lui, M. de Saint-Ange. »

Je brûlai ma robe avec la cigarette qu'il m'avait offerte. Le téléphone sonna, la main langoureuse décrocha l'appareil.

— Huit heures et demie au *Fouquet's* comme c'était convenu, dit M. de Saint-Ange.

J'entendais une autre voix d'homme dans l'appareil. M. de Saint-Ange se dégagea du téléphone, il rêva. Je toussai.

— Pour le courrier c'est tout, dit-il.

Trente-deux, trente-trois ans, M. de Saint-Ange. Je lui volais souvent des cigarettes anglaises, je lui chipais plusieurs minutes de ses rendez-vous en ville. Sans haine, sans jalousie. Il partageait ainsi ses charmes, sa beauté, ses succès. Et puis charme, beauté, succès s'en allaient en fumée.

Je retrouvai Mlle Nadia dans notre bureau.

— J'ai répondu pour vous au téléphone, me dit-elle. On n'a pas cessé de vous demander.

— Mademoiselle Nadia... Je suis si contente... Si contente de vous retrouver...

Je me demandais de quoi je me délivrais depuis que j'avais refermé la porte de son bureau. Si je l'aimais, me disais-je, quelle tragédie. Je ne l'aimais pas. Tout l'univers était un abri.

— Mme Bernadette viendra vous chercher. Elle n'a pas précisé, dit Mlle Nadia. Vous n'écoutez pas.

— Non, je n'écoute pas. Oui, Mme Bernadette.

Je me réjouissais de pouvoir regarder M. de Saint-Ange sans souffrir. Je commençai le courrier, je songeai à Bernadette à qui je devais ma nouvelle occupation.

Mlle Nadia tourna sur sa chaise à pivot :

— M. Sachs, dit-elle.

— Quoi !

Je serrais les dents, je devenais sourde.

— M. Sachs a demandé de vos nouvelles au téléphone.

— Maurice...

Le prénom, pour la première fois, sortait de la chambre et de la soirée rue du Ranelagh. Je le remis dans la cage aux émois.

— Vous l'appelez « Maurice » ? dit Mlle Nadia.

Un silence.

— Qu'est-ce qu'il vous a dit, mademoiselle Nadia ?

— Il a été très aimable. Voilà un homme aimable. Il a demandé si vous étiez là. Il a demandé de vos nouvelles.

— Après ?

— Rien. Qu'il est aimable. Quel homme aimable...

Mlle Nadia était conquise.

Maurice Sachs ne téléphona plus.

Mais il a traversé la cour le lendemain après-midi sans regarder les pierres classées monument historique. Sa canne, la gerbe qu'il tenait à la main, enfermée dans le papier glacé d'une fleuriste, ne le ridiculisaient pas. Un soleil pour convalescent éclaira son panama. Canne précieuse du dix-neuvième siècle, gerbe d'apparat, panama de luxe. J'aurais souri malgré l'élégance, le choix. D'un homosexuel, j'acceptais tout cela. Le dandysme, c'est de la singularité longuement mûrie, un début c'est mille pardons sans qu'on vous les demande. La gerbe dans le sarcophage de papier annonçait qu'il allait en visite.

Il entra, il avança avec nonchalance dans le bruit des machines à écrire. Je m'étais levée.

— Comment allez-vous, ma chère amie ?

J'ai perdu la tête :

— Comment saviez-vous que je travaillais ici ?

— La belle affaire ! Puisque je vous ai téléphoné hier...

— J'ai répondu pour elle, dit Mlle Nadia.

Maurice Sachs se tourna vers elle.

— Fort aimablement, lui dit-il. Vous m'avez répondu fort aimablement, ce qui est rarissime entre inconnus au téléphone.

Elle bafouilla ; ses yeux brillaient.

— Dois-je vous annoncer ? dit-elle.

— J'en serais enchanté, dit Maurice Sachs.

— A M. de Saint-Ange ? dit-elle.

Elle prenait les devants.

— Je ne connais pas M. de Saint-Ange, dit Maurice Sachs.

Mlle Nadia exulta. Elle disparut dans le bureau de nos directeurs.

— Je vous confie ceci, me dit-il. Ce serait trop frivole pendant une conversation.

Il déposa la gerbe sur mon bureau. Où allait-il ? Quels préparatifs... J'étais la proie de sa cravate, de sa chemise. Je prenais sournoisement cette soie qui ne serait pas fripée par une femme. Je me faisais un don unique à moi-même.

— Le cadre est plaisant, très plaisant, dit-il. Comment va le travail ?

Sa question me flatta. Mon travail de secrétaire prenait l'importance d'une création.

— Vous m'avez écrit. Nous en parlerons.

— Oui Maurice.

— Oui Violette, dit-il sur le même ton. Vous êtes triste ?

— Vous m'intimidez.

— Ne soyez pas sotte, dit Maurice Sachs.

Il entra frais et réjoui dans le bureau des directeurs. La peau de son visage suggérait le tapotement de la serviette de toilette, le bien-être après le rasoir, la crème.

Je tapai plusieurs lettres, l'ébauche d'un bilan.

Maurice Sachs sortit du bureau.

— Fort bien, fort bien, dit-il, patelin.

Il se frottait les mains, il enrobait la réussite : le regard doux, profond et triste ne participait pas.

— Avez-vous lu *Alias* ? Endroit fort agréable ma foi, dit-il. Je me lèverais volontiers ici aux aurores. Quoi ?

Il se pencha sur la machine à écrire.

— Des chiffres. Vous aimez les chiffres ?

Je me mis debout.

— J'ai lu *Alias*.

— Vous en avez de bonnes, dit Maurice Sachs. Votre visage s'allonge, vous baissez les yeux, vous chiffonnez votre robe. Vous n'aimez pas *Alias* et je n'aime pas *Alias*. Ce n'est pas un drame puisque nous sommes d'accord. Les femmes font des drames avec tout.

— *Alias* c'est vous, m'écriai-je, émue, idiote, étourdie.

— Et après ? dit-il.

Il reprit avec sa voix chantante :

— Vous m'avez écrit. Vous devriez écrire. J'en parlais à l'instant.

Je poussai une sorte de cri d'effroi.

Il épongea son visage.

— Calmez-vous, mon enfant, dit-il. A plus tard, Paris m'attend et j'attends tout de Paris.

Il s'éloignait dans la cour à pas lents. Où allait-il ? Qui le recevrait ? Qui l'attendait ? Pourquoi me parlait-il ? Pourquoi me donnait-il *Alias* ? Pourquoi lisait-il mes lettres ? Pourquoi m'en parlait-il ? Je doutais de lui, je doutais de moi.

Bernadette toujours élégante à la fin de la journée, tour à tour profonde, frivole, parisienne, humaine, cordiale, féminine, bon garçon, gavroche distingué, mélomane troublée est venue me chercher.

Nous avons descendu le bel escalier, bras dessus bras dessous. Les marchands de souvenirs à côté de Notre-Dame rentraient leurs tourniquets, leurs brimborions.

— Gabriel ! Mais c'est Gabriel !

Le voici. Un pont de Paris a pulvérisé dix années d'absence. Le voici de l'autre côté du pont. Le voici souhaité, aimé, adoré avant qu'il me reconnaisse, avant qu'il m'entende. Il existait, c'était colossal.

— Gabriel !

Patience, lecteur, je ralentis sa réapparition, je feuillette le Guide Michelin, je cherche la page Notre-Dame de Paris... « Etage de la rose. » Une automobile nous séparait. « La grande rose semble l'auréole. » Le fleuve d'automobiles, il fallait attendre. « La rose la plus vaste qu'on ait osé percer. » Gabriel avait rajeuni. Ses chaussures... ses deux merveilles d'entretien... Gabriel n'avait pas faim. « Etage de la rose. Son dessin, que tous les maîtres d'œuvre adoptèrent. » Gabriel n'avait pas froid.

Enfin l'un devant l'autre. Mon cœur battait sur ses lèvres.

— Qu'est-ce que tu fais dans le coin, bonhomme ?

Ses yeux riaient.

— ...

— Je te demande ce que tu fais dans le coin, bonhomme ?

— Je suis secrétaire. Et toi ?

— Je suis photographe. Je livre.

Le klaxon d'une auto de pompiers avait séparé nos voix.

— Tu peux me téléphoner si tu veux. Tu téléphoneras, Gabriel ?

Il nota le numéro de téléphone dans un agenda.

— Tu téléphoneras bientôt ?

Il sourit. Déjà languir, déjà souffrir. Gabriel était parti.

J'ai rejoint Bernadette, je lui ai demandé si elle croyait qu'il téléphonerait ; elle a répondu oui. A la terrasse du café Notre-Dame, j'ai bu à petites gorgées comme il me l'avait appris.

Frénésie des martinets, bruits de ciseaux de leurs cris, ma chambre n'était plus ma chambre. Demain, après-demain nous envahissaient. Il me dira : « Et Hermine ? » Qu'est-ce que je serai sans Hermine ?

Jetez une poignée de cristaux de soude dans de l'eau chaude. Ecoutez. Vous réveillez la mer au fond d'une cuvette. Perdez-vous pendant que fondent les cristaux. La cuvette est sur le plancher. Tâtez l'eau chaude, donnez du bonheur à la paume de vos mains. Prenez la chaise, trempez vos pieds, pliez-vous, accoudez-vous près de vos genoux, regardez le paradis de vos pieds. Cascades, chutes, avalanches, cataractes, nuages dans vos membres, une fleur du hideux papier de l'hôtel vous sourit. Richesse et mystère du bain de pied. Penchez la tête sur le côté, vous serez la terre arrosée sur laquelle tombe la pluie d'été. La joue dans la main, nous nous vidons de nos délires. Vidangez avec un bain de pied.

Gabriel a téléphoné dix jours après. Je comprenais et ne voulais pas comprendre. Je le voulais dans ma chambre, à ma table, dans mon lit. J'ai raconté nos premières amours singulières dans *Ravages*. J'ai demandé à Gabriel de m'aimer comme un homme aime un autre homme. La frousse, la terreur sacrée de la petite croix à côté de la date sur le calendrier ? Au premier plan, oui. Le second plan, en y réfléchissant trente ans après, est le vrai. Au second plan le souhait d'un couple d'homosexuels sur ma couche.

Nous étions angoissés ; la guerre approchait. Mlle Nadia me lisait avec fièvre les sombres éditoriaux des journaux. Je n'osais pas lui dire : assez, puisque nous ne pourrons pas l'éviter. Je suis ainsi : un frisson dans les feuillages de banlieue, un lapin qui criait, qu'on assommait, un enfant qui recevait une gifle, un ballon de basket qui tombait dans le filet, la plainte d'une scie mécanique, un mulot écrasé sur une route, une cloche de couvent qui sonnait, puis se taisait, une anémone qui s'effeuillait, une jument qui galopait puis se couchait dans une prairie, un insecte qui se débattait pattes en l'air, un fil de ronce sectionné, deux cyclistes, deux copains roue libre dans une descente, une goutte de rosée à 4 heures de l'après-midi, un corbeau qui sautillait sur un désordre de labour et de fumier, un crépuscule incendié, une chaumière qui se ranimait avec de la fumée, une odeur de goudron bouillant, tout cela prophétisait plus sûrement que les journaux. Un malheur planait. Je voulais me promener, je voulais cueillir et respirer. La guerre serait là, l'aurore ne changerait pas. Je cueillais des bouquets, je pensais à moi, comme avant, comme toujours. Une amitié amoureuse finissait dans un amour, une autre commençait. Je ne me disais pas Sachs s'en ira, Gabriel partira. Je me disais je ne veux pas que la guerre interrompe un nouvel amour, une nouvelle amitié. J'avais tout raté : études, piano, examens, liaisons, sommeil, santé, vacances, équilibre, gaieté, bonheur, sécurité, ardeur à l'ouvrage. Maintenant je gagnais ; j'avais presque une situation, presque un amant et presque un ami connu dans Paris. On ne pouvait pas déclarer la guerre, on ne pouvait pas m'enlever tout cela. Je le dirai toujours : j'ai été élevée dans la terreur de l'insécurité. Il faut avoir deux sous devant soi. La guerre me jetterait sur le pavé. Je questionnais Mlle Nadia. Ses pronostics ne variaient pas. C'était imminent, nos bureaux fermeraient, me disait-elle avec courage. Son frère irait se battre, elle lui enverrait des colis. Voilà une femme. J'étais atterrée, déjà mes économies fondaient. Le soir, avant de m'endormir, je recommençais la même prière :

Mon Dieu vous n'êtes pas sot. Vous nous l'avez prouvé. Vous pouvez tourner une tête. Tournez les têtes du côté que vous voudrez, là où il n'y a pas de guerres. Mon Dieu ne m'enlevez pas mon enveloppe de chaque mois, ma machine à écrire qui ne m'appartient pas, ma gamelle, le réchaud qui m'évite des frais de restaurant. Mon Dieu faites que ma petite vie de Levallois à Notre-Dame, de Notre-Dame à Levallois continue.

Je m'endormais à moitié rassurée et si deux heures après je m'éveillais, je me racontais que Dieu était fort, qu'il ne se laisserait pas humilier dans ses champs, dans ses chevaux, dans ses arbres, dans ses fleurs, dans ses oiseaux. Je ne lui parlais pas des cigarettes anglaises que je chipais à M. de Saint-Ange. Dieu est trop occupé.

Je ne parlai pas tout de suite de Maurice Sachs à Gabriel. Je devinais qu'il ne comprendrait pas mon éblouissement. J'arrivais le matin la tête haute — il me semblait que les miroirs me courtisaient —, je partais le soir en donnant des coups d'éperon avec les talons de mes escarpins, je toisais les femmes pendues au bras de leur amant, je leur lançais : moi aussi c'est dans un lit que je serre un homme dans

mes bras. J'étais rentrée dans le troupeau. La belle
affaire !

Julienne téléphonait souvent, mais elle ne prononçait pas le nom du Méridional. Elle téléphona
qu'elle m'attendrait ce soir-là quand je sortirais du
bureau.

« Allons nous promener sur les quais », dit-elle.

Elle portait sa blouse bulgare avec une jupe
imprimée. Les hommes la regardaient quand même,
ils mordaient l'automne un soir d'été. Elle me
raconta qu'ils s'étaient fiancés par correspondance,
qu'elle devait le présenter à ses parents, qu'il devait
venir à Paris, mais qu'il n'était pas venu. D'ailleurs
c'était sans importance, elle était toujours fiancée.
Sa robe était si jolie... Oh une robe toute simple
faite à la maison... Du velours cramoisi... sans
manches, un décolleté bateau. Bien sûr il viendra,
elle n'en doute pas. De temps en temps elle surveille
sa robe de cérémonie, pas de danger c'est du velours
qui ne se chiffonne pas, elle la portera quand elle se
fiancera. Julienne voulait revoir Les Baux avec lui.
Elle courait les librairies, elle préparait son voyage.
Mes oliviers, mes chers oliviers, disait-elle comme
avant. Elle ne vivait que pour lui et le Midi. Arles
avec lui à cette heure-ci, disait-elle extatique. Je
racontai à Julienne la réapparition de Gabriel, elle
ne m'écouta absolument pas. Il valait mieux se dire
bonsoir. Elle courait vers son papier à lettres.

1939. La guerre. Elle était déclarée. Notre section
survivrait avec Mlle Nadia, j'étais liquidée. Nos
deux directeurs s'en allèrent sans un au revoir. La
fidélité déchirante de leurs objets sur leur bureau.
Le néant sera toujours une nouveauté. Le soleil
nous empoignait. Trop doux, trop fort, trop grand.
On rappliquait vers Dieu. Dieu ne voulait pas la
guerre, c'était impossible. Dieu veut la guerre, sou-

tenait le client du *Fouquet's*, métamorphosé en bri-
gadier du Train des Equipages. Je n'osais pas
demander ce que voulait dire Train des Equipages.
Je volai le stylo et le briquet sur le bureau de M. de
Saint-Ange. J'ignorais s'il serait tué ou non, je
n'imaginais pas qu'il reviendrait bonjour M. de
Saint-Ange bonjour Mlle Leduc venez vite nous
avons beaucoup de courrier est-ce qu'on m'a appelé
il faut que vous rappeliez au *Fouquet's* mon Dieu
que je gâchais du papier chaque lettre dictée rendue
sous forme de joli mouchoir brodé entre les pages
roses du buvard j'arrive la guerre est déclarée il est
parti qu'est-ce que je fais pieusement je prie non je
ne vais pas prier je vais lui voler son stylo et son
briquet en argent guilloché. C'est la déroute la maison va fermer les croisillons d'argent qu'il serrait
dans sa main pour allumer ma cigarette pendant
que je transcrivais sa dictée les croisillons d'argent à
regarder au microscope je les possède enfin voler un
malheureux qui part au front je ne regrette rien j'ai
fait l'amour jusqu'à l'ivresse sur le visage de M. de
Saint-Ange pendant que je prenais le courrier vous
enlèverez avec mes meilleurs compliments vous
arrangerez le dernier paragraphe je m'en rapporte à
vous tu peux mon gars tu peux j'ai des pique-fleurs
dans mes yeux j'ai des dizaines de verges braquées
tu étais vouée à la guerre ma beauté non je ne
déflorais pas ton visage ce n'était pas du labourage
j'en ai envoyé des feux des rayons avec mes pique-
fleurs dans mes yeux j'enlèverai avec mes meilleurs
compliments moi j'en étais à promener une de mes
petites verges potelées d'amour joufflu dans vos
sourcils admirablement couchés au-dessus de vos
yeux fendus en amande j'aime votre visage je n'aime
pas plus loin M. de Saint-Ange des yeux des oreilles
vous espèrent au *Fouquet's* faites votre entrée je
tape votre courrier je vous demandais de l'augmentation vous me la donniez sur votre argent de poche

notre complicité. Il fut tué un des premiers. Je précise : tué. On ne meurt pas si facilement.

Aujourd'hui 27 mars 1961, M. de Saint-Ange
éclate de santé, de fraîcheur, de gaieté sur le balcon
de ma mansarde. C'est une tulipe qui s'est ouverte
hier matin, c'est lui. J'affirme que la couleur rose de
ma tulipe est herculéenne. Que je suis lente à comprendre. Je plantais un mort, j'arrosais un mort, je
surveillais un mort, je couvrais un mort les soirs de
gelée... Qu'est-ce que j'ai récolté ? Un homme-fleur.
Il y a de l'amour dans chacun de ses pétales, c'est
une vibration de lumière même si tout à coup le
soleil prend sa retraite. Ma tulipe lave Paris, M. de
Saint-Ange ne peut plus se salir.

Mon dernier sou, voilà ma guerre dans la guerre.
Mon avenir, ah mon avenir... la boule pour toujours opaque des devins et des fakirs. Qui pouvait
me rassurer ? Gabriel était déjà mobilisé à Paris, ma
mère recevait tous les jours des nouvelles de son
mari rappelé. Qui pouvait donc me rassurer ?
J'essuyais mes mains, tout était à sa place, rien
n'était à sa place. Ma peau, mes vertèbres se plai-
gnaient de cette injustice : une poignée d'hommes
me reprenaient mon travail, me privaient de mon
gagne-pain. Là-dessus Sachs m'écrivit une lettre
pleine de bon sens. Il partait pour Caen, il serait
interprète d'anglais aux armées. Je ne tenais plus
rien dans mes mains. Désœuvrée, je faisais la navette entre mon garni et la rue Stanislas-Menier où
habitait ma mère. Elle me tenait au courant de tout
ce qu'on racontait à la radio.

La guerre est commencée, Sachs est interprète à
Caen, Gabriel s'occupe dans les bureaux militaires,
ma mère a loué une chaumière à une fermière de
Chérisy, en face du pavillon qu'ils ont vendu. Je la
rejoins pour avoir mes deux sous à l'abri. J'écris
tous les jours à Gabriel, je reçois souvent des lettres

de lui que je voudrais plus passionnées, plus littéraires. Je cueille des fleurettes, je les glisse dans mes
lettres. Le dimanche matin je vais au temple et
lorsque les fidèles baissent la tête pendant que le
pasteur parle à Dieu, je lève la tête en espérant que
je verrai mon mariage au plafond. En revenant
j'écris des lettres sur chaque brin d'herbe. Je vois
ma lune de miel, elle tremble, elle palpite, elle n'a
pas d'abri.

Conseil d'administration après l'office un dimanche à midi dans le parfum d'une tarte aux
poires qui refroidit. Nous renvoyons « Petit-Poste »,
le fils de la fermière. Il a quatre ans. Il est comique,
il est intelligent. Sa petite bouche laisse tomber des
bulles de gaieté entre les syllabes de « Petit-Poste ».
Ce dimanche-là nous le mettons à la porte.

J'attaque à voix basse :

— Il faut que tu me conseilles. Tu dois me conseiller. Je suivrai ton conseil. Qu'est-ce que tu me
conseilles ?

— Il est fin, dit ma mère comme si prudemment
elle avançait un personnage sur un échiquier.

— Est-ce que je dois l'épouser ?

— Il te comprend, dit ma mère.

— Tu ne me dis pas si je dois l'épouser.

— Il te connaît.

— A ma place, tu l'épouserais ?

— Vous avez les mêmes goûts, dit ma mère.

— Je ferai ce que tu me conseilleras.

— Ce n'est pas une brute. Il ne sera pas brutal.

— Il disparaissait.

— Il a changé, il a un métier, dit ma mère.

— Ça ne me dit pas si je dois l'épouser.

— Vous irez au concert. Vous aimez les mêmes
promenades.

Ce n'est plus un traînard. Il vit dans sa famille.

— Alors ?

— Oui, je crois que oui, dit ma mère.

C'est fini, je suis mariée. La nuit suivante, je rumine notre décision, la petite dent spirituelle de Gabriel m'effraie.

Pourquoi ne suis-je pas Américaine, pourquoi n'est-il pas Américain ? J'ai soif d'un mariage-express dans un western. Mairie d'Arras, mairie de Paris, les monuments qui préparent notre union sont lents. Enfin Gabriel m'écrit que les bans sont publiés. Je perds la tête. Je donne en pâture mon bonheur à ceux qui voudront regarder le trait d'union entre Violette et Gabriel ; mon trench-coat pour le Grand Jour ne finit pas de sécher sur la corde à linge. Mon mari sera soldat, je toucherai l'allocation de femme mariée à un soldat, j'aimerai, je serai sauvée. Nos longues fiançailles, notre contre-bande à l'ombre d'Hermine... J'étais exilée, je suis rapatriée. Mon quatrième doigt s'ennuie, il lui faut son anneau ce petit. Si j'insistais, il me répondrait qu'il est trahi. Tu l'auras ton alliance, je te le pro-mets. Elle brillera, je ferai valoir les feux du mariage.

C'était un vieux mariage qui sentait la naphta-line. Nous arrivâmes la veille au soir, nous cou-châmes dans l'appartement de ma mère. Prudence, camouflage d'une pièce à l'autre, la guerre contre les mites puait jusqu'à la désolation. Nos yeux ne se posaient sur rien. Mais avant nous avions retrouvé Gabriel à la gare Montparnasse. Trois apéritifs, une chope de bière pour lui ce sera moins cher et c'est ma mère qui paie et c'est ma mère qui en pense long. Je monterais sur l'échafaud pour l'épouser. Il sort de chez le coiffeur, on a coupé ses cheveux pour le restant de sa vie. Sa nuque est trop nue. Qui grelotte ? Le timbre d'un cinéma un soir de gelée au-dessus de la nuque rasée de Gabriel. C'est incon-sistant, une veille de mariage. Est-ce que je veux ? Est-ce que je ne veux pas ? Je suis sûre de la nuit sous mes paupières. Belle-sœur, belle-maman, ça se fabrique avec une visite pourvu que je ne tache pas mon trench-coat avant la mairie. En quoi suis-je bâtie ? Avec de l'extrait de bourgeoisie. Aimons-nous, Violette. Non Gabriel, pas avant la mairie. Voilà comme je suis, voilà comme j'étais. Hermine, Isabelle... Elles me tissaient mon voile de mariée, elles l'ont emporté. Mon adolescence, ma jeunesse, c'est Michel, mon frère, qui est venu avec nous parce que j'ai insisté. « Viens, tu feras un bon repas. » Il se tait, il se tait toujours. Nous quittons belle-sœur, belle-maman, Gabriel met un baiser sur mes lèvres, c'est un baiser défroqué. On va se marier, tout se débine, on a vécu avant de vivre et j'ai cru comprendre que sa maman touchera l'allocation quand il sera un mari mobilisé. Il nous prendra à dix heures pour nous emmener à la mairie. Je lisais le soir, j'étais fière de mon tabernacle sous ma toison. Une femme seule. J'étais une femme seule, je m'appartenais. Ma lampe de chevet de femme toujours seule.

J'ai dit adieu à mes cheveux restés entre les dents de mon peigne, j'ai dit adieu à la mousse sur mon verre à dents. Vierge à la godille, je partais quand même au sacrifice.

Dix heures, dix heures un quart, dix heures et demie du matin le lendemain.

— Tu crois qu'il viendra ? me demanda ma mère.

Je crânai :

— Pourquoi ne viendrait-il pas ?

Dix heures et demie, onze heures moins vingt, onze heures moins le quart.

A onze heures nous quittâmes l'appartement pour attendre dans l'entrée de l'immeuble.

— Il ne viendra pas, déclarait de temps en temps ma mère.

Je ne répondais plus. Gabriel était inexact, mon Dieu que ma faute était grave.

— Il ne viendra pas, c'est fini, conclut ma mère à onze heures vingt-cinq.

Il entra en coup de vent. J'avais peur du visage de ma mère.

— Vous arrivez trop tard, dit-elle comme si tout était fichu.

— Pourquoi trop tard ? dit-il avec arrogance. J'ai un taxi !

Ma mère me regarda. Ses yeux me demandèrent si je voulais encore me marier. Ils ajoutèrent : c'est un saute-ruisseau, il ne changera pas. Ils me dirent en me quittant : après tout tu es libre !

Gabriel retenait avec son pied la lourde porte ouverte. Mon trench-coat, le trench-coat de Gabriel. Ils s'épousaient sans formalités. Nous partîmes.

Attendre son tour sur un banc, répondre oui, signer sur un registre. Trop simple, trop rapide. Je rêvais à de longues tresses de fleurs que nous aurions tressées pendant des jours et des nuits dans cette salle de mairie avant qu'on nous unisse, rejetant d'un coup de talon notre joli travail pour l'acquisition du livret de famille. Ma mère composait le menu de notre repas de noces, son assurance m'éblouissait. A quatre heures, mes mains ont rencontré les siennes sous la nappe, je lui ai donné mon argent. J'étais triste.

Pourquoi ai-je eu faim à six heures du soir, à deux pas du lycée Racine et de la gare Saint-Lazare ? Nous étions venus à pied, nous marchions en avant. Ma mère suivait en bavardant avec la sœur de Gabriel, Michel s'ennuyait.

— J'ai faim, dis-je à Gabriel devant une boulangerie-pâtisserie.

Gabriel me regarda sans répondre.

J'entrai ; je choisis le gâteau le plus sombre et le plus minable. Du pudding. Je mâchai au ralenti tout en ne quittant pas des yeux Gabriel qui me regardait toujours à travers la vitre. Je payai mon gâteau à la caisse. Tous m'attendaient dehors. Je comprends vingt ans après que je voulais retrouver la pâtisserie avec les gâteaux italiens, l'élève du lycée Racine, le Gabriel éperdu de sacrifices. Le temps, ma petite, ce n'est pas du travail d'amateur.

Je voulais une alliance, rendez-vous a été pris avec la sœur de Gabriel pour le lendemain matin sur un quai du métro. Elle connaissait un bijoutier, j'aurais une remise, quel trafic pour encercler mon doigt. Elle nous retrouva sur le quai avec la marchandise et la facture. Je payai mon anneau de platine, Gabriel, son anneau de cuivre.

Pourquoi me suis-je mariée ? 9 avril 1961, 12 h 50. Il faut que je réponde tout de suite. La peur de devenir une vieille fille, la peur qu'on se dise : elle ne trouvait pas, elle était trop laide. Besoin de saccager, d'anéantir ce que j'avais eu, ce que j'avais. « Rien n'est changé, m'expliquait Gabriel, tu seras libre, je serai libre. » Je lui répondais oui, ma tête pleine de chaleur, la chaleur de la mauvaise foi. Et lui, pourquoi s'est-il marié ? Pour se venger ? Pour rattraper le temps perdu ? C'est plausible mais je ne le crois pas. Gabriel, c'est mon mystère. « Aimons-nous comme frère et sœur », me proposa-t-il le soir de la cérémonie. Je refusai. Sa proposition est un autre mystère.

Brièveté de ce voyage de noces, sur place, sans une journée de tête-à-tête. Le surlendemain je rentrai au village avec ma mère et Michel. Je jouais de mon alliance, mais les voyageurs dans le compartiment s'en fichaient. Ma mère ne parlait presque pas ; je supposai qu'elle me reprochait d'avoir suivi son conseil et de l'avoir demandé.

C'était un lit trop petit dans lequel ma mère prenait toute la place. Je retrouvai le mur humide sur lequel coulait de l'eau jour et nuit. Je devais me serrer et me recroqueviller contre ce mur. La troisième nuit je regrettai mon mariage, je réalisai le ratage, je me prédis mes mauvais lendemains. Les jeux sont faits : Gabriel ne me donnera rien. Nous nous sommes unis pour mieux nous désunir. Le soleil de la clairvoyance m'aveuglait. Routine, fausse sécurité, au lever du jour j'embrassai le livret de famille. Gabriel m'écrivit que je ne pouvais pas toucher l'allocation militaire.

Qu'on me juge : il obtint une permission de huit jours, il me dit dans une lettre qu'il voulait venir. Ma mère se fâcha : « Nous partons », dit-elle. Elle ouvre sa malle, elle plie ses draps. Ma mère ne veut pas dépenser. Gabriel ne viendra pas. Qu'on me juge. Je pouvais le mener jusqu'à une grange désaffectée, je pouvais lui dire voici notre logis, nous couperons nos biftecks dans leurs troupeaux, mon chéri, un berger nous prêtera son manteau, il y aura des haies à voler dans le grand vent qui nous jouera de l'harmonica.

J'ai raconté dans *Ravages* notre installation, nos débuts, mon extase, nos drames, le réduit : le laboratoire à photographie de Gabriel.

Julienne m'avait donné du travail ; je tapais à la machine la correspondance de Jules Laforgue, je démêlais les ratures, les mots qui se chevauchaient ; Gabriel, trop frêle pour aller au front, avait été réquisitionné pour manipuler des dossiers dans les bureaux militaires. Son travail lui plaisait.

Glissement, un matin, d'une enveloppe sous la porte.

— C'est pour toi, a dit Gabriel.

Gabriel était reparti à la cuisine. Il continuait sa toilette.

— Maurice Sachs m'écrit !

Sachs m'envoyait de Caen sa première lettre.

— Tu entends ? Maurice Sachs m'écrit !

— L'écrivain ? Celui dont tu me parles quelque fois ? a dit Gabriel d'une voix distraite.

— Parfaitement. L'auteur d'*Alias*.

Gabriel a éclaté de rire :

— *Alias* que tu n'aimes pas.

Je me prélassais dans notre lit après notre enivrante gymnastique.

— *Alias* que je n'aime pas. Il le sait, je le lui ai dit et si tu crois qu'il s'est vexé... Il est le premier à

405

reconnaître que son livre n'est pas fameux. Je le lui
ai dit et je trouve ça dégoûtant.

Gabriel est venu dans la chambre :

— Tu me plais lorsque tu t'animes, a-t-il dit.
Pourquoi trouves-tu ça dégoûtant ? La sincérité c'est
une qualité, non ?

Gabriel, vêtu d'un pagne confectionné avec sa
serviette de toilette, a lancé une cigarette, une
« troupe », sur l'édredon.

— La sincérité a des limites. C'était trop de culot.
Pourrais-tu écrire un livre ? Non. Est-ce que je pourrais écrire un livre ? Non.

Je me dressai dans le lit.

— Ce que tu me plais quand tu t'emballes ! dit
Gabriel.

Il alluma une cigarette.

— *Alias*, toujours *Alias*... dis-je. Tu oublies sa
formidable personnalité.

Sa cigarette au coin de la bouche, Gabriel clignait
des yeux avec volupté.

— Je ne le connais pas, que veux-tu que ça me
fasse ?

— Tu le connaîtras, tu le verras.

Gabriel s'était mis à jouer avec son briquet des
campagnes :

— Non bonhomme, non. Il ne faut pas me
demander ça.

— Tu préfères le zinc, l'apéritif avec ton camarade.

— Je préfère le zinc comme vous dites, madame.
Tu m'amuses. Je m'amuse comme un petit fou.
Pauvre bonhomme...

— Pourquoi « pauvre bonhomme » ?

— Pour rien. Pour rien, mon petit don Quichotte. Tu pleures ? Tu reçois de ses nouvelles et tu
pleures ?

Je sanglotai.

— Qu'est-ce que tu insinues ? dis-je entre mes sanglots. Qu'est-ce que tu as compris ?

Ce matin-là je ne pouvais pas dire à Gabriel : C'est toi que j'aime et tu le sais.

Il s'était assis au bord du lit ; il essuyait mes larmes avec son mouchoir.

— J'ai compris que tu as un ami, qu'il t'écrit et que je suis bien content pour toi, dit-il.

— Ce n'est pas un ami... Il est gentil. Il a souffert, il est bon.

— Si ce n'est pas un ami, qu'est-ce que c'est ? a dit Gabriel avec un tremblement dans la voix.

— Je ne sais pas, dis-je anéantie. Je vais lui tricoter une écharpe...

Gabriel m'a dit que c'était une excellente idée et s'est sauvé dans la cuisine. Je devenais folle.

— Il me faut des pierres à briquet, dit-il en continuant sa toilette.

Je ne pouvais pas lui donner le briquet volé, je ne pouvais pas lui lire la lettre de Sachs. J'avais épousé Gabriel, j'adorais l'homme dans mon lit et cependant... cependant mon scapulaire d'homosexuels ne me quittait pas. Je croyais que le trio se reformait.

Le soir j'ai dit tout en tapant la correspondance de Laforgue :

— Veux-tu que je te lise la lettre de Maurice ?

Gabriel a entouré mes épaules :

— Sacré bonhomme qui veut tout gâcher. Chacun est libre, chacun restera libre. Pourquoi veux-tu me lire sa lettre ?

Il se tenait sur ses gardes.

Sachs me demandait un service, il me donnait un mot d'introduction pour sa concierge rue du Ranelagh :

« Je vous prie de laisser entrer Mlle Leduc dans l'appartement. »

Mlle Leduc. Je m'appelais Mlle Leduc, la lettre

m'était adressée à Levallois-Perret. Je m'appellerai encore Mlle Leduc coûte que coûte. Nous étions trois, nous étions libres, chacun rôdait entre les deux autres, je m'appelais Mlle Leduc. C'était décidé, je rachèterai mon nom de jeune fille. Mlle Leduc, oui vous, au tableau ! Dessinez un triangle, un trapèze, un rectangle... Je dors. Je ne peux pas. Isabelle, dis-leur que je me repose, que c'est mérité.

La concierge, rue du Ranelagh, n'a pas fait de difficultés pour me laisser entrer dans l'appartement.

La porte refermée, j'ai été de trop dans ces lieux inhabités. L'appartement se reposait, meubles, objets ressemblaient à des souvenirs. J'ouvris enfin sa porte, j'avançai sur la pointe des pieds. Sa chambre était intacte. Maurice Sachs me la donnait. Je lisais de nouveau la marque de l'encre sur sa table, le nom des boissons sur les bouteilles d'apéritif, le titre des livres. Votre soirée ne meurt pas, votre soirée ne peut pas mourir me criaient la marque de l'encre, le nom des boissons, le titre des livres. Je sortis de sa chambre pour chercher les chemises, les ceintures de cuir, les serviettes, d'autres choses inscrites sur la liste. Voyage mélancolique jusqu'à la salle à manger où nous avions dîné avec sa grand-mère. Le parfum des troènes que je respirais en tenant la longue jupe de ma grand-mère, ce parfum qui sera, je le veux, l'odeur de mon cercueil, m'accompagnait. J'ouvris les tiroirs. Opulence, abondance, ordre, organisation, les dentelles des nappes et des serviettes étaient plus calmes que nos fleurs blanches en été. J'ouvris aussi les fermoirs des écrins. Pourquoi voulais-je tout voir, tout découvrir, tout inspecter ? Pour tenir la main potelée de Sachs, pour frôler avec un doigt sa bouche trop expérimentée se posant sur la serviette, sur la fourchette. Je le multipliais avec des écrins, des armoires, des commodes pleines de linge fin. Fusait de chaque coin le rire bref, le rire attristant de Maurice se moquant d'abord de lui-même. Je m'éloignai de la rue du Ranelagh la tête haute, fière d'avoir la confiance de Maurice.

Je finis ce soir-là l'écharpe vert foncé que je tricotais avec des bambous, je l'ajoutai au colis destiné à Maurice. J'espérais des remontrances ou des compliments de Gabriel. Rien. Des mois passèrent, je proposai à Gabriel une écharpe de laine beige tricotée avec mes bambous. Son visage s'éclaira. Tu ferais ça pour moi ? Tu tricotais pour lui et tu ne m'abandonnais pas ? me dirent ses yeux.

Mon écharpe qu'il choya plusieurs années était devenue le chemin qui menait ma joue à la barbe naissante chaque fois que j'embrassais d'amitié mon amant.

Gabriel fut évacué dans un village dont j'ai oublié le nom. Il m'écrivit une longue lettre passionnée. Je lui manquais, je crus au miracle. Il viendra en permission, nous nous marierons enfin, me disais-je en pleurant de bonheur. Un midi, un jour d'été, il arriva à l'improviste. J'ai reconnu son pas, sa chaussure de soldat dans la cour. Les locataires étaient aux fenêtres. Il me serra dans ses bras, il ferma la fenêtre, les doubles rideaux. Tout devint facile dans notre réduit. Gabriel m'emmena au restaurant, il me dit qu'il partait le soir même et il me promit de m'écrire encore. Brisée d'émotions, j'allai voir Bernadette et je la quittai tôt pour pleurer de bonheur, pour coucher ma joue sur des taches grises dans le lit. J'arrivai sur le quai de la station République. Ce petit soldat tassé dans sa capote, assis sur le banc, c'était Gabriel : il m'avait menti. Livide, il me dit qu'il quittait Paris à quatre heures du matin, qu'on ne pouvait pas se reposer dans notre chambre, qu'il préférait dormir chez sa mère. Je parvins à le traîner jusqu'à notre chambre. Nous nous disputâmes toute la nuit. Il partit à l'aube, écœuré, tandis que je sanglotais pour ne pas entendre son pas dans la cour.

Les ennemis — le mot ennemi résonnait, je l'avoue, j'ose l'avouer, comme glim gloun bam balom goun bade, ma langue étrangère que j'improvisais lorsque j'étais une enfant — arrivaient, ils gagnaient du terrain, tout le monde a fichu le camp. J'avais la frousse, je suppliais ma mère, elle ne se décidait pas à partir. Nous attendîmes les derniers jours. Nous partîmes un matin à cinq heures et demie parce qu'elle avait peur pour son fils. On racontait que l'ennemi « ramassait » les jeunes gens de quinze ans. « Si j'emportais un kilo de sucre », dit ma mère. Le silence dans les rues, dans les immeubles. Un silence de cette épaisseur c'est un charnier. Briques, pierres, bitume, trottoirs, églises, bancs, squares, stations d'autobus, rideaux, volets abandonnés à eux-mêmes faisaient pitié. Paris était une ruine trop humaine. Les chiens, les chats, les mouches, où étaient-ils ? Cependant je me rongeais pour les jambes de ma mère. Elle est mauvaise marcheuse, à cause de son enfance misérable. Je me souvenais en même temps qu'elle de notre premier exode, à la fin de la guerre de 1914. J'espérais des autos, des camions à la sortie du métro. Mon demi-frère Michel portait comme nous sa petite valise. Je demandai la route de Versailles.

Nous suivions le défilé de chaque côté de la route. Des mères donnaient le sein dans le fossé, des coquettes titubaient sur leurs escarpins à talons Louis XV, des fantassins transportés en camion chantaient, ils lançaient des cigarettes à un vieillard qui se mettait à courir sur la route, pour les ramasser, sous les jurons des conducteurs. Montagnes, échafaudages sur les toits des voitures. Un solitaire s'en allait à pied avec son matelas sur le dos. Le malheur était un cortège. Des banlieusards à leur fenêtre nous regardaient. Des maraîchers partaient avec leur cheval, leur tombereau. Des papillons continuaient de se poser sur les fleurs des terrains vagues.

Versailles. Ma mère était très fatiguée. Les cafés, fermés. Des familles logeaient sur les bancs, nous ne pouvions pas nous y asseoir. Des uniformes français me réconfortèrent. J'installai ma mère sur nos valises, je courus avec Michel aux renseignements. La gare de Versailles dormait : plus de trains. Un jeune soldat me dit qu'il en partirait un d'ici vingt minutes, que je verrais bien où il irait.

— Gardez ça pour vous. Deuxième quai.

— Courons, dit Michel.

Je trouvai ma mère assise sur nos valises.

— Alors ? dit-elle avec une voix de vaincue.

— Nous avons un train, répondis-je.

Nous l'entraînâmes en galopant le plus vite que nous pouvions.

La foule sur le deuxième quai nous déçut. Ma mère s'inquiéta : était-ce bien notre train ? Nous ne pouvions pas nous tromper. Il n'y avait que lui.

Des soldats répartissaient la paille fraîche dans les wagons de marchandises. Michel fit la courte échelle à ma mère. Nous eûmes les trois dernières places sur le plancher, à côté de la portière. Nous serrions nos valises sur nos jambes, nous nous demandions si nous partirions un jour. Les portes s'étaient refermées depuis longtemps. On patientait dans une demi-obscurité, on épiait, on écoutait le moindre bruit dans le frou-frou continuel de la paille. Nous reconnaissions la voix et le pas des soldats sur le quai, nous attendions les ordres avec eux.

— Tu crois qu'on partira ?

Notre wagon aux écoutes cessait de respirer.

— Je te dis qu'on ne partira pas !

— Je te dis qu'on part, je le sais.

— Tu ne sais rien !

Notre wagon recommençait à respirer. Le train

s'ébranlait souvent, ces faux départs nous délabraient.

— Quelle heure ? demandait souvent ma mère.

— Ils charrient, criaillait une femme.

— Quelle heure ?

Première montre au poignet d'un jeune garçon, Michel donnait chaque fois l'heure avec fierté. Midi. Une heure. Deux heures. Trois heures. Quatre heures. Cinq heures. Nous partîmes avant six heures. Le train roulait avec lourdeur, à croire que nous avions une tonne d'angoisse dans notre tête. Il s'arrêta cinq cents mètres plus loin. Un homme pauvrement vêtu, couché à côté de sa compagne ivre et qui parlait toute seule, alluma une cigarette. Une matrone qui lisait un roman feuilleton dans un vieux magazine la lui arracha des lèvres.

— On flamberait mon pauvre monsieur, dit une femme usée par le travail, la misère, le chagrin.

Nous repartîmes. La femme ivre réclama de l'alcool à son compagnon. Il lui donna le flacon, elle but, elle s'endormit dans un désordre de cheveux gras, de joues croûteuses et violacées. Un bébé commença de pleurer ; la mère manquait de lait. Michel dormait.

— Qu'il est pâle, dit ma mère. Un si grand corps sans manger...

— Nous faisons du quinze à l'heure, marmonna un homme.

Quinze. C'était l'âge exact de Michel. Sa tête qui reposait contre la paroi du wagon épousait doublement les chocs, les soubresauts.

— Gardons les petits-beurre pour la nuit, dit encore ma mère.

La femme usée nous sourit :

— Vous le voulez ? dit-elle. C'est du bon pain de mon boulanger. Il est frais.

La simplicité déroute. Ma mère me demanda du

regard si elle pouvait accepter. Elle prit le pain, elle remercia.

Nous roulions à dix, à vingt, à cinq à l'heure. Le bébé pleurait de plus en plus fort, la femme ivre réclamait de l'alcool, des voix s'élevaient, la tension montait. Où trouver du lait pour l'enfant ? Un flegmatique qui ne cessait pas de mâchonner une cigarette ouvrit avec effort la portière. On respira de l'air libre. L'homme jeta son béret aux orties.

— Pas une maison à l'horizon, dit-il.

Nous étions allongés sur le plancher ; une odeur d'herbe humide nous rappelait que nous avions été mélancoliques, nostalgiques, amateurs d'aboiements à la nuit qui descend. Je voulais voir les herbes couchées le long des remblais, ma mère ne voulait pas. Le bébé se taisait dans la pénombre, Michel grignotait le pain.

— Un merle ! Et il est de taille ! dit un homme.

Ils refermèrent la portière.

Nous dînâmes de plusieurs morceaux de sucre.

Onze heures du soir. La nuit avec la force et l'entêtement d'un ouragan se jetait contre les parois de notre wagon, comme jalouse de notre nuit à nous. Hommes et femmes se révoltaient, sans grief précis, dépassés par l'actualité. L'homme pauvrement vêtu tenait la main de sa compagne, il lui caressait les cheveux. L'amour pouvait refleurir et persévérer. Roulement régulier ; le train roulait parfois à trente à l'heure disait-on. Des gens dormaient, discutaient, s'emportaient, se lamentaient. La matrone, munie de sa pile Wonder, savourait son magazine. Le petit enfant pleurait moins fort, sa mère cessait de sangloter ; il pleurait plus fort et sa mère hurlait que la lumière leur faisait mal. L'homme continuait de caresser les phalanges de sa compagne. Il sortait le flacon de la poche de son veston, il le contemplait avec une tristesse effrayante, ses lèvres tremblaient, il ne pouvait plus rien donner. Ma mère veillait les yeux ouverts, Michel mangeait des morceaux de sucre. Le train s'arrêta enfin devant la maison d'une garde-barrière.

La garde-barrière ne pouvait pas donner ce qu'elle n'avait pas. Du lait, nous voulions l'impossible. Elle accepta de nous vendre un seau d'eau. Tout le monde voulait boire et faire boire l'enfant. Il mourut malgré l'eau froide, avant le lever du jour ; l'ivrognesse eut une crise de delirium tremens. Ma mère se serrait contre moi, elle me disait : « Ne regarde pas, ne regarde pas... » L'homme pleurait sans plaintes et sans cris. Comme pleurent les hommes.

Le Mans. Notre première vision : une montagne de trois à cinq mille bicyclettes abandonnées devant la gare. Nous enjambions la fatigue, l'anéantissement, la soif, la faim, l'agonie, la maladie : des loques humaines par milliers. Les trottoirs, le macadam : de la chair humaine. Chacun était livré à lui-même dans l'hôpital qu'il s'était bâti en tombant à terre.

Je réfléchissais malgré cela à l'homme pauvrement vêtu, à sa compagne, à la femme usée par le travail, le chagrin, la misère. Où étaient-ils ? Perdus pour toujours donc entrés dans l'éternité avec une amie.

Je leur offre un cadeau vingt ans après, en ce mois de mars 1961 avec ses derniers jours gris. Ce sont les notes suivantes :

Angle de la rue des Fossés-Saint-Bernard et du boulevard Saint-Germain. Une aurore toute rose se lève près de l'île Saint-Louis le 26 mars à sept heures du soir. Je traverse au coin de la rue des Fossés-Saint-Bernard, je me plante au coin de la Halle aux Vins. Il fait grand jour, les réverbères à l'intérieur de la Halle aux Vins sont allumés. Couleur du seigle à moissonner, boucle de lumière à l'intérieur de la cage en verre. Ne cherchons pas Nerval à la vitrine des libraires. Il est ici, sa poésie crépite entre les pavillons de brique.

Je ne sais plus où nous avons trouvé du pain, ni comment nous avons réussi à monter dans un train départemental. J'ai oublié le nom de la petite gare où nous échouâmes. On parlait autour de nous de Fougères, de Vitré, les évacués étaient moins délabrés mais l'angoisse nous décomposait. Le soleil éclairait la devanture proprette de la gare, du côté du quai. Une des fenêtres de l'habitation personnelle du chef de gare, au premier étage, la fenêtre sous l'horloge, s'ouvrit, une femme se pencha, on entendit la radio. Il y eut tout de suite un silence de mort. Nous redoutions le pire. De sa voix calme et monotone, un vieillard parlait. C'était public et confidentiel. Il nous disait que ce serait bientôt l'armistice. La radio se tut, le silence de mort se prolongea. Je tombai dans les bras de ma mère : je l'embrassais partout sur son visage, je serrais ses mains, je balbutiais. Elle pleurait aussi, avec beaucoup d'autres. Rares étaient ceux qui ne réagissaient pas. Nous pouvions poursuivre notre voyage sans nous répéter à chaque instant que nous allions mourir.

S'installer à l'hôtel de S... a été possible. L'armée française l'occupait aussi. Hasard incroyable, ma mère retrouva son mari qui avait été rappelé comme capitaine. On a eu soudain de grands égards pour nous. Mais j'avais peur chaque fois que j'entendais un coup de fusil. Les habitants du village suppliaient les soldats : il ne fallait pas se battre, le village serait rasé. Se battrait-on, oui ou non ? Toute la journée on s'interrogeait. Finalement il y a eu une débandade et pas de combat. Voyant que des gradés et de simples soldats s'étaient déshabillés et rhabillés avec des vêtements de civils, je suppliai

mon beau-père de faire comme eux. Il hésita longtemps. Michel lui prêta son veston de tweed.

Nous voilà repartis pour Vitré en camion.
Etrange atmosphère, drôle d'attente. L'ennemi
n'était pas encore arrivé, les soldats de notre pays
traînaient. Ils s'en allèrent en laissant une sentinelle. Nous logions chez l'habitant : quel bon
séjour. Je me promenais chaque matin dans le jardin potager admirablement cultivé. Je flattais une
feuille de chicorée frisée, je respirais une fleur, cela
me suffisait. Je lisais Jean-Jacques Rousseau que
j'avais emporté. Et Gabriel ? Je l'aimais et me préparais à l'aimer. Je nous bâtissais un nid. On ne
pouvait pas me le reprendre, dix années d'absence
étaient tombées. Paris c'était lui, mon retour à Paris
c'était lui. Je n'imaginais jamais qu'il était mort ou
blessé. Je comptais sur lui, je comptais trop sur
lui.

Chaque après-midi je sortais avec ma mère pour
la chasse aux nouvelles ; nous retrouvions la jeune
sentinelle assise sur un bloc de pierre au bord d'un
champ inculte. Elle nous dit qu'elle attendait,
qu'elle ignorait ce qu'elle attendait. Je me moquais
d'elle. Je ne me moque plus de l'aveuglement, de la
fidélité d'une sentinelle. Il y a des héros du désarroi.

Nous rentrâmes séparément à Paris, dans des
autos de civils. Gabriel arriva d'un village, le teint
frais, content de retrouver le vin rouge français. La
capitale se repeuplait. Je suivis l'ennemi, de la
Madeleine à l'Opéra, la première fois que je le rencontrai. Svelte, blond, impeccable sans être guindé,
l'officier flânait en tenant la main d'une Française
de moins de vingt ans. Ils marchaient sans se parler.
Le boulevard des Capucines me montrait l'envers de
la guerre. Un guerrier promenait une jeune fille.
Fleur bleue ne se fanait pas. Je suivais l'officier avec
la jeune fille. Vadrouillaient dans ma tête mon

1914-1918, ma coqueluche, mon chant du coq, mes quintes, « papa Vili » : l'ordonnance du médecin allemand battant la campagne pour des œufs, du laitage. C'est une autre guerre et nous serons tous malades des nerfs. Je fus humiliée lorsque je dus contourner leurs barrières devant nos grands hôtels.

Ma chère. Pourquoi n'écrivez-vous pas, ma chère ? Quand on écrit les lettres que vous m'écrivez, ma chère... Ses formules mondaines, ses béquilles ; il faut que je le comprenne. Il a souvent l'âme infirme, Maurice Sachs. Pauvre jongleur qui a soif du potage des familles. Ma chère, ma chère. Il jongle avec sa tristesse. Wilde enfermant son gardénia dans le mouchoir d'un boueux, c'était un peu cela le bon vouloir de Sachs. « On écrit. » Il perd la tête, il n'a plus ses esprits. Qu'est-ce que je dirais ? Je lui écris ce que je vois, ce que je sens, ce que je préfère parce que je suis un soupirant d'amitié amoureuse. Ce ne sont pas des lettres. Ce sont des tournois qui prouveront, je l'espère, mes capacités d'attachement. Il lit des manuscrits, c'est un lecteur de la maison Gallimard, il m'ensorcelle. Son enfance, ses métiers, sa mère. Secrétaire, presque liftier, il ne l'a pas caché. Interprète aux armées. Tant mieux. Loin de Paris. Tant mieux, tant mieux. Paris lui fait du mal, il n'obtient pas de lui ce qu'il désire. La renommée, il la voudrait. C'est un glouton cet homme bien élevé. Je ne suis pas dans la course, Maurice Sachs : la renommée, quelle naïveté. Ma chère, je mourais de faim et je ne pouvais pas manger puisqu'il fallait parler, raconter mille anecdotes, puisque je devais leur payer le dîner qu'ils m'offraient. C'est sinistre et c'est cela que nous devons retenir de lui. L'éducation, ce masque. En rencontrant Maurice, j'ai rencontré le masque de l'entrain, de l'altruisme, de la gentillesse, de la drôlerie plus vrais que l'entrain, l'altruisme, la gentillesse, la drôlerie. Oubli de soi-même, la plus primitive des politesses. Pour égayer, rassurer, charmer, Maurice Sachs se supprimait, se saccageait à chaque instant. Max Jacob, les Maritain, Cocteau, Claudel, les Castaing, Marie-Laure de Noailles, Louise de Vilmorin, Printemps, Fresnay, Chanel, trois cents autres, il donnait ceux qu'il connaissait, il donnait ce qu'il lisait, ce qu'il aimait. Il distribuait le talent, le succès, les mérites, les qualités de ses amis, de ses relations. Il distribuait ce qui lui était refusé : la consécration. Ce prodigue me faisait oublier l'argent. On s'est demandé si Nijinsky sur la scène de l'Opéra rebondissait sur un tapis de caoutchouc. Je rebondissais sur un tapis de billets de banque lorsque je passais un moment près de Maurice Sachs, alors que son drame aura été son désir de l'argent, sa pulvérisation de l'argent. Son but, sa raison de vivre : être aimé d'un adolescent intelligent. Sa tragédie : il est mort sans l'avoir trouvé.

Surprise extraordinaire, il m'écrit qu'il est démobilisé, que je peux déjeuner avec lui rue du Ranelagh. Ce jour-là Gabriel déjeunait avec le suisse d'une église : lune de miel de leur amitié. Je sonne, j'attends la bonne. Maurice Sachs ouvre la porte, il m'accueille :

« Fort bien, fort bien. Notre poulet est au four... »

Nous nous embrassons sur la joue, ses baisers sont distraits. Il me reçoit dans une robe de chambre en foulard qu'il a mise par-dessus un costume foncé. La mule, la chaussette de soie sont élégantes aussi. Je me demande pourquoi mes pas résonnent sur le plancher lorsque nous entrons dans sa chambre. Nous entrons, je retiens un cri. Les sauterelles ont dévoré la chambre de Maurice, sauf les murs, sauf une minuscule table de cuisine au milieu de la pièce avec deux couverts, deux tabourets, une bouteille de bon vin. Maurice Sachs m'observe, il attend la question que je n'ose pas lui poser.

— Visitez pendant que je surveille notre poulet, me dit-il.

Il s'engouffre dans la cuisine, c'est une odeur moelleuse de poulet rôti, c'est un bruit métallique comme si la sauce retombait en pluie dans le plat.

Les sauterelles n'ont rien épargné. De la salle à manger, du salon, de la lingerie, de la chambre de la grand-mère de Maurice ne subsistent que les murs, le plafond, le plancher.

J'accours à la cuisine.

— Alors ? me dit Maurice.

Il attend ma question.

— Ce n'est plus le même appartement...

— Tenez la porte, me dit-il avec froideur.

Il apporte le poulet.

— Vous en avez de bonnes, me dit-il. Bien sûr que ce n'est plus le même appartement. Elle joue au bridge en province, j'ai tout vendu.

— Votre grand-mère joue au bridge ?

— Ne posez pas des questions stupides. Elle est à Vichy. Asseyez-vous mon enfant. Je le coupe en deux. Quoi ? Je le fends et nous mangeons chacun notre moitié c'est plus simple.

Il me donna ma moitié. Il détestait les hors-d'œuvre, les bricoles. Il mangeait en grosse quantité ce qu'il préférait. Nous vidâmes un bocal de framboises de chez Hédiard. Pourquoi pas, me disais-je, pourquoi n'aurait-il pas tout vendu ? La morale, le jugement, les principes, du sirop que je buvais à la petite cuillère. Il me proposa « un café des familles » avec une nostalgie de la vie de famille dans le regard, il me proposa une promenade autour de la rue du Ranelagh.

— Si nous parlions de votre mariage, me dit-il.

Nous venions de croiser une élégante.

— Comment peut-elle porter ce pot de fleurs sur la tête ! N'est-ce pas que les femmes sont folles.

Je souriais faiblement.

— Quoi ? dit Maurice.

Il me faisait confiance chaque fois qu'il me prêtait une remarque que je n'avais pas prononcée, comme si mon silence, ma bêtise, mon impuissance avaient été des voix qu'il entendait à moitié.

— Pourquoi vous êtes-vous mariée ? me dit-il.

La façon dont il s'était mis à jouer avec sa canne était théâtrale.

— Pourquoi avez-vous tout vendu ? dis-je avec sécheresse.

Mon audace, une seconde, l'intrigua.

— Apprenez, ma chère, qu'un appartement se refait en un instant. L'Orient, le dénuement. Ah ! le dénuement...

Sachs rajeunissait, son visage se simplifiait.

— Une femme ne peut pas comprendre. Le renoncement, dit-il. Les femmes sont matérielles.

Il poussait devant lui ses rêves, il s'aidait de sa canne.

— Je comprends, dis-je.

Il tourna la tête de mon côté, satisfait de ma lueur d'intelligence.

— Qu'est-ce que vous comprenez ? me dit-il avec insistance. Vous ne trouvez pas qu'il est charmant ?

Le jeune apprenti serrurier portait au poignet un grand anneau de clefs rouillées. Il passa, il s'éloigna pour toujours.

— Je comprends que vous n'êtes pas heureux et ça me rend malheureuse, dis-je.

Le visage de Maurice Sachs se ferma.

— Ma chère enfant, je vous en prie, cessez de pleurnicher...

— Je ne pleurniche pas !

— Cessez de pleurnicher sur vous et sur moi.

Nous n'en finirions pas. Où êtes-vous allée chercher que je n'étais pas heureux ? Les femmes sont insensées avec leur manie de protéger, de consoler.

Les femmes ne sont pas des hommes, me disais-je avec désolation. Si l'apprenti serrurier parlait ainsi... le visage de Maurice serait radieux. Il m'en veut. J'ai pris l'archet du jeune apprenti serrurier.

Chaque garçon que Maurice croisera dans la rue sera-t-il une nostalgie ? C'est possible. Un homosexuel est un faisceau de nostalgies. Il songe à ce qu'il n'a pas eu, c'est souvent un ange égaré dans l'enfer des regrets. Il recommença de parler, de raconter : Claudel se levait tôt pour écrire il m'a dit à six heures j'ouvre le robinet à huit heures je le ferme il y a toutes sortes de mariages Mme Mercier quelle idée enfin nous verrons bien mais ne soyez pas triste avez-vous lu le *Journal de deux Anglaises* dans lequel il ne se passe rien c'est un bonheur parfait de chaque jour pendant une longue vie à deux le duc de Westminster ma chère j'étais place des Etats-Unis.

Taisez-vous, assez, encore. Espèce de lâche, espèce de Violette Leduc, ce n'est que ta poitrine qui lui crie assez, encore.

— ... J'étais dans un salon de la place des Etats-Unis à onze heures du matin un supplice ma chère le soleil brillait sur chaque objet en or que je ne pouvais pas emporter et je n'ai rien emporté la maîtresse de maison tardait ma main errait quoi des tables couvertes d'objets en or.

Maurice Sachs riait de son honnêteté, il me parlait du psychiatre Allendy, presque un voisin, un médecin et un ami secourable quand le cœur et la tête sont patraques. Nous arrivions place du Trocadéro.

— J'y ai mangé jusqu'à dix-sept gâteaux, me dit-il en me montrant avec sa canne l'étalage de la pâtisserie. Il fallait se refaire. Je suivais un cours de gymnastique, nous dansions sur *L'Oiseau de feu*, sur *Pétrouchka* pour maigrir.

Comment ne pas rire avec lui ?

— Je suis gros, je suis gras, ma chère, je flotterai dans mes vêtements. Flottons puisqu'il faut flotter, j'en ai pris mon parti.

A ce moment-là je l'aime jusqu'à la tendresse pour sa simplicité. Il me rebâtit Paris sur des choux à la crème.

— Vous allez rentrer chez vous et vous mettre à écrire le texte que je leur ai promis, me dit Maurice Sachs devant la station Trocadéro. Qu'est-ce qu'il y a ?

— Qu'est-ce que j'ai, Maurice ?

— Quittez ce visage d'outre-tombe, me dit Maurice.

Il m'entraîna, nous nous installâmes à la terrasse de la pâtisserie. Je demandai un thé. Je coulais à pic. Il me dit de boire vite, qu'il ne comprenait pas pourquoi j'avais peur. Il avala son verre d'alcool en une fois, il se débarrassa de ce qu'il préférait.

— Oui j'ai peur, Maurice... J'ai peur de ne pas pouvoir. Ne me demandez pas ça.

La sueur coulait dans mon dos, dans le creux de mes mains. Je l'essuyais sur mon front avec frénésie.

— Vous n'aimeriez pas écrire ? Vous n'aimeriez pas voir votre nom imprimé au début, à la fin d'un texte ? J'aurais cru, me dit-il avec lenteur.

Je me sentis fondre de bonheur et de tristesse. Je le souhaitais sans oser me l'avouer. Oui c'était mon souhait qui n'avait jamais vu le jour. Je lisais mon nom à l'étalage des libraires, c'était une joie et une maladie secrète, c'était l'impossible. Ecrire... Maurice Sachs en parlait le plus simplement du monde. Ecrire... Je me sentis molle, toute chloroformée d'incapacité. Toute disponible pour ne rien faire. Ecrire... Oh oui, oh non. Il me demandait de bâtir une maison alors que je n'étais pas maçon. C'était pire qu'un vertige si j'y pensais une seconde avec sérieux. Oh Maurice, il ne faut pas me tenter ainsi. De quoi parlerai-je ?

— Je ne peux même pas conjuguer l'imparfait du subjonctif, dis-je à Maurice Sachs.

— Ne redevenez pas sotte, a dit Maurice. Essayez, on verra bien.

Maintenant, je me sentais fondre pour sa patience.

— Je peux essayer ? Vous le croyez ?

— Je le crois, dit-il.

Je me sentais fondre aussi pour sa confiance. Il me donna leur numéro de téléphone pour qu'ils m'expliquent dans leur bureau le texte qu'ils voulaient.

— Je dois retrouver Bob et je ne veux pas le faire attendre, me dit-il.

Bob, son nouvel ami. Une beauté.

Cet après-midi-là, j'attendis mon tour dans une antichambre exiguë du centre de Paris, parmi une quinzaine de femmes de tous âges. La salle d'attente ressemblait à celle d'un dentiste. Les placières en articles épiaient, toussaient, dévisageaient, ouvraient une revue, mimaient la lecture. Chacune, sauf moi, tenait sur ses genoux un carton à dessin, une chemise de bureau, une serviette de cuir. Les plus audacieuses relisaient leur texte, elles revoyaient leurs dessins.

La porte de la salle de rédaction s'ouvrit, une voix de femme dit le nom de Maryse Choisy. Une femme de petite taille au visage intelligent sans éclat, coiffée d'un turban — cette mode commençait — se leva et me sourit d'un air d'excuse. La porte de la salle de rédaction se referma sur elle.

Bob n'attendait pas, il ne fallait pas qu'il attendît. J'oubliais Maurice Sachs vigilant et efficace, me cherchant et me trouvant du travail. J'oubliais que sans m'aimer d'amour il cultivait mes lettres comme un jardin. Je n'étais pas où je devais être. Maurice auprès de Bob m'abandonnait. Isolée, sans énergie, les rapports d'amour ou d'amitié qu'ont les hommes entre eux me dévastaient.

On m'appela. Maryse Choisy me salua, elle s'éclipsa.

J'entrai. Un homme et une femme se levèrent de leur chaise, leur accueil silencieux m'effraya.

— Vous êtes bien Violette Leduc ? me dit la femme.

Elle était vêtue d'un tailleur strict, sa voix était sèche.

« Vous êtes bien Violette Leduc ? » Suis-je une coupable depuis qu'on m'a conseillé d'écrire ?

— Oui, oui, répondis-je sans assurance, c'est moi, c'est bien moi.

« C'est moi, c'est bien moi. » Ma maladresse plutôt que ma suffisance me désolait.

« Vous êtes bien Violette Leduc ? » Mon prénom et mon nom résonnaient autrement à cause de la suggestion de Maurice Sachs. Je leur attribuais un passé vaguement créateur.

— Maurice Sachs nous a fait dire par un de ses amis, que nous pouvions compter sur vous pour un récit, un conte, une nouvelle. Vous a-t-il dit de quoi il s'agit ?

— Il ne m'a presque rien dit.

Il y a eu un silence. Je pouvais jeter un coup d'œil dans les coulisses d'un journal. La rédactrice en chef du magazine m'exposa le sujet du récit que je devrais écrire. Je ne l'écoutais pas mais j'entendais un babillage au-dessus des feuilles de papier sur lesquelles étaient collés des articles imprimés, encadrés d'un gros trait au crayon bleu. C'était affreux, elle m'expliquait le sujet, j'en étais sûre, elle croyait que je n'étais qu'oreilles. Qu'est-ce que je devien-

drais dans ma chambre ? Forcée d'écrire un récit
sans sujet. Ce babillage, c'était pourtant mon gagne-
pain. Je ne pouvais pas écouter, elle ne me plaisait
pas, la communication était coupée. Elle me disait :
« ... Dans la campagne, une campagne proche de
Paris, c'est la santé, c'est sain. » Elle m'exposait ce
que je devrais écrire et qu'est-ce que j'écrirais
puisque je n'écoutais pas ? J'aurai eu le don de
compliquer, celui de m'embrouiller dans mes
défauts. Ce grand monsieur qui me tournait le dos
me plaisait. Etait-ce un dessinateur ? Un illustra-
teur ? « Il nous le faut dans deux jours », me dit-
elle. Cela, je l'entendis. Dans deux jours. A la
rigueur je pourrai me jeter dans la Seine si je ne
peux pas inventer la première phrase. « Nous comp-
tons sur vous, M. Sachs nous a fait dire que nous
pouvons compter sur vous. » L'argent, dans ce projet, où est-il ? Dans un mausolée. « Vous avez compris ce que nous désirons de vous ? » J'ai compris, je
comprends que je suis une représentante en récits,
contes et nouvelles, je proposerai la marchandise de
porte en porte, je vous dirai dans deux jours combien j'en ai vendu au revoir madame au revoir monsieur à la suivante je lui souris comme Maryse
Choisy m'a souri. Je vais mieux, l'épine n'est plus
dans le pied. Papiers collés, énigmes de l'imprimerie, embryons de phrases, de paragraphes.

— C'était une mise en pages, me dit plus tard
Maurice Sachs.

Irrésistible célibat, j'avais dissimulé mon alliance
dans mon sac à main avant d'entrer dans la salle du
journal. Je croyais qu'avec mon anneau je n'intéres-
serais pas. Une femme qui se suffit, c'est une femme
seule, m'étais-je dit dans la salle d'attente. Montrer
mon alliance, c'était révéler que, mariée à Gabriel,
je n'obtenais pas de lui le nécessaire. Je cachais mes
déceptions en cachant mon alliance ; j'étais friande
d'une vie double avec une nouvelle occupation,

enfin j'avais honte de notre misère, de Gabriel pauvrement vêtu, malingre, muet, buté, content de son sort. Mon agneau des bistrots... Les autres ne pouvaient pas lire sur ton costume élimé les repas succulents que tu nous offrais au restaurant. Toi tu ne cachais pas ton anneau de rideau.

— Soumettez-nous votre récit le plus tôt possible. Un coup de franchise, ma belle. Je n'ai pas de récit à écrire. Je suis le récit, il est écrit. C'est Gabriel qui ne veut pas se donner. Demain, bonhomme, demain je te le promets. Demain. Gabriel, Gabriel... Tu n'entends pas ? Ma rose, elle mendie. Demain, mendicité à épisodes. Encore un coup de franchise, encore. Déjà le récit est écrit, il est simple, il est extraordinaire. De qui est-ce ? Pouvez-vous me dire de qui est-ce ? De Gabriel lorsqu'il jouit. Je n'ai pas menti. Je suis la gardienne de sa plainte, de son râle, de son cri. Jouis, mon fils, ton océan me fascine. Ton récit se termine avec une giclée de soie. Jouis, mon fils.

Seize ans :

— Qu'est-ce que tu penses de ma composition, maman ? Elle te plaît ma composition française ?

— ...

— Réponds. Elle ne te plaît pas ?

— Ce n'est pas mal...

— Après ?

— Ce n'est pas mal, cependant...

— Cependant ?

— C'est lourd. Je trouve que c'est lourd.

— Je ferai attention.

La clef de mes petites phrases.

Je sortis de la salle de rédaction, la ville me montra ses griffes. Toi écrire oh ! la la parlons-en chuchotèrent dans mes yeux les paillettes d'un escalier de métro. Tu passais, nous existions. C'était cela te mettre à écrire avec tes petits yeux. Maintenant que tu nous vois, tu te prends au sérieux. Je vous décrirai. Tu n'en seras pas capable. C'est vrai, je ne vous voyais pas. Tu commences à nous exploiter. Tu ne nous cherchais pas, chercheuse de trouvailles. Tu nous aperçois parce que tu vises l'originalité. Méchantes. Parlez, je vous ai appelées méchantes. Nous te répondons. Appelle-nous exigeantes nous préférons. Préservée du porte-plume et de l'encrier, tu nous aurais portées, tu nous aurais créées. Le caillot, ma petite. Il faut que cela reste dans la gorge ? Absolument. Dans ce cas les idiots sont des phénix. Nous sommes d'accord, les idiots sont des phénix. Je suis là à vous fixer, ils me prendront pour une simple d'esprit... Une simple perdue dans sa simplicité tu dois ajouter. Vous connaissez Paris, on ne peut s'arrêter qu'aux étalages. Qu'est-ce que vous exigez à la fin ? Vous vous taisez, je m'attendris. Ma soif de diamants, elle passe. Paris m'attristait. Ces marches du métro... balayées avec de la poussière de scintillements. Vous vous taisez... Qu'est-ce que j'ai à vous contempler ? Nous sommes une nativité. Vous me reparlez... D'un matériau nous sommes le ciel étoilé. Vous êtes plus calmes que les étoiles. Parfaitement. On me regarde pendant que je vous regarde. Timorée jusqu'à l'os je suis. Morte et timorée jusqu'à ce remous de vers roses dans ma bouche je serai. Si je pouvais me refaire avec une pelle et de la terre je me referais. Bavardage. Je ne pourrai pas vous utiliser dans le récit qu'on m'a demandé. Nous y voilà. C'est parce qu'on m'a dit d'écrire un récit. Nous n'en doutons pas. Aux heures d'affluence qu'est-ce que vous êtes ? Nous sommes des paillettes solides au poste. Vous me mettez sur la route : les étoiles sont des belles-de-nuit. On ne peut pas compter sur les étoiles. Nous durons jour et nuit. Vous êtes des suffisants. Les astres, ils existent. Loin des talons de Paris. Le talon de l'escarpin de Paris nous met à l'abri lorsque tombent les rideaux de la pluie. Il gèle, nous sommes à la fête. Boules de gui, boules de houx tombent sur nous. Vous recevez des crachats. Nous scintillons à travers les crachats. J'en ai assez, je m'en vais. Il gèle, vous êtes à la fête, je vous cite. Polaire aussi est à la fête en hiver. Peut-être. Nous préférons la semelle d'un premier rendez-vous à cette minerve ponctuelle. Je mourrai, je piquerai du nez mieux qu'un avion. D'accord. La semelle. Elle vous écrase, vous êtes des écrasées. Nous brillons au-dessous des souliers troués, au-dessous des talons éculés. Vous m'exaspérez. Je m'en vais, je m'en vais. Qu'est-ce qui me retient ici ? Gugusse sans ses habits. Laissez-moi partir. Je vous dirai que j'ouvris le dictionnaire, que je trouvai la Chevelure de Bérénice. Je ne l'oublierai jamais. Nous te plaignons, grenouille. Pourquoi grenouille ? Tu te gonfles, parasite des grandeurs. Pitié, il faut que j'écrive un récit. Pars. Pas maintenant. Je m'en irai, j'écrirai, ce sera changé. Je vous regarde pour vous regarder. A bas les lustres des opéras, n'est-ce pas ? Oui. Les coquelicots incendiaient les blés... Pourquoi dis-tu « incendiaient » ? Je commence à écrire, j'essaie d'écrire, j'apprends à écrire. Tu joues à la balle, fillette. Les blés fleurissaient dans les coquelicots si tu veux un conseil. Une seconde, s'il te plaît. Voici pour nous de la musique nourrissante, celle d'une chaussure à clous. C'est fini, nous sommes à toi. N'écris pas ma petite, raccommode le linge de ton mari. Vous me coupez l'herbe sous le pied. Je m'en vais, cela a assez duré. Vous ne me retenez pas ? Reste, mollasson. Oh ! oui la musique d'une chaussure à clous. Pour nous, pas pour toi. Elle nous couvrait. Pourtant la musique des cuivres couvre les lustres des opéras. Prends les choses innocentes, n'écris pas des majuscules sur la dentelle des carottes. Je dois gagner ma vie avec un récit. Vends ta Chevelure de Bérénice au kilo, épicière. Reçois les choses, porte-les, garde-les dans ton gosier, l'ouragan t'en saura gré, comme lui tu seras libre. Tu n'as rien à dire, les images sont dans leurs nids. N'assassine pas cette chaleur en haut d'un arbre. Les choses parlent sans toi, retiens-le. Ta voix les étouffera. Si vous croyez que vous ne faites pas de la littérature... Pour te mettre en garde. Nous répétons : pour te mettre en garde. Je dois gagner ma vie. J'écrirai, j'ouvrirai mes bras, j'embrasserai les arbres fruitiers, je les donnerai à ma feuille de papier. Tu divagues, pauvre enfant. Pourquoi me découragez-vous ainsi ? Nous sommes franches. Je dois m'en aller. C'est cela, va tremper ta plume dans l'encrier. Défaitistes, vous brisez mon effort. Le rosier ploie sous l'ivresse des roses, que veux-tu lui faire chanter ? Qu'est-ce que tu pourrais ajouter à l'aurore poudrée ? Souviens-toi de ton piano. Vous saviez ? Souviens-toi de ton piano. J'ai échoué, je le reconnais. Je n'ai pas écrit, je n'ai pas commencé. J'ai la moisson de mes efforts à moissonner. Il m'a dit vous pouvez écrire un récit. Je lui obéis. Esclave. J'ai confiance en lui. Il est trop confiant. Tu n'as rien à dire, tu n'as rien à écrire. Il y a des élus, tu n'es pas du nombre. Vous vous acharnez, ce n'est pas bien. Nous sommes ton soutien. Vous êtes mon soutien ? Cesse de minauder avec ta voix, cesse de mélanger tes preuves avec ton extase. J'ai un mari, je n'ai pas de soutien. Espèce d'arbrisseau, c'est avec sa poignée de main que tu devais te marier. L'amitié ? Ouais. Je ne suis pas une banquise. C'est l'heure de l'affluence, va tremper ta plume dans l'encrier. Vous me renvoyez ? C'est l'heure de la symphonie des souliers. Pourrai-je revenir, scintillements des marches du métro ? Puis-je vous dire : du jour le plus clair vous êtes le pollen ? Tu l'as dit. Suffit.

J'essayai d'écrire pendant une partie de la nuit. Mais en même temps je devais répondre à Gabriel, discuter avec Gabriel. Il voulait que je me couche, que je laisse « tomber ». Si je lui expliquais entre mes ratures qu'il ne me donnait pas d'argent, que je devais m'occuper, il se fâchait ou bien comme d'habitude il me narguait en murmurant qu'il s'amusait « comme un petit fou ». Mon travail ne l'intéressait pas. Depuis sa typhoïde plus rien ne l'intéressait. Je le lui dis et il me répondit que si je ne me taisais pas il pouvait « foutre le camp ». Je cessai de parler. J'avais gros cœur en regardant mes feuilles de papier. Notre immeuble silencieux me tenait aussi en respect. Je tournai la tête : Gabriel, assis dans le lit, souriait. J'ai profité de son sourire, j'ai demandé s'il serait content de me lire dans un magazine. Son visage a changé. Qu'est-ce qu'il en avait « à foutre » de mon nom dans un magazine... Soudain la maladie du passé. Il mordillait le drap, il parlait de mon premier écho. Nous l'avions lu place des Ternes, à la terrasse de *La Lorraine*, près de l'odeur à la dérive des huîtres sur les grands plats. J'étais son « pote », rêvait le rongeur de drap, J'étais son « petit bonhomme ». Il refusa la cigarette que je lui offrais. Quelle mélasse cette page blanche sous mes ratures, sous mes sueurs. Je lui dis que je le consolais dans les taxis, que je lui payais mes soirées, que mes consolations me soulevaient le cœur. Gabriel, beau joueur. Il réfléchissait, sa bouche aux lèvres minces jouissait. Il ruminait sa méchanceté, il se désincarnait.

— Dis donc, ça a l'air de te réussir ton nouveau boulot ! me dit-il.

Je m'écroulai. Sa chose. J'étais sa chose pour son collier de barbe naissant. Une aube bleutée dramatisait son visage.

— Nous usons la lumière et qu'est-ce que tu as écrit jusqu'ici ? dit-il avec dédain.

Je relus mes brouillons.

— ... Je parle de toi... d'une promenade que nous faisons ensemble... que nous ne ferons pas...

Tu m'aimes et j'aime que tu m'aimes pendant que j'écris...

— Tu te sers. Voyez-vous ça !

J'expliquais comment j'essayais d'arranger notre vie, comment je pensais à tous ceux qui se chamaillaient en pensant à nous. Nous devenions cent mille. Je les réconciliais et ils se réconciliaient en me lisant. Gabriel riait de bon cœur, il me disait que je voyais grand. Je ne me décourageai pas : je lui dis que j'écrivais sans lui mais que nous étions liés pendant que ma plume avançait sur le papier. Gabriel m'écoutait, je m'emballai : mon récit n'était pas commencé pourtant ma feuille de papier ressemblait à un échiquier. Je plaçais, je déplaçais. Je voulais un arbre, j'obtenais un arbre ; je voulais une maison, j'obtenais une maison. Je voulais la nuit, je voulais la pluie... je pouvais tout avoir, il suffisait de l'imaginer. Je changeais les nuages en lévriers ; les vieux chênes en jeunes danseurs sur des galères où ils se nourrissaient de pétales de fleurs. « T'es marrante quand tu t'y mets », me dit Gabriel et puis il s'en alla retrouver le confort de sa tour d'ivoire. « S'ils refusent mon récit, je t'aurai eu dans mes bras sur chaque page de mon brouillon », dis-je. Gabriel souleva les épaules. « Aimons-nous », lui dis-je à l'improviste. Mes entrailles, mes despotes. Je mendiai près de son lit, j'abandonnai la feuille de papier.

Je voulais le « claquer », je ne « respectais » pas son travail, j'aurais dû « avoir honte ». Dormir, il voulait dormir. Chacun était libre, c'étaient nos conventions. Je regrettais, mon ventre ne comprenait pas l'hébreu. Je l'appelais « Gnangnan ». Il me répondait « Détraquée ». Je t'aimerai comme je t'aimais à Saint-Remy dans le récit. Gabriel rejeta le drap : il était nu parce que je ne lavais pas son linge. Aime, aime donc. Il cédait, j'étais désespérée.

Je commençai avec des arabesques. Ma main était mon espoir. Frivole, légère, aérienne, aventurière, simple, compliquée, enjoliveuse, surprenante, déroutante, hésitante, précise, monotone, indéfinie, nuancée, vive, lente, accablée, consciencieuse. Veux-tu que longtemps j'encercle ton sein ? Hirondelle revenue des pays chauds, de ta hanche au cou-de-pied, écoute, Gabriel, écoute-la sur le profil de ton corps. Dilettante, laborieuse, attentive, curieuse, aux aguets, prévenante, je trace le nom de Saint-Remy sur mon amant. J'écris aussi la vieille qui ramasse la fleur pourrie à la fin du marché, je développe un long paragraphe de chèvre-feuille autour des chevilles, autour des poignets, autour de l'oreille. Mon lent ruisseau de lotus coule dans son sang mais Gabriel ne s'endormira pas. Frémissement de ses omoplates, mon pouvoir. Guinguette, fritures dans les aisselles, dans l'aine. Recroquevillée dans mon désordre d'amour, ma main suit le profil de sa jambe tandis que je m'allaite au talon de mon mari. Cher professeur, tu m'encourageais. J'écoutais la clairière : son épaule autour de laquelle je folâtrais. Mes doigts et mes ongles te racontaient la lune toute frêle qu'un nuage intimidait, la boucherie d'un coucher de soleil, le trille et la goutte d'eau de l'oiseau de ténèbres. Lourde promenade. Mon Dieu que j'écrivais bien de son genou à sa toison, mon Dieu, c'était ma religion.

Je pleurai longtemps après avoir terminé le récit sur le papier. J'entendais le rire étranglé de Maurice Sachs, la voix sèche de la rédactrice en chef, son refus. Après tout, j'ai travaillé tête baissée, me disais-je.

15 mai 1961 à 9 h 20 du matin dans un village du Vaucluse. Je n'ai pas changé ; je cède au désir de jongler avec le vocabulaire pour être remarquée. Une trouvaille, c'est mon numéro. Je fais mon numéro, mon cahier à carreaux m'applaudit. Mon

cahier ne m'applaudit pas : il est indifférent, il est avide de clarté ou de charabia. Le drame de l'incapable. Lecteur chéri, je te donnerai ce que j'ai. Je m'absente un moment pour le prendre et te le rendre.

Lecteur tu m'attends, tu continues donc de me lire... et je ne te donnerai pas ce que j'ai reçu ! Quelqu'un m'a prêté sa terrasse derrière le village. Pic, pic, pic, pic, pic. Ce serait plutôt une monotonie de castagnettes dans un gosier d'oiseau. Le soleil grince, il me crie que je ne peux pas renier le Nord, mon pays. Mon corps souffre lorsque je l'expose. Nous les gens du Nord, nous ne pouvons pas nous débarrasser des lainages, des emmitouflages. Un chef d'orchestre a dit au soleil : piano, piano. Bref entracte de douceur, une nuance pour la terre. Trombe d'un hanneton, les insectes ont aussi leurs bolides. Mystère, il s'en va régler une importante affaire. Bruit de pas comme si quelqu'un marchait sous la terre. C'est un homme maigre, un homme beige, un homme en terre grise qui porte sa sulfateuse sur le dos. Il passe dans le sentier, il m'ignore. Pic, pic, pic, pic, pic. C'est ma ponctuation dans un arbre. Le pic, pic, pic, pic, pic c'est aussi la fraîcheur du tronc de l'arbre sous le feuillage. Mes routes là-bas, mes ruisseaux couleur de muraille courent du côté des hauteurs. De temps à autre revient, repart le refrain des genêts en fleur. Clair-obscur : la colline assombrie avec sa courtepointe d'arbres, sa ligne brisée d'arbustes, c'est à flanc de coteau la carte vivante des bois, des forêts (je voyage en avion sans monter) ; c'est derrière la molle ondulation bleuâtre dépouillée des garnitures, c'est ma plume qui ondule contre le ciel. Rondeurs, replis de la montagne, de la colline me consolent de ma chasteté. Trois cyprès, trois flammes de sérénité là-bas, là-bas. Plus loin, fort loin, une suggestion de coquelicots, plus loin, fort loin, une buée de coquelicots.

433

Les touffes d'arbres fruitiers qu'on finit de planter, qu'est-ce que c'est ? Les parallèles de la vigne à perte de vue, de la vigne soignée, civilisée. La terre propre, la terre saine entre les lignes de la vigne. Le cabanon a des oreilles de feuillages plus grosses que lui. La chaleur est là, la chaleur est une dompteuse. Souvenir du mistral glacial de la semaine dernière. Des paysages aux alentours, je te donnerai surtout, je te donnerai d'abord la caravane. La caravane d'ombres qui avance sur une montagne, ce friselis d'arbres sur le paysage de deuxième plan des tableaux italiens, je t'en offrirai autant que tu voudras. Et puis nageons, nageons dans les pois de senteur.

18 mai 1961, lecteur. Tu te dis qu'est-ce qu'elle a à m'appeler, à me racoler ? Je ne racole pas. Je m'approche de toi. Il a repris son souffle trois fois, il s'est éteint à quatre heures, c'est ainsi qu'un vieux est mort, c'est ainsi qu'on le raconte ici. La femme du défunt se plaignant d'un mal d'oreilles, quelqu'un lui demande si elle a des névralgies. « Non, répond-elle, c'est mon mari, ce sont de douces harmonies près de mon oreille. » Comment mieux expliquer qu'on souffre en ne souffrant pas ?

C'est pris, mon récit a été pris. Je retombai en enfance. Je cueillis un globe blanc place du Palais-Royal, je jouai au ballon dans les rues de Paris. Je donnai le globe à un encaisseur, j'envoyai des gestes et des messages de tendresse aux cyclistes. Il y avait des restrictions, le journal s'adressait à un vaste public, je devais simplifier, je ne devais pas fatiguer les lectrices, à l'avenir il faudrait raccourcir, je serais payée plus tard, mon gain s'appellerait la pige. Mon récit plaisait à l'homme qui travaillait debout avec des règles et des équerres, je pouvais espérer une autre commande. Jeunes femmes, vieilles femmes attendaient leur tour dans la salle d'attente, mon passé sur leur visage anxieux me serra le cœur. J'avais un peu d'avance sur elles, c'était tout.

— Pourquoi n'aurait-on pas pris ta nouvelle ? me dit Gabriel.

Il me douchait, je le remerciais sans paroles. Il languissait à trois heures de l'après-midi sur mon plat de nouilles après un premier déjeuner à la sauvette avec le suisse de l'église. Je l'avais suivi, je savais à quoi m'en tenir. Maurice Sachs me convoqua.

— Fort bien ; fort bien, me dit-il comme s'il savonnait ses mains potelées de prélat.

Sa voix chantante, ce jour-là, m'irritait.

Je le retrouvai installé dans un appartement meublé de la rue de Rivoli.

Vêtu d'une robe de chambre en foulard imprimé sur son costume sombre à rayures, il évoluait avec plus d'envergure. Je végétais sur ma chaise, malgré le verre d'alcool, malgré la cigarette anglaise. Son vertige de confort, sa débrouillardise me sautaient aux yeux.

— Qu'est-ce qui ne va pas ma chère ? me dit-il.

Il me le demandait en ouvrant et refermant sans bruit les tiroirs d'un secrétaire Louis XVI.

— Ça va, dis-je toute gonflée de chagrin.

— Ne soyez pas stupide, dit Maurice Sachs. Vous êtes bourrelée de névroses et il ne faut pas.

Maurice Sachs entra dans son cabinet de toilette, je cachai mon visage dans mes mains. Mon cœur ne battrait pas si fort si je ne l'aimais pas. Mon cœur aux battements solennels, Sachs n'en voulait pas. Je respirais le vague parfum de son eau de toilette, je me demandais pourquoi je n'étais pas le plus beau garçon de la terre.

Il est revenu sans que je l'entende :

— Vous pleurez alors qu'on me dit qu'on vous attend pour des reportages ?

— Des reportages ? dis-je en m'apitoyant sur moi-même.

— Pourquoi pas ! Ma chère enfant vous ne réussirez pas si vous encombrez les autres avec vos tristesses. On ne vous le pardonnerait pas. Un peu de gaieté !

Il me paralysait avec son changement éclair d'appartement. Je craignais un autre nuage de sauterelles. Et puis je me voulais sentimentale à en crever. Ligotée, garrottée dans les liens de ma sentimentalité, oui j'étais encombrée et encombrante. Sachs parlait juste et à côté.

— Venez, me dit-il.

Il m'emmena dans une pièce plus petite, plus fraîche, plus sévère, plus sombre.

Il referma la porte avec solennité. Il tendit la main pour que je regarde :

— De l'or, des diamants, des pierres, dit-il avec effervescence.

Son visage était méconnaissable : sans âme. Cet œil trop doux pour vivre lançait maintenant de mauvais feux. A nous deux, disait à l'argent cet œil d'aigle, ce bec d'aigle.

— Je vends, j'achète. Quoi ? dit-il en riant.

Sacré Maurice Sachs. Il se faufilait dans les coulisses des grands bijoutiers, il m'en parlait avec comique, avec lucidité. Il pesait sur une petite balance d'apothicaire, il m'entretenait du garçon qu'il aimait, qui ne l'aimait pas. Il s'étourdissait, il m'étourdissait. J'écoutais avec bonne volonté les projets d'un diamantaire fou d'amour qui veut donner ce qu'il y a de plus beau au plus beau garçon de Paris.

— Comment va le mari ? me dit-il lorsque nous rentrâmes dans sa chambre.

— Il va bien, dis-je avec rage.

J'en voulais à Gabriel de me laisser ainsi m'attacher à Maurice Sachs.

— Il m'aime, dis-je.

Ma confidence ressemblait à un crachat.

— Sûrement il vous aime, dit-il avec conviction. Mais pourquoi ce mariage ? ajouta-t-il, navré. Je ne vois pas l'intérêt de vous appeler Mme Mercier...

— Je cache ce nom !

— Les femmes sont folles, dit-il, dédaigneux, amusé.

Ses rendez-vous étaient nombreux. Il me renvoya avec désinvolture.

— Portez-vous bien et ne manquez pas d'aller les voir, me dit-il en me donnant une molle poignée de main.

Son valet de chambre m'accompagna jusqu'au tapis-brosse.

J'ai une compagne à travers une vitre. Esther. C'est une jeune fille de treize ans, c'est la guerre. Nous habitons sur la cour, au premier étage. Ma fenêtre, la sienne, nuit et jour face à face ne se perdent pas de vue. Sa fenêtre est habillée de rideaux ennuyeux. La mienne est nue. Esther nous voit, elle apprend à aimer, à détester, à prendre dans ses bras, à embrasser la nuque, la main d'un homme. Elle décalque notre existence. Ce n'est pas un jeu de glaces. J'arrive la première, elle soulève le rideau, elle continue de brosser ses cheveux raides, ses cheveux définitifs qui s'arrêtent au-dessous de la mâchoire. Esther n'est pas jeune, elle ne vieillira pas : c'est sa beauté. Elle ne sourit pas, c'est sa grandeur. Les visites que nous échangeons à travers la vitre sont plus réelles qu'un bonjour. J'arrive, elle accourt ; elle vient, je me précipite. Elle a la prestance d'une majesté qu'on a mariée petit bébé. Teint mat, lèvres ardentes. Son frère lui parle. Je disparais, j'observe Esther. Elle ne tourne pas la tête, elle ne répond pas. Inlassablement, elle brosse ses cheveux. Admirable folle qui n'a pas perdu la raison. Elle est seule, elle sera seule. C'est son titre. Le jersey de la robe avec laquelle je me suis mariée lui plaît. Elle me connaît jusqu'au ras du cou, elle ne me demande pas autre chose. Notre idylle est publique. Nous n'avons rien à nous dire, rien à nous confier, rien à nous déclarer. Le rideau retombe après son départ.

J'oubliai Esther ; je dis à Gabriel qu'il avait un nez de Juif.

« Mercier, c'est sûrement un nom juif, pauvre cinglée ! » me répondit-il en ricanant.

Je lisais dans ses yeux qu'il me plaignait.

Gabriel n'est pas méchant. Il me donnait ses tickets de ravitaillement après avoir mangé au restaurant. C'était notre monnaie la plus courante depuis que nous étions rationnés. J'attendais mon tour pendant deux heures pour une poignée de légumes, je causais. Je me mettais dans la peau des autres. Orgie de lieux communs. Je désirais plaire. Je parlais : colis à expédier aux prisonniers, lettres reçues, lettres envoyées, avances, défaites de nos ennemis, lueur d'espoir, parents à la campagne, parents se privant pour envoyer du lard. Radotages, ressassements, lamentations, menaces, j'imitais ces ménagères. Je critiquais avec elles, je me consolais avec elles. « Tout n'est pas perdu », me disait à l'oreille une forte. « Tout n'est pas perdu », disais-je à une infirme. L'ennemi, les nôtres. Ce vocabulaire ne me sortait pas de la guerre que je menais contre Gabriel, de nos humiliations réciproques. Ma défaite coïncidait avec la guerre de 1939. Carottes, nouilles, rutabagas choyaient mon palais si Gabriel était aimable. Je geignais avec les autres pour abréger l'absence de Gabriel. J'étais neutre avec bonne foi et, en outre, j'espérais du drame mondial, de tous les Parisiens en fuite, j'espérais de l'avancement. Bombes, obus, tombaient sur mes échecs. La guerre me sortirait de mon trou. Prendre des décisions est pénible lorsqu'on est paresseux. Finies les décisions, les solutions à trouver. On se laissait porter, on vivait une transition. J'habitais un taudis : m'appartenaient quand même les immeubles somptueux avec leurs pancartes « A louer ». Je respirais mieux dans Paris dépeuplé.

Ils m'offrirent plusieurs numéros du magazine où avait paru mon récit. Je ne me préoccupais pas de mon texte mièvre, bâclé, insuffisant. Mon prénom et mon nom me suffisaient, ils remplissaient chaque page. Mes yeux buvaient de l'absinthe. Je comptais et recomptais le nombre de lettres de l'alphabet pour mon nom et mon prénom : moi la voûtée, je me tenais droite huit fois, je me tenais droite cinq fois, je me tenais droite treize fois. J'avais des astres pour doigts de pied. Je couchais ma joue sur la page du magazine, pour voir si mon nom et mon prénom étaient statiques. Ils l'étaient. Je courus chez ma mère, je lui offris un numéro du magazine. Son enthousiasme et son indulgence me troublèrent. Je crânai : ce n'était qu'un début, on m'attendait pour des reportages. Ma mère n'a pas lu les grands auteurs sauf Stendhal, sauf Dostoïevsky. Elle murmurait : « Comme je suis contente pour toi, c'est ta vie la littérature, c'est ce que tu désirais. » Minable, je la quittai.

Je file et sur le quai du métro de la station Pelleport, qu'est-ce que j'aperçois ? Le magazine sous le bras d'une jeune voyageuse pomponnée. Tout peut être reconquis, ce n'était qu'une déception passagère. On me lit, donc on me lira. On me sort, on me promène, on me serre près de la chaleur de l'aisselle. O morsure lorsque je m'approchai. Elle poudrait son petit nez, elle promenait son bâton de rouge sur ses lèvres. Le magazine tomba sur le quai, elle continua son ravalement.

Je ramassai le magazine.

— Je vous demande pardon, dit-elle. Il ne fallait pas vous donner ce mal...

Elle me prit le magazine avec autant de grâce que de distraction.

Amorphe, je ruminais les fleurs de rocaille sur le couvercle de son poudrier. Elle leva les yeux, elle me dévisagea. Je devenais inquiétante. Je m'éloignai sans la perdre de vue et, au comble de la mortification, je chantonnai comme quelqu'un qui a été pris en flagrant délit. J'attendis le train avec elle. Je montai dans son compartiment, je m'installai de façon à la surveiller sans qu'elle se doute que je la dévorais. Elle posa le magazine sur ses genoux, elle rouvrit le poudrier, elle arrangea plusieurs mèches de ses cheveux. Enfin elle referma son sac à main, elle se laissa envahir par l'agrément de voyager. Je la suivis dans les couloirs, je descendis avec elle à la station Barbès-Rochechouart. Je marchais derrière elle mais sur l'autre trottoir. Le soleil sur les tables des terrasses invitait à la lecture. Elle s'assoira, elle feuillettera le magazine, elle choisira mon récit, nous le lirons ensemble. Un passant m'injuria : je prenais trop de place. Inconnue, inconnue... Entends le charmeur qui t'appelle. Va, mésange, va becqueter ma prose à l'ombre du siphon. Va. Lis-moi. Je vais tomber tellement je veux que tu veuilles ce que je veux. Nous marchions, nous semions les cafés et les terrasses. Je la suivis dans des rues inconnues. Elle entra dans une épicerie-crémerie. Je regardais tantôt les draperies pour manteaux de dames, tantôt son visage joliment inexpressif. Elle tournait souvent la tête du côté de la rue comme si elle attendait quelqu'un. Elle sortit avec ses petits paquets, le magazine tomba sur la marche de la boutique, un passant le ramassa, il le lui tendit. Elle remercia sèchement. Mon récit n'inspirait pas un roman. Je me remis à la suivre ; cent mètres plus loin elle appuya sur le bouton d'un immeuble, elle entra et referma la porte.

Je cherchai un marchand de journaux. Il avait vendu tous les numéros. J'eus une bouffée de chaleur : mon récit faisait monter la vente. Trois maisons plus loin je vis, piquées dans le crochet au-dessus de l'éventaire d'une graineterie, les pages du numéro dans lequel j'avais écrit. Je reconnaissais les illustrations. Je repris le métro, je m'assis à côté d'une virago débordante de satisfaction d'elle-même. Je tenais ma proie. J'ouvris le magazine, je le feuil-letai avec exubérance. Je laissai le numéro ouvert sur mes genoux à la page où se trouvaient mon nom, mon prénom, le titre. Celle-là n'y échapperait pas. Je patientai, bras croisés. Elle ôta ses gants, ouvrit un élégant fourre-tout, en sortit une serviette de table immaculée avec quelque chose dedans. Elle dénoua la serviette et tourna la tête de mon côté avec une lenteur d'automate. Elle me toisait de toute la longueur de son cou pris dans plusieurs rangs de perles. Elle tricotait une brassière.

Ils me dirent qu'ils me mettraient à l'essai pour un éditorial, qu'il fallait remonter le moral des femmes séparées de ceux qu'elles aimaient. Je devais inspirer la bonne humeur, l'équilibre, l'entrain, la santé. Je devais, avec du quotidien, construire le piédestal de la femme au foyer.

— Ecrivez ce qu'ils vous demandent, vous en êtes capable, me dit Maurice Sachs sans ironie.

Je n'osais pas lui dire : avez-vous lu ce que j'écris ?

Ma double vie commença.

22 mai 1961. Une ancienne directrice d'école — quatre-vingt-trois ans — m'a conduite au paradis des jardins libres. Nous suivîmes le sentier après des broutilles de ruines et de maisons fermières qui

tiennent encore debout. Le mistral soufflait. Je crus
qu'il s'arrêtait net, genre télégramme qu'on décca-
chette. Nous laissions un hiver à Oslo pour entrer
dans un printemps de Palerme. Surprise d'une expo-
sition.

Nous arrivions dans le voluptueux désordre d'un
jardin sauvage, j'entendis fredonner : un vieillard
apparut coiffé d'un chapeau de paille, mélange de
soleil et de miel. Un panama réduit à un képi avec
deux oreillettes.

— Bonjour, dit-il sans plus avec une voix traînante comme si son chant s'étirait jusqu'au mot
bonjour.

Pauvre, négligé, solitaire, cela saute aux yeux.
Mais non ! Ses pommettes roses, son visage resté
rond malgré l'âge, ses gros yeux bleus, le mouvement de vague de ses cheveux blancs sur sa nuque,
sa barbe clairsemée de patriarche léger, délivré des
obligations, du temps, cet ensemble a vaincu la solitude, la pauvreté. Un homme seul qui ne peut pas
recoudre les boutons de sa braguette.

— Bonjour...

Il nous montre le petit poing vert des artichauts
nouveaux prêts à être cueillis. Il s'en va avec une
marmite trouée, pleine de terre. Ses premières
fraises, quatre ou cinq, stagnent dans l'eau trouble
d'une boîte en fer rouillé. Nous sommes loin du
coton hydrophile des marchands de primeurs.

« Il a enseigné au Mexique », me dit la dame de
quatre-vingt-trois ans qui écoute Sidney Bechet. Il a
été chassé de la France, de chez les Frères Chrétiens,
au moment de la séparation de l'Eglise et de l'Etat.
C'est un ermite qui a bourlingué. Nous voici clouées
sur place pour une masse d'iris herculéens à côté
d'une masse de pavots rose foncé. Sensualité des
coloris pour la lumière ; sensualité de la lumière
pour les coloris.

Nous le félicitons, il est au-delà de ce que nous lui

disons. Il vit dans les chansons qu'il fredonne, qu'il invente, qu'il compose. La dame de quatre-vingt-trois ans qui lit Sartre, Schwartz-Bart, qui voudrait voir les premiers films de Bunuel, qui discute « Le Journal Parlé » avec une fougue de lion, qui est abonnée à *L'Express*, à *L'Observateur*, aux *Temps modernes*, lui dit qu'il a des fraises.

— Puisque je vous ai donné la première !

— C'est vrai, vous me l'avez apportée, lui dit-elle.

Il s'en va inspecter sa clématite, il continue de fredonner. La voix chancelle. C'est vieux, c'est bête, c'est prodigieux. Ses doigts font des miracles d'endurance avec les plantes. Ce qu'il touche fleurit.

23 mai 1961. Froid de chien dans le Vaucluse ce matin. Je ne me lave pas, ça simplifie. Un, deux, trois, quatre tricots sur mon pantalon gris et en route avec mon petit panier d'Espagne, l'espadrille bleu canard trop large, le vernis écaillé de mon orteil de Paris. Je quitte mon habitation de nuit pour mon habitation de jour. Gentil soleil... il m'attend lorsque j'arrive sur la terrasse. Je prépare mon petit déjeuner dans une remise à bois, avec du bois qui ne m'appartient pas. Ne soyons pas exigeants. L'oxygène aussi est une source de chaleur. L'eau chauffe et je suis nulle devant mon problème : comment parviendrai-je à engloutir mes deux kilos de fraises avant de les retrouver flasques, couleur de tabac ? Je sucre, j'écrase les fruits pour les engloutir avec leur fraîcheur de fraisier. J'ai mes passants, j'ai mes habitués dans le sentier au-dessous de la terrasse. Les chats, les chiens. Un grand chien roux, un grand chien beige, un grand chien blanc... Absorbés par leur recensement, ils cherchent les odeurs de la terre en s'évitant. Ils appartiennent à leur horizon. Ce sont les chiens de mes tristesses, ce sont les chiens de leurs méditations.

24 mai 1961. Pleuvra-t-il ? Les collines au premier plan sont couvertes d'une couverture de mongolie.

Il pleut. Des pièces de cent sous. La montagne au second plan est bleu marine. C'est presque un terril de mon pays, au-dessous des nuages au bleu menaçant. Les genêts se sont éteints, j'entends le bruit de la pluie sur le ciment. Les jardins vont jouir. Des oiseaux gavés de cerises chantent. La pluie bourdonne dans mes oreilles, la maison en ruine est à bout de forces quand il pleut, la terre humide rosit, les vignes rapetissent, les cabanons s'évanouissent. Qu'il pleuve ou qu'il ne pleuve pas, j'ai le clair et j'ai l'obscur de deux collines qui naviguent près de l'infini. Visite, vol disloqué d'une hirondelle devant la porte-fenêtre. J'ai de la sensiblerie à revendre, je suis triste pour le banc trempé que je ne peux pas mettre à l'abri. Mon bouquet de glaïeuls sauvages, cueillis hier soir entre des genêts et de jeunes arbres fruitiers fleuris de pousses grenat ne me prédisaient pas une longue-longue pluie. Ma maison construite avec du soleil s'est écroulée.

J'écrivis plusieurs éditoriaux.

Levez-vous tôt, disais-je aux lectrices. Je me levais à onze heures, je hurlais pour avoir le sexe de Gabriel. — J'aime mendier, j'aime demander, obtenir, profiter. Mon Dieu, oui mon Dieu, que c'était magnifique ma quête tandis que je pleurais couchée sur les pieds nus de Gabriel devant l'évier. Le lierre que j'adorais : mes bras qui grimpaient autour de ses mollets. Oh ! madame Lita, quelle délicatesse vous avez eue. Vous habitâtes à l'étage au-dessus du nôtre pendant toute la guerre. Vous entendîtes nos séances loin de votre mari prisonnier. Je vous rencontrais souvent, vous portiez l'étoile jaune cousue à votre corsage, vous donniez un bonjour à l'épouse la plus calme au monde. Je parle de vous, madame Lita, et voici un rayon de soleil pendant qu'il pleut.

Et surtout levez-vous du pied droit, disais-je aux lectrices.

Je me fichais de mon pied droit. Epuisée de privations, je me laissais tomber de notre divan. Mes
cheveux baignés de larmes pleuraient sur mes joues.
Gabriel venait, il me ramassait, il jetait ce paquet
de loques sur nos draps. Commençait une autre
crise de mendicité. Gabriel s'exécutait parce qu'il ne
pouvait pas me tuer. Il s'arrachait de la chambre.
Souvent j'ai espéré que nous, la chambre, la table, le
poêle, le fauteuil, le divan allions suivre Gabriel
tellement il nous détestait.

Ne perdez pas de temps : soyez de bonne humeur
en vous levant. Boxez le quotidien, mesdames, mesdemoiselles. Vos difficultés s'envoleront, disais-je
aux lectrices.

Si je me levais avec Gabriel, c'était pour discuter
3 francs de gaz, 2 francs d'électricité, 20 sous de
charbon, 100 francs de loyer. Je cachais mon porte-
monnaie, il dissimulait son argent lorsqu'il ouvrait
son portefeuille. Drôle de match de rapacité. Nous
trichions sur ce que nous avions gagné. Dix fois par
jour, j'ai vérifié la somme dans mon sac à main. Je
ne me méfiais pas de Gabriel. Je me méfiais de sa
curiosité. Son argent, c'était encore son sexe qu'il
me refusait. Je le créais avec mes caresses, il me
parlait bronchites, rhumes, tricots. On voit que tu
n'as pas eu faim m'a dit souvent ma mère. Gabriel
avait eu faim. Le froid d'un veston d'été en hiver, il
s'en souvenait. La rue de sa fièvre thyphoïde le
hantait. Je lui donnais des nouilles, encore des
nouilles, toujours des nouilles. Je m'acharnais à le
garder en m'acharnant à le perdre.

De l'équilibre, de l'équilibre avant tout, mesdames et mesdemoiselles. Soignez vos nerfs. Soyez la
bonne jardinière de vos nerfs. Une âme saine dans
un corps sain disaient les anciens. Pas une minute à
perdre, respirez, la fenêtre ouverte, en vous levant
disais-je aux lectrices.

Il était frais mon équilibre ! Lasse d'attendre la

révélation, la visitation, je me libérais de l'espoir par des crises de furie, des menaces de suicide. J'accusais Gabriel de détester les femmes, je lui reprochais ses amitiés invincibles, je l'accusais d'homosexualité. Je me battais avec la pelle à charbon pour le convaincre. C'est en lui-même que je me suis tuée. « Je vais fuir, je vais disparaître, je vais me suicider. » Il hausse les épaules. Il part avec l'appareil photographique en bandoulière. Il m'a laissé deux cigarettes dans le paquet fripé sur la cheminée. Le litre de vin est vide, les verres ont des traces de rouge à lèvres. Je m'habille, je me maquille, je m'aperçois que je tremble puisqu'un peu de poudre est tombée de l'armoire sur le plancher. Exploitons ce tremblement, d'une menace soutirons une réalité. Je fabrique un autre tremblement, j'appuie en tremblant la houppe sur la poudre dans la boîte. La poudre ocre rosé se répand un peu partout sur les rayons de l'armoire. Dans quel état devait-elle être, se dira-t-il. Gabriel est pris, je le tiendrai avec son inquiétude.

Je pars nourrie, désaltérée. Je me demande où aller. Je meurs d'ennui avant de jouer à mourir. Je traîne la ville, je traîne les heures, je traîne les cafés moribonds, je traîne les bouches de métro. Je traîne les étalages, je compte les chapeaux, les bracelets, les bagues, les colliers, je compte les estampes, les livres polissons, je compte les chemises, les chandails que Gabriel ne s'achète pas, je me dis que je ne suis plus de ce monde et que je vois de mon ciel de fausse suicidée des chaussettes, des ceintures de cuir pour Gabriel. J'échoue dans la chambre de Musaraigne, une amie.

Musaraigne nous avait rencontrés, par hasard, dans la rue. Gabriel n'avait pas desserré les lèvres. Musaraigne a mon âge. Elle est croyante et pratiquante, elle observe, elle juge, elle se trompe ou réussit, elle se pique de psychologie mais Dieu ne lui prête pas toujours son microscope. Pourquoi l'épileptique tombé sur le pavé la laisse-t-elle froide ? L'écume ce n'est pas propre. Musaraigne a la préciosité lente quand elle parle. Elle a été pétrie avec du cristal. J'ai peur qu'elle se casse lorsqu'elle s'anime. Elle est chaste, elle est intacte, elle est pauvre, elle se nourrit de miettes, son souffle sifflant entre ses phrases me fait mal. C'est sa lutte avec le serpent. Assise dans un pré, elle lit à voix haute Proust, Edgar Poe, Thérèse d'Avila, Péguy, Valéry à sa mère ou bien à ses amis. Comme moi, c'est une folle de bouquets des champs. Nous galopions sur un lac de marguerites blanches, nous perdions la tête avec Julienne pour le champ de muguet au-dessus des rochers de la Mer de sable. Les trois grâces (nous nous appelions ainsi) rentraient à Paris enrichies. Gif, Bures-sur-Yvette, Chevreuse, Saint-Lambert, Saint-Rémy, Port-Royal, Eve, le métro, la gare du Nord, la gare Saint-Lazare, les gâteaux du village le dimanche... Nous cherchions à midi un verger abandonné, nous trouvions ce carré de la providence, nous déballions notre casse-croûte. Musaraigne mâchait le pain mie, la biscotte, des sandwichs. Mais elle éclatait de rire pour mon saucisson à l'ail que je balançais sous son nez. Julienne buvait le soleil. Nous divisions, nous additionnions nos dépenses ; je me moquais de la pitié de Musaraigne, je la torturais, je la faisais pleurer. Elle et Julienne me parlèrent de Vincent Van Gogh. Julienne me prêta ses Lettres. Je te cacherai, lecteur, un des plus grands moments de mon existence : Van Gogh, les Lettres de Van Gogh. Assis sur son trône de gloire, je veux qu'il crache sur la société qui l'a assassiné.

J'interrogeai Musaraigne le jour où je mis en scène mon faux suicide. J'arrivai chez elle et ce fut une crise d'égocentrisme. Elle m'écoutait, je racontais. Dites qu'il est sadique, dites-le. Pourquoi est-il sadique ? Cherchez. Réfléchissez, prenez votre temps. Pourquoi se refuse-t-il ? Pourquoi me refuse-t-il tout ? Il déteste les femmes. Je vous dis qu'il déteste les femmes. Hermine partie, il s'est mis à ma place. Il se refuse comme je me refusais. Je dois lui rendre ce qu'il me donnait. Vous ne voyez donc pas sur mon visage ce qui se passe, ce que je supporte ? « Je le vois », a dit Musaraigne. Elle me regardait avec compassion. Elle a fini par déclarer que Gabriel était sadique mais que ce n'était pas inquiétant. Je voulais qu'elle dît aussi qu'il était bizarre. Je lisais « Vous êtes plus difficile à vivre que lui », dans ses yeux tristes. C'est sur le ton d'une grave confidence qu'elle chuchota que je n'aurais pas dû me marier. Je répliquais qu'il se serait sauvé. Elle a ri de bon cœur :

— Croyez-vous qu'il ne se sauvera pas ?

— Je ne sais pas. Ce que je sais, c'est qu'il est attachant.

— Je n'en doute pas, dit-elle, navrée.

Je lisais dans son sourire : ce n'est pas mon genre. Je préfère mes soirées avec les grands auteurs.

Je ne lui dis pas ce jour-là comment je m'y étais prise pour effrayer Gabriel. Je la quittai à l'heure de l'apéritif, je bus une boisson sucrée. Bientôt-bientôt ta victoire, fredonnaient les aiguilles de l'horloge Saint-Michel. Je dînai au restaurant *Les Balkans* — finies les brochettes d'agneau —, la nuit venait entre les rideaux, elle m'exauçait déjà. Il y avait deux heures que Gabriel m'attendait dans la chambre, mes rugissements n'étaient pas vains. Je rentrai à dix heures et demie du soir, je retrouvai la chambre comme je l'avais laissée. Pas d'appareil photographique, pas un mégot, pas une trace de Gabriel. J'ouvris l'armoire, j'eus un vague malaise à cause de la poudre ocre rosé sur les rayons. Je ressortis, je tournai dans les rues autour de l'immeuble. Soudain je le vis. Il parlementait à voix basse avec sa sœur. Les papiers bleus collés sur les vitres des fenêtres ressemblaient à des vitraux qui ont perdu leurs couleurs. Gabriel reconnut mon pas. Il accourut, il tomba dans mes bras. Je t'ai retrouvée, je t'ai retrouvée répétait-il à bout de souffle.

Sa sœur nous sépara :

— Où étiez-vous ? me dit-elle avec sévérité.

— Où étais-tu ? dit Gabriel.

La lampe de poche de Gabriel nous éclairait tous les trois. J'aurais voulu embaumer son visage radieux, le mettre sous globe.

Je me mis à jouer avec mon sac à main.

— Parle, dit Gabriel.

— Parlez. Mon frère vous a attendue une partie de l'après-midi...

— Tu ne reviens pas si tôt les autres jours, dis-je avec mauvaise humeur.

— Nous vous avons cherchée chez votre mère.

— Va-t'en maintenant qu'elle est là, a dit Gabriel à sa sœur.

Gabriel retapa notre lit, il vida ses poches sur la cheminée sans une parole.

— Viens, dit-il enfin, tu vas tout me raconter. C'est ta boîte de poudre qui m'a le plus effrayé.

— Tu croyais que j'avais fait une bêtise ?

— Je le croyais.

Nous étions couchés. Il me regardait.

— Bonhomme, s'écria-t-il.

Il me serrait dans ses bras, il pleurait.

— Pauvre bonhomme, dit-il encore au creux de mon épaule.

— Tu me plains ? dis-je à voix basse.

— Je te plains, dit Gabriel.

Silence. Qui parlerait le premier ?

— Tu aurais préféré que je me tue ? Et je suis revenue...

— Ne dis donc pas de sottises.

449

— Tu étais vraiment inquiet ?

— Je t'en prie. Ne joue pas à la petite femme. Je déteste ça. Où étais-tu ?

Il s'est accoudé sur l'oreiller :

— Je vais en griller une. J'en oubliais de fumer.

Gabriel a pris le briquet, le paquet de cigarettes sur le plancher : sa table de chevet.

— Eteins... Je te raconterai.

— Je n'éteindrai pas, dit Gabriel.

Sa cigarette à cet instant était sa meilleure amie.

— Je me promenais... je me suis promenée. J'ai été chez Musaraigne. Tu pourras lui demander.

— Je ne lui demanderai rien, je te crois.

Il réfléchissait dans mes yeux. Il s'est remis à fumer.

— C'est parce que je t'aime, dis-je en baissant les yeux.

— C'est ça tu m'aimes, nous sommes d'accord, dit Gabriel dans un rictus.

Il a éteint.

— Qu'est-ce que t'a dit ma mère ?

— Qu'il ne fallait pas nous inquiéter. Que tu reviendrais. Qu'elle te connaissait.

J'en voulais à ma mère. Son optimisme me blessait.

— Elle s'inquiétait ?

— Moins que nous, dit Gabriel. Elle te connaît. Bonsoir.

— Bonsoir.

Une main maladroite dans les ténèbres a serré la mienne. Un adieu. Je modelai mon chagrin, je pleurai sans étalage. Gabriel essayait de s'endormir, il sursautait souvent.

— Félicitations, tu as bien dormi. Ça te réussit, m'a dit Gabriel le lendemain matin.

— Et toi ?

— Je n'ai pas dormi. Je me rattraperai la nuit prochaine.

C'est ainsi que pendant les trois jours suivants, en Gabriel je mourus lentement.

Mes reportages n'ont pas été nombreux. Insignifiants, avortés, refusés. Je n'avais pas de métier, je ne regardais pas avec l'œil du public.

Je proposai à un grand magazine un reportage sur les coulisses de la Comédie-Française. Le projet plut. On me donna le meilleur photographe de Paris. Les machinistes nous montrèrent et nous expliquèrent la machinerie. Je ne comprenais rien à ce labyrinthe de cordages, d'escaliers, de trappes, de recoins, de passerelles mais j'aurais voulu dormir là une nuit après la fin du spectacle. Le plateau devant la houle des fauteuils sous les housses me semblait dérisoire. Je traversais la scène dans tous les sens, je ne ressentais rien. Moi tragédienne de notre réduit, moi tragédienne des reproches et des ressentiments, moi tragédienne de mes ovaires, tête fleurie de bigoudis, avec ma traîne de larmes, pluie d'orage pour pleurer, face brisée, douleur de la terre grasse retournée, qu'est-ce que j'étais dans le palais de Phèdre, dans l'appartement de Chimène ? Une poule mouillée. Je me cognais à la charpente du spectacle et je ne croyais plus à sa réalité lorsque le rideau se lèverait. Le drame d'une poutre, d'une poulie, l'atmosphère de hangar et d'entrepôt me suffisaient.

Des acteurs en civil nous reçurent, ils nous laissèrent visiter une loge : un boudoir aux murs tendus de cretonne ancienne. Je n'osai pas les interroger. Que demander à un acteur ? J'avais lu *Le Paradoxe du comédien* quand je rédigeais des échos, je m'en souvenais. Des gaillards riaient de bon cœur loin des clameurs des empereurs. Ils vivaient sans jouer, c'était parfait. Le photographe réussit son reportage. Photographies impeccables, puissantes, inattendues, variées. Je devais écrire les légendes. Quel labeur pour m'empêtrer dans ma pauvreté... Non, je ne pouvais pas inventer le métier que je n'avais pas. J'appelai Gabriel à mon secours : l'aube se lèverait, mon travail ne serait pas prêt. Gabriel me dit qu'il préférait étudier l'œuvre du photographe. On me demandait des légendes. J'écrivis des fadaises compliquées. Le numéro du magazine parut, j'avais disparu. Qui avait écrit un texte plus simple et meilleur que le mien ? Je pleurais parce qu'on n'avait pas imprimé au début : d'après une idée de Violette Leduc.

Je revins au magazine féminin ; je fis un discours sur la possibilité d'offrir aux lectrices la reproduction de modèles des couturiers. Les rédacteurs hésitèrent. Il ne fallait pas effrayer avec de l'excentrique, avec de l'inabordable. Je répondis que les lectrices prendraient ce qu'elles voudraient : un nœud, une pince, un coloris, un poignet.

« Avoir des reproductions de tableaux dans sa chambre, ce n'est pas avoir la folie des grandeurs », m'écriai-je. Ils réfléchirent, ils m'envoyèrent chez Lucien Lelong. Assister à la présentation d'une collection... Mon imperméable usagé me choquait malgré ses traînées d'arc-en-ciel. Je ne franchirai pas le seuil, le portier me renverra. Je le mis sur mon dos et je m'imbibai de pauvreté dans notre cuisine. Les rats au-dessous de notre lucarne en verre dépoli traçaient des motifs rapides sur la toiture. Les rats de Paris, la mode de Paris. Nous connaissons ce gloussement : la cime du désespoir. Je gloussais. Écoutons, reposons-nous avec le réchaud à gaz. Mon pouls, ma paupière, une mesure pour rien je vous prie, la barque du temps avance à côté des choses : le gant éponge effiloché et mouillé, la poubelle avec sa doublure de papier, la cuvette et son cercle de crasse, la pomme de terre éclatée, l'allume-gaz à côté du mégot. La barque, c'est Hermine, elle rame debout. Nous palpions les soldes. Notre passé... ce petit peu de marc de café sur le bord de l'évier. Partons. Je donnerai des taillleurs anguille, des lamés, à des yeux que je ne verrai pas.

Grande distance entre une acheteuse de soldes et une petite rédactrice sans métier, sans capacités. Je montrai ma lettre d'introduction ; portier, groom, vendeuses me dirent que je pouvais entrer. Dans la foule au caquetage nourri, je devins une écolière intimidée. Une dame vêtue de gris me donna une chaise frêle en bois doré. La présentation commencerait bientôt : crayons, porte-mines, stylos étaient braqués sur les bloc-notes. Parfois une vendeuse-météore traversait la scène, l'espace entre les rangées de chaises face à face. Une voix cria un nom, un mannequin vêtu d'un tailleur du matin sortit des coulisses. La présentation commençait. Quelqu'un chuchota que le couturier était parmi nous, il le montra du doigt. Strictement vêtu d'un complet bleu marine, il croisait les bras, il se préparait à regarder son œuvre.

15 juin 1961. On fane, mes enfants. L'été est de bonne humeur, les prés commencent à avoir des mamelons, l'œil se réchauffe en les regardant comme l'odorat se réchauffe dans les étables. On fane, on rase. Le bruit du tracteur couvre les taffetas de la fourche retournant le foin. Terre grise, terre sèche sur laquelle je me repose ; brouillard d'herbe et de trèfle dégénéré, deux oiseaux me désaltèrent. Magnificence des genêts : le soleil berce des grappes d'or, le bleu fluide du ciel est langoureux. Rose ardent, rose mystique d'un champ de trèfle qui monte en graine, tiens un petit papillon rouge. Subtilité de l'orgasme de la lumière sur l'herbe, mon vitrail à terre. Encore, toujours les collines minées d'arbustes, la ligne d'horizon est une muraille toute en genêts gonflée comme une fourrure. Et la brise

passe avec une délicatesse de garde-malade, et je suis assise à côté des longs cils des genêts sortant du buisson. Fleurs à la proue de la tige, oreillettes ou petites gueules ouvertes ? Art religieux, couleur des trompettes sur les tableaux. Ruissellement de lumière. Je serais stupide si je ne profitais pas de ce que j'ai... J'en profite deux fois en le confiant à mon cahier. Je suis dans un calice. Le calice de la nature qui se réchauffe. Ma naissance, c'est la naissance de l'herbe la plus modeste, la plus libre, la plus ignorée. Ma naissance, c'est la visitation de lumière. Le silence sur **mon** épaule, ô ma colombe. Buvons à longs **traits cet** azur frêle. J'ai soif, j'ai faim et je me baigne dans le gosier de l'oiseau. J'écoute, je regarde, je ne meurs pas. Ma vieillesse, dis que tu seras mon oreiller. Les flocons de mes vieilles années accrochés aux haies me plaisent tant. Dis-moi, ma vieillesse, que ma solitude sera mon petit enfant à cheveux blancs. Mon âge se fane, je n'ai plus peur des enfants qui rient. La nuit je patiente : ne pas dormir c'est vivre les heures qui sonnent, c'est être aimée d'un clocher. Je vieillis donc je vis : mes linceuls sont argentés dans l'écorce de l'arbre qui meurt. Rentrons, ma Violette, remuons sur les divans le tilleul que nous avons cueilli. Je cueillais sous le dôme du jeune tilleul, je me mariais à ce monde de fleurs, d'hélices, de feuilles dans lequel les abeilles tissaient mon voile.

Le couturier croisait les bras, il considérait son ouvrage avec flegme. J'eus un coup de sympathie pour cet homme silencieux, effacé. Sa maigreur me convenait, son visage laid était taillé plutôt que ridé de générosité. Ses yeux manquaient d'audace comme sa collection. J'ignorais que la collection était parfaite pour le commerce, pour la clientèle raisonnable. Une jeune femme avait mené la collection au succès avec le dédain d'une étudiante russe.

Je quittai le salon la première, honteuse de n'avoir presque rien écrit.

Gabriel... c'était toi, c'est toi ? J'avais besoin de toi sur toute la terre te voici entre mes ongles et ma peau.

Tais-toi fillette.

Ne m'appelle pas fillette. Ne chasse pas ton lierre.

Moins de salive, petite.

Je suis petite ?

Je ne te répondrai pas. Notre nom, mon nom ?

Je le cache. C'est plus commode. Pour mon métier, c'est plus commode.

Tricheuse. Assise sur cette chaise dorée, tu appelles ça un métier ! Si je n'étais pas un gringalet, si j'étais capable, tu promènerais mon nom sur une bannière. La pauvreté est une maladie honteuse, tu es d'accord ?

Pourquoi, Gabriel, leur donnerais-je notre vie d'hier, notre vie d'aujourd'hui ? Ils nous vomiraient, je n'aurais plus de travail. Songe à notre réduit. Je cache notre misère.

Tricheuse. J'espérais que tu dirais merde au monde, je me suis trompé.

Ce n'est pas ma faute. On m'a fermé le bec alors que je n'étais pas née. Quand je t'aime je ne triche pas. Je ne pouvais pas supposer qu'on puisse tant décourager d'aimer. Je trompais Hermine. Je trahirai toujours sans envergure.

Avare.

C'est possible.

Maurice Sachs t'enflamme.

C'est possible aussi. Il me renvoie à toi, tu me renvoies à lui. Il est meilleur que toi.

Il ne te connaît pas.

Il ne peut pas m'aimer.

C'est un exilé, tu es son exil. Chez eux, ton ambition est sans bornes.

Je ne le désirerai jamais.

Je vois que tu as fait les comptes.

Salaud.

Tu ne le désires pas et il te fera mourir de soif.

Mon Amiens éloigne-le. Mon Amiens bien-aimé qu'est-ce qu'il te faut ?

La paix. Mes chaussettes, mon tricot, mon ventre au chaud.

La paix, je ne peux pas te la donner. Il me faut m'occuper à te haïr pour m'occuper à t'aimer. Je bâtis pendant que nous nous déchirons. Nous nous calmons, j'ai un nid, j'ai une couvée avec des petits.

M'en fous. M'en fous absolument. Je préfère une bonne petite chaude.

Tu préfères le bois sec quand il prend.

Oui bonhomme. Je ne te le fais pas dire.

Gabriel... réponds. Est-ce que je suis hypocrite ?

Le vocabulaire des défauts, celui des qualités est à refaire aussi mon petit vieux. Toi hypocrite ? Tu es veule, tu n'as pas de caractère. Je me fatigue à te le répéter.

Je suis née brisée. Je suis le malheur d'une autre. Une bâtarde, quoi !

Innocenté ! J'ai plus souffert que toi entre père et mère. Quand il y a l'enfant préféré, sais-tu ce que c'est ?

Tu n'es pas beau, je suis laide aimons-nous de toutes nos forces. C'est encore possible. Tu ne réponds pas.

Je songeais.

Non je ne suis pas hypocrite. Je veux plaire à chacun, à tous, parce que je déplais. Il y a ceux qui peuvent tout dire. Il y a ceux qui ne peuvent rien dire. Il y a ceux à qui on pardonne tout, il y a ceux à qui on ne pardonne rien.

Ne te frappe pas pour si peu puisque tu seras toujours seule mon petit vieux. C'est ton lot.

Pitié Gabriel, entendons-nous. Toi qui as eu le courage de me prendre, ma beauté. Si je pouvais me décapiter pour te récompenser... Tu grandis, tu as grandi. Jusqu'où vas-tu grandir, Gabriel ? Tu brilles, tu étincelles. Es-tu en or ou en argent ?

En zinc, en étain. Je suis le comptoir de tous les petits cafés de France.

Redeviens le petit photographe que je caressais. Nous achèterons du vin, des cigarettes. Je te chanterai la chanson du fruit qui mûrit sur l'ouate. Viens.

— Il est tard. Je vais demander à M. Sachs s'il peut vous recevoir.

— M. Sachs me recevra.

— M. Sachs est malade.

— Malade ?

— Gravement malade. Je vais voir s'il dort.

Non ce n'était pas le valet de chambre de ma visite précédente. La femme d'une soixantaine d'années agréablement démodée sous sa longue blouse blanche me laissa dans l'entrée de l'appartement. J'accourais après une dispute avec Gabriel.

Il est parti, c'est comme si Maurice Sachs était parti d'ici, me disais-je en espérant.

— Il vous attend, me dit la garde.

Elle s'effaça.

— Vous étiez malade, dis-je en entrant dans sa chambre.

Maurice Sachs assis dans son lit, vêtu d'un pyjama ivoire, la tête appuyée sur plusieurs oreillers, réfléchissait, les mains jointes sur le drap. Le livre de chevet sur la table me faisait mal. Je ne pouvais pas lire son titre. Connaître le titre du livre aurait été pire. J'aurais pénétré dans l'univers de Sachs pour en être chassée en même temps puisque je n'aurais pas compris le livre de philosophie qui ne le quittait pas.

— Vous êtes malade ? dis-je avec une voix de pleurnicheuse.

J'espérais, tout en me tenant près de la porte, m'approcher fort de Maurice, me faire aimer de Maurice avec ma voix que je travaillais...

Il tourna la tête.

— Apprenez à ne pas poser des questions stupides.

Il tournait trop ses yeux de châtaigne et de velours de mon côté. Je croyais que je vivais avec lui, je croyais aux compensations d'un mariage blanc : j'avais couru Paris pour lui à huit heures du soir et, dans la boutique encore ouverte, j'avais trouvé ceci et cela qu'il désirait et que je lui apportais. Les malades tournent ainsi la tête pour revoir le monde de ceux qui se portent bien, pour respirer le bon air de quelqu'un qui vient de la rue.

— Serais-je au lit si j'étais bien portant ? Il est vrai que j'aime me coucher tôt et me lever tôt... Se mettre à l'ouvrage aux aurores...

— Vous vous lèverez encore tôt, monsieur Sachs, dit la garde-malade.

Elle sortait du cabinet de toilette. Elle devait y être entrée par une porte dérobée. C'était la reine de ces lieux et elle me privait de mes droits. Je m'empourprai, j'étais jalouse.

— Mlle Irénée, dit Sachs.

Il la regardait avec tendresse, son visage s'éclairait pour elle. Je lisais un passé, entre eux, de médicaments, de piqûres.

— Violette Leduc, une journaliste de Paris, dit Sachs avec beaucoup d'élégance.

— Je vous en prie, je ne suis rien, dis-je sans fausse modestie.

La demoiselle cessa de me regarder. Il y a des êtres pour qui vous êtes un puits. Ils descendent, ils remontent, c'est fini. Elle regardait dans le cabinet de toilette.

— Avez-vous bien dîné ? Vous a-t-on bien servie au moins ? lui dit Maurice Sachs.

— J'ai tout ce qu'il me faut, dit la garde-malade.

Elle était confuse. Un seigneur la troublait, un seigneur me glaçait.

— Tout ce qu'il vous faut et encore ? dit Maurice.

— Je voudrais que vous ne vous fatiguiez pas, dit la garde-malade.

— Je voudrais que vous vous reposiez avant la nuit, dit Maurice Sachs.

La scène était irréprochable. Je voulais me sauver. Je n'osais pas.

La garde-malade quitta la chambre.

— Vous avez été très malade. Elle me l'a dit. C'est grave ?

— Vous n'allez pas recommencer, dit Sachs. Apprenez, ma chère enfant, que rien n'est grave. On ne peut même pas mourir de faim. Retenez-le. (Il ajouta d'une voix ironique :) Ma maladie ? J'aime : voilà ma maladie.

J'avais de la difficulté à soutenir le regard de ses yeux tristes. Décrocher la lune, la tenir devant ses yeux pour ne plus les voir, frapper à sa porte, lui présenter la carte de visite de l'adolescent idéal auquel il aspirait, je désirais tout cela.

— Bob ?

— Oui. Bob.

Nous soutenions le silence d'un problème sans issue.

Ils aiment les jeunes gens qui ne les aiment pas. Les exceptions sont rares. Voilà pourquoi j'étais si proche de Maurice Sachs. Son drap de lit... mon mouchoir pour pleurer sur ses misères d'amoureux.

— Est-ce qu'il est venu vous voir ?

— Je ne sais plus. Vous pouvez fumer, dit Maurice.

— Il n'est pas venu vous voir?

— C'est une rupture. Pourquoi diable voulez-vous qu'il vienne? dit-il d'une voix neutre. Vous pouvez me parler, ma chère enfant. Ça ne me fatigue nullement.

Il ferma les yeux. Il se reposait, je croyais que c'était sa façon de m'aimer d'amour.

— Remuez, dis-je, effrayée.

Il ouvrit les yeux. Il riait de bon cœur, cependant je ne croyais pas à la sincérité de son rire.

— Remuer avec un anthrax à la cuisse, vous en avez de bonnes, dit Maurice.

— Un anthrax et vous ne le disiez pas!

— Calmez-vous.

Maurice Sachs me laissa entendre qu'il avait bu pendant des jours et des jours après la rupture. L'anthrax s'était formé après une septicémie, après les sulfamides. Il était en faillite, il fallait qu'il quitte l'appartement. Il me parla de ses errements, de ses nuits de désespoir, de ses nuits de boisson avec le valet de chambre. J'appris plus tard qu'il pleurait pendant des heures sur les bancs, la tête appuyée sur l'épaule de son domestique devenu son compagnon.

— Si nous parlions de votre travail, proposa Maurice. Et ce reportage? J'ai appris que ça n'avait pas marché. Quoi? Ne vous laissez pas absorber. Vous avez l'air solide mais vous ne l'êtes pas. Vous êtes la proie de vos névroses. Votre inconscient vous dévore.

Sachs m'observait et réfléchissait. J'étais fière de l'intéresser.

J'ai dit:

— Vous souffrez. Il ne faut pas vous fatiguer.

Je pensais autant à Bob qu'à l'anthrax.

Il détourna la tête. Je l'importunais, je lui parlais trop directement de lui-même.

— Vous les Aryens, vous êtes toujours tristes et vous dramatisez dit Maurice Sachs.

Je ne devais pas m'occuper de sa santé, de ses affaires, de ses chagrins. Je me mis à détester ses mains potelées. Je ne parvenais pas à me brouiller avec sa bouche malheureuse.

— Comment va le mari, comment va le mariage ? dit-il.

— Je vais divorcer.

Je n'ajoutai pas : Plus j'aime Gabriel, plus je veux divorcer.

— Bonne idée, s'écria Maurice.

Je le trouvai superficiel. Je le trouvai trop arrangeant.

— Quoi de neuf ? dit-il encore.

Je lui parlai de mon enfance. Il me consola de mon passé, de mon présent. Il m'égaya, il me conseilla de continuer d'écrire. Je le quittai vers dix heures du soir.

— C'est fabuleux, dis-je à Gabriel en rentrant.

Ce soir-là Gabriel buvait à petites gorgées, il fumait avec délectation, debout près de la cheminée. Gabriel chauffait son verre de vin en toute saison. Son confort, il le dédoublait en vérifiant sa barbe du soir, celle qui fait un léger bruit de papier d'émeri.

— Oui, c'est fabuleux, dit-il en souriant à son verre.

— Quoi ? dis-je avec colère.

— Se laisser vivre, fumer, boire, mon petit vieux. A propos, dit-il en baissant les yeux, en tournant son doigt sur le bord du verre, sais-tu qu'on a emmené le père d'Esther hier ?

Je n'osais pas crier que nous étions deux monstres d'indifférence au coin de notre feu. Perché sur mon casque d'Aryenne, un perroquet radotait : quelle chance, nous ne sommes pas Juifs, quelle chance nous ne sommes pas Juifs en ce moment. Supprimée, effacée en naissant par de grands bourgeois il m'arrivait de n'être pas mécontente que d'autres grands bourgeois dussent en temps de guerre se réfugier en zone libre. C'est dans un Paris dépeuplé de ses valeurs que moi, médiocrité de bureau, j'écrivais des éditoriaux pour des dames et des demoiselles ayant besoin de se libérer de leurs travaux en lisant dans le métro. La nuit je rêvais que la guerre était finie, que les valeurs rentraient, que moi, chien galeux, je m'enfuyais vers un bureau de chômage. Je m'éveillais trempée de sueur, je balbutiais que c'était un cauchemar, je me rendormais.

— L'alerte, les avions, dit Gabriel. Tu veux descendre à la cave ?

Je jetai mon sac à main sur le divan.

— Je ne veux pas descendre. Je veux qu'on meure ensemble, dis-je à Gabriel.

— C'est que je ne veux pas mourir, dit Gabriel dans un bel élan d'indépendance.

Mes yeux se remplirent de larmes.

Je recommençai :

— Sachs est fabuleux.

Gabriel m'offrit une « troupe », il me répondit qu'il m'écoutait et qu'il s'amusait.

— Sachs est à la mort, il l'oublie. (Je m'approchai de Gabriel :) Qu'est-ce que tu écoutes ?

— La sirène. Notre petite gueule sous les avions !

Gabriel but lentement un verre de vin. Sa bouche ne se salissait pas, ses lèvres n'effleuraient rien. Lequel des deux en ce moment est le plus attirant ? me disais-je. Sachs, gros bébé de la rue de Rivoli, reposait, Gabriel petit homme souple et délié buvait. Et Violette, balancier efflanqué, penchait pour l'un, penchait pour l'autre.

— Dis-le que Maurice est fabuleux, dis-le avec moi...

— Si tu savais comme je m'en fous, murmura Gabriel.

Je lui enlevai sa cigarette des lèvres.

— Toi, ma petite, tu me le paieras. Je te préviens, tu es prévenue. Si tu tires encore les revers de mon veston comme l'autre jour, je fous le camp pour toujours. De toute façon je foutrai le camp. Je m'en irai et ça sera fabuleux.

Il se versa à boire.

— Pourquoi les détestes-tu ? dis-je.

Gabriel buvait un autre verre de vin en se regardant dans la glace de la cheminée. Je me rangeai à côté de lui, j'attendis sa réponse dans le miroir.

— Est-ce que tu vas me foutre la paix avec eux ?

Je me versai à boire. Je bus lentement, comme lui. Maintenant Gabriel fumait avec acharnement.

— ... Une nuit que je revenais d'Amiens, commença-t-il.

— Une nuit que tu revenais d'Amiens avec moi...

— Si tu veux. Je vous avais ramenée en taxi, jeune fille. Je te ramenais en taxi chaque fois que je pouvais et même lorsque je ne pouvais pas. Ce soir-là je ne pouvais pas. Tu imagines la trotte jusqu'à Pigalle ? J'arrivai à deux heures et demie avec mon carton sous le bras. Tu peux te faire encore deux ou trois billets, leur boîte n'est pas fermée m'a dit un portier. Deux ou trois billets. Je les tenais déjà : juste l'acompte pour un pieu chez un marchand de sommeil. Manque de pot, la boîte fermait, j'arrivais pour les deux derniers clients qui s'en allaient. Je me suis jeté contre le mur, j'ai dissimulé mon carton à dessin.

— Pourquoi ?

— ... J'espérais qu'ils me verraient, qu'ils me prendraient pour un traînard, pour le fauché que j'étais. J'espérais une aumône. Tu saisis ? Me voir ! Ils étaient enchantés de la boîte, ils étaient excités. « Ma petite, je suis ravi », disait le plus vieux.

— Tais-toi ! Ne parle pas comme eux. Ils ne parlent pas tous ainsi.

— Il n'y a pas de quoi se tordre les mains. Tu souffres à ce point ? Tu souffres parce qu'ils s'appelaient « ma petite » ou bien tu souffres parce que cette nuit-là j'étais sans un sou ?

Je me mis à pleurer avec le pauvre entrain d'une enfant prise en faute :

— Je suis triste quand ils minaudent et je suis triste parce que cette nuit-là tu étais à sec.

Je sanglotais pour sa carrure de collégien, pour sa chemise kaki mal repassée, pour son pull-over sans manches.

— Et après ? dis-je entre mes sanglots.

— Est-ce que je peux en rouler une oui ou non ? dit Gabriel en me montrant la cigarette qu'il préparait.

J'attendis qu'il voulût bien continuer. Il humecta le papier à cigarettes.

— Et après ? Le portier de leur boîte est arrivé debout sur le marchepied du taxi. Je voyais leur portefeuille, la liasse de billets... J'entendais leur rire dans le taxi. Ils étaient partis.

— Sans te voir ?

— Sans me voir. J'ai marché, j'ai marché... Je me suis retrouvé sur les quais. Un feu de journaux m'a réchauffé.

Je racontai la présentation de la collection au metteur en pages, à la rédactrice en chef. Ils décidèrent qu'un modéliste croquerait des silhouettes, que je l'accompagnerais pour choisir avec lui. Coup de foudre, harmonie. Nous devînmes tout de suite des amis. Des vendeuses s'occupaient de leurs clientes, une première traversait le salon avec sa pelote d'épingles attachée au poignet comme une montre. Parfois elles jetaient un coup d'œil sur le croquis, elles repartaient plus vives, plus alertes : tout va bien, quel talent. Le modéliste s'appelait Claude Marquis. La nuit, pendant que Gabriel ronflait, j'espérais lire sur la couverture du magazine : La grande couture, vue par Violette Leduc. Le numéro parut sans mon nom. Mon texte était inférieur aux croquis. La rédactrice en chef me reprocha mes images. « Les robes, me dit-elle, ne sont pas des sources, des brises, des tempêtes, des buissons, des violons. Les robes, me dit-elle, sont des pinces, de l'étoffe travaillée dans le droit fil, en plein biais. Lisez les articles des autres, prenez des leçons », me dit-elle encore. J'achetai les journaux, je lus les comptes rendus. Ils me balayaient. J'en étais restée à la régularité du point d'ourlet, du point de chausson, du point de piqûre, du point de surjet. Je me crus renvoyée lorsqu'on me convoqua. J'appris que mes comparaisons avaient enthousiasmé Lucien Lelong. Il désirait de ma plume à fleurettes une série de textes publicitaires, d'une dizaine de lignes, pour ses parfums, qu'on insérerait chaque semaine dans le magazine. La publicité devait être discrète. Glisser le nom du parfum comme se glisse dans une ville le parfum du muguet des bois. Je serais bien payée. Lucien Lelong me dictait avec bienveillance mes petites histoires. Je les donnai à la rédactrice en chef. De nouveau, elle me convoqua. Je crus à un écroulement. « Lisez », me dit le metteur en pages. Une lettre était épinglée au mur du bureau avec des félicitations de Lucien Lelong. Brave metteur en pages... ses yeux brillaient de satisfaction pendant qu'il relisait la lettre devenue publique. Lucien Lelong voulait me voir.

J'attendis longtemps dans le bureau de la secrétaire. Il arriva en coup de vent, il me serra la main.

— J'aime comme vous écrivez. Un instant, me dit-il.

Il repartit en coup de vent.

J'étais conquise : ses rides avaient la générosité de la terre fraîchement labourée. Mon cœur battait, je croyais à une vie nouvelle. Mon avenir sera éclatant, cet homme me changera en reine. Le tapis du salon léchait mes pieds. La secrétaire me conduisit dans le bureau de son patron.

Il enleva ses lunettes, il quitta son bureau. Il m'accueillait avec chaleur.

— C'est vrai, j'aime comme vous écrivez et vous devriez écrire des livres, me dit-il.

Il me serra dans ses bras.

Je ris bêtement. Je lui répondis que j'en étais incapable et que je n'osais même pas y penser. Je lui répondis aussi que je devais rédiger au jour le jour pour vivre au jour le jour. Il me transmettait de l'énergie. J'étais moi-même, sans arrogance, sans timidité, sans complaisance. Un régal, ma présence dans son bureau. Il m'écoutait et je devenais simple, authentique, directe. Il m'appelait « Mlle Leduc » comme tout le monde. Mon prestige c'était aussi mon faux célibat. Une faille pourtant : lorsqu'il regardait mon tailleur bleu rayé de pointillés blancs, lorsqu'il s'arrêtait à mon turban. Je rentrais sous terre. L'œil d'un couturier me transperçait. Il organisait un reportage à la radio pour le Syndicat de la Grande Couture, il me demanda d'écrire un texte, de réfléchir à un bruitage, de créer une atmosphère. Le micro cheminerait dans les ateliers. C'était la guerre, évidemment. Mais les femmes à l'arrière doivent se nourrir. Tirer l'aiguille n'était ni un crime ni une trahison.

A la fin de l'entretien, Lucien Lelong me dit que je pouvais choisir un tailleur et un chapeau dans sa collection. J'aime mendier et, plus encore, j'aime qu'on me donne avant d'avoir mendié. Je me retrouvai dans la rue titubante de vanité.

Je choisis un tailleur simple et chaud, un chapeau de feutre avec un couteau.

— Fort bien, fort bien, mon enfant. Je vois que vous ne perdez pas votre temps, a chantoné Maurice Sachs lorsque j'apparus avec mon nouveau tailleur, mon nouveau chapeau.

Sachs s'était rétabli. Brouillé avec les bijoutiers de la rue de la Paix, ayant eu de sérieux ennuis avec la propriétaire de l'appartement de la rue de Rivoli, il vivait, écrivait, recevait ses amis dans la chambrette d'un bordel-établissement de bains. Il en a parlé amplement dans un de ses livres. C'était un sage : il s'accommodait de tout. Hier promenade en fiacre rue de la Paix, à l'heure où l'après-midi s'ouvre en éventail... Gros et gras sans être ridicule, désinvolte jusqu'à la moelle, le feutre mou à l'aise sur la tête, une cigarette entre les doigts, assis nonchalamment dans son lit de repos ambulant, il conversait avec Bob. Le jeune indifférent rêvait et feignait de bouder. Je les avais rencontrés à l'improviste, je m'étais jetée contre la vitrine de Dunhill, je m'étais supprimée. Si je soutiens que je connais cet homme luxueux, ce sera une imposture. Le fiacre s'était éloigné ; je supportai la brûlure de ma pauvreté, de mon sentiment insensé. Aujourd'hui, retraite dans le monastère qu'il s'est créé. Refaire de l'argent. Il s'y remettra lorsque bon lui semblera.

Le couturier me reçut plusieurs fois et chaque fois il me serrait dans ses bras parce qu'il aimait mes petits textes. J'y voyais moins clair que maintenant. J'attendais qu'il me dît : ma collection est à vous. Puisez, servez-vous, je vous veux de plus en plus séduisante. Je n'oubliais pas qu'il avait été marié à Nathalie Paley, une princesse russe, une beauté célèbre dans *Vogue* et dans *Fémina*. Mais rien ne ralentissait la construction de mes châteaux en Espagne. Je racontais tout à Gabriel. Il m'écoutait, il souriait.

Onze heures, midi, nous étions couchés. Tu te lèves nu comme un ver, tu ouvres la porte en te cachant, tu réponds : « Oui, Mlle Leduc c'est ici. Merci. » Tu reviens, tu me dis :

— C'est pour toi. Une enveloppe, un paquet.

— Qui était-ce, Gabriel ?

— Un livreur en uniforme. Pousse-toi. J'ai froid.

Le couturier m'envoyait un colifichet et un mot de remerciement pour mon reportage.

Culbutés mon studio, mon célibat. La future reine de Paris versa une larme acide. Intrigante sans intriguer, j'étais déjouée. Je réapparus penaude dans le bureau de la secrétaire.

Avalanche de départs, de changements.

Gabriel. Notre mariage, notre vie en commun auront été pour lui des grandes vacances pendant lesquelles le temps était toujours à l'orage. Il décida de rentrer en famille comme on rentre au collège après l'été. Paris avait englouti Hermine. Gabriel n'eut pas cette chance-là. Mère et sœur habitaient à deux pas de notre chambre. Il promit après mes cris et mes prières qu'il me sortirait deux fois par semaine. Un collégien revenu chez les siens distrairait deux fois par semaine une collégienne mariée, sans mari. Cinq jours sans sexe, deux jours avec. Une vie c'est plus lent que celle que nous racontons à un cahier. Une vie, ce sont des milliers, des millions de pages à remplir ; ce sont tous les insectes qu'on a rencontrés ou écrasés, tous les brins d'herbe qu'on a frôlés, toutes les tuiles et les ardoises des maisons qu'on a regardées, les tonnes de nourritures qu'on a absorbées kilo après kilo, quart après quart. Et les visages, et les odeurs, et les sourires, et les cris, et les coups de vent, et les pluies et les renaissances des saisons... Raconter sa vie en se souvenant uniquement des couleurs, de toutes les couleurs qu'on a aimées, étudiées, négligées.

Gabriel n'est pas parti. Il partira. Il faudrait agir et agir vite. Il faudrait en acheter un dans la rue. Je ressemblerais aux autres femmes. J'aurais des atouts dans mon jeu. Retenir un homme. Ma mère disait : « Elle a ce qu'il faut, elle avait ce qu'il faut pour retenir un homme. » « Tu t'es vue ? » dit ma mère. Visage de vieux cyclamen à force de pleurer. Se refaire une beauté. Comment oserais-je dire cela ? Je croyais que Gabriel serait fou de mon tailleur, de mon chapeau. L'éclabousser ainsi, sortir habillée ainsi avec lui... Est-ce qu'on demande à une ordure si elle a honte ? Non. Un raté, cet homme-là... Tas d'imbéciles. Un homme aussi fort, aussi régulier qu'une horloge. Sa ferveur, sa conviction, sa vie intérieure lorsqu'il m'emmenait chez Jeanne Bücher, chez Katia Granoff. Son visage qui s'illuminait pour le modelé des couleurs. Sale typhoïde, tu lui as tout pris. Etre bien habillé, est-ce qu'il le désire ? S'en fout puisqu'il mangerait de la merde sans bassesse. Il plaît sans courbettes.

Une commande. Je dois aller dans un cabaret du quartier de l'Opéra, écouter une chanteuse, lui parler de ses projets, écrire une brève interview. Je n'ai pas le droit de sortir la nuit, j'aurais des ennuis. A prendre ou à laisser.

Gabriel me décida, il prépara mon tailleur et mon chapeau pendant que je dînais plus tôt que d'habitude. Il se coucha, il mordilla le drap.

Le visage du portier s'allongea lorsque je m'approchai de la porte du cabaret.

— Ici nous n'acceptons pas de femmes seules.

J'ai répondu que le magazine avait téléphoné.

— Je vais me renseigner, m'a-t-il dit, sceptique.

Il disparut, des femmes entrèrent avec des officiers. Je vis un monocle. Le monocle inattendu me rajeunissait : c'était celui d'Eric von Stroheim. J'ignorais de quoi j'avais honte. J'attendais le retour du portier, je me liquéfiais. Un jeune officier regarda l'heure à sa montre-bracelet. C'était si brusque et si intense que je croyais au signal d'une attaque au canon à des milliers de kilomètres.

— Vous pouvez entrer, me dit le portier d'un air dégoûté.

J'entrai : guéridons, nappes, abat-jour, lumière rose confidentielle, maîtres d'hôtel ; à chaque table un ennemi en uniforme, avec une compagne. Tous buvaient du champagne, tous fumaient des cigarettes plates.

— Veuillez me suivre, me dit le maître d'hôtel.

Il me casa au fond de la salle. La chanteuse sur une estrade chantait avec talent. J'exposai mon crayon, ma feuille de papier, je croisai mes bras. Le maître d'hôtel déposa une orangeade gazeuse sur ma table. Je n'osais pas boire. Je songeais à un masque à gaz dans mon verre... La vedette se retira après plusieurs rappels, on joua de la musique douce. Je m'inquiétai de l'heure du couvre-feu. Le maître d'hôtel me dit que je ne pouvais pas partir mainte-nant, que la chanteuse reviendrait bientôt avec d'autres chansons. Ils m'arrêteront dans la rue, je ne reverrai pas Gabriel. Je claquais des dents, je comp-tais tout ce qui pouvait être compté dans la salle : rides, boutons, bagues, bouteilles, bracelets, mégots, allumettes, décorations, dents en or, ceinturons, mains soignées. La chanteuse réapparut, ce ne fut pas long. Un autre maître d'hôtel vint me chercher. Je traversai la salle avec ma timidité d'élève lorsque je devais réciter une tirade. J'avouai mon tourment à la vedette après lui avoir demandé l'heure. Elle m'offrit de retenir une chambre à l'hôtel à côté de son cabaret.

Je refusai la chambre. Ma terreur de ne pas revoir Gabriel augmentait. Je la quittai sans accepter la coupe de champagne, sans la questionner. Je me retrouvai dans la rue, je respirai mieux. La main se posa sur mon épaule.

— Avez-vous un *ausweis?* me dit l'agent.

— Non.

L'agent braquait sa lampe. Le portier s'approcha :

— Elle est venue chez nous. Laisse-la faire un bout de chemin...

L'agent était perplexe. Sa lampe rentra sous la pèlerine.

— Tentez votre chance, dit-il, mais c'est dangereux. Tout ce chemin avec vos talons...

— Ils font du bruit, dis-je avec désolation.

— Bien sûr qu'ils font du bruit. Ah ! les femmes, les femmes...

Je partis en courant. Je répétais « les femmes, les femmes », pour m'entraîner, pour me soutenir. Je ne courais pas, je volais. Je m'accordai de serrer une minute la grille du cinéma dans lequel j'avais fait des avances à Gabriel. Il était lugubre et blafard avec son panneau publicitaire. Paris ? Un cimetière. Paris ? Une grille et un cimetière qui ne voulaient pas me rendre un souvenir. Je courais de plus en plus vite, je voulais dépasser deux magasins entre deux battements de cœur. Je répétais encore ce que m'avait dit l'agent : « les femmes, les femmes »...

Je tombai sur un barrage, des lampes électriques m'encerclaient.

— On ne passe pas sans *ausweis*, me dirent les agents.

Je pleurai :

— Il m'attend. Monsieur l'agent, je vous en supplie...

— C'est votre mari ou votre petit ami ?

J'ai pris la lampe de poche d'un des agents, je l'ai braquée :

— Mon mari ! Je vous en supplie, monsieur l'agent, oh ! monsieur l'agent...

— Passez, dirent-ils.

— Pas mal ses jambes, dit un d'entre eux tandis que je courais.

— Moi tu vois... commença un autre.

Je m'étais sauvée. Parfois un camion, parfois une auto. Pas de civils, pas de militaires. Où étaient-ils ceux qui pouvaient sortir la nuit ? J'y parviendrai, me suis-je dit lorsque j'arrivai place de la République. D'autres agents m'encerclèrent, je plaidai ma cause pendant plus d'un quart d'heure. Une amoureuse dans ce Paris obscur les toucha. Je me laissai presque tomber dans le couloir de notre immeuble, je poussai un cri de fatigue, ensuite un cri de plaisir. Gabriel avait mis la clef sur la porte pour que je ne le dérange pas.

Il se laissa embrasser, l'escarpin tomba de mon pied. Je ne devais pas lui raconter que j'avais pensé à lui pendant toute la soirée. Je devais me déshabiller, nous devions nous reposer, nous devions nous endormir parce que nous étions fatigués. Je lui obéis. Je lui dis bonsoir sans l'embrasser pour ne pas lui déplaire. Sa paresse, son indifférence, sa sénilité, sa prudence, sa frayeur de se dépenser... Je prenais cela pour de la force. Ce que je pouvais être masochiste !

Le lendemain matin il se refusa. Je me fâchai.

— Je fous le camp déjeuner en ville, dit-il.

Notre chambre devint livide.

Où m'accrocher ? Je maudissais le papier que je devais rédiger sur le cabaret de nuit. L'ai-je écrit ? Toute cette course pour arriver à un désastre.

Là-dessus je reçus des nouvelles de Maurice Sachs, de nouveau souffrant. Je n'aurais pas préparé avec autant de tendresse des fruits cuits, une crème à la vanille pour Maurice si Gabriel ne m'avait pas gavée d'affronts. Je ne serai pas le paillasson de Gabriel disais-je au bâton de vanille que je remuais dans la crème. Je partis dans le métro avec mes casseroles. J'attendis dans une atmosphère moite de bains de vapeur. Le patron derrière sa caisse notait les rendez-vous qu'il donnait au téléphone, de jolis masseurs accueillaient des habitués. Une femme de chambre m'introduisit dans la cellule de Maurice. Drapé dans un peignoir de bain, la mule avachie, il écrivait avec entrain. Il engloutit la crème, les fruits. Je rayonnais. Ce jour-là il me parla de son enfance avec amertume, de sa mère qui vivait en Angleterre, des parents qui sont inférieurs aux animaux parce que les animaux se séparent vite et pour toujours de leurs petits.

— Ma chère enfant c'était exquis, me dit-il.

Il me tendit sa joue. Son stylo lui brûlait les doigts. Je le quittai avec mes casseroles.

La rédactrice en chef et le metteur en pages me demandèrent d'assister à la présentation de toutes les collections pendant une semaine, de choisir les modèles, d'écrire un article. C'était énorme. En sortant de leur bureau, je coiffai les passantes avec des pyramides de chapeaux, je les vêtis avec des montagnes de robes, de manteaux. Je m'assis à la terrasse d'un café proche de l'Opéra. Citron pressé. Je butinais ce qu'il y avait à butiner sur les visages, dans les conversations, parce que j'étais malheureuse et que je croyais les autres heureux.

Je refermai mon poudrier : quelqu'un avait déposé une amande grillée sur mon guéridon. Je ne pouvais ni la prendre, ni la croquer, elle ne m'appartenait pas. Mystère de courte durée. Le marchand vêtu d'une veste blanche se faufilait entre les guéridons avec son plateau de petits paquets blancs. Il reprenait ses amandes. Un vieux monsieur avec des guêtres se laissa tenter. Une main pour servir et rendre la monnaie pendant que le plateau sur l'autre main prenait de l'altitude. Y a-t-il une école de vendeurs d'amandes grillées ?

Il se présenta devant mon guéridon, je pouvais la manger. Oh ! il ne disait pas cela à tout le monde. Deux dents en or sur le devant. Je frissonnais, je me hérissais : il déclarait que je lui plaisais. Est-ce que j'attendais une amie ? Oui métèque. J'attends Isabelle le jour de la fête du collège. Bras levés, les élèves dansaient sur la musique du *Marché persan*. Je dis au marchand que je ne m'ennuyais jamais. Poignet velu, main soignée. M'aimeras-tu, Gabriel, quand je serai une petite femme du Palais-Royal ? Deux dents en or sur le devant, je te tromperai avec du métal. Non il ne faut pas être sérieuse comme ça. Je posai mes conditions : je ne parlais pas, je n'embrassais pas.

— On ne parlera pas, dit-il tout bas.

Rendez-vous fut pris pour le surlendemain.

Volonté de tromper Gabriel. Je décide ce que j'ai décidé, c'est arrivé à trente ans, il était temps. Cycliste qui tournes la tête, est-ce que tu trompes ta femme, est-ce que tu trompes ta maîtresse ? L'oublierai-je la mauvaise saveur de la fourchette en fer dans mon café au lait au réfectoire lorsqu'on appelait les noms de celles qui sortaient le dimanche matin ? Mes larmes arrosaient mon pain trempé. Je le tromperai, les réfectoires seront des ruines. Elle n'était donc pas finie cette dernière larme ? Elle ne finira jamais. Où vas-tu, toutou Violette ? C'est le trottoir qui avance, ce ne sont pas mes jambes. « Ça se guérit, c'est gras », dit ma mère quand elle parle de son rhume. Ce bloc de consolations dans l'arrière-nez quand j'étais enrhumée et qu'on ne m'appelait pas au parloir. Je m'éveillais la nuit, je croyais que je trahissais l'enfant de cinq ans que j'avais été, les convulsions qu'elle avait eues parce qu'elle voulait revoir sa mère dont elle était séparée, je croyais que je trahissais cette enfant inconsolable parce que j'avais dormi. Du jour où je m'en suis détachée, je l'ai eu à mes pieds. Elles disent cela, elles sont fières de pouvoir le dire. Où vas-tu toutou Violette ? Devant la boutique d'un photographe. J'y vais pour un bain de jeunesse. Cette jeune fille en broderie anglaise est-elle morte ? Ce jeune homme en alpaga, vit-il encore ? Où trouver le bouton de bottine de la jeune fille en broderie anglaise ? Ton chapeau, ton jardin en fleurs, jeune fille, a la fragilité d'une barque sur un océan. Au revoir, broderie anglaise, jardin, chapeau.

Ma mère dit : « Où peut-elle traîner ses guêtres ? » Gabriel ne se le disait pas.

— Depuis le jour de ta poudre de riz tombée dans l'armoire, je ne m'inquiète plus, dit-il.

Il rassemblait ses albums de photographies, il époussetait ses chaussures, il brossait son veston avec son bras. Je me jetai sur lui, je lui criai que s'il voulait il était encore temps. Il me repoussa. Il était temps de partir livrer, si je voulais venir je pouvais venir. Il comptait « se faire du fric », m'inviter au restaurant, m'offrir l'apéritif mais à une condition : Si j'étais raisonnable. Je serai raisonnable.

Comment ne pas l'adorer pendant que nous voyageons dans le métro ? Nos doigts entrelacés distraient des ouvriers. Mais un type dit à sa compagne, je l'entends dans le fracas : « La nuit, tu devines à quel moment je lui mettrais la tête sous l'oreiller... » Gabriel fixe le type, Gabriel entend-il ou n'entend-il pas ? Alors je l'embrasse dans le cou, alors je lui pose une couronne sur la tête, ce sont tous mes gros nez qui me font souffrir.

Je préférais sa veste blanche de vendeur à son costume habillé. Je le préférais avec son plateau. Etendus sur le lit, nous aurions joué à compter les amandes grillées.

— Ne me parlez pas.

— Je ne parle pas. Je ne parlerai pas.

— Vous ferez attention. Vous me comprenez.

— Je ferai attention. Je vous comprends.

Il me répugnait et c'était répugnant notre cinéma muet qui allait commencer. Il me dégoûtait et c'était dégoûtant notre arrangement. Il me faisait horreur et c'était horrible cette vidange réciproque. Gabriel partait à l'abattoir des maris trompés. Vite, courons au sacrifice pour triompher.

Va, maintenant que je me suis servie de toi. Il était dérouté, il était devenu triste et pensif pendant qu'il se rhabillait. Ah ! madame Violette, quelle grande adultère vous êtes avec l'eau froide dans votre trou. « Sois femme. » Je suis une femme froide avec une main froide dans de l'eau froide.

Je courus, crucifiée, je l'avais prévu, par la fraîcheur des gamines et des gamins. Mon sexe réclamait des idylles au fond des ruelles. J'arrivai essoufflée, haletante, prête à avouer.

Gabriel entre après moi, radieux, se croyant seul. Je veux tout de suite que nous parlions.

— Nous parlerons ce soir, dans le lit. Cigarette ?

J'insiste.

Gabriel au coin de la cheminée demande :

— C'est tellement urgent ?

— Viens t'asseoir.

— Si tu veux...

Gabriel s'assied.

Je me jette dans la confession.

— Je t'ai trompé. Il y a une heure je te trompais.

Rictus, yeux au ciel.

— Ma parole, tu es cinglée. D'où t'est venue cette idée ?

Je lui crie que je l'ai trompé avec un marchand d'amandes grillées : c'est lui qui est cinglé parce qu'il ne me croit pas. « Ça ne prend pas », répètet-il d'une voix moins assurée. Je le vois pâlir, je vais être payée. Qu'il me regarde dans les yeux, il verra que c'est vrai. Il me regarde, je suis payée. On lave des légumes à la fontaine dans la cour.

— Tu le crois maintenant ?

— Je le crois ; et pourquoi ?

Il me repousse avec douceur. Je meurs une deuxième fois en lui.

— Je m'en vais développer et livrer ; si tu veux venir viens, dit-il comme l'avant-veille.

J'explique qu'il a été correct.

— Tu le revois quand ?

— Jamais. Tu seras gentil ?

— Je serai comme j'étais.

— Tu me quitteras ?

— Evidemment je te quitterai.

— Tu veux que je meure ?

— Je n'ai pas le temps, dit Gabriel.

Son pas dans l'escalier. Celui d'un homme libéré. Le profit est pour lui.

La séparation ne s'est pas fait attendre. Séparation suivie d'un faux suicide que j'ai raconté dans *Ravages*.

Gabriel affirme que c'était indispensable. Selon lui c'est une incision, selon lui notre abcès est crevé. Bien sûr, c'est une opération puisque je suis amputée de lui cinq jours par semaine. Si le temps sur les cadrans n'empoisonnait pas nos soirées... Je l'idolâtre deux fois plus qu'avant dans la machine infernale des minutes et des secondes, je vis dans la terreur de son départ aussitôt qu'il arrive. Je suis la folie pour lui et pour les siens. Thérapeutique de sadique, mon guérisseur est un assoiffeur. Bientôt, je n'aurai que des fleuves de larmes à lui donner. Ma mère me prédit que je perdrai la raison, que ma bouche est de travers comme le jour où Hermine s'est enfuie. Je sors le matin déguisée en repoussoir, coup au cœur je l'aperçois. Il trottine avec la boîte à lait de Lili et de Manman. Me voici lisse comme un bloc de glace. C'est ce type-là ? C'est pour ce type-là ? Je reviens en courant dans le réduit qu'il a abandonné, je sanglote parce que je ne tiens pas avec lui l'anse de la boîte à lait. Je me blesse lorsque je dis que je vis seule, parce que maintenant c'est vrai.

Gabriel m'explique que mes amies Julienne et Musaraigne me font du bien. Je devrais sortir avec elles le dimanche. Je ne suis plus des leurs : je radote en cueillant les fleurs des champs. Julienne, fille de commerçants, mange sa côtelette tandis qu'à côté d'elle nous grignotons nos saletés. A la fin du repas je harcèle Musaraigne de questions :

Pourquoi mes yeux brillent-ils lorsque je pleure ?

Pourquoi ne me donne-t-il pas d'argent ?

Musaraigne, assise dans le boudoir qu'elle a installé dans la nature, cherche en effeuillant une tige. Elle réfléchit à voix haute :

Il est sadique mais ça ne va pas loin.

Il n'était pas mariable.

Il a horreur des scènes.

Il aime à sa façon.

Je reste sur ma faim. Julienne allongée à l'écart murmure en somnolant qu'il n'y a rien de mieux que de se laisser caresser par le soleil. Alors je me souviens de sa robe de velours qui attend. Je l'ai vue. C'est une tunique grecque. Julienne a dépanné Roland avec son argent de poche, elle a conservé intact son amour de la Provence. Incapable d'amertume, elle reconstruit.

Je dis : « Rien de neuf au cimetière ? » La femme du fossoyeur de Chevreuse nous vend des légumes sans tickets, elle n'a pas le temps de me répondre. Elle entasse carottes, navets, choux, épinards, salades dans nos filets. Rien de neuf au cimetière ?

— Pas grand-chose. Mon mari déterrait... et voilà qu'il trouve le squelette d'une femme avec une longue chevelure.

— Du Shakespeare, dit Julienne.

— De l'Edgar Poe, dit Musaraigne.

Nous rentrons, Gabriel m'attend sur la banquette du restaurant Gafner. J'arrive avec mes richesses de la journée, avec ma jouvence de l'amitié, avec mon sac de légumes. J'entre, je distrais les clients. Picasso me sourit, me salue parce qu'il m'a vue entrer les dimanches précédents. Son dîner n'est pas compliqué : une tomate crue. Il dessine parfois sur la nappe, il déchire, il emportera ce qu'il a dessiné. Sa compagne Dora Marr est belle avec son visage tout en architecture : un Picasso. Elle allume cigarette sur cigarette dans son fume-cigarette et, de table à table, elle parle avec Marie-Laure de Noailles. Je constate entre le homard et le coq au vin que le Tout-Paris est un village. Gabriel vibre pour les yeux de Picasso. Je me souviens de Maurice Sachs me parlant de la souplesse du poignet de Picasso lorsque Picasso copiait au Louvre avec un crayon. Son visage serait comique s'il n'était pas fougueusement intelligent. Nous partons les premiers, notre soirée est limitée puisque Gabriel quittera le divan à minuit. Picasso devine de l'amour lorsqu'il nous salue et que nous le saluons.

Des cris, des hurlements, des rugissements m'ont réveillée à cinq heures du matin. Je me suis rendormie pour me séparer du cauchemar d'une femme qui souffre.

J'apprends dans la matinée que l'ennemi est venu à cinq heures du matin, qu'il a emmené Esther. Les voisins ont dû arracher le tuyau à gaz des mains de sa mère. Mme Lita, Mme Keller partaient comme d'habitude aux commissions avec l'étoile jaune cousue sur leur corsage. Elles n'osaient pas parler de l'enlèvement d'Esther.

Maurice Sachs est aux abois. Il traîne les bistrots du Champ-de-Mars, de l'Ecole Militaire. Il ne se « refait » pas aussi vite que d'habitude. Nous nous promenons sur l'esplanade des Invalides, il me parle de Socrate, d'Elie Faure, d'Henry James, de Platon, du Coran, du cardinal de Retz, de Talleyrand, de Senancour, de Chamfort, de Max Jacob, de Saint-Simon, de Stendhal, de Victor Hugo, de Thomas d'Aquin, de Maritain. Je cherche ce qu'il a dans ses mains pour refaire de l'argent. Il n'a rien. Son détachement de l'argent lorsqu'il en possède m'exaspère. Je crains des mauvais jours pour lui. Sa course à l'argent lorsqu'il n'en possède pas m'affole. Ses yeux doux et profonds sont mes pressentiments. Il m'offre un alcool coûteux avec son dernier billet. C'est un joueur. Il tente sa chance en se ruinant. Il paie Charvet, il paie son valet mais il a des créanciers, sa détresse est une réalité. Dimanche prochain je n'irai pas à la campagne, dimanche prochain je ne dînerai pas avec Gabriel. Je retrouverai Maurice Sachs dans un café près de l'Ecole Militaire. Comment sera-t-il ?

Je retrouve Maurice Sachs le dimanche. Il ne s'est pas rasé, sa chemise est grise bientôt elle sera sale. La conversation languit. Sachs est aimable, trop aimable. Je paie nos consommations.

— Vous êtes triste, ma chère. Vous êtes toujours triste.

Ma chère. Aujourd'hui c'est une formule de mondain misérable .Qu'est-ce que nous attendons dans ce café trop grand, trop lugubre, sans clients ? Sa barbe pousse à vue d'œil. Ce soir ce sera presque un clochard. Que peut-il voir et ruminer dans son verre d'alcool ? Il se décide enfin.

— Je vais vous faire une proposition, commence Maurice.

J'avais la gorge serrée, ma gorge se serre.

— Vous voulez ? ajoute-t-il.

Il descend trop bas. C'est intolérable.

— Dites toujours on verra bien.

Il prend une cigarette dans mon paquet. Le geste est plus vif, la barbe moins triste.

Planté devant nous, le garçon de café est subjugué.

Maurice allume ma cigarette.

— Est-ce que vous aimeriez avoir un enfant de moi ? me demande-t-il.

Il me prend au dépourvu. Je bredouille un faux oui et un faux non.

Il passe outre :

— Vous partez dans le Midi. Huit jours de soleil, vous êtes en pleine forme et nous faisons l'enfant.

Maurice fume plus vite que d'habitude. Le bout de la cigarette rougit. Nous nous taisons. Nous nous évitons.

— Vous êtes d'accord ? me demande Maurice.

— Je ne suis pas d'accord. Voulez-vous de l'argent ? J'ai trois cents francs. Les voulez-vous ?

Maurice Sachs lève les yeux.

— Vos trois cents francs ne me déplairaient pas, dit-il en riant.

La chemise redevient blanche, la barbe est moins drue, l'œil revit. Je lui donne tout ce que j'ai, il m'invite à dîner mais je refuse. C'est dans ma tête que j'ai une sérieuse envie de dégueuler.

Les années ont passé, j'ai essayé de comprendre. Si je l'avais pris au mot... Il se serait exécuté. L'argent le guidait. Ce n'est pas sûr. Sensible, humain, trop humain par moments, il voyait ma vie, il voyait le désastre de mon mariage, il devinait mon sentiment pour lui. Voulait-il me changer en mère pour me sauver ? Ce n'est pas impossible. J'aurais reporté mon amour pour Gabriel et mon amitié amoureuse pour lui sur un petit. Huit jours de soleil avant. Prévoyance d'homosexuel. Supposons que je me trompe. J'étais quand même l'espoir, la confiance, l'optimisme de Maurice Sachs lorsque sans un sou il s'est élancé vers moi. Il connaissait des gens fortunés et voilà qu'il se tournait vers une pauvre, une obscure. Répondre à l'appel d'un ami dont les amis sont las. On dit que les homosexuels abusent des femmes qui sont folles d'eux. Tant pis pour elles, tant pis pour moi. La folie d'un sentiment se paie de trente-six façons. Les aimer est un égarement luxueux.

Chacun racontait son procès. Une vieille m'expliqua ses démêlés avec son propriétaire. Il m'avait recommandé d'être à l'heure ; mais lui il s'attardait. J'avais traversé des galeries où des avocates et des avocats se promenaient le long des ogives et des piliers. Maintenant je palpitais dans une salle noire de monde. Parfois un élu était appelé ; il ouvrait une petite porte, il se livrait aux spécialistes de la justice.

— Comment va ? dit-il alors que je ne l'attendais plus.

Vêtu d'une longue pèlerine que son ami avait trouvée dans une église, Gabriel avait choisi l'amitié en venant au Palais de Justice. Il cachait ses mains, il me privait d'une poignée de main. Je lui dis qu'il était en retard.

— Ils t'ont appelée ?

— Ils ne m'ont pas appelée.

— Alors ? dit-il avec humeur.

Il n'a pas voulu s'asseoir à côté de moi sur le banc. Sinistre complication me disais-je puisque je l'aime et que je ne veux pas me séparer de lui. On appela un nom.

— Viens, dit-il, mais viens donc, c'est nous !

J'espérais des robes d'avocats, je trouvai des complets de ville dans une petite salle pleine de paperasses. Un subalterne nous dit de nous asseoir.

— Affaire Mercier, dit le juge.

C'était un délice d'entendre son nom, devenu tellement anonyme.

Le juge leva la tête. Ses yeux sans vie me confièrent : une nouvelle tête, une tête de plus, et je vais avoir le courage d'écouter.

— Pourquoi voulez-vous divorcer, quels griefs avez-vous contre votre mari ?

— Il ne me donne pas d'argent, dis-je en me redressant parce que je disais la vérité.

J'oubliais les restaurants, les grogs, les viandox, le sel de céleri.

J'avais soigné ma toilette pour revoir Gabriel. Le juge me regardait de la tête aux pieds. Je compris qu'il m'attendait au coin d'un bois.

— Nous sommes en guerre, madame, ne l'oubliez pas. Votre mari ne peut pas vous donner d'argent.

Il toussa pour me laisser seule avec son argument.

— Et encore ? dit-il. Qu'avez-vous d'autre à lui reprocher ?

— Nous ne nous entendons pas, dis-je, enrouée.

Suffit, m'exprimèrent les yeux usés du juge. Il se tourna du côté de Gabriel.

— Qu'avez-vous à reprocher à votre femme ? dit-il à Gabriel avec une voix plus douce.

Le juge, les subalternes et moi-même attendions une révélation.

La pèlerine s'entrouvrit. Gabriel esquissa un mouvement comme pour donner une poignée de main à un ami. Son visage s'illumina. Il dit :

— Je n'ai rien à lui reprocher et je ne veux pas divorcer, monsieur le juge !

— Continuez, dit le juge.

Echanges de regards, tendres confidences contre les femmes.

— Je n'ai rien à ajouter, monsieur le juge. Je me trouve très bien comme je suis. Je ne veux pas divorcer.

Gabriel, sans un mot, m'emmena dans un café bondé. Pourquoi avait-il parlé ainsi ? Silence. Pourquoi s'était-il présenté ? Silence. Pourquoi avait-il insisté pour que je demande l'Assistance Judiciaire ? Silence. Il m'avait quittée donc il voulait que nous nous séparions. Alors ? Silence, silence.

Gabriel paya nos consommations, il daigna me dire : « A un de ces jours, sans doute à la fin de la semaine. » Dans sa longue pèlerine, il sortit avec moi du café, il disparut.

Suivre la montée et la réussite d'un créateur, quelle satisfaction pour une ratée. Casé au fond d'un couloir de la rue La Boétie, le plus jeune couturier de Paris s'était vite agrandi. Il présenta rue François-Iᵉʳ une collection audacieuse. Jeune, de la jeunesse incisive d'un personnage de Cocteau, l'œil pur et bleu pétillant d'amabilité, le nez grec, le visage ovale, la paupière en auvent, la bouche généreuse, le cou pris jusque sous le menton dans un col raide, à la mode, le buste droit, la longue main en fuseau, la voix mélodieuse entrecoupée de décisions fulgurantes, les cheveux blonds sans tapage, la denture étincelante, un costume foncé, Jacques Fath captivait autant que sa collection. Je reconnus le mannequin sensationnel que j'avais repéré dans les salons de Lucien Lelong. Il avait émigré rue François-Iᵉʳ. Ah ! ce chapeau de curé avec une couronne de roses monstres posées à plat, voilées avec une écharpe de tulle noir tombant dans le dos à l'amazone...

J'entrai dans la boutique de Janette Colombier, elle m'offrit un chapeau, comme ça, sans que je le demande. C'est celui-là qui vous ira me dit-elle en le prenant dans l'étalage. Je l'essayai. Il vous va ! dit-elle, aussi contente que moi. Ce chapeau en feutre buvard bleu pâle avec un ruché et une jugulaire de velours noir qu'on nouait près de l'oreille, Maurice

Sachs le surnomma « Votre nid de colombes ». Mais la veste de renards argentés sur mon dos était à vendre ; avec Bernadette je tentais de vendre de tout : des tableaux, du sucre, du café, du savon, un assortiment de renards roux. Je courais Paris, je ne vendais rien.

Je rencontrai du vif-argent. Un petit homme à la bouche subtile. Il avait inventé une nouvelle coiffure qui l'avait rendu célèbre. Louis Gervais crêpait les cheveux pour les gonfler, il les ramenait sur le front sous la forme d'un gros rouleau ou d'une frange bombée. Après l'empereur du cheveu court, l'empereur du cheveu long. Il aurait féminisé un bouledogue. Modeste, intelligent, ayant tout appris seul, il coiffait de neuf heures du matin à onze heures du soir. La nuit, il cherchait des fortifiants pour le cheveu. Il trouva la moelle de bœuf. J'entends encore les claquettes des semelles de bois dans ses salons.

Le sang ne coula plus. Je ne voulais pas garder l'enfant. Tantôt je disais à Gabriel mes démarches chez les faiseuses d'anges, tantôt non. Curieux homme : il continuait à se contrôler et il voulait l'enfant. Quant à ma mère, elle confondait sa fille mariée avec une jeune fille séduite. Il est vrai qu'elle voyait la situation. J'étais tiraillée. Si je tombais dans un escalier, je me croyais délivrée. Je me trompais. Les mois passaient et ce fruit de cinq mois me donnait des forces de lion. S'il remuait, qu'est-ce que je déciderais ? Il ne remuait pas, je n'avais pas à me dire que mon cœur tressaillait dans mes entrailles. C'est dans un restaurant auvergnat que Gabriel m'expliqua qu'il louerait un appartement ensoleillé dans un immeuble moderne, que nous élèverions l'enfant. Le vin rosé m'engourdissait, les paroles de Gabriel me berçaient. Depuis que sa mère était morte, sa sœur mariée, il habitait au dernier étage d'un immeuble neuf, à deux pas de la chambre moisie. Je me repris, j'allai vivre chez ma mère. Je n'avais pas confiance. Ma mère ne se doute pas de l'amour et de l'abnégation que j'ai eus pour elle.

Dimanche après-midi d'un hiver sans feu. Michel faisait un stage dans une école, il apprenait à élever des moutons, il devait repartir ce soir. Je connaissais leur passion pour le cinéma, je les engageai à y aller. Ma mère ne réalisait pas la gravité de mon état, après les dernières manœuvres abortives de la veille. Ils claquèrent la porte, l'ascenseur monta. J'étais au chaud dans le lit de ma mère, j'écrivais un récit pour le magazine. Ecrire, c'était lutter, c'était gagner ma vie comme les croyants gagnent leur paradis. Je soufflais sur mes doigts, je triturais ma hanche, l'infection commençait, je continuais d'écrire et, souvent, je regardais par la porte vitrée la commode dans leur salle à manger, le tiroir dans lequel j'avais déposé dix mille francs, une fortune acquise en une seule fois grâce à un récit publicitaire rédigé pour les frères Lissac : j'y démontrais qu'une jeune fille myope qui porte de bonnes lunettes est plus attirante que sa sœur jumelle, prétentieuse à la vue courte. Ils revinrent du cinéma à six heures, je leur dis que je n'avais pas mal. J'avais mal. Inoubliable après-midi avec mon papier à noircir, avec ma volonté de femme seule qui se suffit et ne veut pas tomber.

Je l'ai écrit dans *Ravages* : le lendemain soir j'étais mourante dans une clinique. Je ne voulais pas que ma mère passe la nuit assise dans un fauteuil. Je la suppliais de rentrer se reposer dans son lit. Mais l'étincelle de vie qui me restait me transmettait ce messsage continuel : elle restera, tu verras qu'elle restera. Elle partit. Elle me dit plus tard qu'elle était allée au cinéma sinon la soirée aurait été intolérable. Je la comprends et je ne la comprends pas. Le lendemain matin elle n'osait pas téléphoner. Elle croyait qu'on lui apprendrait ma mort. Je souffre de ses souffrances et des miennes.

Terrible hiver sans charbon. J'étais sortie de la clinique, je restai couchée chez elle pendant plusieurs mois. Elle se levait tous les jours à six heures du matin, elle cassait la glace dans la cuisine, elle plaçait les morceaux de glace dans la poche de caoutchouc que je devais avoir sur le ventre vingt-quatre heures sur vingt-quatre. J'écoutais : les morceaux de glace tombaient sur le carrelage, et comme elle avait froid aux mains, elle laissait glisser de nouveau la glace qu'elle finissait de ramasser. Je m'accusais d'être malade, d'être au chaud dans son lit, de me faire servir. Je grondais mes jambes inertes.

Lumière jaunâtre à travers la vitre. Le ciel nous préparait de la neige. Je pris peur. La nuit tombait, je ne pouvais pas allumer. Ma mère cherchait des médicaments dans une pharmacie proche de la gare Saint-Lazare, elle tardait. Je l'appelais de toutes mes forces. On sonna. Je devinai que c'était Gabriel. Clouée au lit, je l'aimais sans désirs, sans regrets. Je l'entendis descendre, j'appelai de nouveau ma mère dans l'obscurité. Qu'est-ce qu'elle était devenue, qu'est-ce que je deviendrais seule dans son grand lit ? La porte était fermée à double tour. Je me mis à pleurer en silence, avec douceur. Pleurer ainsi avec régularité c'était me mettre en route, dans l'obscurité de mes yeux fermés. Ma mère rentra, elle se fâcha. La foule dans la pharmacie, la foule dans le métro, la foule partout l'avait retardée. Je lui demandai l'heure. Six heures d'absence, me désolais-je entre mes sanglots. J'aurais voulu qu'elle me prenne dans ses bras. Elle préparait le permanganate, l'eau bouillie, le bock... Elle commençait de me donner les soins. On sonna. Elle déposa le bock dans mes mains, elle ouvrit la porte d'entrée. Elle revint dans la chambre, elle continua de me soigner. Vêtu de sa longue pèlerine, coiffé de son béret basque, livide, il l'avait suivie dans la chambre. Il me regardait et il regardait le tuyau de caoutchouc rose, l'eau cramoisie. Il partit sans un mot.

Je n'ai pas demandé un centime à ma mère depuis l'âge de vingt ans et je n'ai pas reçu un centime d'elle. Je payai ma pension le premier mois que je travaillai aux éditions Plon. Depuis je l'ai payée chaque fois. Je réappris à marcher, je voulus voir ma note. Elle me présenta une liste interminable, avec mes dépenses les plus minimes. Deux francs de coton hydrophile m'ont fait plus de mal que les autres chiffres.

Une veuve aisée et ses deux filles habitaient au rez-de-chaussée. C'étaient, d'après ma mère, des jeunes filles tellement parfaites que je les évitais. Elle ne leur confiait pas mon triste mariage, ma chambre misérable, ma naissance, l'origine de ma maladie. La dame venait le soir pendant que ses filles patinaient au Palais de Glace. Revenue de ses vergers productifs, elle commença de raconter et de décrire une certaine Anita, une jeune et pauvre besogneuse de la campagne qui était en train d'adopter un enfant. Elle l'adorait. Sa bonté était communicative, elle rayonnait jusque dans la chambre pendant que la glace sur mon ventre faisait son bruit de grelot. Chaque soir la dame recommençait cette histoire et je me disais que j'étais maudite. Je voulais l'enfant que j'avais supprimé. La dame racontait, ma mère s'extasiait. Je me taisais, mes yeux suppliaient ma mère : Fais taire cette dame, fais-la partir. J'ai mal, j'ai trop mal et je ne te comprends pas. La dame partait, je pleurais. Ma mère me grondait.

Ma décision était prise. Je revins dans la chambre le jour du réveillon. Faible et convalescente. Je ramassai un morceau de papier glissé sous ma porte pendant mon absence. « Tu t'es foutue de moi. »

Signé Gabriel. Je trouvai un reste de charbon, j'allumai notre poêle de douanier, je m'assis à côté. Des vieilles nouilles cuisaient. C'était presque joyeux ce bruit de flocons dans notre cuisine. Je mangeai les nouilles dans une casserole sur mes genoux. Des larmes tombaient sur mon croûton.

Fenêtre éclairée, fenêtre adulée pour laquelle je faisais les cent pas. Gabriel était chez lui, cela dépassait mes rêves. Il n'avait pas de sexe, l'ange dont je ne pouvais pas me séparer.

Je vole vers lui, pauvre mère. Je piétine ton ouvrage. Tu me soignais, tu espérais que c'était fini, tu me séparais de lui, pauvre mère. Je le détestais avec toi, je le maudissais, je le méprisais, je le déchiquetais avec toi, pauvre mère. Je le trahissais avec toi, maintenant je vais te trahir avec lui.

Il me reçut sans froideur, sans bonté, il promit de me revoir après les fêtes. Ce soir, il sortait. Il vivait dans la salle à manger Henri II héritée de sa mère. J'aperçus un lit-cage dans une pièce vide. Je critiquai ma mère pour récolter l'indulgence de Gabriel. Il me coupa la parole, il me poussa dehors. J'avais frôlé son béret basque, sa pèlerine, je regagnai ma chambre, tremblante de bonheur. Fausse couche, maladie, séparation : balayées. Je me donnais les soins que me donnait ma mère avec l'ardeur d'une jeune fille qui se prépare à partir en excursion. Je chantonnais, j'inventais un hymne de Noël pour Gabriel.

J'ai retrouvé mon Jésus aux longs cheveux gras. Je l'ai retrouvé assis devant une table en bois. Le réveillon n'était pas commencé mais ses amis étaient déjà arrivés. Le tabac gris est son ami, le papier à cigarettes marqué Job est son harmonica.

C'est Noël, mon Jésus n'a pas le temps. Je l'ai revu, il s'en va. J'ai revu mon Jésus, mon cœur est un poussin dans une fourrure de lapin.

Mon Jésus a une fenêtre éclairée, il m'a donné

l'étoile du berger. Prions mes frères, prions Gabriel. Il a une petite femme proprette. Elle n'a pas eu d'enfant, c'est un sou brillant. Prions mes frères, prions ce petit sou brillant, ce petit sou tout seul un soir de réveillon. Il ne faut pas gémir et sangloter Violette chérie, il ne faut pas chercher ses odeurs de sueur sur l'oreiller, tu ne les trouveras pas. Je vais m'endormir dans le berceau de ma misère, c'est ma main qui va rendre l'âme.

Nous passâmes des nuits blanches sur le lit-cage. Nous avions peur de ce qui était arrivé, de ce qui pouvait arriver. C'était affreux nos craintes, nos inspections.

Ma taille de 1 m 72, mon poids de 48 kilos et mon article avaient plu à Jacques Fath que j'avais comparé à l'ange Heurtebise. Il m'avait offert le chapeau avec la couronne de roses monstres, le tailleur gris et noir orné de franges, il avait serré autour de mon cou la cravate de piqué blanc. La glace à trois faces retrouvée me souriait. C'était à elle que je disais : merci pour tes générosités. Je cachais ma toilette excentrique à Gabriel. Maintenant Gabriel couchait sur un matelas à terre pour que je me repose dans le lit-cage. Le divan de 1 m 40, dans notre chambre où Gabriel ne voulait pas remettre les pieds, se prélassait avec le fer à repasser resté entre les draps.

Bernadette me présenta à Sonia, une jeune fille qui posait pour Picasso. Son buste enivrait. Elle mâchait de la mousse de champagne quand elle parlait.

Elle créait des bijoux inspirés de l'Antiquité grecque et romaine. Bernadette me demanda d'aider Sonia à les vendre. Des coiffeurs exposèrent ses créations dans leurs vitrines. Elle vendait, elle me donnait parfois mon petit bénéfice. Elle disparut. J'appris qu'elle avait été arrêtée, déportée. Elle était juive, elle n'est pas revenue. Les joues pleines, l'œil clair, Sonia pétillait. Sa beauté, c'était aussi son plaisir de vivre.

J'avais reçu des nouvelles de Maurice Sachs. Il se « refaisait » dans les Charentes, il rentrerait bientôt. Revenu à Paris, il m'invita à fêter mes « relevailles ». J'étais encore alitée. La rédactrice en chef ne crut pas à ma grippe infectieuse. Votre tour de taille, c'était cela votre maladie, me dirent ses yeux. Elle ne me donna presque plus de travail.

Ma mère tomba malade : les globules blancs mangeaient les globules rouges. Elle s'était surmenée lorsqu'elle m'avait soignée, j'étais responsable. Je lui parlai tant de Gabriel qu'elle me dit avec tristesse que je ne devais plus le quitter puisque je l'aimais. Envoûtée, je ne retournai pas chez elle. Seule dans l'appartement, livrée à une femme de ménage, à la visite quotidienne du médecin et de l'infirmière, elle ne pouvait pas se tenir debout. Sa maladie dura de longues semaines avant qu'elle puisse partir pour la campagne. Tu vois, lecteur, je ne dissimule pas mon ingratitude et ma cruauté.

« Je ne sais pas ce que j'ai, répète chaque jour Gabriel, je suis claqué. » Je ne m'inquiète pas. Il est vidé de sa substance depuis qu'il a eu une typhoïde. Pas soif, pas faim. Il se plaint de son ventre, de ses reins. Il ne se plaint pas. Il répond à mes questions. Il souffre puisqu'il devient un vieillard. Il a eu d'abord un visage vert, ensuite un visage gris. Je lui ai donné ma place dans le lit-cage. Il essaie de se reposer tout habillé, avec son béret sur la tête, il ne veut pas que j'aille chercher un médecin. C'est aussi la maladie du découragement. Sa barbe pousse, cela me rassure. Il ne peut pas uriner. J'amène et je remmène la cuvette vide dans l'évier. Rien, il ne veut rien. Il referme ses yeux absents. Je m'en vais au cinéma, je pourrai mieux penser à lui. Je n'ai pas regardé l'écran. J'ai regardé un malade sous mes

491

paupières. Je rentre tôt du cinéma, il veut uriner, je le porte jusqu'à la cuvette des cabinets. Il vieillit d'heure en heure. Il urine du sang. Je le recouche dans le lit-cage, j'ai peur de le casser. Le bruit des ressorts du lit-cage me donne chaque fois un frisson. Il s'est installé dans son mal, il ne me répond pas lorsque je lui dis que je vais chercher un médecin. J'appelle Police-Secours. Arrive un médecin désincarné. Je lui montre le sang dans les cabinets. « C'est grave, c'est très grave », me dit-il. Il se charge de l'hospitalisation de Gabriel. Rentrer dans la chambre devient une tâche de bête de somme. Je me dis : il est encore là, comme je me le dirais d'un mort. Je n'ose pas me pencher sur lui parce qu'il est parfaitement immobile et silencieux. Parfois un ange assis dans la chambre pendant que les avions rasent le toit, parfois un ange avec le monument de ses ailes rouges, fauves et bleu pâle se heurtant au mur et à la vitre, parfois un ange avec une tête d'abruti cesse de me regarder pour se nettoyer les ongles des doigts de pied avec une fourche.

On sonne. Ils sont trois, ils n'ont pas de civière. Coiffé de son béret basque, vêtu de sa pèlerine, Gabriel s'en va à l'hôpital assis sur une chaise. Ils ne veulent pas que je monte dans l'ambulance. Je m'enfuis chez le médecin ; j'aurai des nouvelles à la fin de la matinée.

Où est Gabriel ? En salle d'opération ? Les infirmières ne me répondent pas.

J'ai revu Gabriel. Il a un appareil bizarre à côté de lui. C'est le bocal avec le sérum qu'on lui injecte goutte à goutte. C'est lent, c'est douloureux. Il s'est débrouillé. Il verse en cachette le sérum dans un verre, il boit d'un trait pour reposer tranquille. C'est ce qu'il dit à un malade. Il ne me regarde pas, il ne me parle pas. Il donne ce que je lui apporte. Le lendemain je vois sur la table du voisin le vin que je lui ai acheté.

— Pauvre femme, m'a dit l'épouse du voisin de lit.

Les deux hommes dormaient.

Ils ont emmené la mère d'Esther. La famille est liquidée...

Hier, la jeune serveuse du restaurant italien dans lequel Gabriel déjeune ou se désaltère entre deux mariages, où il se réchauffe à une famille de son choix, hier la serveuse est venue le voir avec un colis. Je suis arrivée après elle. Ils se mangeaient des yeux. Le cœur en charpie, je me tenais au pied du lit. Gabriel demandait des nouvelles des habitués. La serveuse, d'une voix heureuse, répondait indirectement : ils parlaient de lui tous les jours, ils téléphonaient à l'hôpital, ils suivaient les progrès de la guérison, sa serviette avec le rond de serviette était dans le casier, on lui ferait son plat préféré quand il reviendrait. Oh ! rien n'était changé, Paul venait avant que les cloches sonnent, il revenait un moment après. Mais Paul sans Gabriel ce n'était plus Paul. Pour rire, il riait encore mais, autrement. On attendait Gabriel pour entendre rire Paul comme avant. Gabriel guérissait, il avait le monde à ses pieds, c'était mérité. Bien sûr le commerce est le commerce, ça allait encore lorsqu'un habitué s'asseyait à la place de Gabriel, mais lorsque c'était un client de passage alors là... Tout ça ce n'était rien, Gabriel reviendrait. La bouteille dans du papier de soie, c'était pour lui et pour eux, après qu'il aurait ouvert la porte de leur restaurant.

Le jour où Gabriel quitta l'hôpital, il voulut marcher sans me donner le bras. Il ne pouvait pas. J'avais son bras sous le mien, je le plaignais de sa rancœur. Il ne voulut pas se reposer dans un café. Affaibli mais libre, Gabriel revenu chez lui, assis à sa table, vêtu de sa pèlerine, coiffé de son béret, roulait sa première cigarette sans voir le paquet de cigarettes que je lui avais acheté et qui l'attendait.

Il reprit vite des forces puisqu'il avait le don de s'économiser. Sans heurts, sans scènes, sans discussions, je repartis comme j'étais venue.

Qui m'a poussée à remettre mon alliance à mon doigt ? Maurice Sachs, avec qui j'avais dîné après les « relevailles », sur le balcon d'un élégant pigeonnier de la rue Royale, est entré à l'improviste un matin dans ma chambre.

— Elle est en quoi votre alliance ?
— Elle est en platine.
— Faites voir.

Elle a glissé de mon doigt, elle a rebondi dans le creux de la main de Maurice. La bonté, c'est aussi de la vanité. Je voulais me prouver que j'étais bonne.

— Je vous la donne.
— Je la prends. Je la vendrai quinze cents francs.

Jusques à quand démolirai-je Gabriel ?

— Ma chère, votre chambre est une chambre d'étudiant russe.

Prix : quinze cents francs.

Ce sont de ces phrases qui font perdre la tête.

— Ma chère enfant je vous reverrai bientôt. J'ai ramené un passeur des Charentes. Je vous expliquerai. A bientôt.

— Maurice !
— Oui.
— Je n'écris presque plus d'articles. Qu'est-ce que je vais devenir ?
— Aucune importance. Je vous ai dit à bientôt : ça veut dire quelque chose.

Je n'osais pas le regarder traverser la cour. J'avais honte de la cour, de mon tablier, de ma pauvreté.

Mon martyre a assez duré. Un garçon coiffeur m'a conseillé de consulter le docteur Claoué, le chirurgien des visages dont tout le monde parle. Où trou-

ver l'argent pour raccourcir mon nez ? Je serai belle,
je jouerai à la balle avec ce qu'il aura coupé. Chercher le numéro de téléphone du chirurgien me
donna la fièvre.

Une infirmière me conduisit dans le bureau du
docteur.

— Qu'est-ce que vous voudriez ? me demande-t-il
après un long silence.

Je le regarde, je lui donne, en une fois, les rires,
les gloussements, les moqueries que j'ai subies pendant plus de vingt ans.

— Si vous saviez comme j'ai souffert...

— Je le sais, dit-il.

Il s'assied près de moi.

— Vous le savez ? dis-je dans une décharge d'attendrissement sur moi-même.

Il me prend la main, il me la rend. Sa blouse
blanche pourrait être celle d'un commis épicier.

— Je suis petit, dit-il. Moi aussi j'ai souffert.

Je soupire, je me délivre :

— Ils ne se moqueront plus... Mais je n'ai pas
d'argent. Vous ne voulez pas me parler encore de
vous, docteur ?

Il se lève. Il veut que je voie sa petite taille.

— J'étais malheureux, l'idée m'est venue que je
pouvais soulager.

Maintenant il palpe mon nez. Il me semble qu'il
l'enferme dans une muselière. Je ne suis pas humiliée, j'ai confiance.

— C'est possible ?

— Pourquoi pas ? Voici ce que je vous propose :
je vous opère, vous payez les frais de clinique.
Quatre ou cinq jours. J'enlèverai ici et ici. Là et
là.

De nouveau il palpe.

— J'écris des petits articles, dis-je pour le mettre
en confiance.

— Du journalisme ?

— Oui et non. J'écrirai un article, je parlerai de vous.

— Si vous voulez, répondit-il.

Il est célèbre, il est poli.

Je m'en vais l'âme réchauffée malgré ma peur de l'opération. Je ne reviendrai pas chez Claoué.

Maurice Sachs se « refait ». Il a un bureau d'affaires, un cabinet de travail, une salle de réception dans un café du quartier de l'Ecole Militaire. Il offre des liqueurs, des alcools, des gâteaux.

— Je dois avouer que ce nid de colombes vous va bien, me dit-il.

Je me tais, il étudie ma jugulaire de velours.

Il m'invite à prendre un second petit déjeuner avec lui, à onze heures du matin ; pendant qu'il engouffre du cake, des sandwiches, des œufs durs, il m'explique que la gymnastique de l'esprit donne de l'appétit. Dix minutes après nous prenons l'apéritif.

Sachs a ramené un passeur des Charentes. Le passeur connaît les sentiers les plus cachés de son pays. Il arrive à Paris, il repart en train avec des clients : des amis juifs de Maurice qui veulent quitter la capitale. Il les emmène de nuit, à pied en zone libre. Les clients paient Maurice qui paie le passeur. Maurice paraît calme et content, il a de l'argent.

Je lui raconte la maladie de Gabriel, notre séparation, l'usure de nos sentiments : à des échelons différents nous sommes des épaves après avoir été des enfants malheureux. J'avoue à Maurice que je n'écris plus d'articles.

— Pourquoi continueriez-vous d'écrire ces fadaises ? me dit-il.

Je n'ose pas répondre : pour manger, pour vivre. Maurice me réchauffe et me glace lorsqu'il fait une mise au point instantanée, lorsqu'il me jette à la face un paquet de logique.

— Vous avez eu tort, me dit-il en me reparlant de ma fausse couche. Un enfant ! Vous lui auriez donné toute l'affection que vous avez besoin de donner. Une chance s'offrait pour vous d'aimer. Vous n'en avez pas voulu.

Je n'ose pas objecter qu'un enfant grandit, qu'il vous quitte et que finalement c'est aussi une tragédie.

C'était l'été, c'était un café sans portes. Nous sirotions nos apéritifs, nous regardions vivoter le dehors.

— Cette rue, cette chambre vous font grand mal mon enfant. A partir d'aujourd'hui vous restez près de moi.

Je le regarde, il commande d'autres apéritifs. Je me dis que c'est trop beau pour être vrai.

— Je ne peux pas quitter ma chambre comme ça... On ne quitte pas sa chambre comme ça...

— Inscrivez, dit-il au garçon qui apporte d'autres consommations.

— On demande M. Sachs au téléphone, répond le garçon.

Je suis seule, je lui prends une cigarette, je me demande dans quel passé je vais retomber, dans quel avenir je vais être précipitée.

— Justement ma chère, me dit-il en revenant, on quitte sa chambre comme ça. On ne la quitte pas autrement. Ouvrez votre sac à main, sortez ce qu'il y a dedans.

— C'est inutile. Je peux vous le dire. Mon rouge à lèvres, mon poudrier, mon noir pour les cils, mes tickets de métro. Je n'ai pas de chemise de nuit...

— Vous coucherez dans mon hôtel, je vous prêterai une de mes chemises, dit Maurice. Pourquoi compliquer lorsque tout est facile ?

Et il se noie dans une gorgée d'alcool. Et je me reproche l'abandon de ma chambre, le palais de mes échecs. Vivre avec un écrivain, vivre avec Maurice

497

Sachs, ce sera vivre, avec ou sans argent. J'accepte et me liquéfie dans le fla-fla des remerciements.

Notre hôtel est à deux pas du café, nos restaurants aussi. J'aurai connu Maurice Sachs matinal envers et contre tout ; il est marqué par son stage dans un séminaire. Epris d'équilibre, épris de santé, épris d'emplois du temps. Je le retrouve frais et charmant à neuf heures du matin. Il a écrit pendant quatre heures, c'est presque un jeune homme heureux. Il me demande des nouvelles de mon sommeil, il me raconte ses visites chez les psychiatres, chez les psychanalystes, le mot névrose, le mot subconscient reviennent constamment dans sa bouche. Le subconscient, Violette, le subconscient absorbe un individu. Les névroses, Violette, les névroses le tuent. Maurice Sachs m'effraie. Comment s'en sortir ? Nous décidons que l'enfant en moi devra se libérer de la mère. J'arrive donc à neuf heures, il écrit, avec sa petite écriture serrée, dans un cahier écolier, il referme le cahier pour déjeuner avec moi une deuxième fois. Avoir « mon nid de colombes » sur la tête, sur mon dos la jolie veste de renards que je devrais rendre, que je ne rends pas, aux pieds de la paille noire et des semelles de bois, ouvrir le papier glacé, sortir la tranche de cake dans le bruit du percolateur, cela me semble le paroxysme de la vie de bohème. Je me crois extraordinaire parce que je vis avec Sachs, parce qu'il me fait lire ses passages préférés : l'enterrement de Talleyrand dans *Choses vues*, par exemple, parce que je me repose sur lui, parce que je me prends pour lui. A onze heures, Sachs m'éloigne de sa table, il me donne de l'argent de poche, il me dit de le dépenser — il m'appelle la fourmi à cause de mon souci d'économie, je l'ai écrit dans *L'Affamée* — d'acheter des livres, de boire un alcool dans un autre café. Je lui obéis. Je redeviens une adolescente. Je stationne devant les vitrines des libraires. Et puis j'achète du rouge Baiser. Je ne veux pas que mes baisers du soir et ceux du matin laissent des traces sur les joues de Maurice. Parfois je triche, parfois je reviens sur mes pas pour le voir de loin. La tête est énorme, la bouche, un bas morceau. Le client ou la cliente parle, Maurice écoute l'air abattu. Souvent l'agence de voyages qu'il a ouverte dans le café ne ferme qu'à une heure, alors je dois aller et venir dans la rue avant de le retrouver pour un bon repas. Il me parle des quatorze costumes d'un auteur de théâtre qui veut envoyer sa petite amie en zone libre. C'est tout ce qu'il me confie. J'ignore combien il demande pour un voyage, ce qu'il gagne, ce qu'il donne au passeur. Il ne gagne pas des fortunes. L'après-midi chacun fait la sieste ou lit, étendu sur son lit. J'ignore où est sa chambre, j'ignore si des amis ou des intimes viennent le voir. A quatre heures nous arpentons le Champs-de-Mars, l'Esplanade des Invalides. Le faste de l'espace illumine l'œil de Sachs.

Aujourd'hui d'où lui vient cette nouvelle canne baudelairienne entre les cris et les cerceaux des enfants ? Aujourd'hui il me parle des *Tonnes de semence* d'Audiberti, de *La Vie tranquille* de Marguerite Duras, il me récite de l'Apollinaire, il me dit son admiration sans restrictions pour *Plain-Chant* de Cocteau. Je l'écoute, je suis plus grande que la ville, le présent est un souvenir. Nous nous couchons avant la nuit. Je lis avec plus d'ardeur depuis que je vis avec lui.

Ce soir il relit *David Copperfield*, ce soir je commence *Correspondance aux âmes sensibles*. La bonne vie d'un religieux, d'une religieuse qui retourneront au bistrot demain matin.

Parfois il dit que je l'ennuie avec mes malheurs d'enfant. La patience a des limites. Parfois il a la nostalgie de l'air des Charentes, la nostalgie de la campagne. Il admire l'éducation anglaise : en Angleterre les parents ne se collent pas aux enfants, ils les mettent dans des collèges. Je n'ose pas répondre que je ne les approuve pas, que si je pouvais refaire mon enfance, je la referais dans la poche d'un kangourou.

Maurice a trouvé une amie qu'il tutoie avec prévenance. C'est Maud Loty. Elle vit dans la rue, sur le trottoir. Grimée plutôt que maquillée : une bouleversante bille de clown. De la jeunesse elle en a gardé dans la main : c'est son sac qu'elle balance, qui ne la quitte pas. Maurice ne l'avait pas reconnue, le garçon de café lui a dit qui elle était. C'est une curiosité du quartier. On rit d'elle, on rit avec elle, les chiens aboient, l'agent de police de service sourit. Non elle ne cherche pas des clients. Elle a pris l'habitude de boire et elle manque d'argent. Je soutiens que je ne trouve pas de différence entre la gloire et sa déchéance. Je l'avais vue au Théâtre des Ternes, en petite fille attardée, avec un grand nœud papillon au-dessus de sa frange raide de cheveux blonds. Je la revois tragédienne. La petite femme qui faisait courir Paris pour sa façon de dire merde récite maintenant, sans ouvrir la bouche, les mots les plus déchirants. Maurice l'appelle à sa table, il me demande de le laisser. Bien sûr, avec empressement. Elle a tant besoin de considération. Refleuriront sur sa misérable robe imprimée les fleurs que lui envoyaient ses amis. Je me promène, je ne me dis pas que ce provisoire aura une fin.

Maurice m'a raconté qu'il a fait un scandale un soir à la Comédie-Française. L'interprétation de *Phèdre* le scandalisait. Il a fini la soirée au poste de police. Il me parle avec chaleur d'un jeune licencié normand mécontent comme lui et le suivant au poste de police. Maintenant ils correspondent. Le jeune licencié passera l'été en famille dans un petit bourg de Normandie. Parfait-parfait, ajoute Maurice comme si des projets mûrissaient.

Nous voyons de plus en plus Maud Loty. Souvent

elle est pompette à midi sans dire des bêtises, sans pleurer. Sa voix brisée : la fragilité de sa situation. Elle me croit la maîtresse de Maurice. Je n'en suis pas peu fière. Elle lui raconte son existence d'actrice célèbre. Il me confie un formidable projet. Il adaptera pour elle un roman de Dostoïevsky — il ne me dit pas lequel —, elle remontera sur la scène avec son maquillage, sa robe, ses chaussures, ses jambes nues, ce sera une tragédienne.

La jeune femme au visage ingrat, aux cheveux raides qui lui balafrent le visage, à la main estropiée, qui est-ce ? Elle entre dans le café, elle va droit à Maud, elle lui lisse les cheveux de sa main valide, elle l'emmène par le bras. Elles s'éloignent, le talon de Maud Loty claque, la pantoufle de son amie bat le carrelage du café. Je les ai revues ensemble à sept heures du soir. Maud Loty ne m'a pas reconnue.

— Elle a pour Maud un amour extraordinaire, me dit Maurice.

Le lendemain Sachs m'apprend que nous dînons chez Maud Loty. Immeuble moderne, à cent mètres du café. Une vieille femme ouvre.

— Je ne sais pas si vous pourrez les voir. Elles sont enfermées dans la salle de bains. Il y a quand même quelqu'un qui vous attend. Je vais le prévenir.

— Maud me l'avait promis, me dit Maurice.

C'est un appartement délabré, cela se devine à l'odeur.

Maurice s'approche, il le chuchote dans mon oreille :

— C'est décidé : nous partons.

Mon cœur est secoué, mon cœur est joyeux.

— Nous partons pour où ?

— Nous quittons Paris, nous allons à la campagne, précise Maurice.

Nous suivons la vieille dame. L'odeur est irrespirable.

Un homme jeune s'est levé de ce qui fut un canapé :

— Je vous attendais.

— Enchanté de vous connaître, enchanté de vous
rencontrer, dit Maurice Sachs, toutes voiles de
l'amabilité déployées.

L'homme jeune ne me salue pas.

— Nous avons tant de choses à nous dire, dit
Maurice Sachs à l'inconnu.

L'homme jeune est froid, il ne réagit pas. Tiré à
quatre épingles, les yeux sans indulgence derrière
des lunettes à monture de prix, la voix volontaire-
ment discrète, se tenant droit, il entraîne Sachs du
côté du canapé en décomposition.

Je bavarde avec la vieille dame, à l'autre extrémité de la pièce. Nous nous assoyons sur des caisses.
« Monsieur Sachs est trop généreux, Monsieur Sachs
a donné trop d'argent pour le dîner de ce soir il
n'est pas prêt mais il sera prêt elles sortiront du
cabinet de toilette alors elles penseront au dîner et
tout s'arrangera Monsieur Sachs est si généreux tous
les jours Maud parle de lui — il s'occupe d'elle il
lui écrit une pièce, Maud aura du succès. »

J'écoutais et je pariais.

Je parie que c'est un polytechnicien. Je parie que
c'est un statisticien. Je parie que c'est un adjudica-
teur. Je parie que c'est un expert comptable. Je
parie que c'est un architecte. Je parie que c'est un
appariteur. Je parie que c'est un métreur.

Elles, les voici. Branle-bas, désordre des voix,
l'homme jeune serre la main de Maurice et il s'en
va. La vieille dame radote qu'il n'y a rien pour
dîner mais que nous dînerons dans un instant ;
Maud Loty saute au cou de Maurice, l'infirme
contemple son amie. Mon regard dit à Maurice que
nous deviendrons fous si nous ne partons pas ; il est
d'accord, nous allons partir.

Maud Loty pleure, rit, son amie la ramène au

cabinet de toilette, elle crie qu'elle veut revoir Maurice demain, après-demain pour commencer à répéter la pièce. Il lui répond qu'il la verra demain. Nous nous en allons.

Dehors nous n'avons pas le courage de commenter.

— Malgré toute ma bonne volonté, insinue seulement Maurice Sachs.

— Ce jeune homme... qui était-ce ?

— Passionnant. Ce jeune homme ? Celui qui avait pris un Watteau au Louvre, ma chère.

— Le voleur de *L'Indifférent* ?

— Exactement. Il m'a raconté comment il avait opéré. Ça ne vous intéresserait pas.

Bon. Ça ne m'intéresserait pas.

C'est décidé : nous partons.

— Où irons-nous Maurice ? Où coucherons-nous ? Où habiterons-nous ?

— Vous n'avez pas quatre ans, alors ne posez pas ce genre de questions, m'a-t-il répondu.

Il a téléphoné en province. Il semblait déçu lorsqu'il est sorti de la cabine.

Rosier couvert de roses, je te ressemblais lorsque la blanchisseuse m'a dit : Vous venez chercher le linge de votre mari ? Ce que je voudrais ? Avoir mon sexe rouillé. Je pourrais épouser tranquillement Maurice Sachs. Mon désir de lui qu'est-ce que c'est ? Mes entrailles montées à la tête. Beaucoup de vanité. Changer un homosexuel en une barre de fer rougie, plier cette barre. Attention Violette, Sachs n'est pas n'importe qui. La tristesse l'emmerde, donc rengaine tes larmes.

Nos valises : deux cabas qui étaient pendus à l'éventaire d'un marchand de couleurs.

— N'auriez-vous pas le moindre zéphir plié dans le placard de votre chambre ?

— Quel zéphir ?

— Une robe, une chemisette... Vous n'allez

quand même pas vous promener dans les prés avec vos fourrures !

A vivre près de lui, je devenais plus insouciante que lui. J'emplis mon cabas avec des frusques de plein été.

Nous partions pour la Normandie, la famille du jeune licencié nous hébergerait.

La veille de notre départ, allant comme d'habitude retrouver Maurice dans le café, je le rencontrai dans la rue en compagnie d'une jeune fille mise avec simplicité, ses cheveux blonds coiffés sagement. Dix-huit ans.

D'un air distrait il me la présenta. La jeune fille s'inquiétait. Maurice viendrait-il ? Bien sûr. Serait-il à la gare après-demain matin ? Bien sûr. Je regardai Maurice avec intensité, il me regarda avec indifférence. La jeune fille disparut dans une rue déserte.

— Pourquoi lui dire que vous irez puisque nous serons partis ?

— Vous m'emmerdez et je vous prie de ne pas vous mêler de mes affaires, trancha Maurice Sachs.

J'oubliai sur-le-champ la jeune fille.

Douze années passèrent. Je devais me souvenir de cette scène au début de ma maladie de la persécution. Le monde entier me la reprochait. Toutes les jeunes filles que je rencontrais avaient attendu Maurice Sachs dans une gare. Etudiantes, employées, serveuses, secrétaires, elles me narguaient sans me regarder. Mon remords, leur jeunesse qu'elles me jetaient à la face. Je dénonçais Maurice à mes amis, à des inconnus. J'inventais que la jeune fille était juive, qu'elle voulait fuir en zone libre. Je l'inventais puisque je l'ignorais. Maurice fricotait, il ne s'en est pas caché. J'en profitais puisque je vivais avec lui sans rien lui donner.

Sachs proposa une promenade en fiacre pour

notre dernière soirée parisienne. Le fiacre arriva devant le café, des badauds nous entourèrent, il y eut des rumeurs lorsque Sachs m'aida à monter. Nous voilà partis. Mon bras pendait dehors avec la mollesse d'une allégorie portée sur un nuage. Ivresse sans alcool, je butinais le dôme du Sacré-Cœur, tout m'appartenait sans rien désirer. J'étais Bob, ce Bob dont l'indifférence m'avait fascinée pendant qu'il se promenait en fiacre avec Maurice. Inconstante, je revoyais avec un sourire de suffisance le Champ-de-Mars où nous marchions à la nuit tombante. Maurice me parlait de Casanova, du cardinal de Retz. Nous fumions et toute la ville était imprégnée du parfum de nos cigarettes. J'entends le claquement de ma jugulaire sur mon cou. Le détachement du cocher me ravissait. Nous bavardions en présence d'un témoin qui ne comptait pas. Sachs lui donna une adresse de restaurant après que nous eûmes bu de l'alcool dans un bar aux Champs-Elysées.

— Nous dînons chez Zatoste, me dit Sachs en m'aidant à descendre du fiacre.

Le restaurant basque était plein de monde, le repas, succulent. Nous bûmes beaucoup. Je dis à Sachs qu'un vieillard ne cessait pas de nous regarder. Maurice se pencha vers moi :

— Costume de la rue Royale.

Il se pencha davantage :

— Epingle de la rue de la Paix, cravate de la rue de Rivoli.

— Longues moustaches grises, dis-je.

— Ma chère, c'est un vieux général à la retraite. Tout cela est parfait.

Flairer le fric l'enchantait.

Le lendemain matin nous arrivâmes pour l'ouverture du café. Sachs s'était organisé. Le garçon lui donna deux fiasques de cognac.

Il y avait foule gare Montparnasse. Notre train était-il en gare ? Partirait-il ? Des wagons végétaient. Paris, ce n'était pas le restaurant Zatoste, le fiacre, le vin fin, le jambon cru. Paris, c'étaient ces milliers de visages creux, ces corps maigres perdus dans les vêtements, ces hommes hâves. Sachs me dit de boire ; je bus du cognac à la régalade, à sept heures du matin. Il but aussi et s'en alla aux nouvelles. Des valises en aluminium, des musettes de grand format, des cartons à chapeau en bois, des sacs à provisions en moleskine m'intriguaient. Notre train était supprimé, il fallait attendre jusqu'au début de l'après-midi.

— Parfait, parfait, dit Maurice, nous ferons des emplettes. J'écrirai, vous lirez, nous déjeunerons, nous reviendrons à la gare.

Le voir acheter avec bonne humeur des livres et des cahiers après un train manqué ravigotait. Qu'est-ce qu'il écrivait ? Combien avait-il dans son portefeuille ?

J'ai été guindée pendant mon premier voyage en première classe. Je me privais de regarder le paysage pendant que Maurice lisait, et le voyage me semblait quelconque parce que j'étais privée du relent des paniers à provisions.

Nous bûmes du vin blanc à la terrasse d'un hôtel, au centre d'une petite ville endormie à quatre heures de l'après-midi. Nouveauté et féerie de la modicité des prix. Où était la guerre ? Je me le demandais en regardant les bonnes joues des passants.

— Respirez, me dit Maurice sans lever les yeux de son livre.

Une valise étincelait. Des hommes et des femmes parlementaient sur la place. Je reconnaissais les musettes, les sacs en moleskine, le carton à chapeau en bois, la valise d'aluminium. Deux cyclistes montèrent à vélo. Ils roulaient avec d'énormes valises ficelées à leurs porte-bagages.

— A ce soir, leur crièrent les femmes.

Elles partaient aussi du côté de la verdure.

— Qu'est-ce que nous attendons ? dis-je à Maurice.

— Un car.

Il tourna une page de son livre.

Nous avons pris un taxi collectif.

Le jeune licencié a le culte du dévouement et de l'amitié. Ses yeux de myope derrière les lunettes criaient : je meurs où je m'attache. Sa famille ne pouvait pas nous héberger ; il nous proposa pour la nuit les chambres du facteur avec ce frémissement dans la voix qui incite à l'espérance. Je me pâmais devant son admiration pour Maurice. Cependant il l'écoutait avec anxiété. Son sourire blasé me surprit, son nez un peu dévié m'attendrit. Grand, bien bâti, vêtu d'un short blanc et d'une chemisette blanche, il nous aida à nous installer, chacun dans notre chambre.

J'apprends le lendemain matin qu'on perquisitionne dans le village : des inspecteurs cherchent des Juifs. J'accours, tremblante, dans la chambre de Maurice. Il lisait au lit, il continue de lire avec sérénité.

— Levez-vous à la fin ! Faites quelque chose. Ils vont venir. Ce n'est pas pour moi que j'ai peur !

— Ma chère, je vous en prie. Ne vous affolez pas ainsi.

— J'ai peur pour vous.

— Peur de quoi ?

Je n'ose pas répondre qu'il est demi-juif, qu'il me l'a dit.

Je l'agace dès que je lui montre trop que je tiens à lui.

— Si vous nous commandiez un petit déjeuner soigné ?

— Manger ! Je ne peux pas vous laisser.

— Allez, allez, mon enfant...

Ouf ! On chuchotait dans la rue que les inspecteurs étaient partis.

A la fin de la matinée le jeune licencié poussait un vieux vélo.

— La route à gauche ou la route à droite ? me dit-il.

— La route à droite, dis-je sans hésiter.

Nous allions à la recherche d'un toit.

Ils parlaient de littérature, d'études, d'un ami commun, entre mes feuilles de noisetier, mes aubépines défleuries, la mauve souriante, la camomille épanouie. A boire, à boire aux sources du ciel... Je marchais derrière eux, je buvais tout ce bleu, je retrouvais ma joue neuve et ma joue fraîche des campagnes sans pittoresque. Nuages, mes nuages blancs se reposaient sur mes étés. Nous allions sans nous presser, je taillais des robes et des tabliers dans un champ couleur de café au lait, le doux soleil beurrait mon front, mes poignets.

— Enfin une maison ! dit Maurice.

Soudain une odeur de sucre caramélisé. La maison, rectangle fiché dans la terre, ressemblait à une chaumière de carte postale ; des dahlias aux couleurs criardes annonçaient que nous arrivions dans un village : colombier plutôt que poulailler improvisé, des poules blanches perchaient sur une faneuse. O fraîcheur héraldique des roses trémières plus loin. Ils entrèrent dans la maison suivante. J'entrai derrière eux.

Nous patientâmes dans une fraîche salle de café que rafraîchissait encore une plante verte ; de l'épicerie contiguë j'apercevais le vernis noir d'une pile de galoches. Un homme est venu. Son centimètre pendait sur ses épaules.

— Monsieur Blaise, dit-il avec plaisir au jeune licencié.

Petit, solide, on l'aurait pris pour un diplomate à cause de ses yeux perçants, de son air averti, de son maintien. Tout était arrangé : nous pouvions déjeuner.

— Fort bien, fort bien, dit Maurice. Tout cela me semble parfait. Si nous commencions par un calvados ?

Le jeune licencié nous quitta : il continuait à nous chercher un logis. Le commerçant m'aida à enlever la veste de renards qui ne m'appartenait pas.

— Nous cherchons une maison, dit Maurice.

M. Zoungasse regarda nos cabas.

— Vous ne trouverez rien, dit-il. Nous avons deux chambres, mais tout est retenu.

— En y mettant le prix ? proposa Maurice.

— On n'a qu'une parole.

M. Zoungasse avait fait un trou au milieu de la purée de pommes de terre il y versa du jus de viande, ensuite il servit des tranches de veau.

— Le pays regorge de tout, me dit à mi-voix Maurice.

Lecteur, liras-tu *La Vieille Fille et le mort* ? Si tu le lis, tu te diras : encore la plante verte sur la table au milieu de la pièce, encore l'épicerie contiguë à la salle de café, encore les piles de galoches. Oui. Je n'ai pas inventé le café, le village. Ils existent. Tu pourrais te dire : Maurice Sachs, c'est donc le mort ?

Tu te tromperais. Le mort est un autre homosexuel que j'ai aimé, le mort est un homme riche et en bonne santé que j'ai changé en vagabond parce que mes doigts tenant le porte-plume pouvaient fermer les paupières d'un vagabond.

Le commerçant nous servit le café.

— Vous ne demandez pas de tickets ? dit Maurice.

— Jamais, dit le commerçant, offensé.

Je tournai la tête : une route couleur de sable avec une souplesse de couleuvre se chargeait de la chaleur et de la réverbération.

— Vous sortez de mon café, dit M. Zoungasse, vous tournez autour du cimetière, vous le longez et, tout de suite après, à votre droite, c'est là. Il est vieux, il est seul, je ne vois que ça.

— Nous vous laissons nos cabas, dit Maurice.

M. Zoungasse était tailleur. Déjà il traçait des lignes avec sa craie.

— De ma vie je n'avais vu un cimetière aussi charmant, dit Maurice. Hein ?

La lumière n'était pas indulgente. Son costume se déformait, ses chaussures d'un brun rougeâtre s'usaient. Il épongeait sa nuque, son front, ses yeux étaient des gouffres de tristesse malgré l'enjouement des ombellifères qu'il regardait sans les voir. Je trébuchais sur les pierres avec mes grosses semelles de bois.

Je revois le cimetière. Pas de grilles, pas de portes. Ouvert le jour, ouvert la nuit, il montre ce qu'il a à montrer : les tombes abandonnées sous un molleton de mauvaises herbes. On entend le clapotis des troupeaux qui s'en vont à l'abreuvoir, le branle-bas d'une herse. Un mouton s'échappe, il entre dans le cimetière pour une fringale de chardons, le chien le pourchasse. Ce n'est plus un cimetière. C'est un jardin fou dans lequel il ne faut pas chanter. Ici les

vases ne s'ennuient pas. Ils reçoivent. Des fourmis
avec leur activité, des escargots hermétiques. Les
couronnes ressemblent à des hommes qui se tassent
pour dormir là où ils se sont écroulés. C'est une
abondance de mauve, de gris, de violet fanés par les
intempéries. Des sauterelles sautent sur les perles.
Les fleurs en porcelaine, petits bénitiers serrés,
conservent l'eau de pluie dans leurs pétales. On
dirait que les fleurs en tissu ont été taillées dans les
jupes trempées de larmes des pauvres femmes.
Quant aux dates, quant aux noms... On lit, on
déchiffre, on voit la gomme du temps. Et l'hirondelle plonge d'un coup d'aile sur tout le cimetière,
et de cette immense plongée elle fait une envolée.

— C'est là, dit Maurice.

La maison tournait le dos à la route. Une maison
née avec des volets fermés. J'entendis le cri lumineux de l'alouette. Maurice poussa la barrière enfantine. Nous nous engageâmes dans un couloir en
plein air entre le mur de la maison et un hangar.

Surprise d'un potager décoré de groseilliers et de
rosiers. Des roses s'effeuillaient, les pétales ornaient
des choux ronds. L'allée centrale du potager était
bordée de lustres fleuris.

La porte, ouverte. L'homme assis tournait le dos
comme sa maison, la vieille femme ressemblait à un
aigle et à une poule. Ses rares cheveux trempés
d'eau, séparés par une raie, formaient un colimaçon
luisant de la grosseur d'une boîte de cigares. Ils
jouaient aux dominos.

— Vous avez des visites, monsieur Motté, je m'en
vais.

Son accent chantant l'étoffait.

— Ne partez pas, dit à la vieille femme le vieillard aux cheveux de soie.

— Quoi donc ? nous dit-il ensuite.

Il continuait de nous tourner le dos.

Chacun tenait ses provisions de dominos enfermés dans une main.

Maurice expliqua qu'il cherchait quelque chose à louer. Le vieillard montra son profil. Nous reçûmes un œil vitreux, une moitié de moustache blanche tombante. De son œil bleu, il me dévisagea de la tête aux pieds.

— Je n'ai rien à louer ! dit-il à travers sa moustache.

La partie de dominos continuait.

— Comme vous êtes triste, dis-je lorsqu'on se retrouva sur la route.

Maurice regardait une maison en face de lui, avec des volets ouverts, à l'abri derrière une haie.

— Il faudra rentrer ce soir à Paris, dit-il.

— Rentrer ?

— Eloignez-vous, dit-il, je vais prier.

Je restai clouée sur place.

Maurice monta sur le talus à notre droite. Il se laissa tomber dans l'herbe, il mit sa tête dans ses mains. Il priait.

Sa prière, à l'improviste, m'effrayait. Je regardai fixement un rosier grimpant afin de me dissoudre en lui.

— J'y vais seul cette fois. Attendez-moi, dit Maurice Sachs.

Il ouvrit de nouveau la barrière enfantine.

Rentrer à Paris, c'était pour lui une catastrophe. Je me rappelai ses ennuis, ses démêlés avec des bijoutiers, une propriétaire. Où étaient ses amis ?

— Nous aurons chacun notre chambre, me dit-il.

— Chacun notre chambre ! Il a accepté ?

— Avec beaucoup d'argent. Venez.

— Maintenant ?

— Il veut vous voir.

— C'est votre petite dame ? dit le vieillard.

J'aurais pleuré pour tant d'innocence.

5̄13

Maurice lui demanda s'il voulait nous montrer les chambres. Le maigre vieillard ôta sa casquette, ses sabots. L'escalier de bois blanc sans rampe, à pic, me faisait l'effet d'un précipice à escalader.

— Je n'oserai pas...

— Ne soyez pas sotte, me souffla Maurice.

Il me poussa devant lui.

Le vieillard était arrivé en haut, il rectifiait ici et là un parterre d'oignons luxueux. Je cognai ma tête à la toiture en pente. Tiédeur en coffret d'un grenier.

— Les voici, dit-il.

Deux jumelles, avec une porte communicante. Chacun son lit de merisier, chacun son « gonflant » de satinette, ses deux petites fenêtres donnant sur la route et sur le potager, ses deux paires de rideaux amidonnés.

— Vos chambres sont charmantes, dit Maurice.

Charmé, le vieillard regarda Maurice.

— Les lits sont petits mais il y a de quoi quand même, dit-il.

Nous rîmes d'un rire faux pour ne pas le décevoir.

Le vieillard enleva de la poussière en glissant son gros doigt sur l'appui de la fenêtre.

— Ah ! faut que j'aille à mes bêtes, dit-il. Ce soir vous trouverez les draps.

Un nombre incalculable de bouteilles vides enrobées de poussière montaient la garde derrière les oignons mordorés. Le grenier sentait le papier d'Arménie.

La pièce où nous pourrions nous tenir était carrelée de rouge avec une cheminée prête pour le feu de bois. Les yeux de Maurice caressaient une table longue comme une table de banquet. Combien de manuscrits on y pouvait écrire !

Nous revînmes au café, Mme Zoungasse nous accueillit.

— Ces messieurs-dames sont-ils satisfaits ? dit un saule pleureur redressé par l'amabilité.

Accueil trop plaisant, tapis déroulé à nos pieds, tapis en chevelure de Marie-Madeleine.

— Satisfaits au-delà de nos souhaits, dit Maurice d'une voix onctueuse.

— C'est un brave homme. Vous serez très bien.

Mme Zoungasse nous dit qu'elle devait surveiller le repas.

— Bien entendu nous dînons chez vous, dit Maurice, mais si cela devait vous donner le moindre mal...

— Si ces messieurs-dames veulent se contenter d'un potage, d'un morceau de cochon froid, d'une salade frisée, d'un flan...

— Tout cela me semble parfait, dit Maurice, et si vous voulez nous prendrons pension chez vous.

— La pension, c'est avec le petit déjeuner.

— Naturellement, dit Maurice.

Salade extraordinaire. La chicorée frisée est parfois rébarbative : l'extrémité de sa feuille mâchée et remâchée donne l'impression d'une feuille de chardon qui ne piquerait pas. C'est dur, c'est monotone, cela rappelle l'herbe qui a continué de pousser au milieu d'une route récemment goudronnée. Nous étions loin de ces duretés. Tendre à regarder, imbibée d'un liquide laiteux, la chicorée frisée frisottant ici et là, verdoyant encore ici et là, la chicorée frisée était atteinte d'un commencement de maladie de langueur dans le saladier de porcelaine blanche. Le jaunâtre se reposait dans le sein du blanchâtre. J'attaquai. Je mangeai une nourriture d'ermite amateur de soie, de velours. Un souvenir de vinaigre flottait à l'intérieur de ma bouche — oui flottait, je maintiens mon charabias —, il s'élevait et s'évaporait comme la vapeur d'une écharpe de mousseline.

Maurice nous la servait au fur et à mesure par petites quantités.

— Ma chère, vous êtes en train d'avaler un chef-d'œuvre, dit-il. Pouvez-vous nous donner la recette ? demanda-t-il à Mme Zoungasse.

Elle essuya ses mains à son tablier.

Rien de plus facile : vous prenez une petite casserole, vous faites fondre une noisette de beurre, vous ajoutez votre crème fraîche...

— Notre crème fraîche, dis-je stupide et émerveillée.

— ... Vous ajoutez votre crème fraîche, vous tournez...

— Salade à la Proust, dit Maurice Sachs.

Notre journée se termina par un clair de lune : le cimetière était une apparition.

— Ce village n'a qu'une rue, dit Maurice.

Nous remontions la côte à pas lents. Glissaient des bleus acier sur les ardoises des toits.

— Pas de clef et il a fermé à clef, dit Maurice.

— C'est M. Maurice ? dit le vieillard à travers sa porte.

— Lui-même, dit Maurice de sa voix la plus enjouée.

La porte s'ouvrit, le vieillard nous apparut dans sa chemise de nuit avec ses sabots énormes.

Un petit Christ d'ébène sur une petite croix d'ébène, pris dans la voilure d'une toile d'araignée, retint l'attention de Maurice. Cuisine délabrée, mal éclairée, fourneau mal entretenu d'homme seul. Le buffet de merisier semblait avoir été mis là par un antiquaire. La poussière cachait les motifs de deux vases romantiques.

Les deux paires de draps étaient prêtes sur la longue table. Nous prîmes chacun la nôtre. J'eus peur de notre avenir dans le village, j'eus peur de la comédie de l'amour et de l'union libre que nous devrions leur donner.

Je voulus faire le lit de Maurice, tapoter son édredon, son oreiller, déplier, unifier ma tendresse là où je pouvais. J'ai fait son lit pendant que Maurice urinait dans une des bouteilles vides du grenier. Je le bordais aux pieds, je le bordais sur les côtés.

— Vous êtes fatiguée. Disons-nous bonsoir, dit Maurice.

Mon Dieu, que ses baisers sur mes joues étaient abstraits. J'enfonçais trop dans ses joues molles, je noyais mes deux baisers. Je vivais notre bonsoir amical avec plus d'acuité qu'à Paris parce que je vivais seule avec lui, près du lit dans lequel il coucherait. Je partis dans ma chambre et, lorsque j'eus refermé ma porte, je souffris d'une morsure au sein, de mon épaule prise dans un étau : la césure de nos deux vies. Maurice Sachs me prêtait sa présence, il se donnait au vieillard, à M. Zoungasse, au jeune licencié. Il plaisait, il charmait comme Gabriel plaisait et charmait avec d'autres moyens. Je m'attachais à des hommes qui m'échappaient.

J'éteignis avec des précautions de cambrioleuse parce que j'avais honte de ne pas lire un moment. Les deux matelas de plumes m'exaspérèrent ; je m'enlisais. Je me tournai du côté de la porte, je vis un rai de lumière. Maurice veillait. Je pleurai. Je me désespérai parce que j'étais séparée de sa veillée. Il lut une partie de la nuit. Je m'endormis, loin de lui, près de lui, après qu'il eut éteint.

Les sabots m'éveillèrent en sursaut. Le vieillard poussait des brrr prolongés, il changeait l'été en hiver. L'angélus au loin sonnait dans de l'ouate. J'ouvris les yeux : franche journée, azur cotonneux. Maurice dormait-il ? Maurice lisait-il dans son lit ? Je ne devais pas me le demander. Son intimité lui appartenait. Je me sentis encombrée de raison, de consignes, de tact. Solitude filandreuse près de la médiocre tapisserie. Le piétinement, les allées et venues du vieillard me tinrent compagnie. Je me levai. Un grillage séparait les groseilliers de la niche du chien. Le chien, plus précisément le squelette d'un chien, essayait de s'échapper. La chaîne étant trop courte, il aboyait aussitôt qu'il s'étranglait. Il rentra dans sa niche, j'entrouvris la fenêtre, une guêpe illumina le jardin.

Je marchai sur la pointe des pieds jusqu'à la porte communicante. Dormait-il ? Lisait-il dans son lit ? Est-ce que je pouvais m'habiller ? Est-ce que je pouvais traverser sa chambre ? Le déranger pendant qu'il lisait Kant ou Hegel était inconvenant. Je me recouchai, je me ratatinai sous le drap. Pas d'occupation, pas d'avenir, pas de projets. Une grosse mouche entra, elle ressortit, le vieillard commença de bêcher son jardin potager. Qui m'aiderait à sortir de la chambre ? Les cailloux qu'il retournait tintaient, sa bêche trinquait avec les pierres.

Je me levai à huit heures, je m'habillai d'une cotonnade, je chaussai mes pieds de sandales. Je frappai à la porte de Sachs. Silence. Je frappai encore. Silence. J'ouvris sa porte. Le lit vide, le cabas vide, la fenêtre fermée. J'avais pesé dans ma chambre, Maurice avait effleuré la sienne. Je descendis avec mes sandales à la main. Des pommes de terre cuisaient dans une bassine, une viande mijotait dans une cocotte en terre. Le vieillard était organisé. Je franchis le seuil de la porte ouverte sur le potager.

— On est levée ? me dit-il.

Il prisa avec exubérance, il se reposa sur la poignée de sa bêche. Ses joues, à côté des groseilliers allumés semblaient roses et des roses soufre languissaient. Où était la guerre ? Fertilité de la terre, bonheur des laitues, confort des choux pommés ; tranquillité des scaroles ficelées, frivolité du persil et du cerfeuil. M. Motté bêchait. Le vieux chapeau de feutre couleur d'eau de pluie que Maurice a décrit dans un de ses livres lui servait de chapeau de paille.

— Vous ne l'avez pas vu ? dis-je.

— M. Maurice est dans la chambre, me répondit-il en m'indiquant avec le luisant de la bêche la pièce du rez-de-chaussée. M. Maurice s'est levé de bonne heure !

On entendit le gémissement d'une scie mécanique dans le hangar à côté du potager.

— Entrez, dit Maurice.

J'entrai sans entrain. Tout m'était repris entre ces deux hommes, menant chacun leur vie, tôt le matin.

Maurice écrivait dans un cahier écolier sur la longue table. Il finit sa phrase, il se leva. La misère tissait sa toile. La robe de chambre en foulard imprimé est sale, la mule de vernis est déformée, la chaussette usée. Il vient vers moi la mule traînante, la robe de chambre au vent. Il est gras, il n'est pas rasé, il est flétri ce matin, mon Néron à moitié chauve.

— Avez-vous bien dormi ? Le sommeil c'est important. J'évitais de faire du bruit en tournant les pages.

— Oui je me suis endormie tout de suite, oui j'ai bien dormi.

Je mens, c'est mon immolation.

— Comme vous vous êtes levé tôt ! dis-je, admirative et décontenancée.

— Je me suis levé aux aurores. Il n'y a rien de meilleur, dit-il en trempant sa plume dans l'encrier.

Je sortis en évitant, moi aussi, de faire du bruit. Il y a des présences démodées.

— Je voudrais me laver, dis-je au vieillard.

Il tendait de la corde entre deux piquets.

— Le seau est dans la cuisine. Vous n'avez qu'à pomper.

— Je me laverai où ?

J'attendis sa réponse.

— Là, dit-il, où je mets mon bois.

Je pompai l'eau. Le bois coupé était admirablement rangé dans l'appentis. M. Motté grogna parce que je lui demandais du savon. Je me lavai à grande eau. Oh ! M. Motté s'était approché, il me regardait. Je continuai ma toilette, feignant de l'ignorer. Il repartit. Je finis ma toilette avec légèreté parce que j'étais enchantée d'avoir du nouveau à raconter à Maurice. Le vieillard me donnait un petit rôle.

— De quoi vous plaignez-vous ? me dit Maurice. C'est un connaisseur et il vous trouve à son goût. A votre place je serais flatté.

Je me plaignais en silence de l'indifférence de Maurice. Privé de garçons, je le voulais propriétaire et tyran.

— Bonjour monsieur Motté !

— Bonjour, dit le vieillard avec rudesse.

Le jeune licencié entra avec son essaim d'amabilité.

— Cher Maurice, dit-il en guise de bonjour.

— Cher Blaise, dit Maurice.

— Déjà au labeur ! dit le jeune licencié. J'ai vu un cahier sur la table. Je passais, j'ai reconnu votre petite écriture que j'aime tant.

— Vous avez ouvert la fenêtre ? dis-je.

Je voulais être au courant de tout ce qui concernait Maurice. Atroce pointillisme du sentiment.

Maurice proposa de boire du calvados chez Mme Zoungasse. Je voulus monter sa robe de chambre dans sa chambre.

— Les femmes sont des esclaves. C'est plus fort qu'elles, dit Maurice. Laissez donc ce chiffon où il est. Venez.

Le jeune licencié me regarda avec compassion. Il devinait, il me plaignait.

— On ne parle que de vous deux, dit-il pour faire diversion.

— Je ne vois pas ce qu'on peut dire, dis-je avec humeur.

— Vos fourrures, ma chère ! dit Maurice.

Mme Zoungasse nous reçut avec cette humilité importante d'une femme qui finit de communier.

Après le déjeuner Maurice me conseilla de me reposer puis d'explorer le village. Il rentra dans l'univers tout neuf qu'il s'était créé le jour même. Je stationnai dans la cuisine. J'entendais les pages de son cahier. Le gémissement de la scie mécanique recommençait. Ma pauvreté et ma nullité à Paris me manquèrent. Il me fallait une ville croustillante de brûlures à caresser. Je ne veux pas me reposer loin de lui, je ne veux pas me promener loin de lui me disais-je dans une bouderie d'enfant. J'ouvris les portes du buffet de merisier. Que prendre ? Un morceau de petit salé ? J'ai mangé. Un morceau de beurre ? J'en ai eu. Du calvados. J'en ai bu. Je n'ai rien et j'ai tout. Que prendre ? Où le prendre ? Je partis dans le jardin potager. Il rôtissait. Je cueillis une grappe de groseilles. Trop aigre. Dérober un rien est parfois compliqué. Je réussis à prendre quelque chose en mordant dans une groseille à maquereau. Si chaude : un fer à repasser fondait sur ma langue. Maurice écrivait, le vieillard se reposait, une abeille dormait au fond d'une fleur. La scie mécanique cessa de gémir, l'odeur de détresse de la sciure fraîche me rafraîchit, un papillon passa avec son transport de bonheur.

Arriva, s'arrêta un char mérovingien. Je m'agenouillai derrière le groseillier afin de n'être pas vue. Sauta du char une motte de toile beige, un paquet de broussailles grises.

— C'est prêt ? demanda le paysan.

Il remettait le chapeau d'un de ses chevaux. Il chiqua.

— Entre, répondit-on dans le hangar.

La motte de toile beige grimpa dans le char, elle en ressortit avec une bâche verdâtre.

— J'entre ? dit le paysan.

— Entre, dit la voix énergique dans le hangar.

Le cheval frémissait à cause des mouches. J'entendis la résonance d'un meuble en bois.

— Ne le prends pas par les poignées, dit la voix autoritaire.

— Par où veux-tu que je le prenne ? dit le paysan.

— Tu le prends comme moi. Par en dessous. Ne lâche pas la bâche. Sors, sors à reculons.

— C'est facile à dire, dit le paysan.

Le paysan commença de sortir à reculons du hangar. Il portait un long meuble couvert de la bâche verdâtre. La bâche tomba et découvrit un superbe cercueil. Le menuisier sortit de son atelier, il regarda de tous côtés avant de la ramasser. Ils déposèrent le cercueil dans l'herbe en prenant les précautions qu'on prend pour un grand blessé.

— Y'a progrès, dit le paysan.

Il chiqua.

— Le reste est à faire, dit le menuisier.

Il prisa.

— Tu le prends ?

— Je le prends, dit le paysan.

Le menuisier l'envoyait, le paysan le recevait. Il aida ses chevaux chapeautés à tourner sur la route. Le cercueil remuait dans le char. Le menuisier repartait dans son hangar. Il haussait les épaules.

Je montai la côte, je partis me promener.

J'arrivai au calvaire, je m'arrêtai au carrefour.

— Entrez, ma pauvre femme. Vous vous reposerez. On n'est pas heureux. Croyez-moi, on n'est pas heureux.

Elle insiste. Entrons.

— On n'est pas heureux, ma pauvre femme. Croyez-moi : on n'est pas heureux. Si je veux vous donner du café il faut que je le fasse chauffer et pour le faire chauffer il faut que j'allume le feu. Le feu coûte cher. Le bois. Ne parlons pas du prix du bois. C'est une abomination. Si mon feu n'était pas éteint je n'userais pas une allumette. Oh je la jette dans le feu comme ça j'ai un tison de plus. Je lave pour le monde si vous aviez à donner à laver... Le pire, ma pauvre femme, c'est l'hiver avec les engelures. Vous trouverez de tout ici, vous aurez de tout ici. Qu'est-ce que vous voulez faire avec un homme malade ? Maintenant que notre café est chaud je vais retirer le petit bois. Il me servira encore. Je l'ai là couché dans la chambre à côté. Vous voulez le voir... Le fatiguer ? Il ne se fatiguait pas avec son violon et ses danseries. Je le connais M. Motté. C'est un vieux sec. Et je vous dis qu'il n'est pas commode M. Motté. Et moi je vous dis que tout coûte cher.

Le temps aussi coûtait cher : le balancier de l'horloge ne se balançait pas.

— Il vous vendra des légumes. Il vous en vend ? C'est une belle maison. Il vous loue cher ? C'est une honte. Il vous parle ? Il n'est guère causant. Ici on ne parle que de M. Maurice depuis que vous êtes arrivée. On dit qu'il est si bon, on dit qu'il a de si belles manières. Qu'est-ce que vous voulez faire avec un homme malade ? Je l'ai là dans le lit, dans la chambre à côté...

Je renonçai à ma promenade. Ce « Monsieur Maurice », je voulais le revoir. Le menuisier clouait. M. Motté repiquait des pieds de céleri.

— Fait chaud, dit-il. Là, là, là, là, là, là... ma pauvre fille !

Il me dévisageait avec tranquillité. Aurais-je été belle qu'il m'eût dévisagée avec la même avidité et la même arrogance.

Maurice ouvrit la fenêtre, le visage de M. Motté s'éclaira. Ce vieux visage rond s'attendrissait. Les yeux vitreux retrouvaient leur candeur.

— A six heures chez Zoungasse pour se refaire avec du calvados, ma chère Violette.

Maurice referma la fenêtre.

Le vieillard avait guetté ma réaction, il m'observait avec tant d'inconvenance qu'il m'égayait pendant que j'avais envie de pleurer ! Je me sentais désœuvrée.

Je lui demandai comment s'appelait la femme qui habitait derrière le calvaire.

M. Motté laissa tomber ses plants de céleri.

— Vous êtes allée chez Mme Meulay ! Elle vous a dit : « On n'est pas heureux. » Chaque fois que vous irez ça sera comme ça. Ça recommence toujours.

— Elle m'a offert du café avec du sucre, dis-je.

— Ça pourrait, dit le vieillard.

Maurice écrivait, les livres que nous avions apportés me rejetaient. Que faire de ma peau ?

Je raccourus chez Mme Meulay.

— Je m'ennuyais, dis-je.

— Tout est si difficile, répondit-elle.

— Il est dans son jardin potager. Il le soigne, dis-je avec un ton de circonstance.

Les doigts usés de Mme Meulay semblaient secs dans la cuve d'eau.

— Oh ! ce n'est pas un homme qui vous racontera ses malheurs. Des mortes, des morts, des incendies dans ses fermes... Marié quatre fois ? Marié cinq fois ? Je ne sais plus, j'oublie toujours. Je demanderai à ma fille. Le linge je le rentre la nuit, je me méfie.

La Turbie. Longue promenade nocturne en sortant de Villefranche-sur-Mer. Longue promenade nocturne en voiture décapotée avec Albert et ses amis. Nous avions admiré le cirque de lumières, le gouffre de scintillements. Nous traversions un village béat dans un clair de lune laiteux. Tiédeur à deux heures du matin. Un petit garçon dissimulé dans sa pèlerine d'hiver volait du linge sur une corde. Il cachait son butin sous la ratine.

— ... ses femmes mouraient : il les usait. Il est vieux, il s'est calmé. Des morts, des incendies... des malheurs. C'est ce qui l'a endurci.

— On n'entend pas votre mari. Il n'a besoin de rien ?

— Il n'a besoin de rien, il s'éteint ! Un brin de toilette et je descends avec vous...

Je racontai à Maurice tout ce que j'avais vu et entendu.

— Pourquoi ne mourrait-on pas ici ? me dit-il lorsque je lui parlai du cercueil.

Ses questions ironiques et logiques me subjuguaient. Je craignais de lui déplaire en expliquant : le paysan est le serviteur de la terre. Il la sert. Il la fait boire quand elle est sèche, il lui fait son lit quand il laboure, il la caresse et l'adoucit avec son rouleau, il est mêlé à elle avant de mourir puisqu'il lui donne sa merde. Je n'osais pas lui dire : au village la mort est rare.

La présence d'un homme qu'on aime et qui vous intimide, la présence d'un homme intelligent qu'on écoute aussi avec ses ovaires est un gala et un enfer. Il parle, mon bas-ventre est glouton.

— Couchez-vous, m'a dit Maurice, je viendrai m'asseoir près de vous.

Première soirée de gala.

Il entra et il s'installa près de mon lit avec les cigarettes, le calvados, les verres, le cendrier. Il me demandait si j'étais bien, il tapotait mes oreillers. La fausse malade, la convalescente inauthentique sont bien. L'homme qu'elles aiment est un faux médecin à leur chevet. L'amoureuse est moins bien. Elle se demande comment elle désire l'homme assis près d'elle. Elle le repousserait s'il tombait sur elle, elle crierait s'il soulevait le drap cependant en silence elle rugit du besoin de lui. Elle se débat dans le brasier de l'impossible. Le bonheur de vivre près de lui, elle l'expie en sa présence. Il parle jusqu'à une heure, deux heures, trois heures du matin. Elle ne comptera plus les soirées de gala. Il les donnera sans compter. Elle reçoit trop et pas assez. Elle ne peut pas l'imaginer autrement qu'en homosexuel. Son sexe dressé pour elle serait une mascarade. Docile, muette, attentive, allongée sur mes deux matelas, j'engloutis Maurice Sachs. Je ne serais pas rassasiée s'il me parlait pendant dix mille ans, je ne serais pas écœurée si la nuit durait vingt mille ans. Je suis triste, très triste pendant que je l'écoute et que je le regarde. Il a voulu venir à la campagne pourtant il me semble que je le prive de Paris, de ses folies d'argent, de ses penchants. Je me dirai plus tard que Maurice était à un tournant, qu'il fuyait ses ennemis, qu'il tournait la page de ses déceptions sentimentales, de ses désespoirs d'homme seul. Je n'aurais pas levé mon petit doigt pour qu'il s'en aille ailleurs, cependant, je ne me cachais pas que sa place était ailleurs. La chambre proprette n'était pas à ses dimensions. Je l'écoutais, brisée de bêtise. Je me racontais que j'étais Cléopâtre, que je pouvais lui donner cet Orient qu'il désirait. Nous buvions, nous fumions. Maurice me parlait de Paris, de ses amis de Paris, de son enfance, de sa jeunesse. Son passé lui remontait à la gorge, les lacs de tristesse dans ses yeux s'agrandissaient pendant que, debout dans la chambre, il imitait Max Jacob, « ce cher Max » disait-il. Il aimait d'affection Raïssa Maritain. Le prénom me fascinait, je voyais des bandeaux noirs sur la tapisserie fanée. Raïssa Maritain, Jacques Maritain. Je me souvenais de la collection « Le Roseau d'Or », avec la couverture bleu vif. Maurice m'expliquait la philosophie de Thomas d'Aquin puis il me racontait un grand dîner, il inventait des recettes : vider des boîtes de truffes dans un plat de nouilles. Alors on riait de bon cœur pendant que dans le cimetière des chattes et des chats s'enamouraient et poussaient de longs cris lugubres. Maurice me décrivait aussi Louise de Vilmorin jóuant de la guitare dans un salon chez Gallimard. Elle l'éblouissait : elle était la séduction même lorsqu'elle s'asseyait par terre. Il me donnait à lire les lettres qu'elle lui écrivait avant la déclaration de la guerre. Louise de Vilmorin, sa guitare. Je voyais la corolle d'une robe sur un tapis. Maurice prononçait souvent le prénom de Gaston en me parlant de son éditeur. Il était fier de l'appeler ainsi et j'étais fière pour lui. Gaston, disait-il, la bouche pleine de ce prénom important. Ses joues s'arrondissaient, son menton proéminent s'élargissait. « Gaston » dans la bouche de Maurice devenait la brioche fondante du succès. Il me dit qu'il aurait voulu être Casanova et écrire les Mémoires d'un Casanova moderne. Oui, l'Orient l'attirait. Il se proposait, la guerre finie, de visiter le Liban, de s'y fixer un moment. Je l'écoutais d'une oreille mélancolique parce que je n'étais pas mêlée à ses projets. Vous êtes triste ? me disait-il. Non je n'étais pas triste. J'étais amère. Il me parlait de la Russie : c'était Serge de Diaghilew, Nijinsky, Tchékhov, Tolstoï, Dostoïevsky, l'enfance de Soutine, le voyage du jeune Soutine de la Russie à Paris, allongé et suspendu sous un train, les premières nouvelles d'Elsa Triolet. Me parlait-il de l'Allemagne, de la guerre ? Oui et non. Il relisait Nietzsche, il croyait à la victoire de l'Allemagne. Si j'osais avancer que le dernier mot n'était pas dit, il haussait les épaules sans conviction. Au fond, il n'était sûr de rien. Il épingla une carte de l'Europe au-dessus de sa table de travail.

— Il y a un scandale dans le village, m'a dit Maurice.

J'ai frémi : l'idée qu'il était mêlé à ce scandale me traversa.

— Des jeunes gens en pension chez une dame ont vidé les pots de confiture cette nuit. Ils n'ont plus qu'à repartir à Paris sauf un petit garçon qui n'a touché à rien. Un Juif.

— C'est tout ?

— N'est-ce pas suffisant pour le pays ? a dit Maurice. On ne parle que de ces dévaliseurs de compote.

Ce petit vol commis par des jeunes gens excitait Maurice. Il voulait se lier avec eux.

Ce jour-là des plaques rouges apparurent autour de mes chevilles. Ce jour-là je m'enhardis. Je contournai les roses trémières, j'entrai dans la seconde épicerie. Elle était fort peu achalandée. J'attendis et j'entendis cette ruche en folie de parasites brouillant la radio anglaise. On éteignit le poste. La triste épicerie m'ennuya, je m'annonçai en toussant.

— Va voir, ma poule, dit une voix de femme.

Un fluet Vercingétorix sortit de la cuisine. Teint de jeune fille, moustaches poivre et sel. Longs yeux bleus insalissables. Il rentra dans la cuisine.

— Qu'est-ce que vous désirez ? me dit une tonne de cellulite.

— Euh... Des bonbons... du chocolat... du sucre... des cigarettes.

— Mademoiselle, me dit-elle, si vous voulez du chocolat je vais être forcée de vous demander des tickets.

Sa voix était charmante, son visage fin.

— Mes tickets ? Je les ai, dis-je avec effusion.

Elle se déplaçait avec majesté.

— Ma poule, enlève la bouilloire du feu, cria-t-elle à son mari.

Ses mains ouvrageaient mes paquets de cigarettes. Elle voulait que la symétrie de la pile fût parfaite.

— L'eau n'est pas chaude, je l'enlève quand même ?

— Je te dis de l'enlever, ma poule.

Bruit de verres, bruit d'assiettes. La poule débarrassait leur table.

— Vous ne prenez pas les cigarettes de M. Maurice ?

Un verre se brisa sur le carrelage de leur cuisine.

— M. Maurice ! Vous le connaissez ?

Elle me sourit pour me rassurer :

— Je ne le connais pas. Tout le monde ici l'appelle « Monsieur Maurice ». On dit qu'il est très aimable.

— Vous prendriez des pensionnaires ? ai-je demandé.

Elle salua à travers la vitre des paysans qui partaient aux champs.

Elle sortit de son comptoir pour mieux voir de quel côté ils allaient. Des capelines ondulaient, les espaces au-dessus des foins à retourner venaient au-devant des paysannes.

— Oui. On essaiera. Prévenez, me répondit-elle.

Elle marchait avec difficulté parce que ses pieds nus et mignons dans des pantoufles, parce que ses jambes faites au tour pour porter quarante-cinq kilos devaient en supporter au moins cent dix.

Une citadine entra en coup de vent :

— Madame Bême, est-ce que je peux téléphoner ?

Voix éraillée, voile de bonté dans le gosier.

— Je vous croyais partie avec la Charlotte, dit Mme Bême. Vous n'avez pas ce que vous attendiez ?

— Le double, madame Bême, le double ! Je n'ai pas déjeuné, j'ai mon talon déboîté. Si vous aviez un peu de fromage et deux œufs sur le plat... Je peux téléphoner ?

— Ma poule, c'est Didine.

— Je l'entends ! Je ne peux pas être à tout : à mon jardin, à l'herbe à lapins, à la vaisselle, aux œufs sur le plat, au téléphone.

— Vous me donnerez un calva, dit la jeune femme.

Sa pauvre jupe noire, son pauvre corsage blanc. Sueur odorante dans ses aisselles, élixir de sa misère.

— Tu iras chercher deux œufs chez Lécolié, dit Mme Bême à son mari.

La jeune femme entra dans la cuisine avec le talon de son escarpin dans sa main.

— Ici nous sommes en famille, me dit Mme Bême. (Elle regarda les plaques rouges autour de mes chevilles.) Venez voir, Didine.

Didine accourut en claudiquant. Ses jambes cagneuses, ses jambes un tantinet arquées, ses jambes musclées avec des veines trop apparentes, trop colorées... Misère et générosité circulaient.

— Est-ce que ça ne serait pas ça qui commencerait ? lui dit Mme Bême.

— C'est ça qui commence, dit Didine.

— Qu'est-ce que j'ai ? dis-je effrayée.

— C'est une épidémie qui court le pays. Le médecin n'arrive pas à se prononcer. Ce sont des bobos.

Le jeune licencié parlait avec Maurice de leur ami commun lorsque je revins chez M. Motté. Ils se turent. Je coupais en deux leur lien d'amitié. Présence d'une femme sans sexe. Leur univers d'homme n'en basculait pas moins.

— Les Bêmes forment un couple extraordinaire, dit le jeune licencié à Maurice. Si nous buvions un calva chez eux ? proposa-t-il.

— Excellente idée. En route ! dit Maurice.

— Je vais avoir des bobos, dis-je, honteuse. C'est une épidémie qui court le pays...

— Pauvre, dit en traînant sur le mot « pauvre » le jeune licencié.

— Les femmes sont incroyables ! s'exclama Maurice. Elle nous dit je vais avoir des bobos comme si elle nous disait je vais avoir un enfant...

Nous descendions la côte. Le jeune licencié me donna le bras parce qu'il me sentait malheureuse.

— Il faudra songer à renvoyer vos fourrures, me dit Maurice.

— Mes fourrures ? C'est une simple veste de renards...

— Une veste de renards qui ne vous appartient pas, dit Maurice.

— Celle qui voulait la vendre a plusieurs manteaux du même genre. Je ne la prive pas.

— Je ferai un paquet, dit Maurice. Je la renverrai. Il y a des moments où je ne vous comprends pas. Je vous sentais plus proche à Paris...

C'était vrai : Maurice sans argent ce n'était plus Maurice Sachs. Maurice chaste et honnête, c'était Maurice Sachs rétréci. Je ne me permettais pas de lui donner des conseils. Mais si à Paris il claquait de l'argent, il devinait que je l'approuvais en silence. Un jour il m'appela la fourmi. Je peux l'appeler la cigale en toute admiration. Au village, il me délivrait de l'argent puisqu'il payait tout, et s'il me fourrait un billet dans les mains pour un achat insignifiant, c'était un message plutôt qu'un billet de banque. Il offrait cigarettes et calvados à tous ceux qu'il rencontrait : un saint qui roule sur l'or.

Ce soir-là, M. Motté nous donna ses premières pommes mûres qu'il avait cuites au four. Maurice les arrosa de crème fraîche. Ingrats, nous nous détachions du café-restaurant Zoungasse.

Ce soir-là Maurice, avant de commencer la veillée

près de mon lit, me remit plusieurs cahiers de format écolier. Il m'en donnerait d'autres et lorsque j'aurais fini, je lui en parlerais. J'ouvris le premier cahier, je reconnus sa petite écriture serrée d'homme rapide. Je feuilletai. Rares étaient les ratures.

— Vous commencerez demain, me dit-il.

— Ce petit garçon qui n'a pas osé voler ? dis-je.

Maurice voulait m'en parler à l'instant où je lui demandais. Il avait douze ans, il s'appelait Gérard, c'était un Juif, sa mère le cachait dans le village. « Douze ans », répéta Maurice à voix basse. Il était seul parmi les autres et il ne mangeait pas à sa faim. Oui il était beau et sa tristesse l'embellissait. Ce gosse ne riait pas. Comment l'avait-il rencontré ? Où l'avait-il rencontré ? Maurice se promenait le long de l'eau en lisant ma Bible. Les « dévaliseurs » de compote se baignaient en s'éclaboussant, en criant. Maurice m'expliqua que le spectacle de ces jeunes gens nus, de leurs ébats dans l'eau claire était loin de lui déplaire malgré une vulgarité ostentatoire. Il avait fermé la Bible, il avait offert des cigarettes à ces corps nus hors de l'eau jusqu'à la ceinture. « Vous oubliez Gérard », avait dit l'aîné : un grand frisé. Où était Gérard ? Maurice le cherchait. La tristesse peut vous supprimer, elle peut vous rendre invisible puisque Gérard, vêtu d'un complet garçonnet trop petit pour lui, était assis dans l'herbe, aux pieds de Maurice. C'est lui qu'il aurait dû voir le premier. Perdu dans sa tristesse, Gérard n'existait plus. Bref, Maurice s'agenouilla devant lui, il lui tendit son paquet de cigarettes. Une longue main, une belle main de vieillard s'approcha.

Les doigts se retirèrent du paquet sans avoir rien pris. Yeux baissés, Gérard avait avoué qu'il ne savait pas fumer. Alors Maurice avait sursauté en s'apercevant qu'il restait agenouillé. Les jeunes gens commençaient de chuchoter dans la rivière. Maurice s'était remis debout. Et Gérard ? Assis dans l'herbe, il baissait toujours les yeux, comme accablé sous le poids de ses longs cils. Accepterait-il de faire une promenade le long de la rivière ? Gérard leva enfin ses paupières. Alors Maurice avait vu deux yeux dans lesquels la douleur avait la douceur que nous trouvons sous le menton d'un chat blanc. Gérard me regardant avec la soumission de notre race, c'était splendide et c'était affreux me dit Maurice.

Des chiens aboyèrent : des avions anglais passaient au-dessus de notre toit, haut dans le ciel. Le ronron des moteurs était pris dans la nuit comme un paysage dans le brouillard.

Maurice avait repris son récit. Ils se promenaient le long de la rivière, mais Gérard croyait que Maurice se moquait de lui. Il est vrai que les enfants croient cela facilement lorsque nous avons pour eux des prévenances. Pudique jusqu'à l'étouffement, Gérard n'enlevait pas son veston. Je verrais, me dit-il, où arrivaient les manches. Mais les mains du jeune garçon étaient si belles qu'elles habillaient son corps. Il marchait autrement que Maurice l'avait prévu. Ses mains dans les poches de son veston, son veston retroussé, il allait avec la virilité d'un homme fait. « Si je pouvais entendre le son de votre voix, avait dit Maurice à cet enfant solennel. Sortez un peu de vous-même, j'essaierai d'être votre ami. — Mon ami ? Je n'ai pas d'amis », avait répondu Gérard. Sa voix muait. Un aveugle qui l'aurait écouté l'aurait pris pour un garçon de seize ans. Ils marchaient au bord de l'eau, la fraîcheur était exquise. Maurice posait une foule de questions auxquelles Gérard ne répondait pas. Voulait-il fumer maintenant qu'ils étaient loin des autres ? Maurice lui avait donné un paquet de cigarettes. Les mains tremblaient, elles déchiraient le paquet, des cigarettes tombaient dans l'herbe. Maurice l'avait rassuré : les maladroits sont des êtres généreux. Gérard rangeait les cigarettes dans le paquet avec application. Il est un peu moins triste, se disait Maurice soulagé pour lui-même et pour Gérard. Il se penchait, me racontait Maurice, la crasse sur son col de chemise était une chaînette pour sa nuque duveteuse. Oui Maurice, tout est profit lorsque l'élégance est innée. Gérard s'était décidé à fumer. Il fumait vite et il regardait avec étonnement cette cendre qui était son ouvrage. « Je vous connais, avait dit Gérard à Maurice. Je vous vois passer tous les jours. Vous avez toujours un livre sous le bras. » Lisait-il, lui ? Il aimait lire, il manquait de livres. Il regardait Maurice. Ses yeux suppliaient. Donnez-moi encore de l'amitié, disaient-ils. Maurice avait promis : il reverrait Gérard le lendemain. Maurice pouvait aider Gérard à vivre. Il avait serré la belle main, la poigne de ce jeune ténébreux était surprenante. Maurice et Gérard étaient revenus sur leurs pas : les jeunes gens se rhabillaient et s'aspergeaient encore. Chacun s'était assis en tailleur. Ils formaient un cercle. Gérard était resté debout, ses longs cils, précisa Maurice, battaient le rappel de la tristesse. Maurice avait dit une blague, lui aussi s'était assis en tailleur. Gérard l'avait imité. C'est là qu'ils racontèrent à Maurice leur nuit de pots de confiture vidés, leurs danses autour des bocaux. « Le grand frisé » menait la bande de garçons tous en pension chez cette vieille dame. Ils attendaient leurs parents pour rentrer à Paris. Un d'entre eux s'était écrié : « Lui il ne peut pas, sa mère ne veut pas de lui et puis il est Juif. » Gérard mâchait une herbe entre ses dents, amorphe. Il regardait ses chaussures qui ont besoin d'être ressemelées...

A ce moment, Maurice m'a dit bonsoir. Nous continuerions cet entretien le lendemain.

J'éclatai en sanglots sous ma couverture dès qu'il eut refermé la porte. Maurice menait sa vie, il se promenait seul, il lisait la Bible sans me le dire, il rencontrait des jeunes gens. Je pleurais de plus en plus fort parce que j'avais le pressentiment qu'un petit garçon de douze ans commençait d'aimer Maurice Sachs comme jamais Maurice Sachs n'avait été aimé. C'est plus profond que ce que j'ai pour lui, me dis-je. Mes pleurs cessèrent avec la soudaineté d'une pluie d'orage, j'oubliai Gérard.

J'allumai une cigarette, j'entrouvris la fenêtre à cause de la fumée, je commençai le premier cahier de Maurice. Prise, ensorcelée, je lus jusqu'à cinq heures du matin. Ce que je n'osais pas espérer s'est réalisé.

Le lendemain soir Maurice a continué :

Il avait retrouvé Gérard comme c'était convenu. A la même place, à un centimètre près, où ils s'étaient quittés la veille. Et Maurice ? Comment pouvait-il se souvenir, à un centimètre près, de l'endroit ? Un arbuste sortait de terre. Gérard se tenait derrière l'arbuste. Les bras ballants. Planté au milieu du champ. Regardant droit devant lui. Il ressemblait, dit Maurice, à un Gérard ressuscité plutôt qu'à Gérard lui-même. Pour égayer Gérard, Maurice devait s'égayer. Gérard était parvenu à sourire. Il avait essayé de cirer ses chaussures avec une sorte de pâte. Il n'avait réussi qu'un barbouillage. N'importe. Remuer les bras pour cirer des chaussures, c'est vivre. Gérard vivait. Maurice avait réussi à le faire parler. La mère de Gérard avait un amant qui ne travaillait pas. Son frère était un zazou, il traînait les bars en écrivant des poèmes sur des bouts de papier. Son père a été emmené en Silésie. « Jamais de nouvelles » avait répondu Gérard à Maurice, lui fichant dans les yeux sa haine et sa douleur. « Pourquoi ne liriez-vous pas les poètes sans écrire des poèmes sur des bouts de papier ? » avait dit Maurice. « Je voudrais tant », avait dit à son tour Gérard. Comme une offrande de son enthousiasme à venir. Maurice avait choisi ce moment pour lui offrir une cigarette et à cet instant

Maurice avait vu que les ongles noirs de Gérard convenaient à son engoncement, à sa personnalité d'homme et d'enfant meurtris partout. Le bambin qu'il avait été pouvait survivre pendant qu'il tapait avec mollesse la cigarette sur son ongle. Ils fumaient, ils entendaient l'eau qui contournait les cailloux de la rivière. Maurice s'était aperçu que Gérard avait changé de chemise. Ses longs cils comme la veille accablaient son visage. Ses parents habitaient du côté de La Muette. Maurice s'était exclamé qu'ils avaient été presque voisins... La Muette... Rue du Ranelagh... « C'est la faute de ma mère si je ne mange pas à ma faim », avait-il dit. Elle ne payait pas sa pension, il devait la lui réclamer chaque semaine dans une lettre. Gérard avait parlé du village, de Mme Meulay qui n'est pas une mauvaise femme, qui n'est pas pauvre, qui serait moins riche qu'on le suppose ; de la fille de Mme Meulay. Une boiteuse. Une paresseuse. La mère se tue pour elle. Mme Meulay n'est pas irréprochable. Ses poules se nourrissent dans les champs des autres. Mme Bême se fait servir, elle commande son mari. M. Motté est fou à lier de Mme Champion, sa partenaire aux dominos. Mme Champion ne veut pas se remarier.

— Ce Gérard est une concierge.

— Non, me répondit Maurice. Il me donne ce qu'il a vu, ce qu'il a entendu. Un village, ma chère Violette, ce ne sont pas des pots de fleurs. Si nous mangeons un canard dimanche ce sera grâce à Gérard. Il m'a dit où l'acheter. Si nous l'invitions ?

— Invitons-le.

Maurice, un autre soir, m'a donné la suite des cahiers. Je lis avec avidité. Je lis son enfance, ses métiers, je lis ses audaces. Je le trouve injuste envers Cocteau. Je le lui dirai, j'oserai le lui dire. Son amertume me chagrine. Je le vois enfin lui-même pendant qu'il raconte sa vie. Sa biographie a l'allure d'un pur-sang qui prend son temps. Le style du dix-huitième, cela saute aux yeux. Non et non. C'est Maurice se jouant des difficultés, c'est Maurice plus fort que le style et la littérature.

— Si nous voulons être bien vus, nous devons aller à la messe, mon enfant. Ici tout le monde va à la messe le dimanche.

Ce n'est pas un petit délire de catholicisme. C'est du mimétisme. C'est aussi l'écrivain cherchant un champ d'observation. Nous irons à la messe. Le docteur est venu pour mes bobos. Quelle ordonnance ! Je dois, matin et soir, humecter les croûtes, prendre mon courage à deux mains, arracher sans hésiter. J'ai huit couvercles à soulever chaque jour. Je ferme les yeux, je souffre et voici mon mal exposé. Le pus est au fond du trou. Du rose et du blanc. Idiote, ne pleure pas. Tes mollets sont des rosiers. Nettoie tes roses.

— Pourquoi pleurez-vous ainsi ? me dit Maurice.

Je me soigne dans sa chambre de travail. La porte est ouverte, M. Motté passe sa tête tout en préparant son déjeuner. Ses gros yeux disent à Maurice : tu es un homme, tu n'as pas ces vilaines choses de femme, je suis bien content pour toi. Mes larmes redoublent parce qu'ils sont deux.

— Calmez-vous, Violette, me dit Maurice.

J'éclate :

— Vous ne voyez pas qu'il faut creuser, que je creuse et que chaque jour ça se creuse un peu plus. Je n'ai pas confiance en ce médecin. Creuser, creuser. Faire ça soi-même. C'est horrible.

Je verse l'alcool à 90° dans chacune de mes cuvettes de chair. Je ne dois pas enfermer mon mal dans les pansements. Je tente les mouches, c'est aussi un supplice de les surveiller, de les chasser.

Je m'appuyais sur le bras du jeune licencié pour

rejoindre Maurice à l'heure du déjeuner. Maurice nous a crié « Oh ! oh ! », il est sorti d'une haie avec un saladier. Je voyais trop l'usure de sa chemise, de son pantalon, de ses chaussures pendant qu'il traversait le champ.

— Je vous ai cueilli des mûres, m'a-t-il dit.

— Bravo Maurice ! Vous voici tout à fait de la campagne, a dit le jeune licencié.

— Ce soir, ma chère, nous les arroserons de crème fraîche. Ce sera notre dîner.

Aurait-il moins d'argent ? Je ne veux pas y penser sérieusement.

Nous arrivons à la messe les premiers. Je trempe des doigts timides dans le bénitier, qui est-ce que je vois sur l'eau bénite ? Maurice Sachs sans dentier, riant et ricanant de toutes ses gencives. Maurice est nu et il y a incrustés dans sa peau des grenouilles et des crapauds qui coassent. Maurice nu, gros, velu, prend un bain de siège dans le bénitier, il balance ses pieds et ses mollets.

— Ne faites pas le signe de croix pendant une heure, me dit-il à l'oreille.

— N'entrez pas dans les bancs, nous dit une vieille campagnarde propre comme un œuf encore chaud.

Nous la suivons, elle nous présente le menu fretin des chaises au fond de l'église. Maurice a ouvert ma Bible. Il lit, il dévisse son stylo, il souligne des phrases. Moi je souffre pour la Bible de mon adolescence, pour la finesse de son papier sur lequel Maurice tire des traits. Voici M. Motté soigné, décharné. Voici le petit garçon du menuisier traversant le chœur à la sauvette. Voici Mme Champion soignée, décharnée. Ma Bible est ouverte au début, donc Maurice lit l'Ancien Testament. Qu'est-ce qu'il souligne ? Mes bobos vont mieux, je devrais remercier Dieu. Rien ne presse. Voici Mme Zoungasse dans les grands voiles de l'humilité venant présenter ses talents à Dieu et à Marie. A-t-elle eu un grand malheur, a-t-elle commis un grave péché avant d'entrer ? On croit voir l'allée s'élargir. On ne s'était pas aperçu que le curé était là, que la messe était commencée. Les pédales grincent, l'harmonium geint. Je vais prier pour Maurice. Qu'est-ce que je demanderai ? Qu'il ne me quitte pas. Je voudrais être unie à lui tout de suite, à l'instant pour ne pas le quitter et il me faut jouer même à l'église cette comédie de l'union libre. Ah ! ce retour de Mme Zoungasse après la communion, ah ! ses mains jointes de somnambule mystique. Elle ne retrouvera pas sa place sur le banc, elle s'en ira errer avec sa douleur et son recueillement dans les bois et les forêts... Je me demandais pourquoi l'église dans un éclat de rire ne s'écroulait pas sur nous. Le curé monta en chaire, Maurice écouta en croisant les bras, en imitant les paysans. Il me donna un billet de banque, une somme énorme, il en mit un autre dans la bourse de velours au moment de la quête. C'était une folie. « Monsieur Maurice », à la sortie de la messe, conquit le vieux curé.

Gérard stationnait dans la cuisine, un pied en avant, les bras ballants.

— Il y a un moment que ce petit gars vous attend, nous dit M. Motté, avec un reproche dans ses yeux.

— Bonjour, me dit Gérard en me tendant la main sans me regarder, sans soulever ses paupières.

Je devinais pour qui de longs cils frémissaient.

— J'ai mis votre canard au four, dit M. Motté.

— Parfait, parfait, dit Maurice.

Gérard s'assit à la place où Maurice écrivait. Jambes croisées, ses bras entourant ses genoux, il écoutait Maurice, il le regardait avec le sérieux d'un adulte. La cravate qu'il avait mise, le nœud mollement serré par maladresse, son teint bistre... On l'eût pris pour un prince oriental. Maurice lui parlait de Verlaine.

— Je propose une bouteille de cidre bouché, dit Maurice à M. Motté.

On frappa.

— Arnold, s'exclama Maurice.

Ce jeune homme de vingt-trois ans nous apparut vêtu d'une salopette bleue. Son visage de Juif rieur, de Juif étonné, était égayé par les brins de paille pris dans ses cheveux frisés.

Gérard regardait les espadrilles confortables du jeune homme.

— J'ai besoin de m'entretenir avec Arnold, nous dit Maurice.

Il prit un livre, il le donna à Gérard. C'était un recueil de poèmes de Guillaume Apollinaire.

Gérard s'enfuit avec son trésor, la porte de Maurice se referma.

Je végétais dans la cuisine ; je voulais prendre exemple sur M. Motté qui surveillait le canard au four, qui plongeait une de ses bouteilles de cidre bouché dans un seau d'eau froide. Je n'y parvenais pas. Rejetée par Maurice, rejetée par Gérard, rejetée par M. Motté, rejetée par Arnold qui ne me connaissait pas. Je ne pouvais pas me souvenir d'une étreinte, d'un abandon, d'une complicité de tendresse depuis que nous étions arrivés. Je vivais au garde-à-vous. J'aurais dû me souvenir de la lecture des cahiers de Maurice, y puiser de la force et du réconfort, je ne m'en souvenais pas. Encore, toujours ce frottement de la chaîne d'un chien qui voulait se déchaîner. M'enfuir, m'en aller mourir de faim avec ce chien squelettique... Je serais délivrée. Délivrée de quoi ? Si je me roulais à ses pieds... Il n'est pas impossible qu'il me réponde oui. Il est bon. Je ne m'y risquerai pas. Du fumier, cet accouplement. Je suis prévoyante, je ne le demande-

540

rai pas. J'étais incapable d'aimer comme Gérard, de m'oublier comme M. Motté. Gabriel, Hermine, Isabelle... Je demeurais une enfant dont il fallait s'occuper. Une idiote au point mort. Aurai-je reçu une amie que je ne me serais pas consolée. Voir Maurice, entendre ce que disait Maurice pendant que j'aurais reçu cette amie. La mante religieuse se dévorant elle-même. Que faire ?

Le parfum de leurs cigarettes passait sous la porte, j'attrapais au vol les expressions : vous êtes nourri, prenez patience, il y aura une fin. Je m'emmerde, ils me font suer... Le vocabulaire du jeune homme et de Maurice me raffermit.

M. Motté lisait le journal local.

— Les Russes, dit-il, commencent à se défendre.

Il tourna la tête de mon côté. Je voyais un courage de héros dans ses yeux.

— Ah ! si j'étais encore jeune ma pauvre fille...

— ...

— Où est le petit gars ? demanda-t-il.

Gérard arriva à ce moment-là.

— Je lisais dans ma chambre, dit-il à M. Motté.

— Ça pourrait, dit le vieillard.

La porte s'ouvrit :

— Revenez chaque fois que vous voudrez et ne perdez pas courage, disait Maurice.

Arnold fumait avec avidité. Il rayonnait d'espoir et de santé. Il distribua de solides poignées de main.

— Je meurs de faim. A table, mes enfants, dit Maurice.

— As-tu lu *La Chanson du mal-aimé* ? dit-il à Gérard.

— J'ai appris deux poèmes, répondit Gérard.

Je mettais la table, je regardais Gérard, avec ses mains au fond de ses poches, superbes de solitude et de tristesse. Le pain glissa de mes mains. Les yeux immenses fendu en amande de Gérard exerçaient un pouvoir d'indolence.

M. Motté apporta le canard, le cidre bouché. Il se retira.

— Tout cela me semble parfait, dit Maurice en se frottant les mains.

Il disloqua la carcasse du canard, le bouchon de la bouteille de cidre sauta en l'air.

— Arnold, tu le connaissais ? dit Maurice.

— Je le rencontre, dit Gérard.

— Pourquoi ne travaillerais-tu pas comme lui dans une ferme ?

— Jamais, dit Gérard. Je ne les comprends pas et ils ne me comprennent pas.

— La belle histoire, dit Maurice, moqueur, en versant du jus de canard dans l'assiette de Gérard. Tu mangerais à ta faim, tu coucherais dans le foin.

— Jamais, murmura Gérard. Je préfère ma chambre.

— Tu appelles ça une chambre ? Enfin...

— Je peux y lire la nuit et j'ai ma bougie, dit Gérard. .

Maurice, gravement, acquiesça.

— On dit que vous êtes cousus d'or, dit Gérard pour changer de conversation.

— On dit que nous sommes cousus d'or ? répéta Maurice. C'est parfait, absolument parfait.

Il rêvait au profit qu'il pourrait tirer de notre renommée.

— Ma chère Violette, me dit-il à la fin du repas, vos yeux sont cernés, vous semblez fatiguée. Je vous conseille de vous allonger avec un livre. Sans pleurer, sans jouer les séquestrées de Poitiers.

Je fus envahie de mauvaise chaleur parce que Maurice me secouait devant Gérard. Je levai les yeux sur Gérard. Il regardait Maurice comme nous regardons une chaîne de montagnes au crépuscule. La chaîne nous exalte en nous reposant.

— ... Si vous le permettez, poursuivit Maurice, je causerai avec cet enfant à l'ombre d'un arbre ou d'un taillis.

Je n'avais rien à répondre. Les précautions de Maurice pour se dégager me navraient. Pourquoi dépendait-il de moi ? J'oubliais son affection et son amitié dans les instants où j'étais persuadée qu'il me négligeait, qu'il me supprimait.

Maurice reprit sur la table les poèmes d'Apollinaire.

— Tu es prêt ? dit-il à Gérard.

Gérard émit un son bizarre : un sanglot de bonheur.

— En route ! dit Maurice.

Ils sortirent.

Je finis de lire le dernier cahier de Maurice assise sur la chaise de Gérard, ma main libre posée sur la paille de la chaise de Maurice. Je me venais en aide avec ce que j'avais. Je fermai le dernier cahier, je m'allongeai sur mon lit pour obéir à Maurice.

Ce dimanche-là, au soir, dans ma chambre :

— D'abord, je voudrais vous embrasser, dis-je à Maurice lorsqu'il entra.

— Rien de plus naturel, dit Maurice. Embrassons-nous, ma chère.

Espèce de démolisseur, me dis-je, à cause de son expression « ma chère » que j'exécrais.

Maurice se pencha sur mon lit, il me donna deux de ses petits baisers abstraits sur les joues.

— Je vais vous rendre vos cahiers.

— Comme vous voudrez, dit Maurice.

Je bondis hors du lit, je le serrai dans mes bras. Il se laissait faire.

— Vous allez prendre froid, dit-il d'une voix blanche, croyant sans doute à une explosion d'amour de ma part.

Je me recouchai, nous bûmes un verre d'alcool.

— Ça y est ! dis-je en rendant le verre vide à Maurice.

— Expliquez-vous, dit Maurice.

— Ça y est ! Vous êtes un écrivain. Vous n'aviez pas écrit jusqu'ici et vous venez d'écrire un vrai livre. Je l'ai lu sans reprendre souffle. Croyez-moi : vous aurez du succès. Il est impossible que votre livre ne plaise pas. Comme j'étais heureuse en le lisant, comme je suis heureuse... Quelle clarté... Je ne vous croyais pas capable d'écrire ce livre et ce livre est écrit.

Maurice Sachs était ému. Je lisais sur son visage de la méfiance et de la joie pendant qu'il m'écoutait.

— Il faut me croire.

— Je vous crois, dit-il.

Il soupira d'aise. Nous trinquâmes.

— Je peux me permettre une critique ?

— Ça va de soi, dit Maurice.

— J'enlèverais le passage dans lequel vous parlez de Cocteau. Enlevez-le...

— Jamais, dit Maurice.

— Pourquoi ?

— Jamais. J'ai souffert.

Le visage de Maurice s'était durci. Je n'insistai pas.

Le manuscrit de Maurice Sachs parut après la Libération. C'est *Le Sabbat*.

Le lendemain Maurice me déclara qu'il se proposait de faire des affaires avec de riches fermiers, qu'il reverrait les Foulon chez qui il avait acheté le canard, qu'il séduirait ce marchand de bestiaux, le plus important de la région.

— Vous voudrez les rouler et c'est eux qui vous rouleront, lui dis-je. Vous vous croyez fort et ils seront plus habiles que vous. Nous ne sommes pas en ville. Ils n'ont pas le loisir d'être indulgents.

— Soit, dit Maurice. C'est dommage. Un homme si riche...

J'avais eu chaud.

Il partit chez Foulon pour acheter seulement un autre canard, une demi-livre de beurre, six œufs.

Rencontré une fermière sur la place du village. Elle m'a dit :

— Je vous croyais partie. Le petit garçon qui se promène avec votre monsieur, c'est votre petit ?

Je lui ai répondu que nous n'avions pas d'enfant. Je ne lui ai pas répondu : Gérard devient l'enfant de Maurice.

Je parle de mon enfance à Maurice, je lui parle de ma mère sans me lasser de radoter. Je vois que je l'ennuie. Je continue puisque je lui fais la cour avec mes malheurs. Moi et mes malheurs nous nous enroulons à Maurice sans lui appartenir.

Maurice a renvoyé la veste de renards à Paris, il a porté lui-même le colis à la poste. Cinq kilomètres quatre cents à pied. M. Motté observait, attendri, pendant que Maurice serrait le nœud coulant de la ficelle.

Chaque matin je préviens Mme Bême que nous déjeunerons chez elle. Parfois c'est impossible parce que Nannan n'a rien apporté. De temps en temps elle nous vend un rôti. Si la viande est nerveuse, Maurice s'adonne le lendemain à sa spécialité : le gâteau Parmentier. Je prépare la purée, M. Motté coince le moulin à viande, Maurice avec sa robe de chambre en foulard crasseux, son visage mal rasé, l'œil cupide, s'en va prendre des aromates dans le potager, il rit au souvenir de travesti avec des amis et le vieillard, sans comprendre, rit du rire de Maurice. Gérard arrive, le pas énergique, bien peigné, bien brossé, mal ciré. Il donne ses trois bonjours et il se plante au milieu de la cuisine pour admirer son ami, son père, son dieu. Maurice ne pourrait pas renier ses penchants d'homosexuel lorsqu'il dessine des croisillons sur la purée avec les dents de la fourchette. Ses mines et ses empressements sont irréfutables. Je l'observe, le cœur serré. Gérard et M. Motté suivent la décoration avec des yeux d'innocents.

Maurice dit de plus en plus souvent que l'air du Poitou est plus léger que l'air de Normandie. Les brouillards commencent. L'automne patiente dans les bois. M. Bême a confié à Maurice qu'il a été pendant trente années le chef du vestiaire du plus grand cercle de Paris. Maurice s'est emballé. Que de suicides il aura à me raconter ! me dit-il, quels souvenirs je vais écrire pour lui.

Mme Bême se lève de son fauteuil. Le pied menu dans le chausson qui a pris la forme d'une mule, le pied nu spirituel, la main joufflue, le cheveu gris, simple, Mme Bême s'en va rejoindre son mari auprès du poste de radio. Ils échangent des messages d'amour en recevant les messages de Londres. Ils approuvent ou critiquent les stratégies. Les clients sont bien ou mal reçus selon que la radio franco-anglaise donne de bonnes ou de mauvaises nouvelles. M. Motté m'explique qu'il apprend comment va la guerre en regardant le visage de M. Bême lorsque celui-ci porte les télégrammes dans les fermes. On ne pardonne pas aux Bême de vivre pour eux-mêmes. C'est une horreur, ils vont jusqu'à se lever à dix heures... Qui est ce mystérieux Nannan dont ils parlent ? « Il ne faut pas le leur demander », me dit Maurice. Nous déjeunons à leur table, Maurice offre du vin fin. Il leur parle de la beauté de Paris, il se plie à leur patriotisme, il essaie d'extorquer des souvenirs à M. Bême. Ce sera difficile. M. Bême se méfie. Je devine qu'ils ont deviné que nous n'étions pas amants. Ils cherchent ce que nous sommes.

Mon séjour au paradis de l'amour impossible ne me suffit pas puisque je suis de plus en plus fébrile.

Privée de ce que trouvent les animaux, je me roule dans la sensiblerie. Je pleurniche parce que la petite fille du facteur a des genoux bleus et glacés le soir. Elle a quatre ans, elle est en loques, elle est nue à travers des lambeaux. Les branches des pommiers chargés de fruits rampent dans l'herbe des herbages, c'est septembre, c'est l'anniversaire de Maurice Sachs. M. Motté, Gérard, le jeune licencié seront de la fête.

Hier soir j'ai crié et sangloté après lui avoir parlé pendant trois heures de mes malheurs d'enfance. « Il ne faut pas crier comme ça » m'a dit ce matin M. Motté qui commence de plaindre Maurice. Il voudrait le protéger des femmes. C'est ce que je lis dans ses yeux vitreux depuis que j'ai hurlé avec mes ovaires.

Maurice n'a pas voulu acheter de chaussures. Il marche avec de gros sabots, il en est satisfait. Il dit qu'il devient un habitant du village.

Il m'a lu les vingt premières pages de ce qu'il a écrit depuis que nous sommes ici. Je l'ai interrompu, j'ai ri de bon cœur :

— C'est *Colette Baudoche* !

— Je suis d'accord avec vous. Je vais écrire autre chose, m'a répondu Maurice en riant.

Nous continuons de dîner de café au lait, de pain beurré, de flan, de pommes cuites, de crème fraîche. Hier soir à six heures j'ai trépigné, j'ai grincé des dents pendant que je cassais « le petit bois » pour allumer la cuisinière de M. Motté. Maurice est sorti de la chambre où il travaille, il m'a pris « le petit bois » des mains, il m'a dit que j'étais fatiguée, que je devais me coucher, qu'il me donnerait mon dîner au lit. J'ai obéi sans plaisir, j'ai laissé les portes ouvertes. J'écoutais.

— Laissez ça, monsieur Maurice, a dit le vieillard. Le feu ça me connaît.

Maurice préparait le dîner. Mécontente de mes

chichis, mécontente de sa bonne volonté, je saignais. Nous avons dîné dans ma chambre. Je ne désire pas Maurice. Je désire l'enfer de notre organisation.

Maurice m'a dit le lendemain :

— Vos malheurs d'enfance commencent de m'emmerder. Cet après-midi vous prendrez votre cabas, un porte-plume, un cahier, vous vous assoirez sous un pommier, vous écrirez ce que vous me racontez.

— Oui Maurice, dis-je, vexée.

Il lira ce que j'aurai écrit, il me dira c'est nul, me suis-je dit à trois heures de l'après-midi. Je rangeai le porte-plume, le papier, le buvard dans le cabas.

Un arbre à choisir, une route à prendre. Si nous commencions par un bonjour à Mme Meulay... Le calvaire est au rendez-vous, la maison est au frais, Mme Meulay se plaint en bas du village, Gérard attend Maurice. Il aimera Maurice dans les poèmes d'Apollinaire récités par Maurice. La littérature mène à l'amour, l'amour mène à la littérature.

J'ai pris la route du blé coupé. Le cri sortait de terre. Alouettes, feu d'artifice à ras de terre, où étiez-vous ? Je marchais par cœur, l'œil sec je pleurais. Guirlande des troupeaux somnambules au long des fils et des barrières. Je me cachai dans la haie, je vis un monde en liberté. Ecrire. Oui Maurice. Plus tard.

La crinière pleurait sur les yeux du cheval. C'était lui le plus appliqué, le plus effacé. La truie était trop nue, la brebis trop habillée. Une poule était amoureuse d'une vache. Elle la suivait, enfermée entre quatre pattes. Est-ce que je m'en vais ? Je ne serai jamais rassasiée du poulain suivant sa maman. Une génisse se mit à courir, j'attendis le renouveau de l'harmonie pour partir.

Scintillements lucides des marches du métro, je ne vous oublie pas. Le poème qui gonflera ma gorge jusqu'à la grosseur d'un goitre sera mon poème préféré. Que je ne meure pas avant que la musique des astres me suffise.

Assise sous un pommier chargé de pommes vertes et roses, je trempai ma plume dans l'encrier et, en ne pensant à rien, j'écrivis la première phrase de *L'Asphyxie* : « Ma mère ne m'a jamais donné la main. » Légère de la légèreté de Maurice, ma plume ne pesait pas. Je continuai avec l'insouciance et la facilité d'une barque poussée par le vent. Innocence d'un commencement. « Racontez votre enfance au papier. » Je racontais. Les fureurs du paon dans l'herbage, ses gloussements métalliques m'interrompaient. Le paon se calmait, ma plume se reposait sous la course de deux papillons qui se poursuivaient. Les oiseaux soudain se taisaient alors je suçais mon porte-plume : le plaisir de prévoir que ma grand-mère allait renaître, que je la mettrais au monde, le plaisir de prévoir que je serais le créateur de celle que j'adorais, de celle qui m'adorait. Ecrire... Cela me semblait superflu pendant que je me souvenais de ma douceur pour elle, de sa douceur pour moi. J'écrivais pour obéir à Maurice. Je crains l'humidité. Je cessai d'écrire lorsque l'herbe mouilla ma jupe.

Le soir, je montrai mon devoir à Maurice. Il lisait, j'attendais la bonne ou la mauvaise note.

— Ma chère Violette vous n'avez plus qu'à continuer, me dit-il.

Avant-hier soir, sur ma passerelle en pierre du Vaucluse, l'étoile filante glissa au moment où Richter laissait tomber ses mains du clavier. De ma passerelle en pierre je vois aussi la flamme du saint sacrement à la nuit tombante. Elle embrase la petite fenêtre grillagée de l'église. Voilà ce qui m'attendait quand je souffrais d'amour dans les églises. Je comptais les bougies allumées, les cierges les plus longs, les cierges finis dans leur flaque de suif. Je comptais les femmes qui priaient, je comptais les fleurs offertes, le nombre de pas qui résonnaient sur les dalles. Un drame, parce que je voyais un paquet vide de gauloises bleues dans l'allée du bas-côté, un autre drame parce que je rencontrais un autre paquet vide sur le parvis de l'église. Qui me poursuit avec des paquets vides jetés sur mon passage ? Qui est-ce cet ennemi infatigable ? A Paris ou ici, lorsque j'ai fini d'écrire et que je sors de l'immeuble ou que je quitte le sentier dans la colline, si je rencontre un étron il détruit mes heures de travail. Mes pages, c'est ça, c'est lui. Chaque étron que je rencontre est une torture à chaque heure de la journée. La nuit, leur odeur par la fenêtre ouverte me nargue dans mon travail du lendemain. Ecrivons quand même. Je veux être ferme comme mon panier rafistolé pendu à la branche d'un jeune chêne, à l'abri des fourmis, entre les rochers où je travaille. Hier j'étais assise dans le sous-sol de X. Elle peignait mes cheveux avec son peigne de poche. Je lui disais que cela ressemblait à de la tendresse, je lui disais que cela ressemblait à des baisers donnés à une vieille qui se réchauffe au soleil dans un square. Faut-il que je n'aie rien ! Recommencer de pleurer pendant huit jours, pendant des mois, pendant des années, cela tient à un fil. Je me moucherai avec bruit, je ne pleurerai pas.

Nous allumons des feux de bois, Maurice jette des pommes de pin dans le brasier ; à minuit nous mangeons nos pommes cuites arrosées de crème fraîche. Je suis assise en face de lui, il me parle de Socrate, d'Elie Faure, de Kant, de Platon, mes joues cuisent. Une cruche se chauffe. Il croit que je comprends parce que je l'écoute. Je n'osai pas lui demander si Gérard était intelligent. Il l'était puisque ses possibilités de souffrance, à l'âge de douze ans, étaient illimitées.

Le déjeuner d'anniversaire de Maurice a été réussi. Maurice, satisfait du couvert qu'il avait mis dans la cuisine, se frottait les mains, convaincu qu'une année de plus, après tout, c'est une bonne affaire.

— M. Motté est dans sa haie, leur dis-je.

Nous nous approchâmes de la fenêtre. M. Motté sortait, rentrait dans les feuillages ; il cueillait.

— Oh ! cria-t-il à la porte de sa cuisine. (Il secoua la main de Maurice.) C'est la première fois que j'offre un bouquet, dit-il en souriant.

Son bouquet ressemblait à ceux de Maurice. Il avait dû l'observer pendant que Maurice arrangeait des feuillages dans les vases.

Le coup de tonnerre :

— Ma chère si vous voulez...

— Ne dites pas « ma chère ». Je vous en prie, ne dites pas « ma chère » !

— Quelle nervosité. Décidément il faudra que vous voyiez un psychanalyste. Ma chère Violette, si vous voulez qu'on continue de vivre ici, il faut que vous alliez refaire de l'argent à Paris. Je n'ai plus un sou.

— Pourquoi ne me l'avez-vous pas dit ?

Tant de calvados bu d'un trait, tant de cigarettes fumées : le passé me coupait les vivres.

Je m'affolai :

— Où voulez-vous que je trouve de l'argent ?

Maintenant Maurice, par économie, roulait nos cigarettes avec un rouleur.

— Ma chère les femmes se sortent de tout...

— Je ne trouverai pas d'argent. C'est impossible.

Maurice me donna la cigarette : elle était plus serrée que les autres.

— Alors nous rentrons à Paris et vous retournez chez vous, me dit-il.

Sa dureté était une feinte.

— J'irai, je chercherai, dis-je.

J'étais prête à tout supporter pour continuer de vivre cette vie triste d'effacée, insensée près de Maurice. Je partis le lendemain matin.

J'attendais la correspondance, je ruminais sur le quai de la gare de L..., une grosse femme apaisante m'accosta :

— Je vous connais...

— Je ne vous connais pas.

— Je pourrai vous vendre de la viande quand vous voudrez, me dit-elle.

Le train entrait en gare. L'inconnue chargée de deux sacs pleins à craquer trottinait le long du quai. Des hommes et des femmes aux portières lui criaient : « Alors la Charlotte ? »

Ma chambre, son odeur de moisi me soulevaient le cœur. Je courus chez le coiffeur Louis Gervais, avec la fébrilité d'une jeune fille pressée de revoir le jeune homme qu'elle adore. Le coiffeur me prêta dix mille francs. A mon retour la concierge me donna un télégramme de Maurice : « Revenez vite. Il y aura un grand feu de bois. Mille pensées affectueuses. » Je me décourageais. Je lisais dix mille francs entre chaque mot. Nous n'irions pas loin avec cette somme. La nuit, je préparai mes vêtements d'hiver, mes bottes de caoutchouc blanc. Maurice attendait une malle de livres et d'habits venant du Midi.

C'est dans le car qui me ramenait au village que je dissimulai trois mille francs dans le porte-monnaie de daim gris clouté d'argent que m'avait donné Maurice. Je lui révélerai ma cachette quand nous n'aurons plus rien, me disais-je. Maintenant sa prodigalité m'effrayait. Je l'espérais à l'arrêt du car. Personne. Je reconnus Didine. Elle pliait sous le poids d'un fourre-tout. La campagne s'éteignait, des points d'or signalaient que la vie du soir recommençait dans les cuisines et les étables. Un empire ? Un déclin ? Un soleil couchant. Je laissai tomber ma valise dans la cuisine, je frappai à la porte de Maurice. Il ne répondit pas. J'ouvris. Je ne reconnaissais pas la chambre. Sale, désordonnée. Du vin rouge était répandu sur la cheminée, sur la table. Maurice accoutré d'un torchon en guise de tablier remuait des bols, des assiettes dans une bassine d'eau grasse. Gérard essuyait.

— Je vous attendais plus tard, dit Maurice.

« Va-t'en ! » dit-il à Gérard.

Son assujettissement à une femme me dégoûta.

Il me serra dans ses bras. Son étreinte acheva de me déprimer.

Je lui donnai les sept mille francs. L'argent que je lui avais remis, l'argent que j'avais caché dans ma valise avant de me coucher me séparait de lui.

Chaque jour les feuillages peints en fauve, en rouille, en violacé, en cuivre, en bronze, en vert-de-gris, en vieux rose, en orange, en prune, en rubis, en myrtille nous préparent des surprises. Aujourd'hui roulement sourd d'un rouge cardinal, demain coup de cymbales d'un arbuste roux. Nous nous promenons sur la route de Notre-Dame du Hameau, nous convoitons une propriété, les tourelles d'un bleu languide nous emballent.

— Je l'achèterais, dit Maurice, j'en ferais un hôtel luxueux, les clientes venues de Paris monteraient à cheval en amazone ou bien en costume de jockey. Les pensionnaires donneraient des fêtes... Nous gagnerions un argent fou. Quoi ?

— Rien. Je vous écoute.

La cigogne est revenue, des poules d'eau repeuplent l'étang, c'est l'automne. Maurice m'explique que le climat du Poitou est plus léger, les maisons plus faciles à louer. Nous aurions une bonne, nous écririons sans nous soucier de rien. Il nous cherchera une maison là-bas si l'éditeur d'art avec qui il correspond lui donne une avance. Je ne crois pas en son projet. Dix minutes plus tard, je prends son bras :

— Une petite maison dans le Poitou, Maurice ?

— Je viens de vous le dire.

— Comment la trouverons-nous, Maurice, cette petite maison ?

— Je la chercherai.

— Et Gérard ?

— Il rentrera à Paris.

— C'est impossible.

— Il s'embauchera dans une ferme.

— Il ne veut pas.

— Que voulez-vous que je vous dise ? s'impatiente Maurice.

Notre superflu : un verre de calvados, une cigarette allumée à la précédente, un repas chez Bême. Que deviendrons-nous lorsque Maurice aura donné les billets que j'ai rapportés, ceux que j'ai cachés ? A-t-il cherché dans ma valise ? Les billets sont à la même place. Il m'appelait la fourmi. Je serai la fourmi déloyale.

Maurice soutient que les anthologies sont des mines d'argent. Il propose une anthologie des plus belles lettres d'amour, une anthologie des plus beaux textes religieux, une anthologie des textes les plus érotiques. Il dit que nous gagnerions de l'argent si nous envoyions des colis à ses amis : il dressera une liste. Pourquoi ? Nous partirons bientôt pour le Poitou. Je ne comprends pas, je ne veux pas comprendre.

Le bureau où le postier prend des colis sans poser de questions est à deux kilomètres sept cents du village. Maurice voulait y aller en sabots. Il a remis ses vieilles chaussures parce que j'ai insisté. Nous avons envoyé un canard à Paris. Il dit qu'il ne recommencera pas. Il est lymphatique, il était exténué.

Il a eu un long entretien avec Arnold. Arnold m'a

regardée avec sévérité lorsqu'il est sorti de la chambre de travail de Maurice. M'auraient-ils critiquée ? Serait-ce pour les billets que j'ai cachés ? Pour mon mauvais caractère ? Pour mes nerfs ? Brave Arnold, qui était représentant en bijouterie et qui maintenant travaille dans une ferme...

— Quittez ce visage d'outre-tombe, m'a dit hier soir Maurice.

Je pleurais nuit et jour depuis deux jours.

L'éditeur d'art a télégraphié. C'est décidé : Maurice ira à Paris, il me laissera ici. J'ai peur. Maurice seul dans Paris, Maurice ramassé dans une rue de Paris. Il s'installera chez la mère du grand frisé. Une semaine, le temps de se retourner, de refaire de l'argent, d'obtenir une avance de l'éditeur, ensuite ce sera le Poitou. « C'est là que je le retrouverai », me dit-il. Je l'écoute, je meurs de chagrin. C'est une séparation à chaque seconde avant qu'il parte, c'est mille séparations pendant que les bras croisés, les jambes coupées, mes mouchoirs trempés, je le regarde organiser et préparer son départ. Il est calme, alors mes sanglots redoublent. Je ferais le tour de la terre pour le garder. Il emporte le peu qu'il possédait ici. Il range dans une serviette de cuir ses objets de toilette, son manuscrit, il me rend ma Bible. Je meurs à cause de sa sérénité. Les femmes meurent souvent à petit feu du bon équilibre des hommes. Je meurs pendant qu'il emballe avec soin un canard qu'il offrira à la mère du grand frisé. Son linge n'est pas prêt. Il caresse mes cheveux, il s'en va chez Mme Meulay. Il s'occupe de tout, il ne réclame rien. Il s'en ira avec l'imperméable d'Arnold sur le dos, les chaussures d'Arnold aux pieds. Quel chic type, dit Maurice, il n'en a pas d'autres et il ne veut pas que je les lui renvoie. Il y a de grandes amitiés instantanées qui ne font pas de bruit. M. Motté ne se doute de rien. Je compte Poitou, Poitou, jusqu'à ce que je m'endorme.

Maurice s'était couché le premier, je me tenais debout au pied de son lit pour causer encore avec lui. La douceur de ses yeux m'épouvantait. Comme si sa destinée était devenue de la poussière entre mes doigts.

Il quittera la maison de M. Motté demain matin à cinq heures, il ira à pied jusqu'au bourg où nous étions arrivés le soir. C'est là qu'il attendra le car pour L... Il pleut, nous sommes noyés dans les brumes, M. Motté a souhaité bon voyage à Maurice, il croit qu'il le reverra d'ici quatre ou cinq jours. Il me reproche mes yeux rouges, mon visage blême. La nuit, tout le village, toute la campagne pleurent le départ de Maurice avec une pluie qui ne ralentit pas. A mon chagrin, il fallait, cette nuit-là, les orgues de la pluie dans les caniveaux et les tonneaux.

Ma montre ne quitta pas le creux de ma main. Maurice m'avait dit au revoir, il ne voulait pas que je me lève. Je me levai, je descendis en chemise de nuit. Voûté sous la pluie diluvienne, portant la serviette de cuir d'une main, le paquet de victuailles de l'autre, fagoté plutôt qu'habillé, Maurice poussa la barrière à tâtons en me reprochant de m'être levée. J'embrassai ses joues mouillées sous son feutre rabattu. Je n'avais pas vu jusqu'à ce matin-là tant de brouillard et tant de pluie. Maurice descendit la côte, il disparut dans les brumes. Je me disais : Je ne le reverrai pas, c'est fini.

Assommée, les yeux secs, je me recouchai. Je dormis quatorze heures.

Le surlendemain le bruit se répandit que Gérard était malade : une jaunisse. C'était lui le plus secoué.

J'entrai pour la première fois dans son réduit. Quatre murs, un lit-cage, une chaise. Assis dans son lit, vêtu de son misérable pyjama, il ressemblait à un gosse kidnappé. La bile noyait ses yeux. Il me demandait sans ouvrir la bouche si je voulais que nous ayons du chagrin ensemble. Je le couvris, je lui dis qu'il ne faut pas se refroidir quand on a la jaunisse. Je ne voulus pas m'asseoir. L'intensité de son amour pour un père retrouvé et perdu m'interloquait jusqu'au respect.

— Avez-vous des nouvelles ? me dit-il.

— C'est trop tôt. Tu sais bien qu'il est parti avant-hier.

— C'est vrai, dit Gérard.

Je lui serrai la main. Les ongles étaient jaunes.

M. Motté augmenta le loyer, il me dit que je devrais lui acheter du bois si je voulais me chauffer.

Rentrer à Paris ? Le projet ne m'effleurait pas. Je relisais la liste des amis de Maurice que je pourrais ravitailler.

Maurice parti, je pouvais me donner des soins

intimes en me cachant de M. Motté. Il le fallait, le docteur chez ma mère, à Paris, l'avait prescrit. Assise dans l'obscurité de la cuisine délabrée, j'attendais l'ébullition de l'eau dans la casserole, son refroidissement. Ce fut un désastre le premier soir. J'enfonçai les pieds de la chaise dans l'édredon sur mon lit, je posai le bock sur la chaise. Je montai dans le lit, je m'accroupis. Ma posture était si laide, ma condition si humiliante que j'en tirais une espèce de consolation. Je perdis l'équilibre, la chaise bascula, l'eau grenat coula sur l'édredon.

Je tuais le temps chez Mme Meulay, je lisais son calendrier de l'année précédente. Elle me vendra tous les œufs que je voudrai, me disais-je. Soudain un rayon de soleil rajeunissait la campagne, flattait un herbage en pente. Ingrate je partais. Des bœufs dans les enclos me regardaient, leurs cils me bouleversaient. C'était le printemps au mois de novembre. Oh ! ce panoramique de lumière blonde ! Maurice absent, je commençais de voir où j'étais : dans un village où les sentiers comptaient plus que les habitants. Rentrer à Paris ? me disais-je. Les boutons de chrysanthèmes serrés et dodus me montraient comment les greniers de novembre prospéraient. L'odeur de caramel des pommes à cidre vagabondait, les angélus au loin étaient mes chimères. Ils sonnaient là-bas, dans mon jardin de fleur d'oranger. Rajeunir, s'alléger, se fortifier. Il fallait fêter mon changement. Je m'offris un calvados, un repas chez Bême. Et Maurice ? Oublié ? Maurice s'occupait de notre maison.

La semaine suivante, je reçus une enveloppe de Paris sur laquelle je reconnus l'écriture de ma concierge. J'en sortis une carte-lettre avec une autre écriture à mon adresse de Paris. Des larmes de rage m'aveuglèrent.

Le dimanche je pris ma Bible, je m'assis à notre place dans l'église. Je m'étais promis d'imiter Maurice jusque dans les intonations de sa voix pour gagner le village comme il l'avait gagné. L'église sans lui était fade. C'est par mimétisme que je mis un billet de banque dans la bourse de velours : je me promis de ne pas recommencer. Je feuilletais l'Ancien Testament, je découvrais que Maurice avait souligné les passages pouvant se rapporter à la déportation des Juifs, à leur extermination. Pendant l'élévation je me souvins d'une scène dans la chambre à coucher de Maurice : nous causions à midi devant la fenêtre ouverte, nous entendîmes un clapotis. Une centaine de moutons montaient du côté de chez Mme Meulay en nous offrant d'en bas leur profil. Les Juifs, dit Maurice avec tristesse. Il referma la fenêtre. Lui, il pouvait finir la guerre ici. Il aurait dû attendre, tout valait mieux que ce départ. Pourquoi m'a-t-il écrit à Paris sur une carte-lettre ? Nous aurions pu nous séparer tout en vivant l'un près de l'autre. Lui dans une maison du village, moi dans une autre. Sans la concierge, le facteur aurait lu sa carte, le village aurait su. Les gendarmes fermaient les yeux, c'est lui qui me l'a dit. L'argent ? C'est lui qui m'a dit aussi qu'on pouvait envoyer des colis et faire des bénéfices. Je soutiendrai toujours qu'il pouvait finir la guerre ici. Il n'a pensé qu'à lui et il m'a trompée. Hambourg ! Il est fou. Il croit qu'il sera plus fort qu'eux et c'est une folie. Qu'est-ce qu'il espérait en partant pour la Normandie ? Si je le savais ! C'est le manque d'argent qui l'aura forcé à prendre un engagement de travailleur libre sinon il pouvait se réfugier en Poitou sans que je le sache. Et puis la soif du départ le tenaillait. Son Orient, son Liban... les grands écrivains qui voyageaient. Flaubert, ma chère. Gide, ma chère. Lawrence d'Arabie, ma chère. S'il m'avait dit la vérité avant de me quitter... J'aurais essayé de le comprendre et de le détourner de son projet.

L'après-midi je me promenai avec Gérard convalescent. Nous tombâmes sur le jeune licencié, le vent dans notre dos bravait les arbres.

— Je vous cherchais, dit-il. Pas de nouvelles, ajouta-t-il, découragé.

— J'en ai, Maurice s'est engagé.

Je lui montrai la carte-lettre.

— Pauvre Maurice, dit-il. Les choses n'auront pas marché comme il l'espérait. Où est-il ?

— A Hambourg.

— Il dit qu'il vous enverra son adresse. Ce n'est pas une rupture.

— Et sa malle qui doit arriver...

— Donc il ne prévoyait pas son engagement ! Vous allez rentrer à Paris ?

— Je vais vivre ici. J'enverrai des colis.

— Méfiez-vous, c'est dangereux.

Restez, restez. Je ne perdrai pas Maurice une deuxième fois, me disaient les grands yeux de Gérard.

Je m'étais installée dans la chambre de travail de Maurice, je jetais des pommes de pin dans la cheminée, les flammes montaient haut. M. Motté entrouvrait ma porte.

— Ah ! je vous dis bonsoir, me disait-il chaque soir.

Les craquements à Paris me font mal. Je crois à des ennemis qui me tourment ou m'espionnent. Les craquements de mon feu de bois au village... résolutions, décisions, pétillements de mon énergie. J'écrivais mes souvenirs d'enfance au fil de la plume, à l'abri des rafales de pluie, dans la nuit et la solitude. Je suis une femme qui veille et se suffit dans les ténèbres des campagnes, me disais-je lorsque j'éteignais la braise avant de me coucher. Je regardais les objets de Maurice. La boîte de mica pour étudier une fourmilière, le cœur en osier pour cailler le lait... Je me sentais grande et triste comme de la cendre froide.

J'installai ma valise au centre de la table de travail de Maurice et je comptai mon argent. Je possédais de quoi acheter une demi-livre de beurre pour un des amis de Maurice.

Par une tiède matinée j'allai chez Mme Foulon. Elle nettoyait sa turbine-écrémeuse, elle ne me dit pas bonjour. Je connaissais son drame. Son petit garçon s'était pendu au collège avec sa serviette à nids d'abeille. Le jour où le corps refroidi de son enfant était arrivé à la ferme, Mme Foulon sans pleurer avait trait, nettoyé sa turbine comme le jour où j'entrai chez elle. Sa noblesse lui venait aussi de sa virilité, de son embonpoint, de la limpidité de son regard.

— Qu'est-ce que vous voulez ? me dit-elle, brutale.

— Je voudrais un canard... Vos canards sont excellents... Maurice venait chez vous...

— Pourquoi ne vient-il pas ?

— Il ne peut pas venir. Ils l'ont ramassé.

Silence.

— Il écrivait des articles contre eux au début de la guerre. Ils l'ont reconnu. Ils l'ont pris.

Silence, silence.

— Il est en Allemagne. Il est forcé de travailler pour eux.

Le silence se prolongeait. J'attendais, abattue.

Elle ne croyait pas en mon mensonge, ils ne croiront pas en mon mensonge. Où irai-je ? Qu'est-ce que je deviendrai ?

Mme Foulon m'apporta une demi-livre de beurre sur une feuille de chou.

— Il faudra lui envoyer des colis, dit-elle.

— Pourrai-je avoir un canard ?

— On verra.

Je recommençai trois fois mon colis avec la demi-livre de beurre. Je choisis sur la liste un ami de Maurice, je lui écrivis un mot et, le cœur battant, je

561

partis avec mon paquet. Hambourg, disais-je à voix basse sur la route. Je rencontrais des paysannes qui roulaient à vélo avec des piles de colis.

Le mien était le plus petit.

— Recommandez-le, dit un bout de femme. Ils l'auront demain.

Elle tenait devant elle un échafaudage de boîtes à expédier.

— Ce n'est pas indispensable de le recommander. Il n'est pas gros, dit le postier à sa cliente. Et puis ça n'est peut-être pas du ravitaillement...

— C'est du beurre !

— Chut ! Je ne veux pas le savoir, me dit le postier.

Deux clientes qui attendaient leur tour psalmodiaient que la chaleur n'était pas de saison, qu'il valait mieux envoyer le garenne non dépiauté.

Porte-moi chance, dis-je au porte-billets de Maurice quand le reçu de mon expédition fut dedans.

Je rentrai au village toute bourdonnante d'espérance et d'avenir. Je revoyais l'échafaudage des boîtes et l'échafaudage de bouclettes brunes de la femme ; un arbre mort au bord du chemin frisait.

Ce soir-là Gérard me dit qu'il s'ennuyait, qu'il réparait du matin au soir son vélo. Il l'appelait son vieux clou. Pauvre enfant sacrifié par nous tous. Il s'asseyait près de la petite table devant la cheminée, il se réchauffait pendant que je dînais de café au lait, de pain blanc vendu par M. Motté chaque fois qu'il boulangeait. Il me demandait de lui dire ce que j'écrivais. Ses yeux brillaient. Je lui parlais de mes projets d'expéditions, il m'approuvait et vibrait de mes résolutions. Après une poignée de main d'adulte, il partait retrouver son réduit dans lequel il continuait de lire des poèmes à la lumière d'une bougie.

« Une lettre, un colis, un mandat », s'écria le facteur, heureux de me rendre heureuse.

L'ami de Maurice me remerciait de mon initiative avec des livres et de l'argent. Il m'envoyait ce que je désirais lire : *Le Journal du séducteur, Ou bien ou bien* de Kierkegaard. Il m'expliquait que sa mère souhaitait recevoir des œufs, de la viande, une autre demi-livre de beurre. Mes affaires marchaient bien. Je commençais, j'étais déjà une commerçante enrichie. Les œufs ? Mme Meulay, pardi. Je partis sans perdre une minute.

Volets clos, bras du calvaire ouverts, Mme Meulay n'était pas chez elle.

M. Motté ne quittait pas sa cuisinière sauf à l'heure de la veillée. Il suivait mes allées et venues à la loupe. Je pesais plus lourd dans sa maison depuis le départ de Maurice.

— Vous êtes venue et vous ne m'avez pas vue ! J'étais dans le champ. Je cherchais pour mes petites bêtes, me dit Mme Meulay.

Nous bavardâmes.

— Les œufs sont introuvables, lançai-je au hasard.

Enivrée de mon audace, j'allumai une cigarette devant Mme Meulay.

— Ceux qui ont des œufs ce sont ceux qui récoltent du grain, dit-elle, amère.

— Et vous vous n'avez rien !

— Deux douzaines.

— On vous les paie combien ?

— On me les paie un bon prix. Vous les voudriez pour M. Maurice ? Ils se casseront en route ma pauvre fille. Vous me les paieriez combien ?

— Le double. Je vous les paierais le double pour des amis de Paris.

— Ce sont de gros œufs. Ils en seront contents.

— Est-ce que j'en aurai à l'avenir ?

— On essaiera.

Je la payai avant de voir la marchandise.

— Je vous plumerai vos canards puisque vous êtes si bonne, dit-elle.

Mais oui l'argent est bon, il ranime.

— Mes canards ! dis-je, effarée. De quels canards voulez-vous parler ?

— De ceux de Mme Foulon. Elle, elle a de quoi les élever.

— Ils ont tellement faim à Paris... Si seulement je pouvais leur trouver de la viande, dis-je en partant.

Je jouais bien ma comédie.

— De la viande ? Mme Bême le sait avec toute cette clique qui va chez elle...

Je courus chez Bême.

— Pauvre monsieur Maurice, dit Mme Bême. Avez-vous des nouvelles ?

— C'est trop tôt.

— Bien sûr c'est trop tôt, dit M. Bême en mélangeant Maurice avec la fin de la guerre.

Elle préparait un pâté de lapin pas ordinaire : elle me dit que Nannan vendait de la viande chez la Charlotte.

— Trois maisons plus loin que la nôtre.

— Vous pouvez monter. Elles faisaient du ramdam il y a un instant, me dit une blonde maman avec son bébé blond sur les bras.

Entrée compliquée. Ouvrir d'abord la porte disloquée après avoir monté deux marches. L'escalier dans un passage étranglé craquait, branlait. Je glissai. Il fallait en plus enjamber le rectangle noir d'une marche qui manquait. Je frappai à la deuxième porte. J'entendais des froissements de papier, des bruits flasques. On se décida à ouvrir.

— Je vous connais, s'écria la grosse femme apaisante. Je la connais, elle était sur le quai... A l'avenir vous frapperez deux coups. Entrez.

J'entrai. Je crevai tout de suite agréablement de

chaleur. Je m'assis devant la table pliée en forme de fer à cheval.

— N'est-ce pas qu'elle est jolie ma fille ! C'est ma Pierrette, ça madame.

— Tais-toi, dit la jeune fille.

— Vous êtes pétrie dans du velours, lui dis-je.

Charlotte renversée sur sa chaise riait de bonheur.

— Si vous entendiez comme elle chante...

— Tu parles de moi comme si j'étais une poupée !

— Tu es plus belle qu'une poupée, dit Charlotte.

Maquillée sans avoir besoin de fards, Pierrette était une beauté fiévreuse. Je la regardais, je mordais dans une framboise.

La jeune fille fredonnait l'air en vogue du *Rio Grande*.

— J'étais venue pour la viande...

Nous nous rapprochâmes.

— Vous parlez trop haut, dit Charlotte.

— Toi tu gueules !

— Me traiter ainsi ! Si mon gendre l'apprenait...

— Vous êtes mariée ? dis-je à cette enfant.

— Je vais me marier. J'aurai bientôt quinze ans.

— Pour la viande, croyez-vous que je peux espérer ?

— Vous en voudriez combien ?

Elles me regardèrent avec avidité.

— Au début pas beaucoup, dis-je gênée. J'ai des amis, je vais leur écrire.

— Nannan cherche des bêtes, dit Charlotte.

— Pour en avoir vous en aurez, me dit Pierrette.

Je racontai tout à Gérard.

On frappa aux volets vers neuf heures et demie du soir. Je posai mon porte-plume, j'écrasai ma cigarette. J'ouvris, la nuit s'engouffra dans la cuisine. Je sortis : un homme était plaqué sur les volets de la chambre.

— Vous êtes Nannan ?

— Oui, je suis Fernand.

Il entrouvrit son veston d'été, il en sortit un paquet :

— Votre rôti.

Il ouvrit le papier :

— Il vous plaît ?

— Je serais difficile.

C'était une tranche de faux filet.

Le bois craqua dans la cheminée. Il regarda avec des yeux de gosse ébloui par une fête.

— Cigarette ?

— Cigarette. Je vous dois combien ?

— Du feu ?

— Du feu.

J'allumai ma cigarette à son briquet bleu turquoise.

— Vous êtes bien ici, dit-il.

Il regarda mes feuilles de papier sur la table.

— Vous travaillez ?

— Oui, j'écris. Vous ne m'avez toujours pas dit combien.

Il m'étudia :

— On se reverra. Venez chez Bême, j'y vais.

J'appréciais sa manière de fumer.

— Qu'elle est fraîche, dis-je en baissant les yeux sur la viande.

— Elle est persillée.

La cendre de sa cigarette tomba sur le carrelage.

Pris en faute, il donna un coup de menton pour me provoquer.

— Vous m'en donnerez encore de cette belle viande ?

M. Motté rentra dans sa cuisine. Il ronchonnait.

— Je vous en donnerai autant que vous voudrez, dit tout bas Fernand.

— Faut fermer à clef quand c'est soir, dit M. Motté.

Fernand s'appuya contre la porte. Il riait sans bruit et me montrait ses deux dents cassées sur le devant. Il lança son pouce en arrière du côté de la cuisine dans laquelle M. Motté vadrouillait en sabots.

— Ah ! je vous dis bonsoir, dit M. Motté dans le dos de Fernand.

Je répondis bonsoir comme d'habitude.

— Vieux grigou, dit tout bas Fernand.

Je ne répondis rien.

— Je m'en vais ?

Il s'était jeté d'un bond près de la petite table.

— Je m'en vais. Du monde m'attend, dit Fernand.

Il ouvrit la fenêtre, les volets. Il sauta dans la nuit.

S'il était mon amant, ce ne serait pas autrement, me disais-je en refermant la fenêtre.

Je cherchai dans l'âtre le mégot de Fernand. Ces hommes-là ne laissent rien derrière eux.

Eteignons, c'est le moment de la révision. Mes poings sur mes yeux, mon souffle dans un trou d'aiguille, la nuit dans mes veines et mes artères, je tisse, j'emprisonne. Un coup de foudre c'est aussi un festin. Qu'il est blême Fernand. D'où lui vient cette jeunesse de chien qui se secoue en sortant de l'eau ? De sa vitalité à la débandade. La première fois que je le rencontrai, Fernand le dézingueur, je réchauffais mes mains sur la marmite d'un marchand de marrons. Dans une autre vie évidemment. Le vent soufflait sur des gorges vertes dans les blés. Ce grand vent, ce donateur, c'était Fernand. Est-ce un visage ? Ce sont des coups de poing. C'est de la grosse pommette, c'est de la charpente et de l'architecture en vrac. Cela chahute du front jusqu'au menton. Il est parti. Un autre jour il m'apportera les étoiles cueillies sur le fil de ronces des enclos. La flamme dans ses yeux, qui est-ce ? L'oiseau quand il attend. « Les femmes doivent être des esclaves. » Sacré Maurice Sachs. Ce soir c'est avec vos formules en sautoir que je danse toute seule. Ce soir je suis l'esclave de Fernand et, croyez-le Maurice, ce n'est pas de l'esclavage. Ma fleur n'était plus ma fleur quand je vivais près de vous, Maurice Sachs... Une toile d'araignée entre vos pages de Platon. La conspiration dans la gorge de Fernand : son rire pendant qu'il parle. Un homme est là, il se tait, c'est une aventure. Son paquet de cigarettes fripé, ses deux dents cassées sur le devant, ses espadrilles qui ont la couleur des petites routes quand le crépuscule devient strident.

Gérard me raconta qu'une nuit de pluie, de tonnerre et d'éclairs, Fernand était revenu à pied de campagnes éloignées avec un mouton vivant autour des épaules. Inquiètes, des femmes priaient. Fernand, afin que la viande puisse refroidir et que les clients ne repartent pas « à vide », tua le mouton près du poêle en arrivant, sans se réchauffer ni se changer. Il le dépouilla, mangea, découpa.

Je reçus une lettre de Maurice. Le trait en biais de la censure flétrissait les pages. Il m'expliquait que, levé à cinq heures du matin, il quittait le camp avec les autres pour s'enfermer jusqu'au soir dans la cage d'une grue. La vie de camp lui convenait. Le soir au coucher on le consultait. Il me racontait sa dernière soirée avec son éditeur dans un restaurant de Paris : c'était lui qui avait payé. Il me demandait du tabac, ses vieilles chaussures, des denrées. Gérard n'était pas oublié. Je lui lus plusieurs fois la lettre dans la même journée.

Dimanche 27 août 1961. Ouverture de la chasse dans un village du Vaucluse. Je change de place. Enfouie dans les genêts, je serais prise pour un lapin si les genêts remuaient. Me voici à l'orée d'un bois de pins, une chasse gardée dans laquelle le gibier se repeuple. Les lavandes ont grillé, la ruche est fermée. J'ai connu la ruche ouverte au-dessous de la vapeur mystique des lavandes en fleur. Jeux de voltige d'oiseaux élégants. Jeux d'un bourdon trapéziste de tige de lavandin en tige de lavandin. Le bonheur, ce matin, c'est le poids que pèsent les insectes, les oiseaux sur les tiges flexibles. Les cigales chantent au loin, cela me convient. Crescendo de solitude à la fin de la matinée, cependant l'odeur des pins me tient compagnie.

J'étais revenue sur le sable de la colline de Jaux, je déjeunais, je voyais à une heure de l'après-midi Vincent Van Gogh assis contre un olivier, coiffé de son chapeau de paille de fort des halles. Je le voyais comme je voyais mon pain, mes mains.

Un autre mandat, d'autres compliments et une liste des amis de Bernadette. Du beurre, envoyez-nous du beurre. Je me tirais les cheveux. Où trouver du beurre ? Asseyons-nous, causons pis énormes, balançoires inconvenantes des troupeaux. Où est le beurre ? Les troupeaux rêvaient de pesanteur, ils se détournaient quand je passais. Les jarres de crème devenaient des supplices. Sans beurre je ne leur vendrai rien, avec du beurre je leur vendrai de tout. Je suppliai Gérard d'écouter, d'espionner. Il fallut patienter plusieurs jours.

« C'est à l'écart, c'est à plusieurs kilomètres, essayez. Il ne faut pas qu'on vous voie sur les routes. Vous pourriez rencontrer des inspecteurs, vous seriez repérée. Il ne faut pas que vous soyez vue du chef de gare, de un tel et puis de un tel et puis de telle autre et encore de telle autre », me dit enfin Gérard.

Je partis, le trajet m'enivra. Je préférais les sentiers indécis, voilés par de la vieille herbe indifférente aux intempéries. Je semais le village, je m'en allais avec mon cabas et celui de Maurice pendus à mes bras, mes mains au fond de mes poches, une cigarette à la bouche. Ma soif du gain, mon amour de la campagne augmentaient à chaque pas. Ce fut une débauche de pâturages. Je longeais des prés, je traversais des prés, je rampais, je marchais à quatre pattes sous le fil de ronces... Un froid sec embellissait mon gros nez. Je humais le vent et le soleil avec un museau de belette. Je m'arrêtais souvent pour un corps à corps avec des peupliers, je tournais autour d'un silo. Je tapotais un bœuf. Est-ce que je m'en sortirai ? disais-je à des arbres dessinés avec le crayon incisif de l'hiver. Mes lèvres glissaient sur mon poignet. C'était là que la campagne me donnait un baiser. Ma soif du beurre, ma soif de l'or si je rencontrais des feuilles cuivrées... L'indifférence d'un cheval tout seul dans un herbage, voilà mes vitamines et mon bain en cette matinée. Je venais au monde avec des ailettes aux talons. Cartier, Van Cleef, Mauboussin... ce genévrier rouillé ! Prairies de Normandie vertes en hiver, je vous buvais comme nous buvions notre Sandeman. Toutes ces allées : des morceaux d'orgue. Le bleu du ciel était une allée. Le vent montait dans une région où les dernières feuilles frémissaient de mes frémissements à seize ans.

J'aime les longs sentiers qui conduisent aux fermes, dans une solitude hautaine, j'aime la mousseline qui sort des cheminées en face des bois et des fourrés. J'étais presque arrivée.

J'entrai dans leur prairie. Une jeune fille assommait un lapin. Je criai pour demander si je pouvais entrer. Elle se sauva avec le lapin dont la tête flasque cogna contre le mur.

Une vieille battait un bouquet de haricots sur le carrelage.

— Mon Dieu ! que vous m'avez fait peur. Est-ce qu'on vous a vue entrer ?

Elle me coupait la parole quand j'essayais de répondre.

— Pourquoi venez-vous chez nous ? Qui vous envoie ?

Sa frayeur me navrait. C'était si gai le craquement des cosses de haricots, c'était si gai ce début d'hiver transparent.

Je parvins à lui dire que je cherchais du beurre. Elle pâlit.

A ce moment la jeune fille entra. Elle s'essuyait les mains à son tablier imprimé de sang frais.

— Tante, dit-elle, qu'est-ce qu'il y a ? Qu'est-ce qu'il vous arrive ?

— Elle nous demande du beurre, dit la vieille.

— Du beurre ? Où voulez-vous que nous allions vous chercher du beurre ?

Un homme entra à son tour.

— Frère, elle veut du beurre, lui dit la jeune fille.

— Du beurre ? Où voulez-vous qu'on trouve ça ?

Une femme entra aussi avec des grosses pommes rouges dans son tablier. Elle me faisait presque la révérence. Le vernis des fruits écarlates coïncidait avec l'éclat de la lumière entre les branches nues des arbres.

— Mère, elle voudrait du beurre, lui dit la jeune fille.

— Du beurre ! Nous pouvons vous vendre un lapin...

Un homme jeune au long visage de jésuite entra le dernier.

— Mon fils, elle cherche du beurre, dit la femme.

— Du beurre en plein hiver ! C'est comme si vous nous demandiez la lune, dit-il en déroulant son cache-nez.

De la graisse chauffait dans une bassine à frites, son odeur humanisait la cuisine.

Vieil automate, la vieille tournait en rond avec des pommes de terre à frire dans un torchon. Les autres s'occupaient sérieusement du repas. Ils se mirent à table. Je m'assis sans leur permission.

— Alors comme ça à Paris vous avez beaucoup d'amis, me dit la mère.

— Voyons, à Paris qu'est-ce que j'ai comme amis ? Des avocats, des couturiers, des dramaturges, des éditeurs. Je connais aussi des écrivains, des acteurs, des rédacteurs, des chanteurs, des fantaisistes... Pour se nourrir, ils paieraient n'importe quel prix.

Son déjeuner expédié, le frère aîné sortit. Les dames respirèrent.

Je recommençai :

— Ne serait-ce qu'une demi-livre... non ?

C'est la jeune fille qui me répondit.

— Nos vaches sont pleines et quand une vache est pleine elle ne donne pas. Je vous emmène ?

Elle pesa le mort tout rose sous son glacis. Tant de lapins dépiautés le samedi à Paris que je regardais sans les voir. L'abandon criard des cuisses ouvertes m'empoignait.

Elle calcula son prix en une seconde et l'enveloppa dans un linge blanc.

— Je ne vous donne pas la peau, dit-elle, qu'est-ce que vous en feriez ?

— Si vous me donniez plutôt un gros poulet !

— La volaille c'est permis, dit la jeune fille.

Elle avait remis son tablier, elle marchait comme une guerrière avec ses grandes bottes de caoutchouc. Elle lança du grain pour attirer le poulet.

Elle le prit pendant que je regardais un coq somptueux.

— Je les tue en leur coupant la langue, m'expliquait-elle.

Elle lui coupa la langue. Elle travaillait assise comme les cordonniers.

— Vous le plumerez avant de l'emporter. Il ne faut pas qu'on sache d'où il vient, dit la vieille dans mon dos.

— Je ne sais pas plumer...

La jeune fille enfermait la tête dans du papier journal.

— Je vous aiderai, me dit la vieille.

C'était fini : je ne voyais plus le bec ouvert, ce petit trou méchant avec dedans notre agonie à tous. Comme le cœur avait rythmé la vie, les ailes rythmaient la mort. C'était fini : je ne voyais plus la taie, ce volet abaissé à l'intérieur de l'œil signifiant que les animaux aussi ont leur pudeur après la mort. Les ailes battaient de moins en moins, le papier journal était trempé de sang. Le mort sur nos genoux était plus fort qu'un fantôme. Je mangeais de la plume, je crachais de la plume, je déchirais la peau je tirais les éperons. A la fin il fut nu. Je n'avais pas perdu ma journée.

Gérard m'attendait au détour d'une sente :

— Vous ne reveniez pas...

Je racontai.

— J'ai un lapin, j'ai un poulet... mais à quel prix les vendre ?

— Ecoutez, commença Gérard, la semaine dernière je réparais mon vélo dans la gare... Des Parisiens avec des valises attendaient le car, ils disaient : « Moi je culbute. » « A ce prix-là tu devrais culbuter, mon vieux. » Vous ne croyez pas qu'ils parlaient du prix de leurs ventes ?

— C'est possible.

Quelle somme, quel bénéfice représentait ce verbe « culbuter » ?

— Il y a toutes sortes de mondes qui vous a demandée, dit M. Motté. Il faut que vous montiez chez Mme Meulay. Votre linge est prêt, elle a une commission pour vous, la Parisienne vous attend chez elle, sa fille est venue, Mme Foulon a des canards pour vous. C'est tout ? Oui c'est tout.

Je repartis aussitôt. Je montai chez Mme Meulay.

Il fallut écouter les versets habituels sur l'absence de bonheur, la cherté de la vie. Comment s'y prenait-elle pour laver en plein froid, en plein vent dans ce clair-obscur ?

— Je peux vous en vendre quatre douzaines, dit-elle.

— Quatre douzaines !

— Oui j'ai aussi ceux de ma fille. Vous ferez le prix, nous ne savons pas.

Je proposai un bon prix.

— Vous n'êtes pas forcée de tout prendre, ajouta-t-elle.

Coquette va !

Je payai les œufs plus cher que la fois précédente.

— Vos canards à l'engraissage m'embarrassent, dit Mme Foulon. Vous me payez, vous les emmenez.

— Je ne pourrai pas les plumer ce soir.

— Ils passeront la nuit sur le carrelage.

— Les pattes liées ?

— Vous les coucherez.

J'allai avec Gérard chercher des cigarettes chez la raccommodeuse de linge. Elle m'attendait devant sa maisonnette envahie par les noisetiers. Elle sortit six paquets des poches de sa longue jupe noire et je les cachai dans les poches de mon manteau noir.

La cuisine des Bême était pleine de Parisiens et de paysans.

— Fernand vous cherche, me dit Mme Bême. Serez-vous des nôtres ? J'aurai un bœuf mode.

— Je ne demande pas mieux, dis-je avec plaisir.

— Sais-tu où est Nannan ? dit-elle à son mari.

— Moi aussi je l'attends, soupira Didine. Et le taxi qui sera là dans un quart d'heure !

— Nous aussi nous l'attendons, dit un couple.

— Je suis comme vous. Je l'attends dit un paysan.

Tous fumaient et buvaient. Didine mangeait ses œufs. Elle se mouchait souvent pour écouter, j'en suis sûr, le claquement de son arme féminine : le claquement du fermoir de son sac à main.

— Moi aussi je l'attends pour mon bœuf mode, dit Mme Bême.

Je demandai une tartine de rillettes. Droguée par la chaleur, le bruit des voix, la fumée du tabac, je n'avais pas le courage d'enlever mon manteau ni mon fichu. Je préparais en pensée mon uniforme de revendeuse. Je mettrais mon manteau de lapin avec la cordelière de Maurice autour de ma taille. On me regardait sans sympathie. J'étais seule.

— Tournée générale ! dit Fernand en arrivant.

Il enleva son foulard en lainage imprimé, il le serra autour du cou de M. Bême. Ils se jetèrent sur lui.

— Est-ce que tu m'en donneras, Fernand ? Tu me l'avais promis.

— Tu m'avais dit que je repartirais chargé à bloc, Fernand.

— Je comptais dessus, Fernand. J'ai eu des frais, Fernand.

— Un veau, Fernand, ça t'intéresserait ? Je peux t'en avoir un. Tout nourri au petit-lait.

Il enroulait son foulard autour de sa main droite.

— Comment voulez-vous que j'abatte ? Vous voyez bien que votre dézingueur est blessé. Plus de barbaque, finie la barbaque.

— Fernand... mon télégramme est parti.

— Le taxi qui va arriver, Fernand. Je reviens demain matin ou je couche ici ?

Fernand déroulait le tissu autour de son poignet comme il aurait défait un pansement.

— Vous je vous cherchais, me dit-il.

La tartine de rillettes tomba dans mon assiette.

— Cigarette ?

— J'en ai.

— Cigarette, dit-il avec autorité.

Je pris ce qu'il m'offrait. Il se glissa avec souplesse entre la table et le banc.

— J'abats cette nuit. Vous serez tous servis. Et vous parlez d'un morceau !

— Il y a le veau mais il y a aussi le mouton, dit le paysan. Qu'est-ce que tu décides ?

— D'accord, dit Fernand. Je connais ta ferme, je connais tes bêtes. Une autre tournée générale ! Je suis veuf ce soir. Elles sont à Paname. Il ne manquait plus que toi P'tit Paul.

— Salut la compagnie, dit en entrant un jeune homme de petite taille.

— J'abats cette nuit et je compte sur toi, lui dit Fernand.

— P'tit Paul est toujours où tu es, dit M. Bême.

Chacun prit ses dispositions. La cuisine se vida, P'tit Paul s'assit en face de Fernand.

— T'aurais pas une sèche ? dit-il, fier de son langage.

Fernand lui lança son paquet de cigarettes au visage.

— Garde-le, dit-il.

— Je peux ?

— Je veux, dit Fernand.

— J'offre une tournée, dis-je avec ardeur.

— C'est moi qui sers, dit Fernand. Il prit la bouteille de calvados. P'tit Paul me regardait avec des yeux tendres parce que je donnais à Fernand ce qu'il aimait.

— Mme Leduc va envoyer des colis à ses amis, dit Fernand.

— Pourquoi pas ? dit Mme Bême.

— Il faut qu'ils tiennent, nos Parisiens, dit M. Bême en ouvrant son poste de radio.

— Pour les informations c'est trop tôt, ma poule, dit Mme Bême.

M. Bême ferma le poste.

— Maintenant, on file, dit Fernand à P'tit Paul. J'ai le merlin à préparer, tu as les couteaux à vérifier. J'ai changé de place, tu verras.

— Faut que je te parle des peaux, dit P'tit Paul. Il remit son béret droit sur ses cheveux lisses.

Je les suivis dehors. Nuit noire.

— Le temps est avec nous, dit P'tit Paul.

— Vous me cherchiez ? dis-je à Fernand.

P'tit Paul s'effaça.

— Je vous ai gardé les meilleurs morceaux, dit Fernand. Un gigot, des côtelettes...

— Un gigot ! Dans quoi je l'emballerai ?

— On bouffe chez Bême, après vous venez chez ma belledoche.

— Chez votre belledoche ?

— Chez Pierrette si vous préférez. C'est là que j'habite. Vous êtes déjà venue. Il faudra cacher vos filets dans le fossé avant d'entrer dans leur épicerie. Adiosse cabalérosse, me dit-il en riant comme s'il le disait à la nuit, sa complice.

577

On entrouvrit la porte de l'épicerie.

— Mon mari oublie tout, dit Mme Bême. Il vient de me dire qu'il y a une malle pour vous à la gare.

Fernand repartait chez lui avec P'tit Paul. Ils sifflaient l'air du *Rio Grande*.

— Vous avez vu ce qu'ils ont fait sur mon carrelage ? me dit M. Motté. Faudra me nettoyer ça.

— Je nettoierai.

— Et fermez bien la porte quand vous sortez.

— Je fermerai.

Je nettoyai, je couchai les canards sur une de mes chemises de nuit. Fernand, me disais-je avec une morsure, me vend des morceaux de choix parce qu'on lui aura dit que mes « amis » ne sont pas des fauchés. Et ses tournées, saleté, et ses bons morceaux avec lesquels tu « culbuteras », salope. Les prodigues m'affolent. Je les adore en serrant mon portemonnaie. La prodigalité de Maurice m'effrayait. L'argent, sa course à l'abîme. Il s'en délivrait dès qu'il en obtenait. Etrange départ noyé dans l'alcool. Le jeune licencié m'avait raconté que Maurice avait bu une quinzaine de verres de calvados en attendant l'autocar dans la pluie et le brouillard. Je regardais les malheureux canards couchés sur ma chemise de nuit, leurs spatules trop humaines à force d'être baroques. Je les empoignai, je me remis dans mes brancards. C'est la tête pleine de chansons que je montai chez Mme Meulay.

— On est bien pressée, madame Leduc... Qu'on est chargée, madame Leduc...

La fermière qui habitait près de la menuiserie braquait sa lampe électrique dans mes yeux.

— Pourquoi voudriez-vous que je sois pressée ? Je porte des canards à plumer... La volaille c'est permis, non ?

— Ma pauvre femme, dit-elle, vous êtes libre. Si je vous arrêtais c'était pour vous offrir du lard... Ça vous intéresserait du lard salé ? Il paraîtrait que vous cherchez du ravitaillement.

— Je vous remercie. Je viendrai demain soir.

Mme Meulay soupait de lard fumé et de café au lait. Elle voulut bien que je mette en pension chez elle mes animaux morts avec mes animaux vivants qu'elle plumerait. Nous empaquetâmes ses œufs. Ensuite elle ouvrit la porte de son armoire.

— Une demi-livre de beurre, dis-je extasiée.

Je repartis chez les Bême. Je cachai mes cabas dans le fossé, je plaçai mon beurre dans la poche de mon manteau pour ne pas m'en séparer.

— P'tit Paul est des nôtres, dit Mme Bême.

— Fernand a voulu, dit P'tit Paul, gêné.

Il s'était inventé une tenue de soirée en se lavant le visage, les mains.

Fernand entra par la porte de la cour alors que je l'attendais par la porte de l'épicerie. Il était coiffé d'un morceau d'étoffe noire serrée et nouée dans le dos à la corsaire. Il mordillait la tige d'une rose qu'il serrait entre ses lèvres.

— C'est comme ça que tu abats cette nuit ! dit M. Bême.

— Pourquoi pas ? dit Fernand.

Il se réchauffa le dos à la cuisinière.

Il fit un tour sur lui-même. Les deux pans de sa coiffure balayèrent le tuyau de la cuisinière et la nuque de P'tit Paul.

— Et maintenant une de vos bonnes bouteilles. D'accord ?

Il monta sur la table, il se glissa près de moi, et il m'offrit du feu.

— On dit que tu te maries, dit Mme Bême.

— Il paraît, dit Fernand. (Il se tourna de mon côté.) Vous viendrez.

Appuyé contre le mur, les bras en l'air, il répétait :

— Qu'est-ce qu'on va se mettre avant P'tit Paul. Je ne dessoûle pas pendant trois jours.

Il repoussa son assiette. Le son assourdi de son rire ressemblait à un sanglot.

— Mange Nannan, suppliait Mme Bême.

— Mange Fernand, disait P'tit Paul.

— Je boirai du sang, dit Fernand.

M. Bême arriva de la cave.

— Voilà ma femme, dit Fernand en lui arrachant la bouteille des mains.

Le repas se termina avec des tournées de calvados. Fernand avait le fou rire chaque fois que M. Bême disait : « J'ai horreur de l'alcool. »

J'accompagnai P'tit Paul et Fernand chez Pierrette.

— Je vous scie l'os, dit Fernand en arrivant.

— Comme elles ont bien nettoyé...

— Manquerait plus que ça, murmura Fernand. J'ai oublié ma canadienne !

— J'y vais, dit P'tit Paul.

— Quel foin ça va être, dit Fernand. Ils seront couchés.

Il songeait à la scène.

— 'seyez-vous, me dit-il.

Il commença de scier l'os.

La rose tomba sur la viande. Je la remis entre ses lèvres.

On frappa deux coups. P'tit Paul tenait ses sabots à la main.

— J'ai rencontré Toupin. Les inspecteurs sont dans le coin.

— Je connais Toupin, dit Fernand. C'est un enfoiré. Il tremble quand une feuille tombe. J'abattrai où j'ai dit que j'abattrai.

— Pour être d'accord je suis d'accord, dit P'tit Paul, transporté par le danger à partager.

— Aide-moi, dit Fernand. On a trois heures devant nous pour ramener Grisette.

Mes cabas se remplissaient de côtelettes premières, de côtelettes secondes.

— Je te prépare la rose et le corsaire pour tout à l'heure ? dit P'tit Paul.

— Je veux, dit Fernand.

— A moins que tu préfères le haut-de-forme comme l'autre jour...

— Tu sais bien que je change chaque fois. T'avais oublié ?

P'tit Paul déposa la rose sur le morceau d'étoffe qu'il plaça entre la scie et les couteaux.

Nous descendîmes à pas de loup ; Fernand portait mes cabas sur ses épaules. Déjà ils s'enfonçaient dans les fourrés.

Je titubais, je m'embrouillais dans mes pieds. Le village dormait sous sa coiffe de ténèbres. Satisfaite de ma journée, de ma soirée, de Fernand, je m'appelais mon petit coco, mon petit poussin, ma petite poulette. Je me regardai dans la glace, je vis la tête d'une femme qui commençait à réussir.

Mon cœur m'importuna aussitôt que je me couchai. Il battait à se rompre. Je me tournai, je demandai de l'aide à mon côté droit, à mon côté gauche, je poussai des soupirs exagérés, je donnai des coups de pied au drap pour oublier ce muscle en folie. Je sautai de mon lit, je regardai l'heure à l'endroit, à l'envers. Je revoyais Fernand, j'étais sagement amoureuse. Je m'endormis en comptant mes bénéfices et en pensant à lui.

Le lendemain j'écrivis un courrier minutieux dans lequel je demandais à chacun de la ficelle, du papier gris, des linges, des boîtes. Le facteur me donna plusieurs lettres d'inconnues qui me demandaient de la viande, de la matière grasse, du pâté, de la crème fraîche, des œufs, de la volaille, du lard. Gérard entra.

— Culbuter, je sais ce que c'est ! Culbuter, c'est vendre le double de ce qu'on a acheté.

— Et ajouter les frais de poste, dis-je sans hésiter.

— Ça je ne sais pas, dit Gérard.

Il admira mes colis. Le chef de gare, me dit-il, me réclamait pour la malle de Maurice.

Le postier me donna une lettre de Sachs. Catastrophe, la boîte avec le gigot pesait plus de deux kilos cinq cents. Colis refusé. J'étais prête à pleurer.

— Je peux peut-être vous aider, me dit un homme au feutre rabattu sur l'œil, à la voix chantante.

Le postier m'encouragea d'un regard à sortir avec l'homme.

— Puis-je vous offrir un calva ? demanda-t-il.

— Comment pouvez-vous m'aider ? Le colis est trop lourd.

— Entrez, me dit-il. Qu'y a-t-il dans votre paquet ?

— Un gigot, dis-je après avoir trinqué.

— Déballez, dit-il. Il coupa le nœud avec son couteau.

Des morceaux de fil de fer rouillé s'échappèrent des poches de sa veste de velours. Il les ramassa prestement pendant que je posais le gigot sur le marbre.

— Première qualité, dit-il.

— Couteau, appela-t-il.

L'épicière-cafetière apporta un couteau de cuisine. Il découpa une tranche dans mon gigot.

— Vot' dîner, dit-il en me l'offrant à la pointe du couteau.

Je jubilais. Il était entré de plain-pied dans mes petites difficultés.

— Du cochon frais, ça vous intéresserait ? Fernand vous expliquera où j'habite. Vous mangerez la truite avec nous.

Je découvris qu'il lui manquait un doigt quand il empoigna le guidon de son vélo.

Je jouais les collégiennes qui se privent de leur premier rendez-vous pendant que je serrais la lettre non décachetée de Maurice en revenant au village. Je choisis pour la lire un berceau de lumière au fond d'une haie. Il continuait à me raconter avec chaleur son existence au camp, son travail de conducteur de grue, ses soirées avec ses compagnons. Il attendait mon colis, il me complimentait de vivre seule au village.

C'est la malle-cantine d'un dandy que j'ouvris dans l'humble gare. Mes mains plongeaient dans les soies, mes ongles griffaient les chemises chiffrées, le satin, le foulard, le brocart des robes de chambre, le linon, la batiste des mouchoirs. Eventail refermé des tricots de couleur, des gilets, assortiments des sticks, des cannes, des mules, des chaussures. Une culotte de cheval inattendue. Je me servis pour avoir des choses de lui. Voici, avec exactitude, ce que je pris : une chemise pour les initiales M. S. brodées, un dictionnaire, un livre d'Elie Faure, un article de trois pages manuscrites sur les peintres anglais. J'ai tout donné, ainsi que ma Bible avec les passages qu'il avait soulignés. J'envoyai la malle à la mère du grand frisé et comme elle ne lui arriva pas le chef de gare insista pour que je fasse une réclamation. J'obtins une indemnité. Dix mille francs dans ma valise appartenaient à Maurice Sachs.

Ce soir-là, la fermière qui habitait à côté de la menuiserie me vendit dix kilos de lard salé. Ce même soir je me présentai au tueur de cochons : le fils du vieux scieur de bois. Ce Breton silencieux recevait chaque jour une prime : un superbe rôti qu'il vendait. J'ouvrais de grands yeux pendant qu'il me proposait de longues chaînes de saucisses, des pavés de rillettes, des colimaçons de boudin, des pavés de saindoux. Les pâtés dormaient sous leur voilure de graisse. Je pourrais tripler plutôt que culbuter parce que ses prix étaient bas. Il nourrissait les ouvriers agricoles, les rentiers. Chez eux l'argent rentre et ne ressort pas, disait M. Motté, agacé.

— Mal rasé ? Un feutre rabattu ? Des bottes rapiécées ? Une veste de velours ? Mais c'est le premier braconnier du pays ma pauvre fille, m'expliqua M. Motté.

Je pouvais espérer lièvres et garennes. Quant aux truites... Le braconnier lançait des « araignées », de grands filets, dans la rivière de M. Lécolié. Peut-on parler de braconnage quand il n'y a plus de permis de chasse ? « Un jour vous serez prise dans un piège », me déclara M. Motté avec un œil croustillant d'espoir.

Un an et demi a passé : je suis l'esclave de mes cabas. Cet esclavage me réussit. J'ai une santé de fer depuis que je suis au service de mon endurance, de ma persévérance, de ma malhonnêteté. Je ploie, c'est ainsi que je vais jusqu'au bout de moi-même. Vivre dangereusement, c'est transporter dix kilos, quinze kilos, dix-huit kilos de beurre dans les sentiers et sur les grandes routes en plein jour. Mme Bême se désole : je ne vide pas mon assiette. Comment le pourrais-je ? L'argent me dévore. Plus je nourris Paris, plus je perds l'appétit. Qu'il est loin le temps où je me prostituais en essuyant leur vaisselle, en les distrayant avec des mensonges, des pitreries, des vantardises pour obtenir mon premier kilo de beurre. J'ai pourri les producteurs avec mes offres, j'ai trahi ceux qui achetaient à des prix plus bas. Ma tactique ne varie pas. J'entre : les vaches ne donnent pas... Je leur coupe la parole :

— Combien vous a-t-on proposé ? A partir d'aujourd'hui ce sera cent francs de plus par kilo.

On m'avait refusé quatre kilos, on en baratte huit à l'instant. Les gagne-petit, ceux qui débarquent le matin pour repartir le soir, ceux qui n'ont pas une chambre-entrepôt, ceux qui sont guettés par les inspecteurs à l'arrivée des trains, ceux qui sont fouillés, ceux qui ont des frais de transport, ceux qui ravitaillent d'autres gagne-petit commencent à me détester. Je fais monter les prix, je rafle la marchandise, j'ai des clients trop riches. On me propose à domicile des jambons, des moutons, des demi-cochons. Refuser, c'est se couler ; manquer un rendez-vous, être souffrante, c'est perdre un producteur pour toujours. Le beurre n'attend pas, le concurrent bondit si vous chancelez. J'ai cru perdre la tête le premier mois où j'ai gagné trente mille francs. Je partais un matin de rossignols, de senteurs de liserons à ras de terre, je marchais sur la route. Je me souviendrai toujours de l'oiseau modulant mes rentrées d'argent. A une heure du matin, après avoir écrit mes souvenirs d'enfance ou joué à la banque chez Bême, j'ouvre les serrures de ma silencieuse, de ma divine : ma valise en fibranne. Je sors mes liasses, je compte mes dizaines et mes dizaines de billets de mille francs pour le plaisir de compter, pour le plaisir de revoir les numéros et les vignettes, pour le plaisir de piquer des épingles dans l'argent. Ces liasses que je convoitais derrière les grillages des banques, je les ai, je les possède, je les cache, je les garde. Elles couvrent les lettres de Maurice Sachs. Qu'est-ce que cet argent qui me donne tant de mal ? Des images que je regarde. Je manquais de mémoire, je me souviens de tout : des denrées demandées par correspondance, de leur poids, de mes rendez-vous chez les fermiers, chez Fernand, chez le braconnier, chez M. Lécolié, chez la femme du maire et chez sa fille, chez Mme Foulon, chez Mme Meulay, chez la raccommodeuse, chez le charcutier, chez un revendeur, chez un autre. Ce sont dix, quinze, dix-huit kilomètres chaque jour avec dix, quinze, dix-huit kilos dans mes cabas. Résultat : je ne dors pas mieux qu'avant.

Mon loyer payé, M. Motté ne se laisse pas influencer par les stocks qui entrent dans sa maison.

— Comment la trouvez-vous aujourd'hui ?

Il me prend le morceau des mains, il le balance entre ses gros doigts.

J'attends son verdict.

— Pouah... commence-t-il en embroussaillant ses cheveux blancs.

— Elle ne vous plaît pas ?

Il me regarde, saisi, comme si je lui posais une question insensée.

— Ça, me plaire ? dit-il.

Le morceau se balance. M. Motté le flaire, l'inspecte.

— Pour de la carne c'est de la carne. On vous a encore eue, ma pauvre fille. Tenez, reprenez votre morceau...

Il soulève le couvercle de son fait-tout, il respire à pleins poumons les pommes de terre qu'il récolte, le lard du porc qu'il a engraissé.

— Les Parisiens sont contents pourtant. Je ne reçois que des compliments.

— Rendez-moi ça ! dit-il.

Il gratte sa nuque bronzée. C'est là qu'un souci de vérité le chatouille.

— C'est déchiqueté, ça n'a pas de forme, c'est pas préparé. Ils en feront du hachis.

Je rentre dans la chambre avec le morceau de viande. Il y a des jours où, à force d'abondance, ma vue se trouble. Je vois des grosses vipères de boudin enroulées sur elles-mêmes, je vois des chapelets de sexes d'enfant de chœur à la place des saucissettes, je vois des verges potelées à la place des saucisses courtes, je vois de la grêle souillée sur de vieilles savates : le lard salé. Je vois mes cils englués dans les rillettes et les pâtés. Je vois des hécatombes de mandolines : les jambons fumés. Je vois le beurre comme il est : c'est mon protecteur rêvé. Je pèse, je

586

ne triche pas mais parfois j'allonge la crème fraîche avec l'eau de la pompe. Je goûte, c'est excellent, pourquoi ne continuerais-je pas ? J'apportais mes bouillottes à remplir, mère et fille m'ont vendu leurs premières roses de Noël qu'elles ont dénichées dans la neige... Vingt dieux, comme disait Laure, aurais-je imaginé que je vivrais cette vie-là... J'ai tant de colis à préparer que je déjeune à midi d'un morceau de pain et d'un morceau de pâté : je les oublie la plupart du temps sur le coin de la table. Ciseaux, ficelles, boîtes, papier d'emballage m'absorbent. Bientôt ce sera le bagne. Le facteur entre, il me présente les mandats à signer, il évite de regarder, il est incapable de jalousie. Sortir de chez M. Motté est angoissant. Chacun attend, épie, surveille ma sortie. Mon amabilité et mon enjouement ne dissimuleront pas les colis que je porte à la poste. La femme du facteur et la logeuse de Gérard sont les plus acharnées. Elles ne dénoncent pas : elles désaltèrent la rumeur publique. Je me décide : je m'en vais avec du courage de fataliste. Mme et M. Zoungasse me saluent avec froideur. Il ne leur faut qu'un regard pour m'exprimer leur dédain. Bottes blanches, grandes enjambées, manteau de lapin usé, je hante les fermes, on me remarque. Il y a eu un commencement d'enquête dont je suis sortie indemne. Les gendarmes ont dit au menuisier : « Elle trafique cette femme-là ? — Je ne sais pas, je ne crois pas, a-t-il répondu. — Elle trafique », ont soutenu les gendarmes. C'est M. Motté qui me l'a rapporté. Nous avons convenu de garder cela pour nous. Le rapport m'a ébranlée pendant deux heures, ensuite j'ai foncé dans mes sentiers avec deux cornes au front : les deux grands ongles de ma rapacité. J'ai tant de mandats à toucher que je reçois aussi du courrier à la poste restante de Notre-Dame-du-Hameau. Le postier me paie quand tout le monde est parti. Je rentre au village et si je ne repars pas tout de suite en campagne, je bois des calvados chez Bême, j'espère dans leur cuisine que mon écœurement disparaîtra, que mon appétit reviendra. Je croupis, je m'enlise, c'est un délice d'être harassée et de se laisser vivre sur un banc dans une cuisine. Je me repose selon les saisons, à la fraîcheur ou bien à la chaleur de deux vieux amoureux désintéressés. Un trafiquant m'a demandé si je ne voulais pas lui vendre mon fonds de commerce. Des gens racontent que j'ai gagné plusieurs millions. Nous délirons. Les ravitailleurs colportent des histoires salées. Ces hommes qui ne peuvent plus exercer leur métier ou qui ne veulent pas travailler pour l'occupant baratinent en voyageant. Notre commerce illicite ne va pas sans intrigue amoureuse. Le beurre n'est pas prêt : c'est une nuit à l'hôtel avec la nouvelle petite amie, c'est un télégramme rassurant à la femme légitime. L'adultère prolifère, les devoirs sont en suspens. Ingrats, exigeants, nous critiquons les paysans. Ils vendent à domicile, ils n'ont pas de risques, pas de pertes, pas d'amendes, pas de faux frais, ils ne sont pas fouillés dans les gares et sur les quais, ils n'ont pas de colis saisis ou éventrés, leurs nerfs sont à l'abri, leur cœur n'est pas surmené. Transporter à bout de bras quarante kilos à vélo, à pied, c'est quotidien. Tue un mouton, tue un veau, je l'emmène au train du soir, dit-on à un abatteur. Les inspecteurs ont leurs indicateurs, les trafiquants ont leur gazette orale avec les projets, les points névralgiques, la fouille d'hier, la fouille de demain, le portrait, le caractère, le degré de sévérité ou d'indulgence des inspecteurs. La gazette passe de bouche en bouche. D'un trafic est née une fraternité. Un père de famille nombreuse s'est décidé : c'est un mouton qu'il abat chaque nuit dans la cuisine du presbytère qu'un curé lui a prêtée ; un mur sépare sa tuerie de la salle du catéchisme. On ne compte plus les rabatteurs. Ils achètent et revendent au milieu d'un bois le beurre que des paysans n'oseraient pas vendre directement. Leurs clients font la navette deux fois par jour entre Paris et le village. Un de ces rabatteurs m'a vendu six jambons à l'intérieur desquels les vers grouillaient. J'ai dû les jeter.

Un an et demi a passé depuis que Fernand, pétrifié sous sa chevelure ondulée au petit fer, est venu me chercher le jour de son mariage. L'œillet blanc à sa boutonnière lui allait moins bien que la rose entre ses lèvres. Chez Bême le phono nasillait. Pierrette, petite mariée modèle, distribuait des morceaux de son voile aux invités. Je dansai un paso doble avec le marié. P'tit Paul bâillait.

Courtisée, adulée, encensée, Pierrette à présent reçoit couchée. Les valises de bois heurtent les valises d'aluminium, les trousses de plombier frôlent les cartons à chapeau, un étui à violon rencontre un tuyau de poêle où les kilos de beurre seront introduits un à un. Je ne comprendrai jamais comment l'escalier usé a résisté. Les gens viennent en foule proposer à Pierrette des étoffes, des lingeries, des rideaux, des couvertures, des couvre-lits, des jupes, des bas, des corsages, des chaussures, des casseroles, de la poudre de riz, des fards, des montres, des bracelets, des colliers. Ils les déballent, les déplient, les étalent sur le lit nuptial. Elle achète et, sa frivolité satisfaite, elle se replonge dans la lecture d'un roman d'amour.

— Café ! crie-t-il.

Fernand est arrivé avec P'tit Paul et Arnold qui l'aide aussi.

— Où est la grosse ? demande Fernand.

— En campagne, répond Pierrette sans cesser de lire son petit livre crasseux.

— Celle-là ! dit Fernand, blême, soucieux.

Chacun est suspendu à ses lèvres.

— Il vient ce café ?

Fernand tombe sur son lit, ses espadrilles trempées tachent le satin du couvre-lit. Il prend le livre de Pierrette, il continue de lire à l'endroit où elle s'est arrêtée.

La foule des clients gronde.

— Pierrette... j'ai soif... Il y a six heures qu'on marche, dit Fernand d'une voix suave.

La foule gronde plus fort.

Alors sans quitter des yeux le petit livre :

— Puisque je vous dis que j'irai le chercher à la nuit ! Pour en avoir vous en aurez. Je dézingue après minuit, revenez demain matin. C'est ma faute si je suis surveillé ? Demain matin... Pourquoi achètes-tu tant de bas, Pierrette ?

Fernand les jette sur le carrelage, la foule sort, précédée de P'tit Paul.

Pierrette sert le café à son mari, elle referme doucement la porte de leur chambre, elle me demande de lui parler des robes que j'ai laissées à Paris, de mes amis, de mes sorties. J'invente. Je lui vends de la grande vie. Tous devinent mes sentiments pour Fernand, tous sont discrets et indulgents. Ce qui plaît moins à Pierrette et à Charlotte, c'est mon endurance lorsque je bois avec lui chez Bême. Je ne le cherche pas. Je le rencontre, j'accepte ses tournées. Bambocheur, mais courageux lorsqu'il ramène un bœuf pendant vingt kilomètres à pied la nuit à travers les prés. « Fernand se laisse entraîner par les copains », dit sa belle-mère : les copains lui prennent son argent. On ne prend rien à Fernand. Il donne. Il abandonne souvent le lit conjugal après dix heures du soir pour jouer à la banque avec nous. P'tit Paul arrive cinq minutes après lui. Je gagne autant que je perds, je me demande comment s'y prend Fernand. Je suis aux anges lorsque je tiens la banque, lorsque les billets pleuvent dans l'assiette. Assise près de Fernand, si ma botte rencontre son espadrille, si son espadrille rencontre ma botte, elles ne se fuient pas. Nous

jouons, nous nous offrons des cigarettes et de vieilles
bouteilles sans nous regarder. Nos mains ignorent ce
que nos pieds échangent. Je suis heureuse de vivre
ainsi la nuit avec lui et je plains sincèrement Pierrette. Pierrette ? Elle dort toujours, nous dit Fernand. Nous nous séparons à trois heures du matin.
Je rentre, je me souviens du talus sur lequel Maurice avait prié.

Son meilleur ami m'écrivit. Il me prêta des livres,
je lui fis parvenir des paquets de gris. Je lus, grâce à
lui, la *Correspondance* de Flaubert.

J'étais fatiguée de mes frusques. Soudain un
voyage éclair à Paris. J'achetai un tailleur, une robe,
un chemisier chez Bruyère, des chaussures chez
Cazals. Je les essayai dans ma chambre-entrepôt, je
me vis transformée. Je m'en allai parader le
dimanche à l'église ; pourtant je savais que c'était
une erreur d'exhiber ma prospérité. On me prenait
pour l'amie de Sachs. Femme adultère, me lançaient
les regards, parce que le jeune licencié m'attendait
chez Bême.

Je suivis le conseil de Maurice. Le jeune licencié
devint mon amant. Brève liaison. Nous parlions de
Maurice. Je retrouvais Blaise dans la ville où il
enseignait, je me faufilais dans une rue toujours
ensommeillée, je m'enfermais deux jours dans sa
chambre, nous buvions sec pendant qu'il cuisinait.
La ville endormie m'envoûtait à travers la vitre.
Couchés, notre cigarette dans une main, notre verre
de cognac dans l'autre, nous parlions de son enfance, de ses projets de pièces de théâtre, de sa mère
à laquelle il se sacrifiait. Il y eut des pleurs, un
drame ou deux et puis notre rupture. Il revenait
tout de même les dimanches à l'heure de l'apéritif.

Le samedi après-midi, je désinfectais la longue
table, les meubles ; je frottais le carrelage, je préparais des douceurs : un flan, un quatre-quarts, une

tarte, une crème — que j'offrais à Gérard, à M. Motté, au jeune licencié. Gérard ressemblait de plus en plus à un bohémien. Il voulait rentrer à Paris parce que sa mère payait de moins en moins sa pension, qu'il détestait les paysans, qu'il refusait, malgré mon insistance, de travailler dans une ferme. Je pose d'abord la question : Etait-ce de ma part indifférence, étourderie, ou avarice ? Je réponds oui et non en hésitant. Je ne me disais pas : Je n'offrirai pas un vélo à Gérard, je ne paierai pas sa pension, je ne lui achèterai pas un costume. Je ne me disais rien. Je ne voyais pas qu'un enfant, jour après jour, se préparait à se jeter dans l'abîme.

Je reçois une enveloppe avec le cachet de la poste de Rouen. Qui pouvait m'écrire avec cette écriture d'enfant ? Je décachetai, je trouvai une seconde enveloppe sans adresse. Maurice... Il m'écrivait ceci sur une petite feuille de papier :

« Mon amour,

« Tu me dis que tu es enceinte et que cela ne va pas tout droit pour toi. Veux-tu que je vienne te voir, te sentirais-tu mieux si j'étais près de toi ? Réponds-moi. Je t'embrasse ma chérie.

« Maurice. »

J'eus le souffle coupé.

Maurice m'appelait « Mon amour », Maurice m'appelait « Ma chérie ». Il y a toujours une part de vérité dans ce qu'on écrit, dis-je au feu de bois. Je relisais, je trépignais de bonheur et de vanité. Avoir un enfant de cette emmerdeuse qui vous emmerdait avec ses souvenirs d'enfance... Cela recommençait comme dans le café un dimanche après-midi. Même si c'était un faux souhait, Maurice y tenait. Sa chérie, son amour. Le miracle s'accomplissait : j'avais un homosexuel à mes pieds. Je me grisai avec l'idée qu'il reviendrait et que nous aurions beaucoup d'argent à dépenser. J'écrivis tout de suite au médecin. Il rédigea un certificat dans lequel il déclarait que j'étais enceinte et souffrante, il signa, il s'envola. Je gardai le papier trois jours et trois nuits sans me décider à l'envoyer. Je n'étais plus flattée. Je pesais le pour et le contre, je questionnais les flammes de la cheminée. Il reviendra, tu l'aimeras, tu brûleras et tu devras te glacer. Aurais-tu oublié ces barbelés entre lui et toi ? Tes silences, ton insignifiance lorsqu'il te parlait, lorsqu'il te parlera de Nietzsche, de Kant ? Tu en crevais, tu en crèveras. Réfléchis. Je soupirais.

Les trois boucles de chacun de mes nœuds coulants où seront-elles ? C'était si bon de festonner avec de la ficelle, d'oublier mes bigoudis sur ma tête. Il sera là, je rentrerai sous terre. Il n'est pas responsable de ce qu'il t'inspire, poussin. Cependant il m'emprisonne. Ma langue, entre les barreaux de ce grand amour, est toujours pendante. Maurice avait des égards. Minuit sonnait, il m'offrait une soucoupe de pommes cuites et de crème fraîche... Il faut voir clair, petite chienne. Il te servait mais après tu te sentais plus malheureuse qu'une servante à qui un patron donne un coup de pied. Mes ciseaux quand ils tombent, ma pelote de ficelle quand elle roule et que je les engueule, mes linges, mes cartons, mes boîtes en fer, mes liaisons avec les mêmes gestes... Mon une heure du matin... Salut la nuit, encore une journée bien remplie. Et la Violette s'en va se coucher dans sa robe de statue. Je t'attendrai jusqu'à demain me dit le canif rose avec ses trois yeux gris. Plier les feuilles de papier neuf, les couper avec mon canif, quelle liberté. Il reviendrait, je devrais perdre mes habitudes. Qu'est-ce que je serai sans elles ? La cuisine des Bême m'abandonnera, le village sera froid, je saluerai de loin Fer-

593

nand dans les sentiers. Oserai-je respirer devant Maurice Sachs l'odeur doucereuse de mon manteau de lapin ? Je n'oserai pas.

Ce grand sentiment qui renaissait m'emmerdait et m'effrayait. Déjà il m'intoxiquait. Je n'allais plus au cabinet depuis l'arrivée du billet. Non mes fesses n'étaient pas des fesses de garçon. Elles me délabraient. Mais qu'est-ce que c'était donc ce grand sentiment ? De l'inutilité. Maurice revenu, mes amen seront de l'eau de vaisselle. Dix mois après son retour nous serons sans un sou.

Je relisais son billet. La vraie lettre d'amour, c'était le certificat du médecin. J'alimentais l'enfer, mon feu de bois était fou à dix heures du soir.

Pourquoi ne m'avait-il pas écrit plus simplement : Chère Violette, si vous me disiez dans le certificat d'un médecin que vous êtes enceinte de moi, cela faciliterait mon retour en France ? Je versai des larmes de rage, de fureur, de désespoir. Ses combines m'écœuraient. « Mon amour », dérision. « Ma chérie », dérision. Sa proposition de me faire un enfant me revenait comme nous revient l'odeur de notre vomissure. Décidément Maurice trafiquait avec mon cœur et son sperme. Je jetai le certificat dans le feu.

Il m'écrivit quinze jours plus tard une longue lettre. Il me disait qu'il ne m'en voulait pas, qu'il s'était « débrouillé ». Il ne me précisait pas comment. Je le crus. Dans les lettres suivantes il organisait sa vie d'après-guerre avec moi. Nous déjeunerions tous les jours ensemble, nous irions plusieurs fois par semaine au Théâtre-Français. Il avait vingt idées pour que je gagne de l'argent. Je lui rendrais l'indemnité de sa malle égarée, je lui donnerais une part de mes bénéfices puisqu'il m'avait procuré un village, des vaches à lait, des portefeuilles de Parisiens.

Il m'a fallu quinze années pour réaliser ce que

j'avais jeté au feu, pour le regretter jusqu'au remords, jusqu'à l'obsession, jusqu'à la persécution. C'était un secret entre Maurice et moi. Il a écrit en Allemagne *Portraits et mœurs de ce temps*. Je suis dedans. Je m'appelle Lodève. Si Maurice Sachs a vraiment écrit ce portrait, si quelqu'un n'a pas glissé un feuillet entre ceux de Maurice en imitant sa petite écriture au crayon — il écrivit son manuscrit dans une prison de Hambourg —, il m'en voulait. La description de mon visage est un cauchemar. Qu'il devait être malheureux pour s'acharner sur mon visage ingrat. Qu'il a dû être aimé si quelqu'un l'a vengé avec ce portrait.

J'attendais mon tour devant le guichet de la poste de Notre-Dame-du-Hameau ; une femme de prisonnier serra plus fort la main de son enfant pour le protéger des trafiquants.

— Fernand a deux mots à vous dire, chantonna dans mon oreille l'homme au feutre rabattu. Nous sommes au café.

Fernand s'amusait avec un moulin. Les ailes en celluloïd rose orangé tournaient sous ses doigts. Ou bien il soufflait dessus. Il le piqua à la boutonnière de son veston.

— On a quelque chose à vous proposer, dit le braconnier.

— Fous-lui la paix, dit Fernand.

Le braconnier eut un sourire de pitié :

— Y a cinq minutes t'étais d'accord. Et puis t'as raison, rien ne presse. Un soir qu'il neigeait, je vous ai rencontrée, madame Leduc. Vous ne pouvez pas vous en souvenir. Vous suiviez le chemin dans les bois, j'allais entre les arbres. Vos cabas, vous les traîniez dans la neige. On vous aura vue par tous les temps. En somme rien ne vous arrête...

— Le verglas m'arrête...

— C'est traître, dit Fernand.

Les tournées, sans ralentir, se succédaient. J'offris la septième, le braconnier partit la commander dans l'épicerie.

— Vous travaillez avec lui maintenant ?

— Il le faut, dit Fernand. Il me manquait du pèze pour acheter des bêtes.

— Vous pouvez me dire ce que je fais ici ? lui dis-je.

— Vous attendez qu'on vous vende un cochon.

— Un cochon entier !

— C'est plus avantageux. On le porterait chez vous pendant que M. Motté est à la veillée.

Fernand baissait la tête. De la viande de porc, ce n'était pas du travail.

— On vous le tue quand ? reprit le braconnier.

C'est pour boire plus librement avec Fernand que j'acceptai.

— Je vous ramène au village sur le guidon de mon vélo, me dit Fernand après la quatorzième tournée.

Nous partîmes, Fernand roulait lentement, le vélo zigzaguait. Je riais, je riais et c'était la première fois que je riais en étant ivre.

— Non Fernand non...

Nous étions tombés, Fernand m'entraînait dans une de mes haies préférées. Nous échangeâmes le goût de l'alcool avec un long baiser.

— Vous serez ma maîtresse ? me dit-il à l'oreille.

Je lui expliquai que c'était impossible, que nous ne pouvions pas tromper Pierrette.

— Alors, repartons, dit-il.

Il roula plus vite malgré mes cris.

M. Motté rajeunissait, il avait le feu aux joues, après la lecture du journal.

— Les Russes, disait-il, se battent comme des lions.

Les Bême, plus sceptiques, calculaient le profit que pouvait tirer leur pays dans ce tournant. J'écoutais sans participer. Limitée par les œillères de mes bénéfices et de ma rapacité, mon visage s'allongeait quand les autres espéraient. Je désirais gagner encore, gagner toujours de l'argent. La paix signée, je végéterais. Je me consolais vaguement avec l'idée que Maurice reviendrait, qu'il avait pour moi vingt projets. Certains de mes colis se perdaient, d'autres me revenaient éventrés avec la marchandise avariée.

Les trains étaient de plus en plus lents, les clients m'accusaient de leur expédier de la charogne. Gérard rentrait à Paris. Je lui dis qu'il commettait une grave imprudence, il passa outre. Fernand fut prévenu à temps d'une descente chez lui : c'est une cuisine de végétarien qu'ils fouillèrent. Ils repartirent en s'excusant. Fernand se cacha, il revint, décidé à abattre davantage en plein centre du village, à vendre des centaines de kilos de viande dans la cuisine perquisitionnée.

Epuisée par la route de Notre-Dame-du-Hameau, je proposai à M. Lécolié de me prendre avec mes colis dans sa voiture à cheval chaque fois qu'il irait à la boulangerie, à côté de la poste. Somnambule à cause de son grand âge et de sa fatigue, grande, démodée, Mme Lécolié ressemblait à Fidéline. Leur crémerie : une grotte avec des hamacs en toile d'araignée.

Instituteur retraité, M. Lécolié s'était mis en tête de devenir fermier malgré son infirmité : ses pieds retournés se regardaient. Comment s'y était-il pris pour travailler avec la vigueur d'un jeune agriculteur, lui qui avait deux boules de chair à la place des pieds ? M. Lécolié, quand il était boursier, quand il avait des crevasses aux doigts, se servait de ses dents pour lacer ses chaussures orthopédiques. Il me l'a raconté.

L'indulgence de M. Lécolié pour Fernand qui abattait travesti avec un melon, un sombrero, un haut-de-forme, dans ses cours, qui dépouillait et découpait sur ses arbres, qui buvait et jetait le reste du sang sur son herbe, intriguait les paysans. M. Lécolié se fortifiait la nuit comme le jour avec l'agilité, avec l'audace, avec le pittoresque, avec la générosité du dézingueur pendant que ce dézingueur dézinguait à dix mètres de lui.

— Je vais vous montrer ce que je faisais quand j'étais jeune, me dit-il un jour de soleil et de fête d'abeilles.

Nous entrâmes dans la pièce contiguë à la cuisine. Ce chat blanc aux yeux rouges labourait mon visage avec ses griffes, cet aigle aux ailes déployées déchiquetait mes narines, ce hibou, cette chouette m'aveuglaient avec le phare de leurs yeux implacables, cet écureuil rongeait mon sein, ce loulou de Poméranie s'attaquait à mes paupières, ce cerf traversait mon ventre avec ses bois. Les animaux que M. Lécolié avait empaillés étaient féroces. Semblable au peintre qui parvient à peindre son âme dans un autoportrait, M. Lécolié s'était efforcé de transmettre sa rancœur et son amertume d'infirme jusque dans la pelisse d'un chat. Cerf, biche, chien, chouette croassaient leur rage de vivre. Le visage de M. Lécolié se durcissait pendant qu'il me montrait son passe-temps de jeunesse.

Jeune, bien nourri, content de sortir, le petit cheval noir trottait avec une régularité ravissante. Je descendais. Nous repartions, la couverture sur nos jambes. Je quittais sa voiture comme je quittais un manège à sept ans : trempée de bonheur. M. Lécolié était enchanté de mes cinquante francs.

Le meilleur ami de Maurice me proposa dans une lettre un séjour de deux jours chez lui. J'emportai du ravitaillement, du tabac gris et ma vieille poche contenant mon capital, attachée à mon slip avec deux épingles de sûreté. L'argent, quel tuteur. Je me tenais comme se tient un cyprès. Balustrades, lampadaires, pylônes, à travers la vitre du train, me saluaient jusqu'à terre. J'aurais bouffé ma merde pour gagner encore de l'argent et ressembler encore à un infaillible cyprès. J'espérais reconnaître l'ami de Maurice dans la gare. Déception. J'en sortis en le cherchant. Est-ce lui cet homme en imperméable qui stationne au bord du trottoir ? Visage neutre, visage gris, visage prenant. Il souffre dans ses entournures, cet inconnu. Imperméable couleur d'angoisse, il nage dans sa peau cet homme-là. Est-ce lui ? Dois-je le suivre ? Doit-il me suivre ? Qui de nous deux est le flic ? Qui de nous deux est l'espion ? Ça devient assommant. Je repars ou je cours vers l'adresse que m'a donnée Maurice ? C'est lui puisque Maurice me l'a décrit ainsi. Tourmenté, ténébreux. Qui a parlé le premier ? Trou de mémoire. Il prit ma valise et m'emmena dans sa famille. Maurice fut l'unique sujet de nos conversations. Je me souviens de leur petite cuisine, de mon poulet pas assez cuit, de ma fièvre de vin rouge et de cigarettes ; je me souviens d'un goûter avec eux dans une pâtisserie de la ville, d'un miroir devant lequel je me pavanais, fière de mon tailleur, de mes chaussures. J'achetai la plus grande poupée pour leur petite fille et c'était encore ma façon de me vanter. Malheureuse défroquée de Maurice absent ! Je pleurai la nuit pour l'ami de Maurice. Cet homme abstrait m'excitait. Mon ventre braillait pour sa main tenant un volume de Hegel. J'imaginais cet être doux et profond, inquiet, torturé, réfléchi, comprenant Maurice Sachs et ses détresses, j'imaginais ce remarquable professeur de philosophie amant infatigable. J'armais un intellectuel pour souffrir de n'être pas la bénéficiaire.

Il m'emmena dans sa bibliothèque, douillette citadelle. Il s'assit devant son bureau, il m'offrit

une chaise. Je lui confiai que j'écrivais mes souvenirs d'enfance. Il y eut un silence.

— Quel gros livre, lui dis-je.

Je ne pouvais pas détacher mon regard du livre
neuf à couverture blanche des éditions Gallimard.
L'ouvrage était posé au centre du bureau, sur un
sous-main.

— Ce gros livre a été écrit par une femme, me
répondit le meilleur ami de Maurice. C'est *L'invitée*
de Simone de Beauvoir.

Je lus le nom de Simone de Beauvoir, ensuite le
titre : *L'Invitée*. Une femme avait écrit ce livre. Je
le remis à sa place. J'étais en paix avec moi-même.

Le meilleur ami de Maurice me troubla longtemps. Je lui écrivis plusieurs lettres de vieille fille
obsédée. Ses réponses ne me froissaient pas. Je
croyais au pouvoir aphrodisiaque des idées qu'on
échange. On s'unit mieux après qu'on s'est battu
pour ou contre Hegel. Je le croyais, je le crois. La
discussion philosophique est la terre promise que je
n'atteindrai pas. Ce que je ne comprends pas me
fascine. Désespérée, je me montrai, c'était automatique, chaque fois que je le rencontrai plus tard,
sotte, brouillon, vaniteuse. Une sorte de bas bleu à
repriser de tous les côtés.

Des trafiquants me conseillaient de porter mes
denrées à Paris. J'aurais moins de pertes, les clients
seraient moins mécontents. Je me décidai à contre-
cœur. Des gares, des passages à niveau étaient bom-
bardés. Les trains étaient lents, les inspecteurs sur
les dents. Des peureux abandonnèrent. Fernand décida qu'il irait aussi à Paris parce qu'il dépensait
tout ce qu'il gagnait. Que le dézingueur, sillonnant
les campagnes avec son vélo, abattant avec un
melon sur la tête et une fleur à la bouche, se jouant
du danger et des ténèbres, dût prendre un billet de
chemin de fer, attendre son tour pour monter dans

le train et placer ses valises de viande dans le filet m'attrista comme une déchéance. Comment allons-nous finir ? Je préparai un quatre-quarts pour ce premier voyage. Fernand acheta une bonne bou-teille de vin aux Bême qui parlaient de vendre leur fonds. Avec la victoire qu'ils désiraient venait leur faillite. Une Parisienne me vendit une valise. Je plaçai dedans des saucisses, des œufs, des rillettes, des pâtés, du veau, du bœuf, du mouton, de la crème, du lard, du beurre. Je cachai les lettres de Maurice, j'épinglai mon magot sur mon ventre, dans un gant de toilette. Je soulevai mes valises pleines : trop lourdes. Ceux qui ne voyagent pas souvent connaissent ce déchirement : replacer où ils étaient des livres, des objets qui ne vous suivront pas. Double déchirement pour une trafiquante lorsqu'il s'agit de rôtis. Enfin je montai dans le car avec mes vingt-cinq kilos, je jouai la comédie de la voyageuse qui voyage avec un foulard, une chemise de nuit de crêpe de Chine, de l'angora pour les jours froids. A la gare de L... je retrouvai Fernand avec « Gueule en or », Didine, et je retrouvais aussi mon royaume avec les expressions courant de bouche en bouche : un calme sur le quai, mon vieux, à leur jouer de la mandoline (avec le gigot). Hier soir on passait comme une fleur, ma mignonne. Ma parole, ils cueillaient du muguet à Meudon (on passait dans la gare à Paris). J'arrivai sur le quai, je portais outre mes valises, ma fatigue de plusieurs années. Chacun devait se perdre dans un groupe de voyageurs innocents. Le couloir du train nous réunirait. *Ils* étaient là de bonne heure ce matin, *ils* peuvent revenir, confia à Didine un employé. Je pris peur. J'aurais donné mes valises pour éplucher au calme les légumes de M. Motté. Le train entra en gare. J'imaginais mon beurre, mes rôtis, mes œufs, mes saucisses sous la roue lente du train qui repartait... Je rentrerais légère au village.

Un wagon de première classe s'arrêta devant moi. J'avais un billet de première, cette coïncidence me rendit du courage. Tous les voyageurs étaient montés lorsque je réussis à laisser retomber ma seconde valise sur la deuxième marche du marchepied. Un soldat ennemi sortit de son compartiment, sa chaîne et sa plaque d'argent sur sa poitrine m'effrayèrent. Il me poussa, il me rejeta en bas du train. Mes deux valises tombèrent avec moi. Fernand, criai-je de toutes mes forces. Fernand, qui devait me guetter, accourut, prit mes valises, me cria de le suivre. Le train partait. Fernand disparut dedans. Je courus le long du marchepied, un trafiquant fraternel me souleva de terre. Je me retrouvai parmi eux. Je pleurais et me promettais que ce voyage serait le dernier. Nous mangeâmes le quatre-quarts, nous bûmes le vin des Bême. Nous lisions dans le regard des voyageurs élégants mais anémiés que nous étions la basse classe bien nourrie assise sur leurs coussins. Fernand blaguait, sifflait, chantait, criait les mots : foire, biture, ramdam, nouba. Il dépensait déjà son argent. Je jouai des airs de mon invention sur mon peigne de poche enveloppé de papier de soie. Mes lèvres chatouillées me donnaient le fou rire. Je cessai ma musique quand nous traversâmes une localité bombardée. La guerre existait. Nous en doutions parfois, dans notre village à l'abri, loin des routes nationales. Fernand m'aida à descendre mes valises gare Montparnasse-Bienvenüe. « Vise », dit-il à « Gueule en or ». La valise d'un homme très digne pissait du sang le long du quai. Une musette tomba d'une épaule, une bouteille de crème fraîche se brisa. Le voyageur s'enfuit, laissant sa musette dans la flaque de crème. Je correspondais avec Gérard. Serait-il à la gare ? Il vint au-devant de moi. Je ne le reconnaissais pas. Amaigri, boutonneux, disgracieux dans un long pantalon qui le vieillissait, il me donna une poignée de main sans chaleur. Il voulut m'aider, je refusai : il était trop faible et il était juif. Je m'arrêtais tous les dix pas, je croyais que mon cœur tombait sur mes pieds. Ce fut interminable. Je regardais les gens : mauvaise mine et yeux cernés. J'étais reprise et enfermée avec mes misères et celles des autres. J'allai chez Bernadette, je lui vendis une livre de beurre au prix d'achat. Un sacrifice. Elle me réchauffa avec une tasse de thé et me dit qu'elle comptait sur du beurre chaque fois que je reviendrais. Je sortis de chez elle avec de la grenaille dans mes muscles : je partais avec une liste de noms. Cinq minutes après je louai une chambre dans un petit hôtel. « Laissez vos bagages, me dit la gérante. — Pour rien au monde, c'est mon gagne-pain », lui répondis-je. Paris me sembla plus gai. Paris était sous pression en attendant la délivrance.

Accompagnée de Gérard, je me présentai chez mes amateurs de crème fraîche. Je sonnai avec moins d'assurance que lorsque j'écrivais leur adresse sur les colis. Un homme ouvrit.

— J'ai vos deux bouillottes...

Il comprit, son visage s'éclaira. Je le suivis dans le salon.

— Comme je suis ennuyée, me dit-il. Ma femme est sortie.

— Oh ! je peux attendre, dis-je à cause de deux tableaux sur des chevalets.

Ma bonne volonté l'importunait. Il voulait peindre. Il nous laissa. Peignait-il les deux tableaux en même temps ?

— Si vous voulez venir... me dit-il.

Il circulait chez lui, discret comme une ombre.

Nous trouvâmes la cuisinière contente d'elle-même et de son royaume luisant.

— Madame veut des œufs coque, de la crème. Elle attend, me confia-t-elle.

Ce qui signifiait qu'elle allait être mère. Gérard m'aida à refermer mes valises, le maître de maison me paya dans le salon. La cuisinière m'avait appris que la maîtresse de maison peignait aussi. Je recomptai leurs billets.

Les arbres et les haies... les nuages empanachés... les brumes bleues... le silence tout en oxygène... les prouesses du rossignol... Tout cela ne m'aidait plus à oublier ce que j'étais : une nourrice et un saute-ruisseau.

La Seine à deux cents mètres avec ses redites, avec mes redites d'étendards de lierre, avec sa clientèle falote de promeneurs. Les arbres réfléchissent le ciel là comme ailleurs. Les remorques, les péniches, les chalands, la marinière et sa lessive au fil de l'eau, mon ouvrage quand je glisse dans le sommeil. Le temps, les siècles, les années, c'est notre fleuve au grand jour. Eternité, monotonie de ses suivantes, de ses atours, promenade des dates de mon livre d'Histoire que je ne retenais pas. J'achète une sucette à la fraise en hiver, je vous regarde, vous, la Seine, plus assidue que vos ablettes, prendre vos aises au-dessus des berges. Ma régulière, ma tentatrice, mirage de tous mes suicides souhaités et manqués. Passe, passe ma roulotte, ma maison de repos cabossée d'eau. Ma tempe, mon poing, mes détresses, mes chagrins. Je regardais la Seine, je ruminais d'anciennes détresses. Venaient, partaient en troupeaux glauques les haillons de mes malheurs. J'achetai une autre sucette à la fraise, je m'en allai mijoter avec mes frères des cinémas de quartier.

— Livrons chez le vieux docteur qui veut de la queue de bœuf pour ses bouillons, dis-je à Gérard.

— Je voudrais m'arrêter d'abord ici, me répondit Gérard.

Nous nous arrêtâmes, nous contemplâmes le voile, les imperceptibles confetti de la désolation d'un paysage de Sisley. Pleuvaient nos délabrements en automne. Galeries, antiquaires, boutiques de reproductions montraient, comme avant la guerre, des raretés. Le commerce est ce qu'il y a de plus solide au monde.

— Avez-vous pensé à ma queue de bœuf ?

— Elle est dans ma valise, monsieur.

Ça du vieillard ? De l'abricotier au soleil. Vivre, durer, c'est cela la royauté. Il ne sortait pas, il régnait sur les meubles et les objets. Qu'est-ce qu'il disait ? Son égoïsme était cocasse. Original. Agressif.

Baladin je suis, chantre je suis, joueur de luth avec mon gigot d'agneau, jongleur-damoiseau avec mes saucissettes, troubadour avec mes andouillettes, enchanteur avec mes boudins blancs. Je distrais, je charme Barbe-Blanche. Voici la queue pour votre potage ; c'est cela, éloignez votre demoiselle de compagnie. Qu'est-ce que je vais danser devant votre plaid, docteur ? La danse du givre sur mes pâtés. Je peux danser aussi le crachement de sang de l'églantine, plus brièvement la nuance de mes morceaux de porc frais. Tu vois ma mère, je peux être subalterne chez mon grand-père et m'amuser. A la semaine prochaine, docteur.

En avant, pour le vrai porte à porte.

— C'est cela, Gérard, rentre chez toi. Voici deux saucisses pendant qu'on ne nous voit pas.

Deux saucisses qui manqueront à mes chapelets. Je suis Dieu puisque je me juge. Jugement absolu pendant que je donne si peu à Gérard. Deux saucisses. Frémissement de lucidité avant l'orage de ma destinée. Deux saucisses. Jusqu'au bout de ma rapacité, jusqu'au bout de mon avarice, pour l'abîme de mon face à face, pour le vertige de mon dédoublement, pour mon procès, pour ma condamnation pendant que je coupe la ficelle. Après tout cet enfant a une mère et un frère. Cet enfant n'a que moi puisque j'ai de quoi le nourrir. Est-ce pour cela que je critique tant les avares ? Mes défauts que je mets en location chez les autres m'aveuglent. Aider son prochain. Est-ce qu'on m'aidait lorsque je crevais de chagrin ! Sur les allées de mes larmes versées, je trottinais. C'est au plus malin, dit ma mère dans ses raccourcis philosophiques.

C'est à mon porte à porte que je dois mon entrée dans le monde du trio. Pur hasard, si j'entrai chez eux. Je fus reçue par le gardien d'une salle de ventes dans une boutique d'antiquités en désordre. Il rangeait ; il se plaignit du manque de place.

— J'adore m'occuper de la cuisine lorsque j'ai tout, me dit-il.

Mélodie toujours nouvelle pour une vendeuse qui vend de tout.

Il époussetait des opalines avec un plumeau.

— Combien celle-là ? dit un vison qui ne prenait pas la peine d'entrer.

C'était l'année de l'épidémie des opalines. Chacun voulait son vase bleu.

Je m'approchai de l'étalage avec mon gros collier de boudin.

— Je le prends, dit-il.

Le téléphone sonnait, sonnait.

— Quand je range, je range, dit-il sans répondre dans l'appareil.

Le bois des tables ressemblait à un miroir reflétant du meuble sanguin.

Le téléphone sonnait toujours.

— Flûte et zut, dit-il à la sonnerie.

Déplacer des chaises, des guéridons, des fauteuils, des armoires donne chaud. Il enleva son veston, il répondit au téléphone.

— Non... ici rien de neuf. J'ai donné des prix. Vous rentrez ? J'ai quelqu'un dans la boutique qui peut vous intéresser. Venez vite, dit-il dans le téléphone. (Il raccrocha.) Ma femme arrive tout de suite avec le Chat. Ils achètent trop. Où vais-je mettre ce qu'ils ont acheté ?

— Pour vendre nous devons nous approvisionner, dis-je avec importance.

— Vos cheveux auraient besoin d'un bon shampooing, dit-il, calmé.

Nous avons ri aux éclats.

Je lui plaisais. Je me demandais ce qui survenait lorsqu'on ne lui plaisait pas.

— Les voilà, s'écria-t-il.

Une petite auto, un jouet, s'était arrêtée devant les opalines. Sa femme me dit bonjour en frottant les verres de ses lunettes, avec des yeux implorants.

— Le Chat a été extraordinaire, dit-elle à son mari.

Le Chat fit son entrée. Il tapotait avec nonchalance une cigarette anglaise sur son étui.

— Je vous prépare le thé, leur dit le mari.

— Je vais acheter les journaux, dit le Chat sans m'avoir remarquée.

— C'est Romi, me dit le mari. Avant la guerre, c'était un journaliste...

Ce qui voulait dire que Romi n'exerçait pas son métier pendant l'occupation.

— Tu as pesé ses valises ? Pèse ses valises. Si elle buvait une tasse de thé avec nous ? dit-il à sa femme.

Elle n'entendit pas. Elle consultait un agenda de poche avec la plus grande attention. Elle acquiesça avec un grognement.

Romi fit sa deuxième entrée.

— Vous étiez là ? me dit-il en soulevant de lourdes paupières.

— Le Chat, prêtez-moi votre carnet, dit la femme d'affaires.

— Voulez-vous que je vous prête aussi mon chapeau, ma cravate, mon portefeuille ?

— Soyez sérieux, Minet, dit-elle.

Il lui donna son agenda.

— Vous êtes charmante dans votre ciré. Lugubre mais charmante, me dit Romi. Cigarette ?

— Ne la taquinez pas, supplia la femme d'affaires sans lever les yeux de ses carnets.

— Je me prive de ma dernière cigarette. Vous appelez ça taquiner ? dit Romi.

— Prenez celles de ma femme, dit le mari.

— Depuis quand jouez-vous à la marchande ? me dit Romi.

Cigarette, plus briquet au quart de tour. C'était un homme avec des munitions de confort.

— Je ne joue pas ! Je trime. C'est vrai : avant je ne vendais pas des saucisses.

— Parce que vous vendez des saucisses ?

— C'est idiot ce que vous dites, ronchonna la femme d'affaires.

— J'achète, dit-il. Mais je préfère du rosbif.

— Mes enfants, le thé est prêt, dit le mari.

— J'ai deviné que vous n'étiez pas une vraie marchande à votre ciré, à vos longs cheveux gras. C'est presque du Marcel Carné, dit Romi.

— Buvez donc votre thé, me dit le mari.

— Ne l'écoutez pas, me dit la femme.

— Je le connaissais Marcel Carné...

— Vous voyez ! dit Romi.

Il fumait avec un regard effilé de gangster.

Je leur racontai mes années d'échotière. Je leur parlai de Maurice Sachs, de mes souvenirs d'enfance que j'écrivais. Dès que je levais les yeux, je surprenais de bons échanges de regards entre Romi, Andrée et Robert Payen. J'étais une nouveauté. Romi semblait enchanté. La femme était ravie parce que je le distrayais. Le mari était heureux parce que sa femme était contente. Pourquoi l'appelaient-ils « le Chat » ? A cause de ses cheveux noirs, lisses et brillantinés, de son visage rond un peu gras, un peu félin, de ses mains potelées et religieuses. Le Chat jouait les hypocrites mais il était franc. Je l'ai vu malmener des clients.

Des heures passèrent. Romi me parlait de Rimbaud, de Lautréamont, du facteur Cheval, de Breton, de Huysmans...

— 1900 le passionne, me dit la femme.

— Il collectionne les cartes postales, me dit le mari.

— Et les faits divers, ajouta la femme.

Andrée et Robert Payen m'invitèrent ce soir-là à dîner dans leur appartement. Ils m'emmenèrent en auto : Paris me prenait sur ses genoux.

— Quoi de plus troublant que de longs bas noirs ? disait le Chat en conduisant avec des gants 1900.

Porter deux valises vides après avoir écoulé la marchandise a été enivrant. Avancer sur le quai sans oppressions, sans pressentiments, quelle félicité. Les histoires dégoûtantes, les jeux de mots obscènes obsédaient les trafiquants. Indifférente, je souriais au ciel pommelé avec mes bénéfices sur mon ventre, avec le souvenir d'avoir plu. J'écrivais, je l'avais confié à Paris. Bernadette voulait me lire. Donc il fallait continuer. Oh ! La jolie chatte blanche aux yeux bleu pâle que j'étais en me laissant bercer par les roues du train. La cochonnaille qui m'attendait dans les campagnes sentait le jasmin.

On supprima des trains, je fus obligée de me lever tôt. Un matin je quitte mon lit à trois heures après avoir préparé mes valises la veille jusqu'à onze heures du soir. Brisée, fourbue, satisfaite de ma ponctualité, je piochais ma journée avec chacun de mes gestes. Pourquoi me lever si tôt ? Pourquoi continuer ? Je m'étais prouvé que je pouvais m'en sortir, j'avais gagné des centaines de milliers de francs. Je ne m'avouais pas que je n'étais arrivée à rien puisque l'argent dans le gant éponge sur mon

ventre, ce n'était rien. Une bête de somme persévérait malgré le charretier qui lui disait : Repose-toi,
tu peux te reposer, ma belle. Je devais être fort
triste pour me consoler avec des duretés qui valaient
des châtiments. Je sortais de ma chambre, j'avais la
nostalgie de cette chambre qui continuerait ma nuit
jusqu'au lever du jour. Je descendais l'escalier sans
rampe, à tâtons. Dieu, dans les draps de M. Motté,
dormait avant d'avoir séparé la lumière des
ténèbres. La cuisine : un ventre avec du silence. Le
silence : un enfant qui se faisait. C'était le jour dans
la nuit. Chaque chose veillait sous la paupière de la
nuit. Luxe et superflu du balancier, le temps bouillonnait dans les tiroirs du buffet. J'entrais dans la
chambre où Maurice avait bavardé, ri, fumé, écrit,
causé, j'allumais. Des fleurs, pensais-je en regardant
mes deux valises à soulever. Des valises de fleurs à la
place des valises de saucisson... Je songeais à ce
changement, mon cerveau faisait des bulles, je
léchais les callosités à l'intérieur de mes mains. Le
tic-tac de ma montre à côté de la lumière crue... Je
m'enfouissais dans ce vieux mouchoir, dans cette
vieille loque qui adoucissaient les poignées de mes
valises. Assez tic-tac ! Je préfère le dépôt des trams,
mon bercail après que j'ai bien fait l'amour. Je
soulevais mes valises, je trébuchais, je tombais sur la
chaise près de la table où j'écrivais, je dormais deux
minutes. Je partais et, pour me donner un air de
fête, j'éclairais la cuisine de M. Motté avant de la
quitter. Et puis, et puis. Je me souvenais de la ron-
deur hermétique des choux, de l'assiette de blondeur sur le dessus, je me souvenais de ce qui était à
portée de ma main. La nuit ne me montrait rien, la
nuit ne me prenait rien.

15 septembre 1961. Ma persécution est de la prétention puisque je veux le monde à ma rencontre, le
monde entier sous la forme d'un caillou, d'un étron,
d'une odeur d'excrément, d'un journal souillé,

d'une grappe de raisin écrasée sur ma route, d'un bruit de bêche — présage de la mort. J'ouvre mon porte-monnaie pour y ranger la clef de ma porte, qu'est-ce que je découvre ? Une pièce de 5 francs dans le compartiment réservé aux ordonnances, aux billets, à la prière recopiée qui doit me protéger dans les rues. Cent sous. Je n'oublie pas et n'oublierai pas la fin du film de Jacques Becker. C'est la nuit. Modigliani essaie de vendre des dessins de petit format à la terrasse du *Dôme*. Une gourde en prend un, elle donne cent sous. Modigliani rayonne. La gourde lui rend le dessin. Modigliani s'en va, il s'écroule dans la nuit, sur les soieries de la pluie, il meurt à l'hôpital. Tu ne vois pas le rapport, lecteur. J'ai donné un texte à une revue il y a une dizaine de mois. Il devait paraître, il n'a pas paru, ce retard était valable, il doit paraître ce mois-ci. Ce matin je ne le crois pas à cause de la pièce de cent sous tombée du ciel. Tu n'es pas Modigliani, me disent des branches mortes sur le rocher. Je ne suis pas Modigliani, on ne m'a pas payé le texte avant qu'il paraisse, cependant c'est la même pièce de cinq francs entre le grand Modigliani et la petite Violette. Le texte ne paraîtra pas malgré la lettre lue et relue m'annonçant qu'il paraîtra. Je te tiendrai au courant, lecteur [1]. Plains-moi si j'ai mis les cent sous dans mon porte-monnaie ou si quelqu'un a voulu me tourmenter. Je pense depuis des années que quelqu'un se venge tous les jours, me suce le sang tous les jours. « Vous irez de guêpier en guêpier », m'a dit une amie en tirant les cartes. Voyance de qualité.

J'ai déjeuné de deux tomates en salade, d'un morceau de saucisse rouge fort épicée, d'un œuf dur, d'un morceau de Bonbel, de trois petits gâteaux salés, d'un melon cueilli hier. Votre souffrance n'est

1. Le texte a paru.

pas profonde. Vous ne mangeriez pas ainsi. Vous vous trompez. Je la nourris en me nourrissant. Déjeuner en pleurant sur une épaule qui voudrait me supporter. Je mangeais en demandant l'impossible. Ne gâchons pas le soleil.

Mon trajet à trois heures et demie du matin, de la maison de M. Motté à la gare de Notre-Dame-du-Hameau — pourquoi y aller si tôt ? Pour fuir les inspecteurs, pour éviter les souleveurs de rideaux. Je m'arrêtais tous les dix mètres, je souhaitais être chaque fois un cheval qui ne se relèvera pas. Je tomberai, le faux filet reviendra au bœuf, le gigot au mouton, les œufs aux nids. Le ciel n'était que tristesse. Il fallait lever longtemps la tête pour le chercher, le reconnaître. Crèche consolatrice, odeur rance de mon vieux manteau de lapin sur lequel je frottais mon menton. Le jour roucoulait dans la gorge d'un pigeon de Mme Champion : blancheur annelée d'un son. Je m'engageais sur la route de Notre-Dame-du-Hameau, j'avais peur de fendre la nuit entre les fossés, les taillis, les champs. Carnage, passion de la roue brassant l'eau du moulin. J'étais habitée de clair de lune. Je m'éloignais de ce spectacle de désolation. Des idées ? Des pensées ? Je vivais le retrait des buissons. Une feuille, avant la maison de la raccommodeuse, se détachait de la nuit, tombait sur une branche. Le silence a des trésors. La feuille tombait enfin sur le chemin. Je me reposais, je respirais le froid et la fraîcheur : les deux parfums du jour à naître. Après j'avançais entre des haies de conspirateurs informes. Ne pas frôler les feuillages. Les sombreros dorment. Est-ce que la tourterelle s'éveillera ? Lumière, elle est bleu pâle, elle attend, elle est prête. J'ai vu un bouquet noir. Aurons-nous des brumes lorsque j'arriverai à la gare ? Il fait froid, aurai-je les diamants du petit matin aux oreilles ? Je ne sais. Le bouquet noir est dans le passé. J'ai peur : la nuit ne me couvre pas et j'ai tout à découvrir. Marchons, avançons, donnons-nous du pluriel pour avoir moins peur de la nuit. Victoire, des haies frissonnent. Un moineau, est-ce donc si lourd à supporter ? Pas de transition, c'est un remue-ménage de bruissements. On a la fièvre, on sautille, on ne veut plus patienter. L'aube n'est pas là, des oiseaux la célèbrent déjà, le jour est rumeur avant qu'il se lève : le jour naît. Je traversais Notre-Dame-du-Hameau. Le village dormait, les rues patientaient. Je m'acheminais vers la gare entre les collines, je me rapprochais de la maison... A vendre ou à louer ? Je l'ignorais. Espèce de houlette, espèce de fadaise, espèce de bergerie, lui disais-je en grognant avec amour parce que les brebis du postier broutaient en face d'elle sur une pente de gazon, à la hauteur de ma chambre à coucher si j'avais osé l'acheter, si j'avais osé me renseigner. La vigne sur son mur s'étiolait, les volets étaient bien fermés. Le soleil réchauffait la maison abandonnée jusqu'à réveiller en moi un sentiment d'assiduité. Des rosiers persévéraient. Mes rires d'enfant que je n'ai pas eus, mes rires d'enfant lorsque je voyais les vitres du premier étage à nettoyer. Une chaleur de tablier à carreaux qu'on finit de repasser me montait à la tête. J'arrivais, je prenais la maison dans mes bras, j'avais l'ampleur du jour qui se levait. Je me consolais de la maison que je n'aurai pas, du jardin que je ne cultiverai pas. Je l'écris avec des larmes de sang : je n'aurai pas ma petite maison avant de mourir. J'arrivais à la gare, je la contournais, je revenais sur mes pas, je retrouvais, grâce à un frémissement du jour et de la nuit, mes rails, mes planches empilées. J'avais ma place, j'avais mes habitudes. Je me remerciais d'être parvenue à transporter vingt-cinq, ving-huit kilos pendant quatre kilomètres. Je grelottais après mon effort, je me réchauffais avec l'odeur étiolée de mon manteau. Je dormais les yeux ouverts, ma tête entre mes genoux, dans l'odeur plus vigoureuse de ma jupe de lainage. Le jour se levait, le jour s'était levé, je m'accusais d'infidélité. Je suivais des clartés fort sages, des chants grégoriens entre les arbres au loin : le jour ressemblait à du beau papier. La campagne à une vitesse que je ne pouvais pas suivre, s'éveillait, de la fumée sortait des cheminées. Un pas. Parfois un homme sur la route frottait ses mains, il se mettait au monde. Impassibles, les rails continuaient de dormir. Le train entrait en gare à sept heures. Il était petit, lent et diligent.

Dimanche 17 septembre 1961, dans mon coin du Vaucluse — ma situation de persécutée est-elle pire ou meilleure ? Au réveil une suggestion de papier brûlé ; la même le lendemain. Je sais, l'odorat d'un déséquilibré invente, il a des apparitions. Ce n'est pas une invention de mon odorat. Rappel de la lettre brûlée de Maurice Sachs ? Rappel de la nullité de mes cahiers bleuis par mon écriture avec de l'encre lavable Parker ? Mon travail qui s'en irait déjà en fumée ? Toi lecteur qui me lis, cherche, aboutis. Situation meilleure : Mme D., ma voisine, m'a invitée à déjeuner chez elle. Soixante-dix ans. Discrète, courageuse, pieuse. Présence légère. Croyante et pratiquante avec tact. Mme D. à huit heures du matin hachait pour moi.

Mes gentils voisins, les M., m'ont emmenée à Grignan : nous avons traversé le village de Grillon. Mistral polisson sur la terrasse du château : nos jupes s'envolaient, un prêtre détournait la tête. Quelle terrasse... Mme de Sévigné se levait et, les pieds chez elle, elle embrassait toute la Provence. Sa chambre. Si j'avais de l'argent à la pelle, je m'offrirais un lit à colonnes avec un toit. Il me préserverait des bruits et des regards venant du plafond. Le château ne m'a pas parlé, il n'a pas chuchoté. Les parquets sont trop cirés. Le crachat dans un crachoir de Mme de Sévigné, je ne l'ai pas rencontré.

Mais j'ai retenu l'expression bleu de poudre pour un vase. J'ai molli pour des gavottes, des fauteuils avec un auvent contre les courants d'air. Ils m'évoquaient le fauteuil de plage 1900 dans le film *Certains l'aiment chaud*. Si j'étais ouvrier tapissier, je livrerais mes gavottes deux par deux comme se vendent les couples de pigeons.

Je m'enlisais dans la cuisine des Bême, je m'enlisais dans la cuisine de M. Lécolié. Je me repose, je me distrais, je m'instruis dans la boutique du trio le samedi après-midi. Mon lapin que j'appelle mon lapinusse les emballe. Ils tâtent ce galeux. Je l'aime et j'aime ses plaques de lèpre : nous avons vécu ensemble pendant que je m'enrichissais sous les pluies, les orages, la neige. Il est mon compagnon d'endurance. Le trio m'appelle « ma petite fraise des bois ». Cela me change. Les clients viennent, se renseignent, je stagne à l'ombre du Tout-Paris. Ou bien je pétille, je mousse, je mijote, je jubile le samedi après-midi. Le Tout-Paris se meuble. Les coffrets à musique sont en vogue, chacun veut des meubles nouveaux pour rester chez lui. Assise près de leur bouilloire, à la lisière d'un désordre d'annuaires, d'échantillons, de gâteaux secs, de paperasses, de plaques de chocolat, j'ai chaud aux pieds avec mes godillots, avec mon lapinusse que je porte de trois heures du matin à onze heures du soir, leur radiateur sous la table est doux, il est bon. Mon nez sur la manche de mon manteau qui a la pelade, je cherche des Saint-Loup, des Swann et des Odette Swann. De temps en temps je trouve une ressemblance. Il entre des mendiants et des ombres. Les ombres proposent des albums, des châles, des documents, des éventails. Si les ombres vendent leurs vieilleries, elles partent plus légères. Si les ombres ne vendent pas, elles nous quittent plus lourdes d'une nouvelle déception. Quant aux mendiants, ils referment la porte avec leur content. Romi s'échappe, il vient me dire des gauloiseries élégantes à l'oreille. Je ris à côté de ce qu'il me chuchote. L'autre jour je suis arrivée avec une indéfrisable ratée. « Tiens, mon petit tampon Jex », m'a dit le mari. A midi, il lavait mes cheveux dans leur cabinet de toilette. Je le regarde soigner le déjeuner dans leur cuisine, je vois ce qu'on peut faire avec la viande qu'ils m'ont payée. Je suis leur enfant à tous les trois pendant le repas. « Mange bien », me disent-ils pour me donner ce qu'ils m'ont acheté.

Je ne connaissais pas les escaliers de service. Je les connais, je m'y plais. Ils sont étroits, ils ne sont pas froids. Les odeurs de potage, de viande rôtie, de beignets, de frites, de tartes au four me trouvent et m'envahissent. Je salue des bonnes et des femmes de ménage qui me saluent. « Ça va le commerce ? » me disent-elles en partant aux courses ou bien en rentrant chez elles. Je deviens petit à petit une pierre vivante dans la cour de leurs patrons. Je suis la marchande de toutes ces bonnes choses qu'elles ne peuvent pas s'offrir. Elles s'effacent dans l'escalier.

Je plais à un jeune cuisinier-maître d'hôtel parce que ce que je vends est varié, de bonne qualité. Bientôt il se mariera avec une institutrice. J'entre, je jouis de la clarté et de la gaieté de la cuisine. Cui-cui-cui sur les carreaux de l'évier, cui-cui-cui dans les rideaux, cui-cui-cui jusque dans la glacière. Les fleurs sur sa table sont toujours fraîches, l'apéritif qu'il me sert est frais sans être glacé. Il précise ses menus ; je reconnais au passage ma crème, mon beurre, mes volailles. Ce qu'il voudrait, c'est être fourni pour le dîner suivant. Et me voici mangeant un morceau de ce gâteau à la fin du grand dîner de la veille. Il m'emmène dans la salle à manger, il me laisse avec les massifs d'hortensias sur le tapis. Je suis sensible à ce vitrage qui a été coupé pour mieux voir la Seine. Si je tendais les bras, j'aurais l'eau du fleuve dans ma main. Un autre apéritif ? Non merci. Je sais me tenir dans une cuisine. J'ouvre mes valises, nous pensons aux choses sérieuses.

J'eus un noyau de clients dans l'immeuble somptueux du vieux docteur. Ils m'accueillaient à bras ouverts, ils voulaient que je leur raconte ma vie et mon labeur. J'ajoutais que j'écrivais pour être considérée.

— Dites-moi qu'il ne sera pas trop petit...

Le chirurgien joignit les mains pour réfléchir.

— Ce serait ridicule, dit-il.

Ses grandes mains étaient fortes, le sien était puissant.

— Il sera bien ? Vous me le promettez ?

— Enfin madame ! J'ai l'habitude.

— C'est vrai. Je m'excuse.

— Je vais le photographier, dit-il.

— Le photographier ? dis-je, ahurie.

— Venez, dit-il avec plus de douceur.

Debout dans son bureau, le chirurgien me scrutait. Il perdait son temps avec une radoteuse, c'était visible.

— La plaque est prête, dit-il.

Maintenant son insistance ressemblait à une menace.

Je le suivis avec malaise comme si la partie avait été déjà perdue. Brûlante à force de mauvaise humeur, je posai dans une salle pleine de classeurs et de dossiers. Je voulais m'en séparer ; je ne voulais pas qu'il me le rendît sur du papier.

Nous revînmes dans le bureau.

— Asseyez-vous, me dit-il comme si un grave procès ne faisait que commencer.

Je lui déplaisais.

— Voulez-vous dans huit jours ? dit-il en joignant encore les mains.

— Dans huit jours ? dis-je, prise de court.

— Sinon je devrai vous reculer d'un mois...

Un mois. Un mois pendant lequel je l'aurais eu bien à moi, tout à moi en entrant dans un bar, dans un restaurant. Il me manquera. C'est un vieux collage. Il me porte en avant. C'est ma proue et c'est ma galère.

— Dans huit jours à neuf heures du matin, dit-il.

Je me mis à avoir peur du coton, du sang, de mon enterrement.

— Dans huit jours si vous voulez, dis-je, abattue.

Après tout je n'avais pas les menottes aux poignets. Je pouvais disparaître, je pouvais continuer de stagner dans le bourbier de mes souffrances.

— C'est vingt mille francs.

La somme m'encouragea. Elle me revalorisait. Mes valises, mes cabas, passèrent au loin, mes chéris, dans une surimpression.

Cela recommençait :

— Il sera moyen ? Il sera net ? Je le voudrais un peu tendu, un peu sur la défensive. A peine. Oh ! à peine. Un peu enfantin aussi...

— Madame, je vous l'ai dit. Avez-vous confiance ?

— Pas beaucoup.

— Levez-vous !

J'obéis. Etre faible, être forte, espérer, désespérer devenait dans son bureau une gymnastique atroce. J'étais debout, j'étais en lambeaux. Parce que je voulais l'impossible : me transformer sans le prêter, sans abandonner mes bons vieux moments de chagrin.

Le chirurgien le tenait à pleine main, il l'étudiait.

— C'est faisable, dit-il comme si je venais d'entrer dans son bureau, comme si je finissais d'exposer mes exigences.

Sa main experte retomba.

— Je serai contente ? dis-je d'une voix bêlante.
— Pourquoi ne seriez-vous pas contente ?
Ce conditionnel mettait fin à tout.
— J'ai tant souffert, dis-je.
Il ne répondit rien.
— Dans huit jours, dis-je pour m'en sortir.
Je ne croyais pas à notre poignée de main.

Un diagnostic nous renouvelle. Notre corps aussi a besoin de franchise. Quel ordre lorsque je me retrouvai dans la rue. Je recommençais de vivre avec moi-même comme si je m'étais quittée pendant vingt ans. Je pris du plaisir en me poudrant, en me regardant. Ma protubérance n'était plus la machine qui torturait ma tête et mon cœur. Je choisis un prétexte pour ne pas me décider : la somme qu'il demandait. Un minois remit tout en question. Plaire, oh plaire jusqu'à ce qu'on vous emmène sur une civière. Je rêvai : obtenir un sourire charmant du poinçonneur de mon billet de métro. Interrompre les gourmets, lorsque je traverserai une salle de restaurant. Fleurir, rayonner à la sortie des écoles, pour les écoliers. Quel est ce petit enfant qui jouait, qui ne peut plus baisser les yeux ? Ton amoureux, ma petite. Prix : vingt mille francs.

La veille au soir je me préparai dans la chambre d'hôtel. Bernadette téléphona, elle me demanda si j'étais toujours décidée. Je lui répondis oui : ce n'était pas vrai. Je changeai d'avis une centaine de fois pendant ma nuit d'insomnie. Je l'enfermais entre mes deux mains jointes, je le reprenais aux ténèbres. Nous serons vieux ensemble, me disais-je, nous irons anonymes et assoupis sans réveiller la cruauté et la bêtise. Je revenais au sofa 1900 entouré de dadais en habit pour une beauté style Poiret. Ces yeux immenses, ellipses charbonneuses, ce turban, ce buste emperlouzé pourquoi ne seraient-ce pas mon buste, mes yeux, ma fatalité ? Goinfre, il me fallait des provisions de beauté démodée. Je m'endormis à sept heures du matin après avoir décidé que je ne perdrais pas une goutte de mon sang et que j'économiserais vingt billets.

Le téléphone sonna :

— Vous nous avez demandé de vous réveiller, dit la gérante.

Je me rendormis.

Le téléphone sonna.

Bernadette s'inquiétait. J'avais déjà une heure et demie de retard. Elle serait dans ma chambre avant dix minutes. Si je me sauvais de l'hôtel, si je me sauvais de Paris... Anéantie, la bouche pâteuse, je m'habillai sans y croire. Bernadette entra et me gronda. Je quittai l'hôtel la mort dans l'âme. Je me traînai avec Bernadette, qui m'annonça au personnel. Une dame en voile blanc m'emmena dans une chambre et dit avec reproche de me mettre en chemise de nuit. Etais-je dans une chambre ou sur un radeau qui ne bougeait pas ? Midi sonna un peu partout. Quoi faire ? Je sortis, j'errai en chemise de nuit dans un couloir désert. Rien, personne. Je partis à l'aventure, et sans la vouloir, sans la chercher, j'arrivai dans la salle. Etait-ce une tactique ? On m'ignora.

— Je suis venue, leur dis-je.

Ils ne répondirent pas.

Je montai sur l'escabeau en fer, je m'allongeai tant bien que mal sans qu'ils m'aident. Le chirurgien, je le reconnus lorsque je fus prête. Je fermai les yeux. Je me l'étais promis.

— J'ai tant souffert, dis-je.

Sous mes paupières baissées, je parlais d'abord aux astres.

— Si vous saviez comme j'ai souffert...

Je me rendais au bruit des boîtes en métal, à celui des seringues.

— Ils se moquaient, dis-je à ces bruits.

Première piqûre à l'improviste dans ma narine.

Tiens, reçois ça puisque tu as souffert, me dit l'aiguille.

— Ils ne se moqueront plus, n'est-ce pas...

Je parlais à ma bouche qui s'affaissait. Tiens, reçois encore ça puisque tu as tant souffert, me dit l'aiguille avec la deuxième piqûre.

— Je serai comme les autres...

— Taisez-vous, me dit le chirurgien.

Mon nez que je détestais... il souffre plus que moi. Je ne veux pas, je ne veux pas ; je ne veux pas m'en séparer. Arrêtez les piqûres, arrêtez. Je ne peux plus parler. Troisième piqûre, quatrième piqûre je m'en vais. C'est de la torture. Combien de piqûres ? Dix ? Douze ? Je veux compter, je veux... Jusques à quand souffrirai-je ? Je m'en vais jusqu'à la prochaine pique... je m'en vais...

Je me réveillai dans un lit. Divine minute du réveil après une opération. Nous sommes intacts, je veux dire sans passé. Après revient cette souffrance que nous créons. J'avais de la bouillie dans mes pansements, je me rendormis. Le soir le chirurgien est venu me voir sans desserrer les dents. Mon pouls lui convenait.

Je vivais couchée sur le dos, j'apprenais à sourire pour sentir les fils avec lesquels était cousu mon nouveau nez.

— Je voudrais le voir, dis-je au chirurgien le sur-lendemain.

— C'est trop tôt, me dit-il.

Ma main frôlait souvent les pansements pour le deviner, pour espérer de plus près. Je me levais, je voyais dans la glace un coussin informe au milieu de mon visage. Mes petits yeux, mes cernes bleus m'effrayaient. Quel monstre ! soupirais-je. Les pansements me réconfortaient. Un miracle était à l'abri dans du coton hydrophile. Il suffisait de patienter. Les pansements tomberont...

Les pansements tombèrent. Il me donna un miroir, il sortit de la chambre.

Je ne reconnaissais pas cette vieille femme avec un gros nez, le même qu'avant. Un peu moins long ? Un peu moins ridicule ? Il me vieillissait et me durcissait.

Le chirurgien rentra plus tard dans la chambre et me demanda si j'étais satisfaite. Je répondis oui comme si j'allais expirer.

Les chairs étaient gonflées, tuméfiées, je pouvais encore espérer. Je n'espérais pas. Je m'étais prise en horreur. J'avais donné vingt mille francs pour ressembler à une vilaine pierre. Je demandai à sortir de la clinique pour me perdre dans les sentiers et les bois. Il enleva les fils et me dit que je devrais protéger du froid, avec de l'ouate dans un mouchoir, ce nez remanié. Le garçon d'hôtel vint me chercher. C'était un simple et un saint. Il me choya dans le métro, dans la rue, au café, sans me demander pourquoi je parlais derrière un gros mouchoir. J'étais tiraillée par des narines recousues mais je pouvais pleurer. Dès que je pleurais je me retrouvais et je retrouvais mon nez démesuré, candide. Bernadette me complimenta, je lui dis ce que je pensais. Deux jours après être sortie de la clinique, je battais les campagnes en tenant mes cabas d'une main, de l'ouate dans l'autre. Le froid était vif. Février, si je me souviens bien. J'expliquais qu'un médecin avait remis à sa place normale une de mes cloisons nasales pour que je respire mieux. Des mois passèrent, mon nouveau nez me déplaisait de plus en plus. Je réclamai, le chirurgien me montra la photographie qu'il avait prise avant. Un an après, j'entrai au bar *Le Montana* avec Bernadette. Elle salua Jacques Prévert. Nous prîmes place à deux pas de sa table. « C'est sa bouche, ses yeux, ses pommettes qu'il faudrait rectifier », dit-il à ses amis en me regardant.

Je ne recevais plus de lettres de Maurice. Il ne m'avait presque rien dit de son existence dans une garçonnière de Hambourg. Vivait-il encore après le bombardement de la ville ? Il m'envoya un mot, le dernier : « Ne vous tourmentez pas. Je suis sain et sauf. » Je me dis aujourd'hui : Est-il possible que le portraitiste de Lodève m'ait écrit ce mot rassurant ?

J'étais dans le train avec mes valises pleines de viandes et de beurre, nous approchions de Paris. Des avions anglais rasèrent la toiture du train. Je me dressai, je criai dans le compartiment plein de voyageurs. Deux mains d'homme s'abattirent sur mes épaules : pas de panique. Je me rassis et la grêle tomba sur le toit du train. Tous se jetèrent sur le plancher. Je criai encore, je poussai afin de m'abriter sous la banquette. « Tenez-vous », me dit ma voisine à quatre pattes. Les avions remontèrent. Les voyageurs reprirent place, ils parlèrent de la pluie et du beau temps en me dévisageant avec dégoût. A mon retour, j'appris au village qu'on fermait les gares. Le bétail se noyait dans l'herbe, les fermières trempaient leur linge dans le laitage. Les prix montèrent en flèche à Paris, ils baissèrent à la campagne. Les cyclistes s'organisèrent. On donnait le beurre aux cochons ou bien on le jetait sur le fumier. Je stockai dans la maison de M. Motté, oisive et désœuvrée.

La demoiselle qui tenait l'harmonium m'apprit que Gérard avait été emmené avec son frère et sa mère. Gérard se plaignait souvent de son frère, un zazou. Pris dans un bar à la mode pendant une rafle, le zazou fut forcé de donner son adresse. L'ennemi les arrêta tous les trois.

Un après-midi de calme, de soleil, de roses trémières dans leur tour d'ivoire, alors que je finissais de butiner des nouvelles chez les Bême délirants d'optimisme et de les offrir aux Lécolié, je rencontrai Fernand étincelant de linge blanc et de fougue. Il « montait » à Paris avec un chargement de beurre sur son vélo. Tout le monde avait peur pour lui. « Vous ne devriez pas rouler en ce moment, lui dis-je. Patientez, c'est la fin. » Il haussa les épaules et alla se préparer. Fernand était un cabochard.

« Ce sera un orage comme on n'en a jamais vu », me dit M. Motté à huit heures du soir.

Cet orage mûrissait depuis six heures. Le ciel bleu marine se penchait avant de nous cingler. Je rongeais mon frein à côté de cent cinquante kilos de beurre invendus. M. Motté, de temps en temps, ouvrait la porte de la chambre dans laquelle je dépérissais. C'est la fin de votre trafic, criait son œil rond, et je suis bien content. M. Motté me signifiait que la guerre finirait, qu'il aurait de nouveau la jouissance de sa pièce dans laquelle refroidirait la chair fraîche de ses bêtes. Je poudrais mon nez, j'espérais un secours de ce simulacre de frivolité. Je sortis, je respirai à pleins poumons. Le silence était lourd, la lumière sombrait. Les lointains prophéti-saient et quelqu'un m'appela sur la place. La fille du vieux maire me cherchait. Une de ses connais-sances était arrivée en auto pour trouver de la matière grasse. « Si vous lui donnez la moitié de votre stock, il vous emmène ce soir avec votre mar-chandise », me dit-elle. Le prix du voyage était considérable. Elle ajouta que j'avais une demi-heure pour me décider. Je rentrai, je me tourmentai pour mon gant gonflé de billets de banque. Si c'était un bandit, s'il me dévalisait...

L'auto s'arrêta à huit heures et demie du soir devant la barrière de M. Motté. Tout le monde était dehors pour me voir sortir avec mes ballots que le conducteur cacha sous un faux plancher. Nous tour-nâmes au coin de chez Mme Meulay, il me demanda de lui indiquer des petites routes protégées des convois. L'occupant commençait de reculer, surtout la nuit. Je me méfiais de ce début trop rassurant. Comment était cet homme ? Je cherche. Je ne retrouve ni son corps ni son visage. J'avais peur de sa main dès qu'il la soulevait du volant pour changer de vitesse. La campagne s'endormait sous la menace de l'orage, le vent était absent. C'était paisible et c'était un drame cette attente du drame. Le conducteur évita un petit lapin de garenne assis au milieu du chemin. Sa candeur et son étourderie dans l'atmosphère orageuse me tirèrent des larmes. Je n'en croisai pas moins mes mains sur mon sac de toile grise : je protégeais mon argent. Il refusa une cigarette, je pris peur. Il gardait ses distances pour mieux m'étrangler ou me jeter hors de la voiture après m'avoir tout pris. Son visage calme ne correspondait pas avec mes frayeurs. Il se taisait : il s'appliquait à suivre des routes ravinées. La pluie tomba drue, torrentielle. La campagne se réveilla pour exahler un parfum de feuilles vertes et d'acier. L'inconnu leva la vitre à cause de cette pluie en furie. Nous roulions déjà dans une rivière, un jet boueux éclaboussait le pare-brise.

— Il faut nous arrêter, dit-il.

Il quitta la route, il s'engagea dans un pré avec des pommiers, il éteignit les phares, il ralluma les phares, il coupa le contact. Il m'annonça qu'il ne pouvait plus rouler dans ce déluge, qu'il se reposerait un moment. Ses mains restèrent sur le volant, il s'endormit au son de la pluie qui s'organisait. Il dormait, une longue pluie piquait la vitre du pare-brise. Je me distrayais avec l'étoile de chaque goutte qui rebondissait sur le métal chromé.

Depuis un moment je m'étais habituée à ce sourd grondement des convois sur une route au loin. Maintenant je l'écoutais, interminable sous la pluie d'orage. La condition de ces soldats, des ennemis ou des alliés, était si lamentable que je ne faisais plus de différence entre un régiment, une pluie torrentielle, des pommiers trempés d'eau, un pare-brise mouillé.

J'ai sursauté, j'ai secoué l'inconnu endormi :

— On veut vous parler...

L'officier allemand dans son ciré sur lequel glissaient des ruisseaux attendait près de la portière. L'inconnu baissa la vitre, l'officier salua comme s'il se trouvait face à face avec un autre officier. La pluie rebondissait sur la main disciplinée. Il nous demanda en français une route que nous ne connaissions pas, il nous remercia en saluant. Je n'entendis pas le floc de ses bottes quand il s'en alla retrouver le convoi. Le sourd grondement fini, nous repartîmes. L'aube fut triste, les habitants se terraient dans les maisons.

— Bientôt vous boirez le café chez nous, me dit-il. Nous sommes à 90 kilomètres de Paris.

Le soleil ne se leva pas et une tristesse opaque enveloppa les moissons.

Son toit à Ivry-la-Bataille me laissa indifférente. Je tombais pourtant dans l'intimité d'une famille. La grand-mère habillait ses petits-enfants, la jeune femme en peignoir préparait le Banania. Nous échangeâmes trois mots et il insista pour que je boive une tasse de café. Nous repartîmes, nous traversâmes des banlieues désertes, lourdes de pressentiment.

Arrivé dans son garage, il m'apprit qu'il me ramènerait en auto à la fin de la semaine jusqu'à Ivry-la-Bataille.

Les passants disaient que le métro fermerait bientôt ses portes. La fièvre des bicyclettes montait, des jeunes filles intrépides, la jupe au vent, la sacoche en bandoulière, roulaient « en danseuse », libres et hardies, comme des porteuses de missions. Paris dans ses rues calmes était un oiseau replié. Je rencontrais des maigres, de blêmes, des sous-alimentés, je les enviais. La fin de l'occupation approchait, ils étaient déjà récompensés de leurs privations. J'étais seule avec mes billets. « Rentre en toi-même et cesse de te plaindre », dis-je soudain à voix haute pour être deux fois seule et deux fois grotesque dans une ville qui commençait de retenir son souffle. La gérante m'apprit que la chambre qu'elle me gardait chaque semaine n'était pas libre, que je devais en chercher une autre. Je compris qu'elle se débarrassait d'une trafiquante. Je n'insistai pas. Une cliente, dans l'immeuble somptueux du vieux docteur, accepta de m'en prêter une avec un cabinet de toilette, une cuisine. Non je ne revenais pas habiter dans la chambre de Gabriel. Je ne voulais pas le revoir, je ne voulais pas me retrouver dans les vapeurs de la paresse. Le beurre se vendit vite et fort cher.

Je régnais sur un désert de routes goudronnées, de prairies, de blés à couper, de chapelles, de clochers après qu'il m'eut ramenée en auto à Ivry-la-Bataille. J'avais 75 kilomètres à couvrir à pied. Parti le bétail, cachés les habitants, disparus les animaux des basses-cours. J'étais le premier et le dernier être humain dans l'angoisse, le silence et le malheur de mon pays. Je marchais d'un bon pas sans dire bonjour sans dire merci. Allumer une cigarette dans ce désert d'arbres, de jardins, de tas de graviers, de châteaux d'eau, c'était trop. Sources et fontaines suffisaient comme passe-temps. Je ne voulais pas écouter le chant de l'oiseau, ce chant implacablement inconscient.

Je m'engageai sur une route étroite, je vis de loin un petit bois à droite avec des bâches bariolées de vert et de marron. Je supposais qu'elles camouflaient des munitions entre les arbres. Une sentinelle avec son fusil sur l'épaule gardait le bois, elle

me regardait avancer et me rapprocher d'elle. Je
marchais de l'autre côté de la route mais je ne pouvais pas reculer. Un officier se montra entre les
arbres, il me regarda aussi. Je le devinais : j'étais
pour eux une espionne trop audacieuse. J'étais une
solitaire marchant d'un pas régulier sur les routes
au moment où les civils vivaient dans les caves, dans
les abris. Ils ouvrirent de grands yeux. Je passai
devant eux sans les regarder, sans regarder le bois
plein de munitions camouflées. J'entendais la sentinelle. Elle parlait en allemand à l'officier. Je vis
entre mes cils qu'elle commençait à me mettre en
joue avec son fusil. Passer devant eux en me cram-
ponnant à la ligne d'horizon, en me donnant
l'apparence et la silhouette d'un don Quichotte en
jupons, c'était m'accorder la chance de n'être pas
fusillée à bout portant. Vivre sa mort. Je l'ai vécue
en attendant la balle dans mon dos. L'officier
répondit à la sentinelle. Je compris sans savoir
l'allemand que je ne valais pas une balle.

Je marchai de huit heures du matin jusqu'à sept
heures du soir sans boire, sans manger, sans m'arrêter. Hallucinée depuis quatre heures de l'après-midi
par la distance qui me restait à couvrir, j'avançais
avec la peur de m'écrouler si je ralentissais. Mes
jambes enflaient, mes muscles se tendaient dans un
brasier. Je m'arrêtai dans un grand village. J'avais
couvert 45 kilomètres. Mes jambes continuaient
d'enfler au restaurant. Je grignotais, je songeais aux
précautions de ma grand-mère lorsque j'étais jeune
et frêle, je trouvais la force de sourire. Mais il fallut
me lever à la fin du repas. Je pris la table à deux
mains. Mes jambes étaient des barres de fer rouge.
Elles n'obéirent qu'après trois quarts d'heure
d'efforts. Pliée en deux, je parvins à me traîner
jusqu'à la chambre qu'une institutrice me prêtait
pour la nuit. Le battement ne cessa pas dans mes
mollets pendant ma nuit blanche. De puissants

avions rasaient le toit. Le lendemain je mis douze heures pour couvrir 24 kilomètres. Le troisième jour, je fis les six derniers en six heures. M. Motté poussa un cri de surprise. Le village me croyait disparue pour toujours. Je devins célèbre aussitôt mon retour ; les jours suivants, je dus montrer mes jambes à de nombreux visiteurs. Je décevais parce qu'elles n'étaient plus enflées. J'oubliai ma fatigue lorsque j'appris que Fernand était en prison à Paris : il avait été arrêté sur une petite route. Il roulait à vélo avec une bande d'amis. Tous portaient du beurre à Paris. Une auto décapotée remplie de soldats ennemis avait débouché à un carrefour, suivi la bande de cyclistes, tiré à blanc pour qu'elle s'arrêtât. Tous s'étaient arrêtés sauf Fernand. Les soldats avaient tiré une deuxième fois à blanc en poursuivant Fernand. Ils l'avaient emmené dans leur auto et ils avaient oublié les autres. Le village était consterné. Pourquoi ne m'avait-il pas écoutée, ce gosse buté pour lequel chacun pleurait sans larmes ?

L'automobiliste revint me prendre avec une autre cargaison. Il était soucieux. Nous nous taisions, nous ne voulions pas partager notre angoisse.

— Il pleut au loin, lui dis-je alors que nous approchions de Paris.

— Je ne crois pas qu'il pleuve, dit-il.

Cinq minutes plus tard, des balles criblaient un champ de blé, des avions planaient comme des corbeaux. Nous descendîmes de la voiture, près d'une maison. Une femme courait jusqu'à l'abri qu'elle avait creusé.

— Prenez-nous, cria l'automobiliste.

— Il n'y a pas de place, répondit-elle sans se retourner.

Nous nous couchâmes à plat ventre dans les blés. Deux minutes après les avions remontaient. Je lui dis que je comptais rester à Paris : c'était une folie de circuler sur les routes. Nous apprîmes que nous avions vu et entendu la fin du bombardement de Trappes.

Deux semaines après les Alliés entraient dans Paris.

21 août 1963. Vite lecteur, vite, que je te donne encore ce que tu connais : ce mol océan des campagnes, le foin coupé, les vagues qui se reposent avec des distances entre elles. On a fané, la luzerne comme un corps avide de bronzer s'offre à la chaleur. Vite lecteur, que je te donne ce que tu rencontrais quand tu venais. On a labouré ; la terre bouleversée est gris clair. S'en va à la dérive sur la tempête dans les labours, et sans remuer, une simple branche d'olivier. Branche morte, satinée, éclairant une autre branche calcinée. Soleil voilé, concert de feuillages qui a commencé piano, piano, c'est le vent amoureux de l'arbre. Toutes les feuilles aimées pour le brassage d'une harpe. L'été, chaque jour à quatre heures de l'après-midi, est englouti. Août jusqu'ici est indécis, l'automne de novembre souvent nous envahit. Cinq heures, il fait sombre, le berger se met en route. De crépuscules, de brumes tendues entre les genêts stériles, le berger est tout vêtu. Il va, il songe à côté de la houle de cette terre labourée plus pâle que mes cheveux cendrés. Des cigales chantent derrière un paravent et je suis assise à la place où je commençais mon récit. Comment le finir ? Est-ce que le récit de ma vie est fini ? Est-ce que je vais te dire au revoir ou adieu, lecteur ? Je l'ignore.

Revenons à 1944. J'ai trente-sept ans, la guerre se termine. De nouveau je végéterai si je vis à Paris. Où vivre ? M. Motté est mort, paraît-il, et je dois fuir la Normandie. Demain j'ouvrirai la porte de la chambre que j'avais abandonnée, j'aurai ma clef dans une main et l'acte de mon divorce dans l'autre. J'ai été en éclaireur dans mon quartier. Gabriel se remarierait... Je l'appris, je souris à l'arche du temps. Un arc-en-ciel me sourit aussi. Demain j'ouvrirai la porte de ma chambre, je me séquestrerai. C'est le blé qui me faisait sortir en toutes saisons. La table sur laquelle j'apprenais à écrire des nouvelles de magazine est prête. Serai-je au rendez-vous ? Ecrirai-je encore ? Bernadette se promène avec mon manuscrit dans Paris, elle veut qu'il paraisse. Maurice Sachs me mènerait à la table, il ouvrirait le bal. Qu'est devenu Maurice ? Il est au Liban, il est en Orient, il reviendra le jour où je l'attendrai le moins. Je n'en doute pas. Il ne m'en veut pas. Il aura fui. Il se débrouille dans un des pays dont il rêvait. Nous gaspillerons l'argent que j'ai gagné, Maurice. Qu'est-ce que je suis devenue en quelques jours ? Une marchande qui fait faillite. Je devrais acheter de l'or. Je n'ose pas. Les placements que je ferai passeront, je le devine, comme l'herbe des champs. Paris m'enlèvera mon bas de laine, ma passion. Paris m'effraie. Je fuis à chaque coin de rue la chauve-souris. Peine perdue. Elle me prend, elle m'étouffe et referme ses ailes. Son velours c'est ma paresse, c'est moi de nouveau à Paris. Hier j'ai dit à ma mère en sortant du cinéma : « Aide-moi à trouver une gérance, aide-moi. Je veux gagner. » M'aidera-t-elle ? Gagner. Mais qu'est-ce que j'ai donc gagné jusqu'ici ? Je suis si pauvre à Paris... A la campagne, j'étais riche. Je le comprends près des fumées et des cheminées. Le bel argent pour lequel j'aurais mangé ma merde, qu'est-ce que c'était ? La fleurette, le bouton d'or que ma botte évitait. Oh !

ce beau louis d'or hautain de la fleur de pissenlit dans le pré... C'était elle qui faisait monter la valeur de mes billets. Comique, désespérant ce tombeau de mes bénéfices dans ma valise beige. Avare je suis, avare je serai. J'aime tout sans profondeur. Pourtant, lecteur, pourtant. Je te donne sans compter l'émoi derrière la calotte du Ventoux le 21 août 1963 à sept heures et demie du soir. Cette douceur rose n'était même pas une suggestion de timidité. Crois-le : je me saignerais, si c'était ainsi que je pouvais t'offrir ce raffinement d'une dragée. Mon amour, dis-je aux nuances du ciel. A ce moment Dieu entend. A la Bourse ils criaient, ils hurlaient, des nuages passaient lourds comme des Mérovingiens, et moi je voulais m'enrichir pendant la guerre. Je voulais m'en sortir. Me sortir de quoi ? Du mépris des autres que j'imaginais. La société... être considérée... J'aime ça, j'aimais ça. Trafiquante, je montais quand même sur le premier échelon. Fernand tendait son briquet, nous allumions nos cigarettes, l'échelle de la société s'écroulait. Où est Fernand ? Reviendra-t-il ? Son rire ressemblait parfois à un roucoulement. Où est Maurice ? Est-ce que je l'aimais ? J'aimais son intelligence, sa drôlerie, sa bonté, son rayonnement, sa générosité. Séparée de lui, je n'aime plus ses faiblesses, ses misères, ses plaies. Je me demande si j'aimerai un autre homosexuel. C'est probable. Piétiner, voilà ma débauche. Je suis venue au monde, j'ai fait le serment d'avoir la passion de l'impossible.

1944. J'ai trente-sept ans. Je suis presque une quadragénaire. C'est bizarre, je ne suis pas triste. Je vieillis, donc je souffrirai de moins en moins. Je n'ai rien eu et je ne possède rien. J'oubliais : j'avais un enfant, c'était un garçon bien bâti, selon le médecin. Parti aux vidanges de l'avortement, mon bel enfant. Isabelle est au Louvre. J'irai la voir. Hermine, je la vois souvent. Elle était grande, elle a grandi. La lueur, le couchant, la plage plus immense que tous les pays du monde, que de nouveau je contemple du pont d'Arcole, c'est elle. Ma mère se prépare à quitter Paris pour toujours. Nos amours seront du feu sous la cendre. Quant à Fidéline, c'est ma reinette qui ne vieillit pas. Julienne émigre dans le Midi. J'ai trente-sept ans, je peux pleurer encore longtemps. Le dimanche je me promènerai seule, je puiserai mes larmes aux sources, aux rivières, je mordrai au fruit de mes désolations. Rançon de ton égocentrisme, ma petite. Intelligente je ne le suis pas, je ne le deviendrai pas. Mise au point cruciale. Sainfoin, sable, matelas, carrelage, voici que je plonge, en 1944, dans l'abîme de l'onanisme... ils sont tous partis.

Je réfléchis : ma richesse et ma beauté dans les sentiers de Normandie, c'était mon effort. J'allais jusqu'au bout de mes résolutions, enfin j'existais. Je réussissais, le courage m'égarait. Je peinais, je m'oubliais. Qu'est-ce que j'aime de tout mon cœur ? La campagne. Les bois, les forêts, que je commence à apprécier, que je quitterai. Ma place est chez elle et chez eux. Je me tromperais si je m'installais ailleurs. Voilà pourquoi je serai toujours une exilée. Vieillir, c'est perdre ce qu'on a eu. Je n'ai rien eu. J'ai raté l'essentiel : mes amours, mes études. Aimer la lumière. J'avais seize ans, je préférais la lueur d'une bougie au-dessus du livre. J'ai trente-sept ans, je préfère le soleil sur une falaise de craie.

22 août 1963. Le mois d'août aujourd'hui, lecteur, est une rosace de chaleur. Je te l'offre, je te la donne. Une heure. Je rentre au village pour déjeuner. Forte du silence des pins et des châtaigniers, je traverse sans fléchir la cathédrale brûlante de l'été. Il est grandiose et musical mon raidillon d'herbes folles. C'est du feu que la solitude pose sur ma bouche.

*Cet ouvrage
a été achevé d'imprimer
sur les presses de l'Imprimerie Bussière
à Saint-Amand (Cher), le 13 février 1972.
Dépôt légal : 1er trimestre 1972.
N° d'édition : 16296.
Imprimé en France.
(1291)*